마법같은 블록구문

삶을 바꿀 영어 학습의 혁명!
컬러 과학과 의미 기억의 힘!

Marvel Book

김승영 고지영

필수편

영어문장 완전정복의 경이로운 안내서
문제 풀며 즐기는 동서고금 명문장 향연

visang

저자

김승영 연세대 영어영문학과 졸업
연세대 교육대학원 영어교육학과 졸업
전 계성여고 교사
'한국 영어 교재 개발 연구소' 대표
저서 뜯어먹는 중학·수능 영단어 시리즈(동아출판)
주니어 능률 VOCA 숙어편(NE능률) 외 다수

고지영 서강대 영어영문학과 졸업
서울대 사범대학원 영어교육학과 졸업
'한국 영어 교재 개발 연구소' 책임 연구원
저서 뜯어먹는 중학·수능 영단어 시리즈(동아출판)
주니어 능률 VOCA 숙어편(NE능률) 외 다수

감수

우성희 연세대 영어영문학과 졸업
영어학 박사 / 일리노이주립대 객원학자
교과서도서 검정심의회 검정위원
현 대일외국어고등학교 국제교육부장
현 서경대학교 교양학부 겸임교수

검토·강의 Jay 전홍철

검토 Richard Pak(영문 교열)

김세훈	김인수	오석우
장현희	윤수진	권태영
김민정	송태경	명가은
이성윤	이시현	이미현

개발 박진영 송지연

디자인 명수진 김민주 박광수

발행일 2020년 12월 1일
펴낸날 2020년 12월 1일
제조국 대한민국
펴낸곳 (주)비상교육
펴낸이 양태회
신고번호 제2002-000048호
출판사업총괄 최대찬
개발총괄 채진희
개발책임 구세나
디자인책임 김재훈
영업책임 이지웅
품질책임 석진안
마케팅책임 김동남
대표전화 1544-0554
주소 서울특별시 구로구 디지털로33길 48
대륭포스트타워 7차 20층

마법같은 블록구문

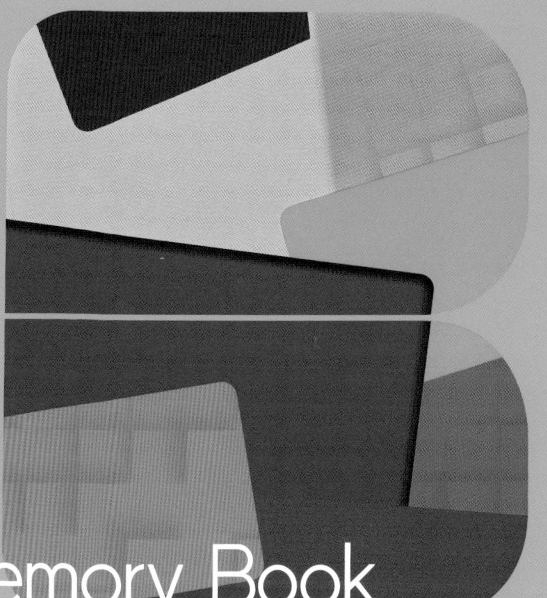

Memory Book

김승영 고지영

필수편

1050 문장 휴대용 암기장
언제 어디서나 함께하는 삶의 반려서

visang

자르는 선

마법같은 블록구문

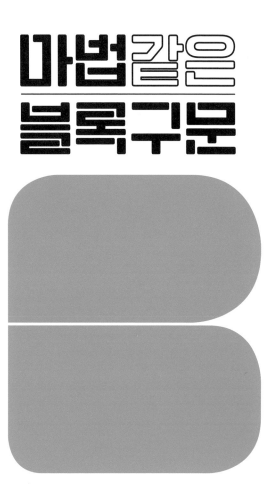

Memory Book 필수편

Stage I

영어문장 구조와 동사

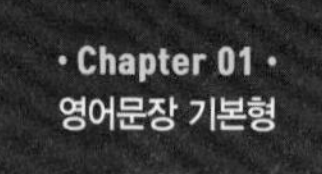

Unit 01 영어문장 1형

S TANDARD

01-01 Absolute power corrupts absolutely. *John Acton*
절대 권력은 절대 부패해.

01-02 Love does not appear with any warning signs. *Jackie Collins*
사랑은 경고 표시를 하고 나타나지 않아.

01-03 There is nothing permanent except change. *Heraclitus*
변화 외에 영원한 건 아무것도 없어.

A

01-04 Democracy always wins in the end. *Marjorie Kelly*
민주주의는 늘 마침내 승리해.

01-05 I stand on the shoulders of giants. *Isaac Newton*
나는 거인들의 어깨 위에 서 있어.

01-06 In human society, the warmth is mainly at the bottom. *Noel Counihan*
인간 사회에서 따뜻함은 주로 가장 낮은 곳에 있어.

☺ **01-07** We are drowning in information, **but** starved for knowledge. *John Naisbitt*
우리는 정보에 빠져 죽으**면서도**, 지식에 굶주려 있어.

B

01-08 True enjoyment comes from activity of the mind and exercise of the body. *Wilhelm Humboldt*
진정한 즐거움은 정신 활동과 신체 운동에서 나와.

01-09 Nothing exists for itself alone, but only in relation to other forms of life. *Charles Darwin*
아무것도 스스로 혼자 존재하는 게 아니라, 다른 종류의 생명체들과 관련해서만 존재해.

01-10 The excellence of a gift lies in its appropriateness rather than in its value. *Charles Warner*
선물의 뛰어남은 가격에 있기보다는 적절성에 있어.

01-11 Under the beautiful moonlight, there remains no ugly reality. *Mehmet Ildan*
아름다운 달빛 아래, 추한 현실은 남지 않아.

C

01-12 We arrive at the various stages of life quite as beginners. *Rochefoucauld*
우리는 완전 초보자로 삶의 여러 단계[시기]에 이르러.

01-13 Circumstances don't matter; only my state of being matters. *Bashar al-Assad*
상황은 중요하지 않아. 오직 나의 존재 상태만 중요할 뿐이야.

01-14 A nation's culture resides in the hearts and in the soul of its people. *Mahatma Gandhi*
한 나라의 문화는 민족의 마음과 영혼 속에 살아 있어.

☺ **01-15** Some people drink from the fountain of knowledge; others just gargle. *Robert Anthony*
어떤 사람들은 지식의 샘에서 마시는데, 다른 이들은 그저 양치질해.

Unit 02 영어문장 2형

STANDARD

02-01 Language is a process of free creation. *Noam Chomsky*
언어는 자유로운 창조 과정이야.

02-02 A dream becomes reality through determination and hard work.
꿈은 투지와 노력을 통해 현실이 돼.

02-03 Our own prejudice and bias always seem so rational to us. *T. S. Eliot*
우리 자신의 편견과 편향이 우리에게는 늘 너무나 합리적으로 보여.

A

02-04 The opposite of love is not hate, but indifference. *Elie Wiesel*
사랑의 반대는 증오가 아니라 무관심이야.

02-05 The basis of memory in the brain remains largely mysterious.
뇌에 있는 기억의 기반은 대체로 여전히 미스터리야.

02-06 Our hearts grow tender with childhood memories and family love.
우리 마음은 어린 시절의 추억과 가족의 사랑으로 다정해져. *Laura Wilder*

02-07 Your life does not get better by chance; it gets better by change.
네 삶은 우연히 나아지는 게 아니라, 변화로 나아져. *Jim Rohn*

B

02-08 The love for all living creatures is the most noble attribute of man. *Charles Darwin*
모든 살아 있는 생명체에 대한 사랑은 인간의 가장 고귀한 자질이야.

02-09 Your dreams can come true through four C's: Curiosity, Courage, Confidence and Constancy. *Walt Disney*
네 꿈은 네 가지 "C"(호기심, 용기, 자신감 그리고 지조)를 통해 이루어질 수 있어.

02-10 Stay strong and positive, and never give up. *Roy T. Bennett*
강인하고 긍정적인 태도를 유지하고, 절대 포기하지 마.

02-11 Most new ideas sound crazy and stupid, and then they turn out right. *Reed Hastings*
대부분의 새로운 발상은 말도 안 되고 어리석게 들리다가 옳은 것이 돼.

C

02-12 Enlightened citizens are essential for the proper functioning of a republic. *Thomas Jefferson*
깨우친 시민들은 공화국의 적절한 기능을 위해 필수적이야.

02-13 At sunset, the sea turns pink, and the sky red.
해질녘에 바다는 분홍으로, 하늘은 빨갛게 변해.

02-14 Rainy Britain could run short of water by 2050.
비가 많이 오는 영국인데도 2050년쯤에는 물이 부족해질 수 있어.

02-15 Sunshine on the water looks so lovely.
물 위 햇빛이 너무나 아름답게 보여. *Song "Sunshine On My Shoulder" by John Denver*

Unit 03 영어문장 3형

STANDARD

03-01 Between individuals, as between nations, peace means respect for the rights of others. *Benito Juárez*
국가 간처럼 개인 간에도, 평화는 다른 이들의 권리에 대한 존중을 의미해.

☺ **03-02** Have no fear of perfection; you'll never reach it. *Salvador Dalí*
완벽에 대한 두려움을 갖지 마. 넌 절대 거기에 이르지 못할 거야.

03-03 People do not lack strength; they lack will. *Victor Hugo*
사람들은 힘이 부족한 게 아니라, 그들은 의지가 부족해.

A

03-04 Follow your heart, but take your brain with you. *Alfred Adler*
네 심장을 따라가더라도, 네 뇌도 함께 데려가.

03-05 The ignorance of one voter in a democracy impairs the security of all. *John F. Kennedy*
민주주의에서 한 투표자의 무지는 모두의 안전을 해쳐.

☺ **03-06** Treat me well, and I'll treat you better; treat me badly, and I'll treat you worse. *Sonny Barger*
날 좋게 대하면, 난 널 더 좋게 대할게. 날 나쁘게 대하면, 난 널 더 나쁘게 대할게.

03-07 Anyone can shoot a film on their phone, edit the film, create the sound, and mix the final cut on a computer.
누구나 자신의 폰으로 영화를 찍고, 컴퓨터로 영상을 편집하고 음향을 만들고 최종 컷을 믹스할 수 있어.

본책 • pp.30~31
Rainbow Book • pp.8~9

B

03-08 We inhabit a universe characterized by diversity. *Desmond Tutu*
우리는 다양성으로 특징지어지는 우주에 살고 있어.

03-09 Life resembles a novel more often than novels resemble life. *George Sand*
인생은 소설이 인생을 닮는 것보다 더 흔히 소설을 닮아.

03-10 Great minds discuss ideas; average minds discuss events; small minds discuss people. *Eleanor Roosevelt*
큰 마음 사람들은 생각들에 대해 논하고, 보통 마음 사람들은 사건들에 대해 논하고, 작은 마음 사람들은 사람들에 대해 논해.

03-11 We need a new definition of malnutrition. Malnutrition means under-and over-nutrition. *Catherine Bertini*
우리는 영양불량의 새로운 정의가 필요해. 영양불량은 영양부족과 영양과잉 둘 나를 의미해.

C

03-12 Live your own life; follow your own star. *Wilferd Peterson*
너 자신의 삶을 살아가고, 너 자신의 별을 따라가.

03-13 An investment in knowledge always pays the best interest. *Benjamin Franklin*
지식에 대한 투자는 늘 최고의 이자를 지불해.

03-14 Global warming affects world food supply, and changes sea level.
지구 온난화는 세계 식량 공급에 영향을 미치고, 해수면을 변하게 해.

03-15 The foolish man seeks happiness in the distance; the wise grows it under his feet. *James Oppenheim*
어리석은 자는 행복을 멀리서 찾고, 지혜로운 이는 행복을 자기 발아래에 길러.

Unit 04 영어문장 4형

STANDARD

04-01 Work gives you **the meaning and purpose of life.** *Stephen Hawking*
일은 네게 삶의 의미와 목적을 줘.

04-02 A dog teaches you **fidelity and perseverance.** *Robert Benchley*
개는 네게 충실함과 인내를 가르쳐 줘.

04-03 All the money in the world can't buy you **good health.** *Reba McEntire*
세상의 모든 돈으로도 네게 좋은 건강을 사 줄 수 없어.

A

04-04 Life always offers you **a second chance.** It's called tomorrow.
삶은 늘 네게 두 번째 기회를 제공해. 그건 내일이라고 불러.

04-05 True friends show you **their love** in times of trouble, not happiness. *Euripides*
진짜 친구들은 행복할 때가 아니라 어려울 때 네게 사랑을 보여 줘.

04-06 Bring me **any problem;** problems are the price of progress.
내게 어떤 문제라도 가져와. 문제들은 진보의 대가야. *Charles Kettering*

☺ **04-07** Money can't buy you **love,** but it can get you **some really good chocolate biscuits.** *Dylan Moran*
돈으로 네게 사랑을 사 줄 수는 없지만, 그것은 네게 진짜 좋은 초콜릿 비스킷은 사 줄 수 있어.

B

04-08 Send me **flowers** while I'm alive; they won't do me **good** after I'm dead. *Joan Crawford*
내가 살아 있는 동안 내게 **꽃들을** 보내 줘. 꽃들은 내가 죽은 후에는 내게 **도움이** 되지 않을 거야.

04-09 Friends ask you **questions;** enemies question **you.** *Criss Jami*
친구들은 네게 **질문을** 하고, 적들은 **너를** 심문[의심]해.

04-10 No one can grant you **happiness;** it is your own choice. *Dean Koontz*
아무도 네게 **행복을** 허락해 줄 수 없어. 그것은 너 자신의 선택이야.

04-11 Kind words cost you **nothing, but** are sometimes worth more than a million dollars. *Omar Suleiman*
친절한 말은 네게 **아무** 비용도 들지 **않지만,** 때때로 백만 불보다 더한 가치가 있어.

C

04-12 Art gives people **a different way of looking at their surroundings.** *Maya Lin*
예술은 사람들에게 **주위 환경을 보는 다른 방식을** 제공해 줘.

04-13 Show me **your friends, and** I will tell you **who you are.** *Proverb*
내게 **네 친구들을** 보여 **주면,** 내가 네게 **네가** 어떤 **사람인지** 말해 줄게.

04-14 I owe my parents **a debt of gratitude** for their support.
난 부모님께 지원에 대해 **감사의 빚을** 지고 있어[**감사**해야 해].

04-15 Lend **yourself** to others, **but** give **yourself** to yourself. *Montaigne*
너 **자신을** 다른 사람들에게 빌려줘. **그러나** 너 **자신을** 너 자신에게만 줘.

Unit 05 영어문장 5형

STANDARD

05-01 Global warming makes weather **more extreme.**
지구 온난화가 날씨를 더욱 극단적으로 만들어.

05-02 I see the sun **shining on the patch of white clouds in the blue sky.**
난 태양이 푸른 하늘의 흰 조각구름 위에 빛나고 있는 걸 봐.

05-03 Don't let anyone **limit your dreams.** *Donovan Bailey*
누구도 네 꿈을 제한하게 하지 마.

A

05-04 Seize **the day;** make your lives **extraordinary.** *Movie "Dead Poets Society"*
오늘을 잡아. 너희 삶을 비범하게 만들어.

05-05 I awoke one morning, **and** found myself **famous.** *Lord Byron*
난 어느 날 아침 깨어나 보니, 유명해져 있었어.

05-06 The coward calls the brave man **reckless; the reckless man calls him a coward.** *Aristotle*
겁쟁이는 용감한 사람을 무모하다고 하고, 무모한 사람은 용감한 사람을 겁쟁이라고 불러.

05-07 You cannot teach a person **anything; you can only help them find it within themselves.** *Galileo Galilei*
넌 어떤 사람에게 아무것도 가르쳐 줄 수 없어. 넌 그들이 자신들 속에서 그것을 발견하도록 도울 수 있을 뿐이야.

B

05-08 The media makes the innocent **guilty,** and the guilty **innocent.**
대중 매체는 죄 없는 사람들도 죄인으로 만들고, 죄 있는 사람들도 무죄로 만들어. *Malcolm X*

☺ **05-09** Traveling leaves you **speechless,** then turns you into a **storyteller.**
여행은 널 말문이 막히게 한 다음, 널 이야기꾼이 되게 해. *Ibn Battuta*

☺ **05-10** All music is folk music. I have never heard a horse **sing a song.**
모든 음악은 민속[사람들] 음악이야. 난 말이 노래를 부르는 걸 들은 적이 없어. *Louis Armstrong*

05-11 Optimism allows us **to evolve our ideas, to improve our situation, and to hope for a better tomorrow.** *Seth Godin*
낙관주의는 우리가 생각을 발전시키고, 상황을 개선하고, 더 나은 내일을 희망하게 해.

C

05-12 We named our group **"True Justice."**
우리는 우리 그룹의 이름을 '진짜 정의'라고 지었어.

05-13 A lot of people consider climate change **the most important crisis facing the world today.**
많은 사람들이 기후 변화를 오늘날 세계가 직면한 가장 중요한 위기라고 여겨.

05-14 Art enables us **to find ourselves and lose ourselves at the same time.** *Thomas Merton*
예술은 우리가 자신을 찾는 동시에 자신을 잃어버릴 수 있게 해.

05-15 Keep your head **up** in failure, **and** your head **down** in success.
실패했을 때 네 고개를 들고 있고, 성공했을 때 네 고개를 숙이고 있어. *Jerry Seinfeld*

unit 06 구동사 1

STANDARD

06-01 Our health relies entirely on **the vitality of our fellow species on Earth.** *Harrison Ford*
우리의 건강은 전적으로 **지구상의 동료 종들의 활력**에 의존해.

06-02 Cloning in biotechnology refers to **the process of creating clones of organisms or copies of cells or DNA fragments.**
생명공학에서의 클로닝은 **생물체의 클론 또는 세포나 디엔에이 조각의 복제체를 만드는 과정**을 가리켜.

06-03 Great art is subject to time, but victorious over it. *Andre Malraux*
위대한 예술은 시간에 지배당하지만 시간에 승리해.

A

06-04 Good character consists of **knowing the good, desiring the good, and doing the good.** *Thomas Lickona*
좋은 성격은 **좋은 걸 알고 좋은 걸 바라고 좋은 걸 하는 것**으로 이루어져.

06-05 BTS' lyrics focus on **social commentary, troubles of youth, and the journey towards loving oneself.**
방탄소년단의 노랫말은 **사회 비판, 청춘 문제, 그리고 자신에 대한 사랑으로 가는 여정**에 집중하고 있어.

06-06 Genes are composed of DNA, thread-like molecules.
유전자는 실 같은 분자인 디엔에이로 구성되어 있어.

06-07 In a democratic age, the behavior of the authorities is subject to public criticism. *Anthony Daniels*
민주주의 시대엔 당국의 활동이 대중의 비판에 지배당해.

B

06-08 Always aim at complete harmony of thought, word and deed. *Mahatma Gandhi*
언제나 생각과 말과 행동의 완벽한 조화를 목표로 해.

06-09 I do not object to the phenomena, but I do object to the parrot. *Stella Gibbons*
난 어떤 현상에는 반대하지 않지만, 앵무새(처럼 흉내내는 것)에는 정말로 반대해.

06-10 I disapprove of what you say, but I will defend to the death your right to say it. *Evelyn Hall*
난 네가 말하는 것에 동의하지 않지만, 네가 그걸 말할 수 있는 권리는 죽을 때까지 옹호할 거야.

06-11 I am fed up with this world; I will have a chance to change it.
난 이 세상에 질렸어. 난 그걸 바꿀 수 있는 기회를 가질 거야.

C

06-12 A mouse does not rely on just one hole. *Plautus*
쥐는 단지 한 구멍에만 의존하지 않아.

06-13 Catharsis refers to the purification of emotions, particularly pity and fear, through tragedy.
카타르시스는 비극을 통한 감정 특히 연민과 공포의 정화를 가리켜.

06-14 Social psychology deals with various phases of social experience from the psychological standpoint of individual experience. *George Mead*
사회심리학은 개인적 경험에 대한 심리학적 관점에서 사회적 경험의 다양한 국면을 다루어.

06-15 Self-actualized people are independent of the good opinion of others. *Wayne Dyer*
자아 실현된 사람들은 다른 이들의 호평으로부터 독립돼 있어.

unit 07 구동사 2

STANDARD

07-01 Preoccupation with possessions prevents us from living freely and nobly. *Bertrand Russell*
소유에 대한 집착은 우리가 자유롭고 고귀하게 사는 것을 막아.

07-02 Good books remind you of your highest self, and liberate you from false beliefs and illusions.
좋은 책은 네게 최고의 네 모습을 생각나게 하고, 널 잘못된 신념과 환상으로부터 해방시켜 줘.

07-03 You can't blame gravity for falling in love. *Albert Einstein*
넌 사랑에 빠진 것에 대해 중력을 탓할 수 없어.

A

07-04 Don't compare yourself with other people; compare yourself with who you were yesterday. *Jordan Peterson*
너 자신을 다른 사람들과 비교하지 마. 너 자신을 어제의 너와 비교해.

07-05 Gratitude can turn a meal into a feast, and a house into a home.
감사는 식사를 잔치로, 집을 가정으로 바꿀 수 있어. *Melody Beattie*

07-06 A quarrel between friends, when made up, adds a new tie to friendship. *Francis Sales*
친구 간의 다툼은 화해되었을 때 새로운 유대감을 우정에 더해 줘.

07-07 I regard gratitude as an asset, and its absence as a major interpersonal flaw. *Marshall Goldsmith*
난 감사를 자산으로, 감사의 결여를 대인 관계에서의 중대한 결함으로 여겨.

B

07-08 People always take credit for **the good**, and attribute **the bad to fortune**. *Charles Kuralt*
사람들은 늘 좋은 일의 공은 차지하고, 나쁜 일은 운의 결과로 봐.

07-09 Ethnocentrism combines **a positive attitude toward one's own cultural group** with **a negative attitude toward the other cultural group**.
자기 민족 중심주의는 자신의 문화 집단에 대한 긍정적 태도를 다른 문화 집단에 대한 부정적 태도와 결합해.

07-10 Men may deprive **you** of **your liberty, but** no man can deprive **you** of **the control of your imagination**. *Jesse Jackson*
사람들이 네게서 자유를 빼앗을지도 모르지만, 아무도 네게서 네 상상력에 대한 지배권을 박탈할 수는 없어.

07-11 Intellect distinguishes **the possible** from **the impossible**; reason distinguishes **the sensible** from **the senseless**. *Max Born*
지능은 가능한 것을 불가능한 것과 구별하고, 이성은 분별 있는 것을 분별없는 것과 구별해.

C

07-12 I don't substitute **anybody else's judgment** for **my own**. *Phil McGraw*
난 다른 누구의 판단도 나 자신의 판단 대신 쓰지 않아.

07-13 Social Security provides **people** with **health care, unemployment benefit, pensions, and public housing**.
사회 보장 제도는 사람들에게 의료 서비스, 실업 수당, 연금 그리고 공공 주택을 제공해.

07-14 Some people accuse **other generations** of **being ignorant of their own generation**.
어떤 사람들은 다른 세대를 자신의 세대에 대해 무지하다고 비난해.

07-15 The world owes **its progress** to **nervous men**; the happy man confines **himself** to **old limits**. *Nathaniel Hawthorne*
세상은 진보를 불편해하는 사람들에게 빚지고 있어. 행복한 사람은 자신을 옛 한계에 가둬.

Review

A

01 Strength lies in differences, not in similarities. *Stephen Covey*
힘은 다름에 있지, 닮음에 있지 않아.

02 I asked God for a bike, but God doesn't work that way. So I stole a bike and asked for forgiveness. *Emo Philips*
난 신께 자전거를 부탁했지만, 신께선 그런 식으로 일하시지 않아. 그래서 난 자전거를 훔치고 나서 용서를 구했어.

03 Do not live in the past; do not dream of the future; concentrate the mind on the present moment. *Buddha(석가모니)*
과거에 살지 말고, 미래를 꿈꾸지 말고, 현재의 순간에 마음을 집중해.

04 Don't count the days; make the days count. *Muhammad Ali*
하루하루를 세지 말고, 하루하루를 중요하게 만들어.

05 Times change so rapidly; we must keep our aim focused on the future. *Walt Disney*
시대가 너무 빨리 변해. 우리는 계속 목표가 미래에 집중되도록 해야 해.

06 The pessimist complains about the wind; the optimist expects it to change; the realist adjusts the sails. *William Arthur Ward*
비관주의자는 바람에 대해 불평하고, 낙관주의자는 바람이 바뀌길 기대하고, 현실주의자는 돛을 조정해.

07 Sometimes you make the right decision; sometimes you make the decision right. *Phil McGraw*
때로는 넌 옳은 결정을 하고, 때로는 넌 결정을 옳게 만드는 거야.

본책 • p.40
Rainbow Book • p.18

B

08 Success without honor is an unseasoned dish; it will satisfy **your hunger, but** it won't taste good. *Joe Paterno*
명예 없는 성공은 양념 없는 요리야. 그게 네 허기는 채워 주겠지만, 맛은 좋지 않을 거야.

09 God gives every bird **its food, but** does not throw it into the nest. *Josiah Gilbert Holland*
신은 모든 새에게 먹을 것을 주지만, 그걸 둥지 속에 던져 주진 않아.

10 Consider nothing **impossible; then** treat possibilities **as probabilities.** *Charles Dickens*
아무것도 불가능하다고 여기지 말고, 가능성을 (실현성 높은) 개연성으로 여겨.

"Follow your heart,
but take your brain
with you."
Alfred Adler

My Favorite Sentences are ~

· Chapter 01 ·

1. ______________________
The Original Sentence(원문)

→ ______________________
My Own Sentence(나만의 문장)

2. ______________________
The Original Sentence(원문)

→ ______________________
My Own Sentence(나만의 문장)

Unit 08 시간표현 1: 현재/과거/미래/진행

S TANDARD

08-01 Nature is painting **pictures of infinite beauty** for us every day.
자연은 날마다 우리를 위해 무한히 아름다운 그림들을 그리고 있어. *John Ruskin*

08-02 One pandemic of Spanish flu took **about 30 million lives** worldwide from 1918 to 1920.
스페인 독감이라는 전 세계적인 유행병은 1918년에서 1920년까지 전 세계적으로 약 3천만 명의 목숨을 앗아갔어.

08-03 The development of biology is going to destroy **our traditional grounds for ethical belief.** *Francis Crick*
생물학의 발달은 윤리적 신념에 대한 우리의 전통적 기반을 파괴할 거야.

08-04 When your future arrives, will you blame **your past?** *Robert Half*
네 미래가 왔을 때, 넌 네 과거를 탓할 거니?

A

08-05 General relativity explains **the law of gravitation and its relation to other forces of nature.**
일반 상대성 이론은 중력의 법칙과 그것과 자연의 다른 힘들과의 관계를 설명해.

08-06 AI is going to displace **40 percent of world's jobs** within 15 years.
인공 지능이 15년 내에 세계의 일자리 40%를 대체하게 될 거야. *Kai-Fu Lee*

08-07 Something great is about to happen to me: I'm about to love somebody. *Jack Kerouac*
멋진 일이 내게 막 생기려고 해. 난 누군가를 막 사랑하려고 해.

본책 • pp.42~43
Rainbow Book • pp.20~21

B

08-08 The Human Genome Project identified the chromosomal locations and structure of the estimated 25,000 genes in human cells in 2003.
인간 게놈 프로젝트가 2003년에 25,000개로 추산되는 인간 세포 유전자의 염색체 위치와 구조를 밝혔어.

08-09 If you are prepared, you will be confident and will do the job.
Tom Landry
네가 준비되어 있으면, 넌 자신감을 갖고 일을 하게 될 거야.

☺ **08-10** Dear pimples, if you don't leave my face, you will have to pay some rent.
여드름들에게, 너희가 내 얼굴을 떠나지 않으면, 너희는 방세를 내야 할 거야.

08-11 Grab a chance, and you won't be sorry for a might-have-been.
Arthur Ransome
기회를 잡으면, 넌 있었을지도 모르는 일에 대해 후회하지 않을 거야.

C

☺ **08-12** No one is thinking about you; they're thinking about themselves, just like you. *Helen Fielding*
아무도 너에 대해 생각하고 있지 않아. 그들도 꼭 너처럼 자신들에 대해 생각하고 있어.

08-13 You were sleeping soundly, so I didn't wake you up.
네가 곤히 잠자고 있어서, 난 널 깨우지 않았어.

☺ **08-14** Q: What was the biologist wearing on his first date?
A: Designer jeans.
Q: 생물학자가 첫 데이트 때 무엇을 입고 있었을까? A: 유명 브랜드 진바지.

08-15 In the next 50 years, people will be living to be 130; they'll be working until they're 100. *Willard Scott*
앞으로 50년 후에는, 사람들이 130살까지 살고 있을 거고, 100살까지 일하고 있을 거야.

Unit 09 시간표현 2: 현재완료/과거완료/미래완료

STANDARD

09-01 I have not failed; I've just found **10,000 ways that won't work.**
난 실패하지 않았고, **효과가 없을 10,000가지 방법을** 막 발견했을 뿐이야. *Thomas Edison*

09-02 I have been reading **science fiction** since I was a little kid.
난 어린아이였을 때부터 **공상과학 소설을** 읽어 오고 있어.

09-03 When God had completed **his work** on the seventh day, he rested from all his work. *The Bible*
신이 7일째 **그의 일을** 끝마쳤을 때, 그는 모든 일에서 벗어나 쉬었어.

09-04 By the year 2100, between 50% and 90% of the languages **currently spoken in the world will have gone extinct.**
2100년쯤에는 세계에서 현재 말해지는 언어들 중 50퍼센트에서 90퍼센트 사이가 사라지게 될 거야.

A

09-05 Humans have been enjoying **the fruits of bee labor** for 9,000 years.
인간은 9,000년 동안 **벌의 노동의 결실[꿀]을** 즐겨오고 있어.

09-06 Have you ever watched a leaf **leave a tree,** or heard the silence **just before the dawn?**
넌 나뭇잎이 **나무에서 떠나는 걸** 본 적이 있거나, **동트기 직전의 고요를** 들어 본 적이 있니?

09-07 Children have never been very good at listening to their elders, **but they have never failed to imitate them.** *James Baldwin*
아이들은 어른들 말을 듣는 걸 그리 잘한 적은 결코 **없지만, 그들을 모방하지** 않은 적도 결코 없어[어김없이 **그들을 모방해** 왔어].

B

09-08 A cosmic explosion called the big bang occurred about 13.7 billion years ago, **and the universe has since been expanding and cooling.**
빅뱅이라 불리는 우주의 폭발이 약 137억 년 전에 일어났고, 우주는 그 이후로 팽창하고 냉각되어 왔어.

09-09 Many movie stars had been playing **several small roles** before they got **big ones.**
많은 유명 영화배우들이 큰 배역들을 얻기 전에 몇몇 작은 배역들을 연기해 오고 있었어.

09-10 If you produce **one book,** you will have done **something wonderful** in your life. *Jackie Kennedy*
네가 책 한 권을 만들어 낸다면, 넌 살면서 멋진 무언가를 하게 된 걸 거야.

09-11 The wide knowledge had already died out by the close of the 18th century; **and** by the end of the 19th century the specialist had evolved. *Dietrich Bonhoeffer*
폭넓은 지식은 이미 18세기 말쯤 자취를 감추었고, 19세기 말쯤에는 전문가가 발달했어.

C

09-12 We have already discovered **more than 4,000 planets outside the solar system in the Milky Way.**
우리는 이미 은하계의 태양계 밖에 있는 4,000개 넘는 행성을 발견했어.

09-13 Poverty among seniors has declined since Social Security started.
어르신 빈곤이 사회 보장 제도가 시작된 이후로 감소해 왔어.

09-14 Much of human history has consisted of **unequal conflicts between the haves and the have-nots.** *Jared Diamond*
인간 역사의 대부분이 가진 자들과 못 가진 자들 사이의 불평등한 갈등으로 이루어져 왔어.

09-15 Technology and social media have brought **power** back to the people. *Mark McKinnon*
과학 기술과 소셜 미디어는 권력을 (특권 계층이 아닌) 보통 사람들에게 돌려주었어.

unit 10 조동사 1: 능력(가능)/의무(권고)

STANDARD

10-01 Nobody can hurt me without my permission. *Mahatma Gandhi*
아무도 내 허락 없이 날 아프게 할 수 없어.

10-02 We must have perseverance and above all confidence in ourselves. *Marie Curie*
우리는 인내심과 무엇보다 자신에 대한 신뢰를 가져야 해.

10-03 We should not give up; we should not allow the problem to defeat us. *Abdul Kalam*
우리는 포기해선 안 돼. 우리는 문제가 우리를 이기도록 허용해선 안 돼.

10-04 We have to transform our energy system from fossil fuels to sustainable energy.
우리는 화석 연료에서 지속 가능한 에너지로 우리의 에너지 체계를 완전히 바꿔야 해.

A

10-05 You can't wait for inspiration; you have to go after it with a club. *Jack London*
넌 영감을 기다릴 수 없으니, 곤봉을 들고 그것을 뒤쫓아야 해.

10-06 Q: Why should you never date tennis players?
A: Love means nothing to them.
Q: 넌 왜 테니스 선수들과 절대 데이트해선 안 될까? A: 러브는 그들에게 아무것도 아닌 걸 의미하니깐.

10-07 We must always take sides: neutrality helps the oppressor, never the victim. *Elie Wiesel*
우리는 언제나 편을 들어야 해. 중립은 압제자를 돕지, 절대 피해자를 돕지 않아.

B

10-08 Humans, chimpanzees, elephants and dolphins can recognize **themselves in a mirror.**
인간, 침팬지, 코끼리 그리고 돌고래는 거울 속의 자신들을 알아볼 수 있어.

10-09 With genetic engineering, we will be able to increase **the complexity of our DNA,** and improve **the human race.** *Stephen Hawking*
유전 공학으로 우리는 디엔에이의 복잡성을 증가시키고, 인종을 개선할 수 있을 거야.

10-10 Poverty must not be a bar to learning; learning must offer **an escape from poverty.** *Lyndon Johnson*
가난이 배움의 걸림돌이 되어선 안 되고, 배움은 가난으로부터의 탈출구를 제공해야 해.

10-11 If you want **something,** you had better make **some noise.** *Malcolm X*
네가 뭔가를 원하면, 넌 큰 소리를 내는 게 좋을 걸.

C

10-12 Darkness cannot drive out **darkness;** only light can do **that.**
어둠은 어둠을 몰아낼 수 없고, 오직 빛만이 그렇게 할 수 있어. *Martin Luther King*

10-13 You don't have to see **the whole staircase;** just take **the first step.**
넌 계단 전체를 볼 필요가 없고, 그저 첫걸음만 내디뎌. *Martin Luther King*

☺ 10-14 Courage ought to have **eyes as well as arms.** *Henry Bohn*
용기는 (행동하는) 팔뿐만 아니라 (분별하는) 눈도 있어야 해.

☺ 10-15 One had better not rush; otherwise dung comes out rather than creative work. *Anton Chekhov*
우리는 서두르지 않는 게 좋을 걸. 그렇지 않으면 창조적인 작품보다는 똥이 나와.

Unit 11 조동사 2: 추측(가능성)/후회

STANDARD

11-01 Cybercrime may threaten a person or a nation's security and financial health.
사이버범죄는 사람이나 국가의 안전과 재정 건전성을 위협할지 몰라.

11-02 I must have been an unsatisfactory child for grownups to deal with. *William Golding*
난 틀림없이 어른들이 다루기에 만족스럽지 못한 아이였을 거야.

11-03 I should have judged her according to her actions, not her words.
난 그녀를 말이 아니라 행동으로 판단했어야 했어. *The Little Prince*

A

11-04 People might look great on the outside, but they may have problems. *Sara Shepard*
사람들은 겉으로는 멋져 보일지도 모르지만, 그들은 문제들을 가지고 있을지도 몰라.

11-05 We must be for ourselves in the long run; the mild and generous are only more justly selfish than the arrogant. *Emily Bronte*
우리는 틀림없이 결국 자신을 위해 존재할 건데, 온화하고 너그러운 사람들은 오만한 사람들보다 단지 더 정당하게 이기적일 뿐이야.

11-06 You just had two regular pizzas; you can't be hungry.
넌 방금 보통 크기 피자 두 개를 먹었으니, 배고플 리가 없어.

11-07 The Internet could be a very positive step towards education and participation in a meaningful society. *Noam Chomsky*
인터넷은 교육과 의미 있는 사회 참여를 위한 매우 긍정적인 단계가 될 수도 있어.

B

11-08 The good man ought to be a lover of self; he will benefit **both himself and his neighbors** by acting nobly. *Aristotle*
선한 사람은 틀림없이 자신을 사랑하는 사람일 거고, 그는 고귀하게 행동함으로써 자기 자신과 이웃들 둘 다에게 유익할 거야.

11-09 I shouldn't have said **it, but** the word slipped out of my mouth as easily as air. *Obert Skye*
난 그 말을 하지 말았어야 했지만, 그 말은 공기처럼 쉽게 내 입 밖으로 빠져나갔어.

11-10 George Washington could not have known **Abraham Lincoln;** they lived at different times.
조지 워싱턴이 에이브러햄 링컨을 알았을 리가 없었는데, 그들은 다른 시대에 살았어.

☺ 11-11 Millions of flies can't be wrong, **but** we can't eat **waste** like them.
수많은 파리들이 다 잘못할 리가 없지만, 우리가 그들처럼 쓰레기를 먹을 수는 없어.

C

11-12 I always wanted **to be somebody, but** I should have been more specific. *Lily Tomlin*
난 언제나 대단한 사람이 되기를 원했지만, 난 더 구체적이었어야 했어.

11-13 History is one long regret; everything might have turned out so different. *Charles Warner*
역사는 하나의 긴 후회인데, 모든 게 아주 달라졌을지도 몰라.

11-14 Our evolution could have gone in different directions a lot of times; we could have gone extinct at some points. *Sam Kean*
우리의 진화는 여러 번 다른 방향으로 갔을 수도 있었고, 우리는 어느 시점에서 멸종되었을 수도 있었어.

11-15 Many traditional religious attitudes ought to have disappeared as biological understanding accumulated over the last century. *George C. Williams*
많은 전통적인 종교적 사고방식은 생물학적 이해가 지난 세기 동안 축적되면서 없어졌어야 했어.

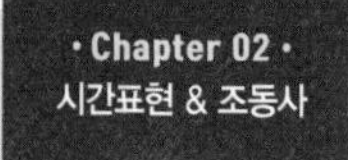

Unit 12 조동사 3: 기타 조동사/준조동사

STANDARD

12-01 I used to be ashamed; now I am proud. I used to walk head bent; now I stand up tall. *Judith McNaught*
난 부끄러워하곤 했었지만, 지금은 자랑스러워. 난 고개를 숙이고 걷곤 했었지만, 지금은 꼿꼿이 서 있어.

12-02 We cannot help but smile at babies and watch them smile back. *Madeleine Kunin*
우리는 아기들에게 미소 짓지 않을 수 없고 그들이 되받아 미소 지어 주는 걸 보지 않을 수 없어.

12-03 We are not supposed to be all equal; we are supposed to have equal rights under law. *Ben Stein*
우리는 모두 동등해야 하는 게 아니라, 법 아래 평등한 권리를 가져야 해.

A

☺ **12-04** Dear haters, I couldn't help but notice "awesome" ends with "me" and "ugly" starts with "(yo)u."
혐오자들에게, 난 "awesome(아주 멋진)"이 "me(나)"로 끝나고 "ugly(추한)"는 "(yo)u(너)"로 시작된다는 걸 알아차리지 않을 수 없었어.

12-05 We cannot too strongly attack all kinds of superstitions or social evils. *Rousseau*
우리는 모든 종류의 미신이나 사회악을 아무리 강하게 공격해도 지나치지 않아.

12-06 I am not bound to win, but I am bound to be true; I am not bound to succeed, but I am bound to live up to the light I have. *Abraham Lincoln*
난 꼭 이길 것 같지는 않지만, 진실해야 해. 난 꼭 성공할 것 같지는 않지만, 내가 가진 빛에 따라 살아야 해.

12-07 A great man is always willing to be little. *Ralph Emerson*
위대한 사람은 언제나 기꺼이 작아져[자신을 낮춰].

B

12-08 When I was little, my mom would read me **bedtime stories** every night.
내가 어렸을 때, 우리 엄마는 매일 밤 **잠잘 때** 내게 **동화책들**을 읽어 주시곤 했어.

12-09 You may as well not know **a thing** at all as know **it** imperfectly.
넌 어떤 걸 불완전하게 아는 것보다는 차라리 **그걸** 전혀 알지 못하는 편이 나아.

12-10 Teenagers would rather text than talk; they feel **calls would reveal too much.** *Sherry Turkle*
십대들은 말하기보다는 차라리 문자를 보내고 싶어 하는데, 그들은 **전화가** 너무 **많이** 드러낼 거라고 생각해.

12-11 We are obliged to respect and defend **the common bonds of union and fellowship of the human race.** *Cicero*
우리는 인류의 **통합**과 **동료애**의 공동 연대를 존중하고 수호해야 해.

C

12-12 "Parasite" is supposed to be one of the greatest movies in the world.
'기생충'은 세계적으로 가장 훌륭한 영화들 중 하나로 여겨져.

12-13 You might well remember **that nothing can bring you success but yourself.** *Napoleon Hill*
넌 너 자신 외에는 아무것도 너에게 성공을 가져다줄 수 없다는 것을 마땅히 기억해야 해.

12-14 You only get **one life;** you might as well feel **all the feelings.** *Greta Gerwig*
넌 오직 한 번의 삶만 있으니, 모든 감정들을 느끼는 편이 나아.

12-15 **A humble person is more likely to be self-confident.** *Cornelius Plantinga*
겸손한 사람이 더 자신감이 높은 것 같아.

Review

A

01 When people tell me, "You're going to regret that in the morning," I sleep until noon.
사람들이 내게 "넌 아침에 그것을 후회할 거야."라고 말하면, 난 정오까지 잠을 자.

02 Our phones and computers have become reflections of our personalities, our interests, and our identities. *James Comey*
우리 전화기와 컴퓨터는 우리의 인격과 흥미, 그리고 정체성의 반영물이 되었어.

03 The past can hurt; you can either run from it, or learn from it.
과거가 아프게 할 수 있는데, 넌 그것으로부터 달아나거나, 그것으로부터 배울 수 있어. *Movie "The Lion King"*

04 A great democracy must be progressive, or it will soon cease to be a great democracy. *Theodore Roosevelt*
위대한 민주주의는 진보적이어야 하는데, 그렇지 않으면 그것은 곧 위대한 민주주의이길 멈출 거야.

05 We should feel sorrow, but should not sink under its oppression.
우리는 슬픔을 느껴야 하지만, 그것의 압박감에 빠져서는 안 돼. *Confucius(공자)*

06 I'm totally exhausted; I should have taken a break, and not done such a long push.
난 완전히 탈진했는데, 난 휴식을 취했어야 했고, 그렇게 오래 밀어붙이지 말았어야 했어.

07 We all have to live together; we might as well live together happily.
우리 모두는 함께 살아야 하니, 행복하게 함께 사는 편이 나아. *Dalai Lama*

본책 • p.52
Rainbow Book • p.30

B

08 When the power of love overcomes **the love of power,** the world will know **peace.** *Jimi Hendrix*
사랑의 힘이 **힘에 대한 사랑을** 이길 때, 세상은 **평화를** 알게 될 거야.

09 I had just come home from school when I received **your message.**
난 **네 메시지를** 받았을 때 막 학교에서 집에 왔었어.

10 I would rather be a superb meteor, every atom of me in magnificent **glow,** than a sleepy and permanent planet. *Jack London*
난 생기 없이 영속하는 행성이기보다는 차라리 나의 모든 원소가 아름다운 불빛으로 빛나는 최고의 유성이고 싶어.

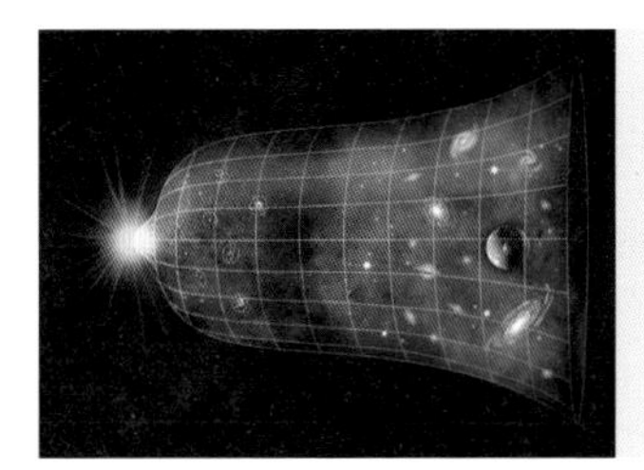

A cosmic explosion called the big bang occurred about 13.7 billion years ago, and the universe has since been expanding and cooling.

My Favorite Sentences are ~

· Chapter 02 ·

1.

The Original Sentence(원문)

→

My Own Sentence(나만의 문장)

2.

The Original Sentence(원문)

→

My Own Sentence(나만의 문장)

unit 13 기본 수동태

STANDARD

13-01 General relativity was developed by Einstein between 1907 and 1915.
일반 상대성 이론은 1907년에서 1915년 사이에 아인슈타인에 의해 전개되었어.

13-02 Freedom is never given us for free; it is won. *Philip Randolph*
자유는 우리에게 절대 공짜로 주어지지 않고, 그것은 쟁취되는 거야.

13-03 Teenagers are treated like children **but** expected to act like adults.
십대들은 아이처럼 취급되지**만** 어른처럼 행동하도록 기대돼.

A

☺ 13-04 A man is known to his dog by the smell, to his friend by the smile.
사람은 냄새로 그의 개에게 알려지고, 미소로 그의 친구에게 알려져. *John Ruskin*

13-05 Nostalgia is associated with a yearning for the past, especially the "good old days" or a "warm childhood."
향수는 과거, 특히 '좋았던 옛날'이나 '따뜻한 어린 시절'에 대한 동경과 연관돼.

13-06 The calcium in our teeth and the iron in our blood were made in the interiors of collapsing stars; we are made of star stuff. *Carl Sagan*
치아 속의 칼슘과 혈액 속의 철분이 붕괴하는 별들의 내부에서 만들어졌으니, 우리는 별의 물질로 만들어져 있는 거야.

13-07 I was taught a very strong work ethic including punctuality, reliability, cooperation, respect, and professionalism. *Nicole Kidman*
난 시간 엄수, 신뢰성, 협력, 존중, 그리고 전문성을 포함한 매우 강한 직업 윤리를 배웠어.

본책 • pp.54~55
Rainbow Book • pp.32~33

B

13-08 Narrative is found in all forms of human creativity, art, and entertainment.
내러티브(이야기)는 모든 형태의 인간의 창의성, 예술, 그리고 오락에서 발견돼.

13-09 The financial crisis was caused by bad government policy and the total failure of regulation.
금융 위기는 잘못된 정부 정책과 규제의 총체적 실패로 초래되었어.

13-10 The Fourth Industrial Revolution is marked by AI, robotics, the Internet of Things, autonomous vehicles, 3-D printing, and nanotechnology.
4차 산업 혁명은 인공 지능, 로봇 공학, 사물 인터넷, 자율 주행차, 3차원 인쇄, 그리고 나노 기술로 특징지어져.

☺ **13-11** Electricity was considered an evil thing when it was first discovered and utilized. *Zeena Schreck*
전기는 처음 발견되어 이용되었을 때 악한 것으로 여겨졌어.

C

☺ **13-12** Q: Why did the man sit on a clock?
A: Because he was told to work overtime.
Q: 그 남자는 왜 시계 위에 앉았을까? A: 그는 오버타임(시간 외 근무)를 하라는 말을 들었기 때문에.

13-13 Depression is often accompanied by poor appetite, sleeplessness, lack of energy, and low self-esteem.
우울증은 흔히 식욕 부진, 불면증, 원기 부족, 그리고 낮은 자존감이 동반돼.

13-14 The Nobel Prize is awarded in six categories: Physics, Chemistry, Physiology or Medicine, Literature, Peace, and Economics.
노벨상은 물리학, 화학, 생리 의학, 문학, 평화, 그리고 경제학의 6가지 범주에서 수여돼.

13-15 Particular religious practices are recognized by the UN as unethical, including polygamy, child brides, and human sacrifice.
일부다처제, 어린이 신부, 그리고 인간 제물을 포함한 특정한 종교적 관행들은 유엔에 의해 비윤리적인 것으로 인정돼.

Unit 14 진행/완료/미래 수동태

STANDARD

14-01 Biodiversity is being destroyed by human activities.
생물 다양성이 인간의 활동들로 파괴되고 있어.

14-02 Nothing great in the world has ever been accomplished without passion. *Hegel*
세상의 위대한 어떤 것도 열정 없이 성취된 적이 없어.

14-03 Your rewards will be determined by the extent of your contribution, that is your service to others. *Earl Nightingale*
네 보상은 네 공헌, 즉 다른 사람들에 대한 네 봉사의 정도에 의해 결정될 거야.

A

14-04 Many natural systems are being affected by climate changes, particularly temperature increases.
많은 자연계가 기후 변화, 특히 기온 상승에 영향을 받고 있어.

☺ **14-05** The real food is not being advertised. *Michael Pollan*
진짜 음식은 광고되지 않고 있어.

14-06 The world will not be inherited by the strongest; it will be inherited by those most able to change. *Charles Darwin*
세상은 가장 강한 것들이 물려받게 되지 않고, 가장 잘 변화할 수 있는 것들이 물려받게 될 거야.

14-07 Science is going to be revolutionized by AI assistants. *Oren Etzioni*
과학은 인공 지능 비서의 도움으로 혁신될 거야.

B

14-08 During the war, certain blood was being shed for uncertain reasons. *Tim O'Brien*
전쟁 중에 확실한 피가 불확실한 이유로 흐르고 있었어.

14-09 Millions of people are being infected by various viruses around the world.
수많은 사람들이 전 세계의 다양한 바이러스에 감염되고 있어.

14-10 The prize will not be sent **you**; you have to win **it**. *Ralph Emerson*
상은 **네게** 보내지지 않을 것이니, 넌 **그것을** 획득해야 해.

14-11 The project will have been completed before the deadline.
그 프로젝트는 기한 내에 완료되어 있을 거야.

C

14-12 BTS' "Spring Day" has been interpreted by fans as remembrance of the victims of the Sewol Ferry tragedy.
방탄소년단의 '봄날'은 팬들에 의해 세월호 비극의 희생자들에 대한 추모로 해석되어 왔어.

14-13 A wide variety of organisms have been genetically modified, from animals to plants and microorganisms.
동물에서 식물과 미생물까지 매우 다양한 유기체들이 유전적으로 변형되어 왔어.

14-14 Climate change has been driven largely by increased carbon dioxide and other man-made emissions into the atmosphere.
기후 변화는 주로 대기 속의 증가된 이산화탄소와 인간이 생성한 다른 배기가스에 의해 몰아쳐져 왔어.

14-15 Adolescence has been recognized as a stage of human development since medieval times. *Terri Apter*
청소년기는 중세부터 인간 발달의 한 단계로 인식되어 왔어.

Unit 15 조동사 수동태 & 기타 수동태

STANDARD

15-01 Peace cannot be achieved through violence; it can only be attained through understanding. *Ralph Emerson*
평화는 폭력을 통해 성취될 수 없고, 그것은 오직 이해로만 이루어질 수 있어.

15-02 Knowledge has to be improved, challenged, and increased constantly, or it vanishes. *Peter Drucker*
지식은 끊임없이 향상되고 도전받고 증가되어야 해. 그렇지 않으면 그것은 사라져.

15-03 The brain is believed to consume about 20 percent of the body's energy.
뇌는 신체 에너지의 약 20퍼센트를 소비한다고 여겨져.

15-04 It is well known that frustration, depression, and despair produce negative biochemical changes in the body. *Norman Cousins*
좌절감과 우울과 절망은 신체에 부정적인 생화학적 변화를 초래한다고 잘 알려져 있어.

A

15-05 Lost wealth may be replaced by industry, lost knowledge by study, but lost time is gone forever. *Samuel Smiles*
잃어버린 재산은 근면으로, 잃어버린 지식은 공부로 되돌려질 수 있을지 모르지만, 잃어버린 시간은 영원히 사라져.

15-06 Hard truths can be dealt with and triumphed over, but lies will destroy your soul. *Patricia Briggs*
냉엄한 진실은 다루어져 이겨 낼 수 있지만, 거짓말은 네 정신을 파괴할 거야.

15-07 Things do not happen; things are made to happen. *John F. Kennedy*
일들은 일어나는 게 아니라, 일들은 일어나게 만들어져.

B

15-08 Artificial intelligence is being made use of for a variety of health care purposes.
인공 지능은 다양한 의료 목적으로 이용되고 있어.

15-09 Some books should be tasted, some devoured, but only a few should be chewed and digested thoroughly. *Francis Bacon*
어떤 책은 맛만 보아져야 하고, 어떤 책은 게걸스럽게 먹어져야 하지만, 오직 몇 안 되는 책만 완전히 씹혀 소화되어야 해.

☺ 15-10 A mockingbird was heard to blend the songs of 32 different kinds of birds into a 10 minute performance. *Tom Robbins*
흉내지빠귀가 32개 다른 종류의 새들의 노래를 섞어 10분 간 공연하는 소리가 들렸어.

☺ 15-11 Sunlight is said to be the best of disinfectants; electric light the most efficient policeman. *Louis D. Brandeis*
햇빛은 살균제 중 최고라고 말해지고, 전등빛은 가장 유능한 경찰이라고 말해져.

C

15-12 Most people with depression can be treated with medication, psychotherapy, or both.
우울증을 가진 대부분의 사람들은 약물, 심리 치료, 또는 둘 다로 치료될 수 있어.

15-13 The study of dreams may be considered the most trustworthy method of investigating deep mental processes. *Sigmund Freud*
꿈에 대한 연구는 깊은 정신 과정을 연구하는 가장 믿을 수 있는 방법으로 여겨질지도 몰라.

15-14 Learning is not attained by chance; it must be sought out with passion and attended to with diligence. *Abigail Adams*
배움은 우연히 얻어지지 않아. 그것은 열정적으로 추구되어야 하고 성실하게 처리되어야 해.

15-15 We must be pulled by our dreams, rather than pushed by our memories. *Jesse Jackson*
우리는 우리의 추억에 떠밀리기보다는 우리의 꿈에 이끌려야 해.

Review

A

01 In "Cubist" artwork, objects are analyzed, broken up and reassembled in an abstracted form.
'입체파' 예술 작품에서 물체는 추상화된 형태로 분석되고 분해되고 재조립돼.

02 Books have been thought of as windows to another world of imagination. *Stephenie Meyer*
책은 다른 상상의 세계로 향한 창으로 여겨져 왔어.

03 Some decisions are being made, **and** some mistakes will be made along the way; we'll find **the mistakes and fix them.** *Steve Jobs*
어떤 결정들이 되고 있고, 어떤 잘못들이 도중에 생길 건데, 우리는 **그 잘못들을** 발견하고 **그것들을** 고칠 거야.

04 Any scientific theory must be based on a rational examination of the facts.
어떤 과학 이론이든 사실에 대한 합리적인 검토에 바탕을 두어야 해.

05 Thousands of candles can be lit from a single candle, **and** the life of the candle will not be shortened. *Budda(석가모니)*
수천 개의 초들이 단 하나의 초로 불이 켜질 수 있는데, 그 초의 수명은 짧아지지 않을 거야.

06 A discovery is said to be an accident meeting a prepared mind.
발견은 준비된 마음을 만나는 우연이라고 말해져. *Albert Szent-Gyorgyi*

07 People have been known to achieve more as a result of working with others than against them. *Allan Fromme*
사람들은 다른 사람들과 맞서기보다 함께 일하는 결과로 더 많은 걸 성취한다고 알려져 왔어.

본책 • p.60
Rainbow Book • p.38

B

08 The virus is transmitted mainly via small respiratory droplets and aerosols through sneezing, coughing, talking, or breathing.
그 바이러스는 주로 재채기나 기침이나 말이나 호흡을 할 때 나오는 호흡기의 작은 물방울(비말)과 에어로졸을 통해 전염돼.

09 No human masterpiece has ever been created without great labor.
어떤 인간의 걸작도 엄청난 노동 없이 창조된 적이 없어. *Andre Gide*

10 The best and most beautiful things in the world cannot be seen or even touched; they must be felt with the heart. *Helen Keller*
세상에서 가장 좋고 가장 아름다운 것들은 보이거나 만져질 수도 없고, 그것들은 마음으로 느껴져야 해.

Freedom is never given us for free; it is won.
Philip Randolph

My Favorite Sentences are ~

• Chapter 03 •

1.

The Original Sentence(원문)

→

My Own Sentence(나만의 문장)

2.

The Original Sentence(원문)

→

My Own Sentence(나만의 문장)

unit 16 명사 + v-ing(명사수식어)

STANDARD

16-01 Love is composed of a single soul inhabiting two bodies. *Aristotle*
사랑은 두 몸에 사는 한 영혼으로 이루어져.

16-02 The most important single factor influencing learning is learners' prior knowledge. *David Ausubel*
학습에 영향을 미치는 가장 중요한 단일 요인은 학습자의 사전 지식이야.

16-03 A true community consists of individuals respecting each other's individuality and privacy. *Valerie Solanas*
진정한 공동체는 서로의 개성과 사생활을 존중해 주는 개인들로 이루어져.

A

16-04 A work of art is a world in itself reflecting senses and emotions of the artist's world. *Hans Hofmann*
예술 작품은 그 예술가 세계의 감각과 감정을 반영하는 그 자체로 하나의 세계야.

16-05 The child approaching a new subject is like the scientist operating at the leading edge of his field. *Jerome Bruner*
새로운 주제에 접근하는 아이는 자기 분야의 최첨단에서 작업하는 과학자와 같아.

16-06 All comedy is talking about social issues and things affecting our lives. *Tom Green*
모든 코미디는 우리 삶에 영향을 미치는 사회적 주제들과 일들에 대해 이야기하고 있어.

16-07 A smartphone zombie or "smombie" is a walking person using a smartphone, not paying attention, and risking an accident.
스마트폰 좀비 또는 '스몸비'는 스마트폰을 사용하면서 주의하지 않고 사고의 위험을 무릅쓰며 걸어가는 사람이야.

B

16-08 A parallel universe in fantasy or science fiction is a world coexisting with and having certain similarities to the known world.
판타지 소설[영화]이나 공상 과학 소설[영화] 속의 평행 우주는 알려진 세계와 공존하고 그것과 어떤 유사점들을 가진 세계야.

16-09 Autumn leaves falling down like pieces into place can be pictured after all these days. *Taylor Swift*
제자리로 조각조각 떨어지는 가을 나뭇잎들은 이 모든 날들이 지난 후 마음속에 그려질 수 있어.

16-10 We love a tale of heroes and villains, and conflicts requiring a neat resolution. *Barry Ritholtz*
우리는 영웅과 악당, 그리고 깔끔한 해결이 필요한 갈등의 이야기를 아주 좋아해.

16-11 Speculation is only a word covering the making of money out of the manipulation of prices, instead of supplying goods and services. *Henry Ford*
투기는 상품과 서비스를 제공하는 대신에 가격 조작으로 돈을 버는 것을 다루는 단어일 뿐이야.

C

16-12 Impressionism emphasizing accurate depiction of light in its changing qualities was a 19th-century art movement.
변화하는 특성을 가진 빛의 정확한 묘사를 강조하는 인상주의는 19세기 미술 운동이었어.

16-13 An exoplanet (extrasolar planet) is a planet orbiting a solar-type star outside the solar system.
외계 행성은 태양계 밖에서 태양 타입 항성의 궤도를 도는 행성이야.

16-14 The world is full of magical things patiently waiting for our wits to grow sharper. *Eden Phillpotts*
세상은 우리의 지능이 더 예리해지기를 참을성 있게 기다리는 마법 같은 것들로 가득 차 있어.

16-15 Smell is a strong evoker of memory due to the processing of stimuli passing through the emotional seat of the brain.
냄새는 뇌의 감정 부위를 통과하는 자극의 처리 과정 때문에 기억을 강하게 환기시키는 것이야.

Unit 17 명사 + v-ed분사(명사수식어)

STANDARD

17-01 The fruit derived from labor is the sweetest of pleasures. *Luc de Clapiers*
노동에서 얻어지는 열매는 기쁨들 중에서 가장 달콤해.

17-02 Poetry is the spontaneous overflow of powerful feelings recollected in tranquility. *William Wordsworth*
시는 평온함 속에서 회상되는 강렬한 감정의 자연스러운 넘쳐흐름이야.

17-03 Fake news consists of deliberate false information spread via traditional news media or online social media.
가짜 뉴스는 전통적 뉴스 미디어나 온라인 소셜 미디어를 통해 퍼지는 고의적인 허위 정보로 이루어져.

A

17-04 A child educated only at school is an uneducated child. *George Santayana*
단지 학교에서만 교육받은 아이는 교육받지 못한 아이야.

☺ **17-05** Common sense is the collection of prejudices acquired by age eighteen. *Albert Einstein*
상식은 열여덟 살 때까지 습득된 편견들의 집합체야.

17-06 A cell of a higher organism contains a thousand different substances arranged in a complex system. *Herbert Jennings*
고등 생물의 세포 하나는 복잡한 체계 속에 배열된 수많은 각기 다른 물질들을 포함하고 있어.

17-07 Dance is the movement of the universe concentrated in an individual. *Isadora Duncan*
춤은 한 개인에 집중된 우주의 움직임이야.

B

17-08 A gene is a basic unit of heredity found in the cells of all living organisms, from bacteria to humans.
유전자는 박테리아에서 인간까지 모든 살아 있는 유기체의 세포에서 발견되는 유전의 기본 단위야.

17-09 Only people affected by the same disease understand **each other.** *Franz Kafka*
같은 병에 걸린 사람들만이 **서로를** 이해해.

17-10 Mathematics is a game played according to certain simple rules with meaningless marks on paper. *David Hilbert*
수학은 종이 위에서 무의미한 기호들로 어떤 간단한 규칙들에 따라 행해지는 게임이야.

17-11 The cultural heritage transmitted from generation to generation is recreated by communities in response to their environment.
대대로 전해지는 문화유산은 환경에 반응하여 공동체들에 의해 재창조돼.

C

17-12 Anyone found guilty of corruption will be dealt with in accordance with the law. *George Weah*
부정부패로 유죄 판결을 받은 누구나 법에 따라 처리될 거야.

17-13 GDP measures the total value of all goods and services produced in a country in one year.
국내 총생산(GDP)은 일 년 동안 한 나라에서 생산된 모든 재화와 용역의 총 가치야.

17-14 The internal enemies of any state have betrayed **the trust imposed upon them by the people.** *Dalton Trumbo*
어떤 국가든 내부의 적들이 **민중에 의해 그들에게 부과된 신뢰를** 배반해 왔어.

17-15 Cyberterrorism disrupts **computer networks connected to the Internet** by means of viruses, phishing, and other malicious software.
사이버테러리즘은 바이러스, 피싱 사기, 그리고 다른 악성 소프트웨어로 **인터넷에 연결된 컴퓨터 네트워크를** 방해해.

Unit 18 명사 + 형용사구/to-v(명사수식어)

STANDARD

18-01 Peace is the only battle worth fighting. *Albert Camus*
평화는 싸울 가치가 있는 유일한 투쟁이야.

18-02 People in grief need **someone to walk with them without judging them.** *Gail Sheehy*
비탄에 빠진 사람들은 그들을 판단하지 않고 그들과 함께 걸어 줄 누군가가 필요해.

18-03 The deepest principle in human nature is the craving to be appreciated. *William James*
인간 본성의 가장 깊은 원리는 인정받으려는 욕구야.

A

18-04 **Dear restroom,** you are a place to talk, cry, gossip and escape from my class. **Sincerely, teenagers.**
화장실에게, 귀하는 이야기하고 울고 험담하고 수업에서 빠져나오는 곳입니다. 십대들 올림.

18-05 History is the long struggle of man to understand and act on his environment and himself. *E. H. Carr*
역사란 인간이 환경과 자신을 이해하고 그들에 작용하는 오랜 투쟁이야.

18-06 Words are the most powerful force available to humanity; they have **energy to help, to heal, to hurt, and to harm.** *Yehuda Berg*
말은 인간이 이용할 수 있는 가장 강력한 힘인데, 그것들은 돕고 치유하고 아프게 하고 해치는 에너지를 갖고 있어.

18-07 Digital literacy refers to an individual's **ability to find, evaluate, and create information on various digital platforms.**
디지털 리터러시는 다양한 디지털 플랫폼에서 정보를 찾고 평가하고 만드는 개인의 능력을 가리켜.

B

18-08 Democracy is a charming form of government full of variety and disorder. *Plato*
민주주의는 다양성과 무질서로 가득한 매력적인 형태의 정치 제제야.

18-09 Virtual reality (VR) is a simulated experience similar to or completely different from the real world.
가상 현실은 실제 세계와 비슷하거나 완전히 다른, 모방해 만들어진 경험이야.

18-10 Life is not a problem to be solved, but a reality to be experienced. *Kierkegaard*
삶은 해결되어야 할 문제가 아니라, 경험되어야 할 현실이야.

18-11 You are the main character of your life's story; it's time to give your audience something to be inspired by. *Kevin Ngo*
넌 네 삶의 이야기의 주인공이고, 네 관객에게 영감을 받을 뭔가를 주어야 할 시간이야.

C

18-12 Too often we give children **answers to remember rather than problems to solve.** *Roger Lewin*
너무도 흔히 우리는 아이들에게 풀어야 할 문제 대신에 기억해야 할 답을 줘.

18-13 Social distancing is a set of infection control actions to stop or slow down the spread of a contagious disease.
사회적 거리 두기는 전염병의 확산을 멈추거나 늦추려는 일련의 전염 통제 조치야.

18-14 AI perceives **its environment and** takes **actions to maximize its chance of successfully achieving its goals.**
인공 지능은 자신의 환경을 감지하고 목표를 성공적으로 달성할 기회를 최대화하는 조치를 취해.

18-15 Music has **the healing power to take people out of themselves for a few hours.** *Elton John*
음악은 사람들에게 몇 시간 동안 근심을 잊게 하는 치유력을 가지고 있어.

Unit 19 전치사구 (명사수식어/부사어)

STANDARD

19-01 Democracy is government of the people, by the people, and for the people. *Abraham Lincoln*
민주주의는 국민의, 국민에 의한, 국민을 위한 정치 체제야.

19-02 Strive for continuous improvement instead of perfection. *Kim Collins*
완벽 대신 지속적인 개선을 위해 노력해.

19-03 Through all my life, the new sights of Nature made me rejoice like a child. *Marie Curie*
평생 자연의 새로운 광경이 날 어린아이처럼 크게 기뻐하게 했어.

A

19-04 Everyone has the right to freedom of thought, conscience and religion, and to freedom of opinion and expression. *세계 인권 선언*
모든 사람은 사상, 양심, 종교의 자유에 대한 권리와, 의견과 표현의 자유에 대한 권리가 있어.

19-05 There are serious concerns about dangers in the areas of privacy and security in the Internet of Things.
사물 인터넷의 사생활과 보안 부문에서의 위험에 대한 심각한 우려가 있어.

19-06 The laureates were awarded the prize for contributions to our understanding of the evolution of the universe and Earth's place in the cosmos. *Swedish Academy*
수상자들은 우주 진화와 우주에서의 지구의 위치에 대한 우리의 이해에 기여하여 상을 받았어.

19-07 We are just an advanced breed of monkeys on a minor planet of a very average star, but we can understand the universe. *Stephen Hawking*
우리는 매우 평범한 별의 작은 행성에 사는 단지 진화된 원숭이 종일뿐이지만, 우리는 우주를 이해할 수 있어.

B

19-08 Politics is war without bloodshed; war is politics with bloodshed. *Mao Zedong*
정치는 유혈 사태 없는 전쟁이고, 전쟁은 유혈 사태 있는 정치야.

19-09 Justice for crimes against humanity must have **no limitations**. *Simon Wiesenthal*
반인도적 범죄에 대한 처벌은 공소 시효가 없어야 해.

19-10 Victims of bullying experience **lower self-esteem and various negative emotions, including being scared, angry and depressed.**
집단 따돌림[약자 괴롭히기]의 피해자들은 낮은 자존감과 무섭고 화나고 우울한 것을 포함한 다양한 부정적인 감정들을 경험해.

19-11 Tragedy heals **the audience** through their experience of pity and fear in response to the suffering of the characters in the drama.
비극은 극 중 등장인물들의 고통에 반응하는 연민과 두려움의 경험을 통해 관객들을 치유해.

C

☺ **19-12** Nothing occurs contrary to nature except the impossible, **and that never occurs.** *Galileo Galilei*
불가능한 것을 제외하고는 아무것도 자연에 반해서 일어나지 않고, 그 불가능한 것은 절대 일어나지 않아.

19-13 History followed **different courses for different peoples** because of environmental differences, not biological differences. *Jared Diamond*
역사는 생물학적 차이가 아니라 환경적 차이 때문에 각기 다른 민족들의 각기 다른 코스들을 따라갔어.

19-14 According to general relativity, the gravitational attraction between masses results from the distortion of space and time by those masses.
일반 상대성 이론에 따르면, 질량을 가진 물체들 사이의 중력은 그 질량들에 의한 시공간의 휘어짐으로부터 생겨.

19-15 Despite his hearing loss, Beethoven composed **some of the world's most beautiful symphonies.**
청력 상실에도 불구하고, 베토벤은 세상에서 가장 아름다운 교향곡들을 작곡했어.

Unit 20 to-v (부사어/형용사·부사수식어)

STANDARD

20-01 We need about 8 hours of sleep per night to function optimally during waking hours.
우리는 깨어있는 시간 동안 최적으로 기능하기 위해 하룻밤에 약 8시간의 수면이 필요해.

20-02 Maybe one day we will be glad to remember even these hardships.
아마도 어느 날 우리는 이 어려움조차 기억하게 되어서 기쁠 거야. *Virgil*

20-03 A teenager is always too tired to hold a dishcloth, but never too tired to hold a phone.
십대는 늘 너무 피곤해서 행주는 들 수 없지만, 결코 전화기를 들기엔 너무 피곤하지 않아.

A

20-04 Life is like riding a bicycle; to keep your balance, you must keep moving. *Albert Einstein*
삶은 자전거를 타는 것과 같아서, 균형을 유지하기 위해 넌 계속 움직여야 해.

20-05 He was eating pillow-shaped biscuits in his dream, and woke up to find the mattress half gone. *Fred Allen*
그는 꿈에서 베개 모양의 비스킷을 먹고 있었는데, 깨어나서 매트리스가 반쯤 없어진 걸 알게 되었어.

20-06 The scientist must be free to ask any question, to doubt any assertion, to seek any evidence, and to correct any errors.
과학자는 어떤 질문이든 자유롭게 묻고, 어떤 주장이든 자유롭게 의심하고, 어떤 증거든 자유롭게 찾고, 어떤 오류든 자유롭게 바로잡아야 해. *Robert Oppenheimer*

20-07 In order to achieve anything you must be brave enough to fail.
무엇이든 성취하기 위해 넌 실패할 만큼 충분히 용감해야 해. *Kirk Douglas*

B

20-08 I was hugely relieved to discover there was a purpose for girls with loud voices. *Betty Buckley*
난 목소리가 큰 소녀들의 쓰임새가 있다는 것을 알아내서 크게 다행으로 여겼어.

20-09 Your dreams must be big enough not to lose sight of them. *Oscar Wilde*
네 꿈은 안 보이게 되지 않을 만큼 충분히 커야 해.

20-10 I cannot speak well enough to be unintelligible. *Jane Austen*
난 이해할 수 없을 만큼 충분히 잘(어렵게 꾸며) 말할 수 없어.

20-11 You are never too old to set another goal or to dream a new dream. *C.S. Lewis*
넌 또 다른 목표를 세우거나 새로운 꿈을 꾸기에 결코 너무 나이 들지 않았어.

C

20-12 Fake news is made up so as to damage a person or organization, or gain financially or politically.
가짜 뉴스는 개인이나 조직에 피해를 입히거나, 금전적이나 정치적으로 이익을 얻기 위해 지어내져.

20-13 To write effective fantasies, authors rely on **the readers' "suspension of disbelief," an acceptance of the unbelievable for enjoyment.**
효과적인 공상 소설을 쓰기 위해 작가들은 **독자들의 '불신 유보', 즉 즐거움을 위한 믿기 힘든 것의 수용을** 필요로 해.

20-14 People may climb **the ladder of success** only to find that the ladder is leaning against the wrong wall. *Thomas Merton*
사람들은 **성공의 사다리를** 타고 올라가서 사다리가 잘못된 벽에 기대어 있다는 것을 알게만 될지도 몰라.

20-15 There is nothing so likely to produce peace as to be well prepared to meet the enemy. *George Washington*
적과 대결할 준비가 잘 되어 있는 것만큼 평화를 가져올 가능성이 큰 건 아무것도 없어.

Review

A

01 There is no fundamental difference between man and animals in their ability to feel pleasure and pain, happiness and misery. *Charles Darwin*
기쁨과 고통, 행복과 불행을 느끼는 능력에서 인간과 동물들 간의 근본적인 차이가 없어.

02 A people without the knowledge of their history and culture is like a tree without roots. *Marcus Garvey*
자신들의 역사와 문화에 대한 지식이 없는 민족은 뿌리 없는 나무와 같아.

03 The Information Age is a period characterized by the shift from traditional industry to an economy based upon information technology.
정보화 시대는 전통 산업에서 정보 기술에 기반을 둔 경제로의 변화로 특징지어지는 시기야.

04 Most people have the will to win; few have the will to prepare to win.
대부분의 사람들은 이기려는 의지가 있지만, 이기려고 준비하는 의지를 가진 사람은 거의 없어. *Bobby Knight*

05 Fear is the "preparation energy" to do your best in a new situation.
두려움은 새로운 상황에서 네가 최선을 다할 수 있게 하는 '준비 에너지'야. *Peter McWilliams*

06 Countries must work together and learn from one another in order to create a better world for all people.
나라들은 모든 사람들을 위한 더 나은 세상을 만들기 위해 함께 일하고 서로 배워야 해.

☺ **07** To be a lighthouse, you must be strong enough to resist every storm and loneliness, and you must have a light inside you! *Mehmet Ildan*
등대가 되기 위해, 넌 모든 폭풍우와 외로움을 견딜 만큼 충분히 강해야 하고, 넌 네 안에 빛을 가져야 해!

본책 • p.72
Rainbow Book • p.50

B

08 A person using virtual reality equipment is able to look around the **artificial world and** interact with virtual features or items.
가상 현실 장비를 사용하는 사람은 **인공 세계를** 둘러보고, 가상 특징들이나 물품들이나 상호 작용할 수 있어.

09 Most remarks made by children consist of **correct ideas very badly expressed.** *W. Sawyer*
아이들이 하는 대부분의 말들은 **매우 서툴게 표현되는 옳은 생각들로** 이루어져 있어.

10 We are already seeing an increase of extreme weather events **disrupting lives across the region.**
우리는 이미 온 지역에 걸쳐 생활을 방해하고 있는 극한 기후 사건들의 증가를 보고 있어.

Dance is the movement
of the universe concentrated
in an individual.

Isadora Duncan

My Favorite Sentences are ~

• Chapter 04 •

1. ____________________
The Original Sentence(원문)

→ ____________________
My Own Sentence(나만의 문장)

2. ____________________
The Original Sentence(원문)

→ ____________________
My Own Sentence(나만의 문장)

Stage Ⅱ

주어/보어/목적어구·절 & 관계절

unit 21 주어 v-ing

STANDARD

21-01 Conserving biodiversity is not a luxury in our times but a survival imperative. *Vandana Shiva*
생물의 다양성을 보존하는 것은 우리 시대의 사치가 아니라 생존에 긴요한 일이야.

21-02 Not having time to think may be not having the wish to think.
생각할 시간이 없는 것은 생각하고 싶은 마음이 없는 것일지도 몰라. *John Steinbeck*

21-03 It's no use blaming the looking glass if your face is untidy.
얼굴이 깔끔하지 못하면 거울을 탓해야 소용없어. *Nikolai Gogol*

A

21-04 Quitting smoking is easy; I've done it hundreds of times. *Mark Twain*
담배를 끊는 건 쉬워서, 난 그걸 수백 번 해 봤어.

21-05 Anything can look like a failure in the middle; pushing through this challenging mid-point is the only path to success. *Rosabeth Kanter*
무엇이든 도중엔 실패처럼 보일 수 있는데, 이 도전적인 중간 지점을 통과해 나가는 게 성공으로 가는 유일한 길이야.

21-06 Having seen something is not as good as knowing it; knowing it is not as good as putting it into practice. *Xunzi(순자)*
어떤 걸 본 적이 있는 건 그것을 아는 것만큼 좋지는 않고, 그걸 아는 건 그걸 실행에 옮기는 것만큼 좋지는 않아.

21-07 This is your life; it is worth risking everything to make it yours.
이건 네 삶이니, 그걸 네 것으로 만들기 위해 모든 위험을 무릅쓰는 건 가치가 있어. *Oprah Winfrey*

본책 • pp.78~79
Rainbow Book • pp.54~55

B

21-08 Singing sad songs often has a way of healing a situation. *Reba McEntire*
슬픈 노래를 부르는 것은 흔히 상황을 치유하게 돼.

21-09 Sometimes not doing something is the best form of self-love.
때로는 어떤 것을 하지 않는 게 자기애의 최선의 형태야.

21-10 Being deeply loved by someone gives you strength; loving someone deeply gives you courage. *Lao Tzu(노자)*
누군가에게 깊이 사랑받는 건 네게 힘을 주고, 누군가를 깊이 사랑하는 건 네게 용기를 줘.

21-11 It is nice finding the place where you can just go and relax. *Moises Arias*
바로 가서 쉴 수 있는 곳을 찾아내는 건 좋은 거야.

C

21-12 Raising awareness on the most pressing environmental issues of our time is more important than ever. *Leonardo DiCaprio*
우리 시대의 가장 긴급한 환경 문제에 대한 의식을 높이는 것이 그 어느 때보다 더 중요해.

21-13 Understanding economics can help you make better decisions and lead a happier life. *Tyler Cowen*
경제학을 이해하는 건 네가 더 나은 결정을 하고 더 행복한 삶을 살도록 도울 수 있어.

21-14 Walking at a moderate pace for an hour a day is considered a moderately intense level of exercise.
하루에 한 시간 동안 적당한 속도로 걷는 것이 적당한 강도의 운동으로 여겨져.

21-15 Using social media to hurt and destroy is acted out by cowards hiding behind computers. *Martin Garrix*
상처 주고 파괴하기 위해 소셜 미디어를 사용하는 짓이 컴퓨터 뒤에 숨어 있는 겁쟁이들에 의해 행해져.

Unit 22 주어 to-v

STANDARD

22-01 It's all of our responsibility to leave this planet in better shape for the future generations. *Mike Huckabee*
이 지구를 미래 세대들에게 더 나은 상태로 남겨 주는 것은 우리 모두의 책임이야.

22-02 To keep your secret is wisdom, but to expect others to keep it is folly. *Samuel Johnson*
네 비밀을 지키는 것은 현명한 일이지만, 다른 이들이 그걸 지킬 거라 기대하는 것은 어리석은 생각이야.

22-03 It is always possible for a scientific law to be contradicted, restricted, or extended by future observations.
과학 법칙이 미래의 관찰에 의해 반박되거나 제한되거나 확장되는 것은 언제나 가능해.

A

22-04 To find fault is easy; to do better may be difficult. *Plutarch*
잘못을 찾는 건 쉽지만, 더 잘하는 건 어려울지도 몰라.

22-05 To study and not think is a waste; to think and not study is dangerous. *Confucius(공자)*
공부하면서 생각하지 않는 건 낭비고, 생각하면서 공부하지 않는 건 위험해.

22-06 It is better to fail in originality than to succeed in imitation. *Herman Melville*
모방에 성공하는 것보다 독창성에 실패하는 게 더 나아.

22-07 The dead cannot cry out for justice; it is a duty of the living to do so for them. *Lois Bujold*
죽은 이들은 정의를 위해 외칠 수 없으니, 그들을 위해 그렇게 하는 게 산 자들의 의무야.

B

22-08 Not to know is bad; not to wish to know is worse. *African Proverb*
알지 못하는 것은 나쁘지만, 알길 바라지 않는 것은 더 나빠.

22-09 It's common for a video game addict to spend over 10 hours a day gaming, and suffer from sleep deprivation.
비디오 게임 중독자가 게임하면서 하루 열 시간 이상을 보내고 수면 부족으로 고통받는 일은 흔해.

22-10 It was silly of me to get angry about something so small.
내가 그렇게 사소한 일에 화를 낸 건 어리석었어.

22-11 It is wise of you to become more flexible and cooperative.
네가 더 융통성 있고 협조적이 되는 게 현명해.

C

22-12 It does not do to dwell on dreams and forget to live. *J.K. Rowling*
꿈들을 곱씹으며 (실제로) 사는 걸 잊어버리는 것은 적절하지 않아.

22-13 It takes **a lot of courage** to show your dream to someone else. *Erma Bombeck*
네 꿈을 다른 사람에게 보여 주는 데는 **많은 용기**가 필요해.

22-14 To regard old problems from a new angle requires **creative imagination** and marks **real advance in science**. *Albert Einstein*
오래된 문제들을 새로운 시각에서 보는 것은 **창의적인 상상력**이 필요하고 **진정한 과학의 발전**을 나타내.

22-15 To enable man to understand the past and to increase his mastery over the present is the dual function of history. *E. H. Carr*
인간이 과거를 이해하고 현재에 대한 지배력을 높일 수 있도록 하는 것이 역사의 이중 기능이야.

Unit 23 보어 v-ing/to-v

STANDARD

23-01 The purpose of art is washing the dust of daily life off our souls.
예술의 목적은 우리의 영혼에서 일상의 먼지를 씻어 내는 거야. *Pablo Picasso*

23-02 One of the most beautiful qualities of true friendship is to understand and to be understood. *Seneca*
참된 우정의 가장 아름다운 특징 중 하나는 이해하고 이해받는 거야.

23-03 The only thing necessary for the triumph of evil is for good men to do nothing. *Edmund Burke*
악의 승리에 필요한 유일한 것은 선한 사람들이 아무것도 안 하는 거야.

A

23-04 The only thing worse than being blind is having sight but no vision. *Helen Keller*
눈이 먼 것보다 더 나쁜 유일한 것은 시력은 있는데 전망이 없는 거야.

23-05 Being young is not having any money; being young is not minding not having any money. *Katharine Whitehorn*
젊다는 건 돈이 없다는 거고, 젊다는 건 돈이 없는 걸 신경 쓰지 않는다는 거야.

☺ **23-06** The way to get started is to quit talking and begin doing. *Walt Disney*
시작하는 법은 이야기를 그만하고 하기 시작하는 거야.

23-07 The goal of education is not to increase the amount of knowledge but to create the possibilities for a child to invent and discover.
교육의 목표는 지식의 양을 늘리는 것이 아니라 아이가 발명하고 발견할 기회를 만들어 주는 거야. *Jean Piaget*

B

23-08 Growing up is losing some illusions in order to acquire others.
성장하는 것은 다른 환상들을 얻기 위해 어떤 환상들은 잃는 거야. *Virginia Woolf*

23-09 The purpose of intellectual property law is to encourage the creation of a wide variety of intellectual goods.
지식 재산 법의 목적은 매우 다양한 지식 제품의 창작을 장려하는 거야.

23-10 Courage is not living without fear, but being scared to death and doing the right thing anyway. *Chae Richardson*
용기는 두려움 없이 사는 게 아니라, 죽도록 무서운데도 옳은 걸 하는 거야.

23-11 Happiness is not being pained in body or troubled in mind.
행복은 몸이 고통스럽지 않거나 마음이 괴롭지 않은 거야. *Thomas Jefferson*

C

☺ 23-12 Dancing is moving to the music without stepping on anyone's toes, pretty much the same as life. *Robert Brault*
춤은 삶과 거의 같이 누구의 발가락도 밟지 않으면서 음악에 맞춰 움직이는 거야.

23-13 Learning a new language is becoming a member of the community of speakers of that language. *Frank Smith*
새로운 언어를 배우는 것은 그 언어 사용자들 공동체의 일원이 되는 거야.

23-14 The best way to handle an emergency is to be prepared for every situation.
비상사태에 대처하는 최선의 방법은 모든 상황에 준비되어 있는 거야.

23-15 To love yourself right now, just as you are, is to give yourself heaven. *Alan Cohen*
그냥 너인 그대로, 바로 지금 너 자신을 사랑하는 것이 너 자신에게 천국을 선사하는 거야.

Review

A

01 Doing the best at this moment puts **you** in the best place for the next moment. *Oprah Winfrey*
이 순간 최선을 다하는 것이 다음 순간을 위한 최선의 자리에 **널** 있게 해 줘.

02 One's only failure is failing to live up to one's own possibilities. *Abraham Maslow*
사람의 유일한 실패는 자기 자신의 가능성에 부응하지 못하는 거야.

03 To live is to suffer**;** to survive is to find some meaning in the suffering. *Friedrich Nietzsche*
산다는 건 고통 받는 거고, 살아간다는 건 고통 속에서 어떤 의미를 찾는 거야.

04 To talk eloquently is a great art**, but** an equally great one is to know the right moment to stop. *Wolfgang Amadeus Mozart*
유창하게 말하는 건 훌륭한 기술이**지만,** 똑같이 훌륭한 건 멈춰야 할 알맞은 때를 아는 거야.

05 It takes **a great deal of bravery** to stand up to our enemies**, but just as much** to stand up to our friends. *J.K. Rowling*
우리 적들에 맞서는 데는 **많은 용기가** 필요하**지만,** 우리 친구들에 맞서는 데도 **꼭 그만큼** 필요해.

06 The purpose of anthropology is to make the world safe for human differences. *Ruth Benedict*
인류학의 목적은 세상을 인간의 다름에 대해 안전하게 하려는 거야.

07 The aim of "surrealism" is to resolve the contradiction of dream and reality into an absolute reality, a super-reality. *André Breton*
'초현실주의'의 목적은 꿈과 현실의 모순을 절대적 현실인 초현실로 해결하려는 거야.

본책 • p.84
Rainbow Book • p.60

B

08 Not having a clear goal leads to **nothing** by a thousand compromises. *Mark Pincus*
분명한 목표가 없으면 수많은 타협들로 아무것에도 이르지 못해.

09 It is no use speaking in soft, gentle tones if everyone else is shouting. *Joseph Priestley*
다른 모든 사람들이 소리치고 있으면, 부드럽고 조용한 어조로 말해 봐야 소용없어.

10 It is easier for a camel to go through the eye of a needle than for a rich man to enter the kingdom of God. *Jesus*
낙타가 바늘귀를 통과하는 것이 부자가 하느님의 왕국에 들어가기보다 더 쉬워.

“To regard old problems from a new angle requires creative imagination and marks real advance in science.”
Albert Einstein

My Favorite Sentences are ~

• Chapter 05 •

1. ______________________________
The Original Sentence(원문)

→ ______________________________
My Own Sentence(나만의 문장)

2. ______________________________
The Original Sentence(원문)

→ ______________________________
My Own Sentence(나만의 문장)

Unit 24 목적어 v-ing

STANDARD

24-01 Winners learn from the past **and enjoy working in the present toward the future.** *Denis Waitley*
성공하는 사람들은 과거로부터 배우고, 미래를 위해 현재 일하는 걸 즐겨.

24-02 We cannot put off **living** until we are ready. *Ortega Gasset*
우리는 준비될 때까지 사는 걸 미룰 순 없어.

24-03 Imagine **all the people living life in peace and sharing all the world.** *John Lennon*
모든 사람들이 평화롭게 살아가면서 온 세상을 나누는 걸 상상해 봐.

A

24-04 We can never give up **longing and wishing** while we are thoroughly alive. *George Eliot*
우리는 완전히 살아 있는 동안 열망하고 소망하는 것을 절대 포기할 수 없어.

24-05 Never mind **searching for who you are.** *Robert Breault*
네가 누구인지 찾는 걸 절대 꺼리지 마[기꺼이 네가 누구인지 찾으려 해].

☺ **24-06** Avoid **using the word "very"** because it's lazy; a man is not very tired, he is exhausted. *Movie "Dead Poets Society"*
'매우'라는 말은 성의가 부족하기 때문에 그것을 쓰는 걸 피해. 어떤 사람이 매우 피곤한 게 아니라, 그는 기진맥진한 거야.

24-07 The process of the scientific method involves **making hypotheses, deriving predictions from them, and carrying out experiments.**
과학적 방법의 과정은 가설들을 세우고, 그것들에서 예측들을 끌어내고, 실험들을 수행하는 것을 포함해.

B

24-08 I recommend **limiting one's involvement in other people's lives to a minimum.** *Quentin Crisp*
난 타인의 삶에 대한 관여를 최소한으로 제한하길 권해.

24-09 Have you ever considered **quitting school?**
넌 학교를 그만둘 걸 고려한 적이 있어?

24-10 Two teenagers deny **attempting to rob a schoolboy after chasing him into an alley.**
두 십대가 한 남학생을 골목으로 뒤쫓아 간 후 그에게서 갈취하려고 시도했다는 걸 부인해.

24-11 Keep your feet **on the ground and** keep **reaching for the stars.**
발을 땅에 딛고 계속 별을 향해 손을 뻗어. *Casey Kasem*

C

24-12 FAO suggests **eating insects as a possible solution to environmental degradation caused by livestock production.**
유엔 식량 농업 기구는 가축 생산에 의해 야기되는 환경의 저하에 대한 가능한 해결책으로 곤충을 먹을 것을 제안해.

☺ 24-13 You cannot go on **indefinitely being just an ordinary, decent egg;** we must be hatched or go bad. *C. S. Lewis*
넌 계속 무기한 그저 보통의 제대로 된 계란일 수는 없어. 우리는 부화되거나 상해야 해.

24-14 The author should die once he has finished **writing,** so as not to trouble the path of the text. *Umberto Eco*
작가는 글의 진로를 방해하지 않기 위해, 일단 글쓰기를 끝내면 사라져야 해.

24-15 It is better to risk saving a guilty man than to condemn an innocent one. *Voltaire*
한 죄 없는 사람에게 유죄 판결하는 것보다 죄 있는 사람의 죄를 면하게 하는 위험을 감수하는 게 더 나아.

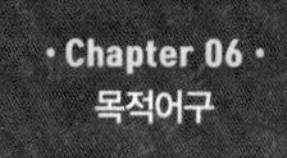

Unit 25 목적어 to-v

STANDARD

25-01 You shouldn't agree to be slaves in an authoritarian structure.
넌 권위주의적 구조의 노예가 되는 걸 동의해선 안 돼. *Noam Chomsky*

25-02 The Internet of Things promises to reshape our lives as fundamentally as the introduction of the railway.
사물 인터넷은 철도의 도입만큼 근본적으로 우리 생활의 모습을 바꿀 것 같아.

25-03 I don't need to know everything; I just need to know where to find it.
난 모든 걸 알 필요는 없고, 단지 그걸 어디서 찾아야 할지 알기만 하면 돼. *Albert Einstein*

A

25-04 If you fail to plan, you are planning to fail. *Benjamin Franklin*
네가 계획하는 걸 실패하면, 넌 실패할 걸 계획하고 있는 거야.

25-05 People do not decide to become extraordinary; they decide to accomplish extraordinary things. *Edmund Hillary*
사람들은 비범하게 되려고 결심하지는 않고, 비범한 것들을 성취하기로 결정해.

25-06 The media does not tell us what to think; it tells us what to think about. *Walter Lippmann*
미디어(대중 매체)는 우리에게 무엇을 생각해야 할지를 말해 주지 않고, 우리에게 무엇에 대해 생각해야 할지를 말해 줘.

25-07 Sports teach players how to strive for a goal and handle mistakes.
스포츠는 선수들에게 어떻게 목표를 위해 분투하고 실수를 처리해야 하는지 가르쳐 줘. *Julie Foudy*

B

25-08 Let's choose to hear one another out. *Betsy DeVos*
서로의 말을 끝까지 들어 주기로 정하자.

25-09 Most of the students expect to be graded individually for their contribution to group work.
대부분의 학생들은 단체 활동에 대한 자신의 기여에 따라 개별적으로 점수 받기를 기대해.

25-10 Writers want to express themselves; readers want to be impressed. *Claire Amber*
작가들은 자신들을 표현하기를 원하고, 독자들은 감동을 받길 원해.

25-11 We don't ask how to make a pig happy; we ask how to grow it faster, fatter, cheaper, and that's not a noble goal. *Joel Salatin*
우리는 어떻게 돼지를 행복하게 해야 할지를 묻지 않고, 그것을 어떻게 더 빨리 더 살찌게 더 싸게 길러야 할지를 묻는데, 그것은 고상한 목표가 아니야.

C

25-12 We hope to grow old and we dread old age; that is to say, we love life and we flee from death. *La Bruyère*
우리는 나이 들기를 바라면서도 노년은 두려워해. 즉, 우리는 삶을 사랑하면서 죽음으로부터 달아나.

25-13 I plan to rearrange the alphabetical order; I have just discovered that U and I should be together. *Patricia Barry*
난 알파벳 순서를 재배열할 계획인데, 난 방금 'U'와 'I'가 함께 있어야 한다는 걸 발견했거든.

25-14 Welfare attempts to provide poor people with certain goods and social services, such as health care and education.
복지는 가난한 사람들에게 일정한 물품과 의료 서비스와 교육과 같은 사회 서비스를 제공하려고 시도해.

25-15 We learn in friendship to look with the eyes of another person, to listen with their ears, and to feel with their heart. *Alfred Adler*
우리는 우정에서 다른 사람의 눈으로 보고, 그들의 귀로 듣고, 그들의 마음으로 느끼는 걸 배워.

Unit 26 목적어 v-ing / to-v

STANDARD

26-01 We continue to shape[shaping] our personality all our life. *Albert Camus*
우리는 평생 우리의 인격을 계속 형성해.

26-02 I regret not having spent more time with you.
난 너와 더 많은 시간을 보내지 않은 걸 후회해.

26-03 An anthropologist tries to understand other cultures from the perspective of an insider.
인류학자는 내부자의 관점으로 다른 문화를 이해하려고 노력해.

A

26-04 Begin to accept[accepting] your own weakness, and growth begins. *Jean Vanier*
너 자신의 약점을 받아들이기 시작하면, 성장이 시작돼.

26-05 Try doing something different every day like talking to a stranger. *Paulo Coelho*
낯선 이에게 말을 거는 것 같은 색다른 뭔가를 매일 해 봐.

26-06 Don't forget to tell yourself positive things daily. *Hannah Bronfman*
매일 너 자신에게 긍정적인 말들을 할 걸 잊지 마.

26-07 True equality means holding everyone accountable in the same way. *Monica Crowley*
진정한 평등은 모두에게 똑같은 방식으로 책임지게 하는 걸 수반해.

B

26-08 I remember **being taught to read at a very early age.** *J. Abrams*
난 아주 어린 나이에 읽는 걸 배운 것을 기억해.

☺ **26-09** Did you ever stop **to think, and forget to start again?** *A. A. Milne*
넌 생각하려고 멈추었다가, 다시 시작하는 걸 잊어버린 적이 있어?

26-10 We regret **to inform you that your application has not been successful.**
우리는 귀하의 지원이 성공적이지 못했음을 알려 드리는 것을 유감스럽게 생각합니다.

26-11 I stopped **fighting my inner self;** we're on the same side now.
난 나의 내적 자아와 싸우는 걸 그만두어서, 우리는 이제 같은 편이야.

C

26-12 I will never forget **reading this book in high school.**
난 고등학교 때 이 책을 읽은 걸 절대 잊지 않을 거야.

26-13 I prefer **to choose〔choosing〕 which traditions to keep and which to let go.** *Theodore Bikel*
난 어느 전통은 지켜야 하고 어느 것은 버려야 할지 선택하는 걸 좋아해.

26-14 Remember **to use your vote;** remember **to speak out and feel empowered.** *Sarah Gavron*
네 투표권을 행사할 것을 기억해. 공개적으로 발언할 것과 권한 받은 걸 느낄 것을 기억해.

26-15 To innovate does not necessarily mean **to expand;** very often it means **to simplify.** *Russell Ballard*
혁신하는 것은 반드시 확대하려고 의도하는 건 아니고, 아주 흔히 그것은 간소화하려고 의도해.

Unit 27 목적보어 to-v

STANDARD

27-01 Experience enables you to recognize a mistake when you make it again. *Franklin Jones*
경험은 네가 잘못을 다시 할 때 네가 그것을 알아볼 수 있게 해.

27-02 The best teachers encourage students to find the truth inside their own experience. *Tamika Schilbe*
최고의 선생님들은 학생들에게 자신들의 경험 속에서 진리를 발견하도록 권장해.

27-03 Children with ADHD find it difficult to focus on and complete tasks such as schoolwork.
주의력결핍 과다행동장애를 가진 아이들은 학업과 같은 과업에 집중해서 끝마치는 게 어렵다고 여겨.

A

☺ 27-04 Adversity causes some men to break; others to break records. *William Ward*
역경은 어떤 사람들은 깨지게 하고, 다른 사람들은 기록을 깨게 해.

☺ 27-05 You can persuade someone to look at your face, but you can't persuade them to see the beauty therein. *Michael Johnson*
넌 누군가에게 네 얼굴을 보라고 설득할 수는 있지만, 그들에게 그 안의 아름다움을 보라고 설득할 수는 없어.

27-06 Expect people to be better than they are; it helps them to become better. *Mary Browne*
사람들이 현재의 그들보다 더 낫기를 기대하면, 그건 그들이 더 낫게 되도록 도와줘.

27-07 Social networking services make it possible to connect people across political, economic, and geographic borders.
소셜 네트워킹 서비스는 정치적 경제적 지리적 경계를 넘어 사람들을 연결하는 것을 가능하게 해.

본책 • pp.92~93
Rainbow Book • pp.68~69

B

27-08 She warned him not to be deceived by appearances, for beauty is found within. *Movie "Beauty and the Beast"*
그녀는 그에게 외모에 속지 말라고 경고했는데, 왜냐면 아름다움은 내면에서 발견되기 때문이야.

27-09 Bertolt Brecht wanted the audience to be alienated emotionally from the action and characters, and to intellectually analyze the world.
베르톨트 브레히트는 관객이 사건과 등장인물들로부터 감정적으로 멀어져 세상을 지적으로 분석하길 원했어.

27-10 Consumer protection policies and laws compel manufacturers to make products safe.
소비자 보호 정책과 법률은 제조업자들이 제품을 안전하게 만들도록 강제해.

27-11 How can I get you to understand the uncertainty principle?
내가 어떻게 네가 불확정성 원리를 이해하게 할 수 있을까?

C

27-12 I can't permit myself to do things halfway. *Marion Bartoli*
난 나 자신이 일을 어중간하게 하는 걸 허용할 수 없어.

27-13 Media literacy allows people to access, critically evaluate, and create media.
미디어 리터러시는 사람들이 미디어에 접근하고, 미디어를 비판적으로 평가하고 만드는 것을 가능하게 해.

27-14 Growing up sometimes forces us to confront the distance between our childhood hope and the truth. *Sara Shandler*
성장하는 것은 때로는 우리에게 어린 시절 희망과 현실 사이의 거리에 직면하도록 강요해.

27-15 Health authorities advise residents to stay indoors as much as possible, to close windows, and to drink plenty of water.
보건 당국은 주민들에게 실내에 가능한 한 많이 머무르고, 창문을 닫고, 그리고 충분한 물을 마실 것을 권고해.

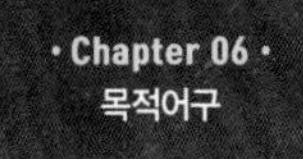

Unit 28 목적보어 V/v-ing/v-ed분사

STANDARD

28-01 No one can make you **feel inferior** without your consent. *Eleanor Roosevelt*
아무도 네 동의 없이는 널 **열등감을 느끼게** 할 수 없어.

28-02 I could feel the sweat **running down my back.**
난 땀이 내 등에 **흘러내리는 걸** 느낄 수 있었어.

28-03 He got his hair **dyed, and** she had her eyebrows **tattooed.**
그는 머리 **염색을** 시켰고, 그녀는 눈썹 **문신을** 시켰어.

A

28-04 Leave me **not drowning in a sea of grief.** *Ned Ward*
내가 깊은 슬픔의 바다에 **빠져 죽어 가지 않게** 해 줘.

28-05 A good trainer can hear a horse **speak to him;** a great trainer can hear him **whisper.** *Monty Roberts*
좋은 조련사는 말이 그(조련사)에게 **말하는 걸** 들을 수 있고, 훌륭한 조련사는 그(말)가 **속삭이는 걸** 들을 수 있어.

28-06 I saw large rivers **flowing along for miles, and** huge forests **extending along several borders.** *Astronaut John Bartoe*
난 커다란 강들이 수 마일에 걸쳐 **흐르고 있는 것과,** 거대한 숲들이 여러 국경들을 따라 **이어지는 걸** 보았어.

28-07 Everyone should have their mind **blown** once a day. *Neil Tyson*
모든 사람은 하루에 한 번 마음이 **완전 뽕가게** 되어야 해.

본책 • pp.94~95
Rainbow Book • pp.70~71

B

28-08 Scientific knowledge is in perpetual evolution; it finds itself changed from one day to the next. *Jean Piaget*
과학 지식은 끊임없이 계속되는 발전 속에 있고, 그것은 그 자체가 하루하루 변화하게 돼.

28-09 At the first kiss I felt something acute melt inside me; everything was transformed. *Hermann Hesse*
첫 키스에서 난 내 안에서 격심한 무언가가 녹아내리는 걸 느꼈고, 모든 게 완전히 바뀌었어.

28-10 I stop and watch the woods fill up with snow. *Robert Frost*
난 멈춰 서서 숲이 눈으로 가득 차는 걸 지켜봐.

28-11 I want you tuned in to my eyes. *Song "Boy With Luv" by BTS*
난 내 눈에 널 맞추고 싶어.

C

☺ 28-12 You should make people laugh without hurting somebody else's feelings. *Ellen DeGeneres*
넌 다른 사람의 감정을 상하게 하지 않고 사람들을 웃겨야 해.

☺ 28-13 Let your tears water the seeds of your future happiness. *Steve Maraboli*
네 눈물이 네 미래 행복의 씨앗에 물을 주게 해.

28-14 Don't let anyone rob you of your imagination, your creativity, or your curiosity; it's your life. *Mae Jemison*
누가 네게서 상상력이나 창의성이나 호기심을 빼앗아 가지 않게 해. 그건 네 인생이야.

28-15 Goals keep you motivated, and they give you a direction. *Helen Jenkins*
목표는 네가 계속 동기 부여가 되게 하고, 네게 방향을 제시해 줘.

unit 29 전치사목적어 v-ing

STANDARD

29-01 A man is not paid for having a head and hands, but for using them.
사람은 머리와 손을 가진 대가를 받는 게 아니라, 그들을 사용하는 대가를 받아. *Elbert Hubbard*

29-02 Memory is vital to forming a person's identity and providing a stable sense of reality.
기억은 사람의 정체성을 형성하고 안정된 현실감을 제공하는 데 필수적이야.

29-03 I look forward to **having the opportunity to take on new challenges.**
난 새로운 도전적인 일들을 맡을 기회를 갖길 고대해.

A

29-04 Falling in love is like getting hit by a truck, and yet not being mortally wounded. *Jackie Collins*
사랑에 빠지는 건 트럭에 치이지만 치명상은 입지 않는 것과 같아.

29-05 Discoveries are often made by not following instructions, by going off the main road, by trying the untried. *Frank Tyger*
발견은 흔히 지시를 따르지 않고, 큰길에서 벗어나서, 시도해 보지 않은 것을 시도함으로써 이루어져.

29-06 Life isn't about finding yourself, but creating yourself. *Bernard Shaw*
삶은 너 자신을 발견하는 것에 관한 게 아니라, 너 자신을 창조하는 것에 관한 거야[창조하는 걸 목적으로 하는 거야].

29-07 We've been trained **to prefer being right to learning something, to prefer passing the test to making a difference.** *Seth Godin*
우리는 무엇을 배우는 것보다 (틀리지 않고) 맞는 것을, 영향을 미치는 것보다 시험에 합격하는 걸 더 좋아하도록 훈련받아 왔어.

B

29-08 The truest mark of having been born with great qualities is to have been born without envy. *La Rochefoucauld*
훌륭한 자질을 갖고 태어났다는 가장 확실한 표시는 부러움 없이 태어났다는 거야.

29-09 A liar begins with making falsehood appear like truth **and** ends with making truth itself appear like falsehood. *William Shenstone*
거짓말쟁이는 거짓을 진실처럼 보이게 하는 것으로 시작해서, 진실 그 자체가 거짓처럼 보이게 하는 것으로 끝나.

29-10 Our economic knowledge serves **us** in managing our personal lives, in understanding society, and in improving the world around us.
우리의 경제적 지식은 우리 개인의 삶을 관리하고, 사회를 이해하고, 우리 주변의 세상을 개선하는 데 우리에게 도움이 돼. *Samuelson & Nordhaus*

29-11 I used to be a fighter, **and I** am used to losing weight. *Burt Young*
난 예전에 파이터였기에, 몸무게를 줄이는 데 익숙해.

C

29-12 Love **yourself** instead of abusing yourself. *Karolina Kurkova*
너 자신을 학대하는 대신에 너 자신을 사랑해.

29-13 Enjoy **your own life** without comparing it with that of another.
너 자신의 삶을 다른 사람의 삶과 비교하지 말고 너 자신의 삶을 즐겨. *Nicolas Condorcet*

29-14 Society needs **people managing projects in addition to handling individual tasks.** *Marilyn Savant*
사회는 개인적 일을 처리하는 것에 더해 프로젝트를 관리하는 사람들이 필요해.

29-15 Most comedy is based on getting a laugh at somebody else's expense. *Ellen DeGeneres*
대부분의 코미디는 다른 누군가를 희생해서 웃음을 얻는 데 바탕을 둬.

Review

A

01 I'm trying **to concentrate**, **but** my mind keeps **wandering**.
난 **집중하려고** 노력하고 있지만, 내 마음은 계속 **방황하고** 있어.

02 To make knowledge productive, we will have to learn **to see both forest and tree, and to connect.** *Peter Drucker*
지식을 생산적이 되게 하기 위해, 우리는 **숲과 나무 둘 다 보는 것과 연결하는 것을** 배워야 할 거야.

03 To choose to live with a dog is to agree to participate in a long process of interpretation. *Mark Doty*
개와 함께 사는 걸 선택하는 것은 긴 해석의 과정에 참여하는 것에 동의하는 거야.

04 To know when to go away and when to come closer is the key to any lasting relationship. *Domenico Cieri*
언제 가야 할지와 언제 더 가까이 와야 할지 아는 게 어떤 지속적인 관계에 대해서든 열쇠야.

☺ 05 Everyone has **the ability of making someone happy**: some by entering the room, others by leaving it.
모든 사람은 **누군가를 행복하게 하는 능력이** 있는데, 어떤 사람들은 방에 들어감으로써, 다른 사람들은 방을 떠남으로써 그렇게 해.

06 A video game addict engages in gaming activities at the cost of **fulfilling daily responsibilities or pursuing other interests.**
비디오 게임 중독자는 일상의 책임을 다하는 것이나 다른 관심사를 추구하는 것을 희생하고 게임 활동에 참여해.

07 Experience tells you **what to do**; confidence allows you **to do it.** *Stan Smith*
경험은 네게 **무엇을 해야 할지** 말해 주고, 자신감은 네가 **그것을 할** 수 있게 해 줘.

본책 • p.98
Rainbow Book • p.74

08 If you cannot enjoy **reading a book over and over,** there is no use reading it at all. *Oscar Wilde*
네가 어떤 **책을 반복해서** 읽는 걸 즐길 수 없으면, 그것은 읽어도 전혀 소용없어.

09 I make it **a rule** to test action by thought, thought by action. *Goethe*
난 행동은 생각으로, 생각은 행동으로 시험하는 것을 **원칙으로** 해.

☺ **10** Words make you **think a thought;** music makes you **feel a feeling;** a song makes you **feel a thought.** *Yip Harburg*
말은 네가 **생각을 하게** 하고, 음악은 네가 **감정을 느끼게** 하고, 노래는 네가 **생각을 느끼게** 해.

Adversity causes
some men to break;
others to break records.
William Ward

My Favorite Sentences are ~

· Chapter 06 ·

1. ______________________________
The Original Sentence(원문)

→ ______________________________
My Own Sentence(나만의 문장)

2. ______________________________
The Original Sentence(원문)

→ ______________________________
My Own Sentence(나만의 문장)

unit 30 주어/보어 that절/whether절

STANDARD

30-01 It is a miracle that curiosity survives formal education. *Albert Einstein*
호기심이 정규 교육에서 살아남는 것은 기적이야.

30-02 One of the penalties for refusing to participate in politics is that you end up being governed by your inferiors. *Plato*
정치 참여를 거부하는 것으로 인한 불이익들 중 하나는 네가 결국 너보다 못한 사람들에 의해 지배당하게 되는 거야.

30-03 It doesn't matter if you fall down; it matters whether you get back up. *Michael Jordan*
네가 넘어지는지는 중요하지 않아. 네가 다시 일어서는지 아닌지가 중요해.

A

30-04 Isn't it remarkable that of all the machines devised by the humans, not one can replace imagination? *Abhijit Naskar*
인간에 의해 고안된 모든 기계들 중 단 하나도 상상력을 대신할 수 없다는 것이 놀랍지 않니?

30-05 The liar's punishment is not that he is not believed, but that he cannot believe anyone else. *Bernard Shaw*
거짓말쟁이의 벌은 그가 믿어지지 않는 것이 아니라, 그가 다른 아무도 믿을 수 없는 거야.

30-06 The whole problem with the world is that fools and fanatics are always so certain of themselves, and wise people so full of doubts. *Bertrand Russell*
세상의 중대한 문제는 바보들과 광적인 사람들은 늘 자신들을 너무 확신하고, 똑똑한 사람들은 늘 의심으로 너무 가득 차 있다는 거야.

30-07 The test of our progress is not whether we add more to the abundance of the rich, but whether we provide enough for the poor. *Franklin D. Roosevelt*
우리 진보의 시험대는 우리가 부자들의 풍요에 더 많은 것을 더하는지가 아니라, 우리가 가난한 사람들에게 필요한 만큼 제공하는지 아닌지야.

B

30-08 It is expected that a children's story will raise a difficulty and then so promptly resolve it. *Rachel Cusk*
동화는 어려움을 일으키고 나서 바로 즉시 그것을 해결할 것으로 기대돼.

30-09 The incredible thing about virtual reality is that you feel like you're actually present in another place with other people. *Mark Zuckerberg*
가상 현실에 대해 믿을 수 없는 것은 네가 실제로 다른 사람들과 다른 곳에 있는 것처럼 느낀다는 거야.

30-10 Whether histories have a happy ending or not depends on when the historian ends the tale. *Linda Gordon*
역사가 행복한 결말을 갖는지 아닌지는 역사가가 언제 이야기를 끝내는지에 달려있어.

30-11 The question is whether or not the communities ruling the Internet can make their spaces safer for users. *Brianna Wu*
문제는 인터넷을 지배하는 공동체들이 사용자들을 위해 자기들의 공간을 더 안전하게 만들 수 있는지 아닌지야.

C

☺ **30-12** It's no wonder that truth is stranger than fiction; fiction has to make sense. *Mark Twain*
사실이 소설[허구]보다 더 이상하다는 것은 놀랍지 않아. 소설은 말이 되어야 하니.

30-13 It is widely believed that social concerns and trends are reflected in the mass media such as television and film.
사회적 관심사와 추세는 텔레비전과 영화 같은 대중 매체에 반영되는 것으로 널리 여겨져.

30-14 The saddest aspect of life right now is that science gathers knowledge faster than society gathers wisdom. *Isaac Asimov*
바로 지금 삶의 가장 슬픈 양상은 과학이 사회가 지혜를 모으는 것보다 더 빨리 지식을 모은다는 거야.

30-15 In republics, the great danger is that the majority may not sufficiently respect the rights of the minority. *James Madison*
공화국에서 큰 위험은 다수가 소수의 권리를 충분히 존중하지 않을 수도 있다는 거야.

Unit 31 주어/보어 what절

STANDARD

31-01 What makes the desert beautiful is that somewhere it hides a well. *The Little Prince*
사막을 아름답게 만드는 것은 어딘가에 사막이 샘을 숨기고 있다는 거야.

31-02 The soul without imagination is what an observatory would be without a telescope. *Henry Beecher*
상상력 없는 정신은 망원경 없는 관측소 같은 것이야.

31-03 Whatever is flexible and living will tend to grow; whatever is rigid and blocked will wither and die. *Lao Tzu(노자)*
유연하고 살아 있는 무엇이든 자라기 쉽겠지만, 뻣뻣하고 막힌 것은 무엇이든 시들어 죽을 거야.

A

31-04 What we achieve inwardly will change outer reality. *Plutarch*
우리가 마음속으로 이루는 것은 외부 현실을 바꿀 거야.

31-05 What society does to its children is what its children will do to society. *Cicero*
사회가 (현재) 아이들에게 하는 것이 아이들이 (미래) 사회에 하게 될 것이야.

31-06 What is moral is what you feel good after; what is immoral is what you feel bad after. *Ernest Hemingway*
도덕적인 것은 네가 (그것을 한) 후에 기분 좋은 것이고, 비도덕적인 것은 네가 (그것을 한) 후에 기분 나쁜 것이야.

31-07 Whatever has happened to you in your past has no power over this present moment because life is now. *Oprah Winfrey*
과거 네게 일어났던 무엇이든 삶은 지금이기 때문에 이 현재 순간에 대해서는 힘을 갖지 못해.

B

31-08 What we want is to see the child in pursuit of knowledge, and not knowledge in pursuit of the child. *Bernard Shaw*
우리가 원하는 것은 지식을 좇는 아이를 보는 것이지, 아이를 뒤쫓는 지식을 보는 것이 아니야.

31-09 Great music is great music; it doesn't matter what genre it belongs to. *Stjepan Hauser*
훌륭한 음악은 훌륭한 음악이지, 그것이 어떤 장르에 속하는지는 중요하지 않아.

31-10 It doesn't matter what it is; what matters is what it will become. *Dr. Seuss*
그것이 무엇인지는 중요하지 않고, 중요한 것은 그것이 무엇이 될 것인지야.

31-11 One's religion is whatever they are most interested in. *James Barrie*
사람의 종교는 그들이 가장 관심 있는 무엇이든지야.

C

31-12 What we owe our parents is the bill presented to us by our children. *Nancy Friday*
우리가 우리 부모에게 빚지고 있는 것은 우리 아이들에 의해 우리에게 주어질 청구서야.

31-13 What hurts the victim most is not the cruelty of the oppressor, but the silence of the bystander. *Elie Wiesel*
피해자를 가장 아프게 하는 것은 압제자의 잔인함이 아니라, 방관자의 침묵이야.

31-14 Education is what survives when what has been learned has been forgotten. *B. F. Skinner*
교육은 배워졌던 것이 잊혔을 때 살아남는 거야.

31-15 The greatest way to live with honor in this world is to be what we pretend to be. *Socrates*
이 세상을 명예롭게 사는 가장 훌륭한 방법은 우리가 무엇인 척하는 것이 (진짜) 되는 거야.

unit 32 주어/보어 wh-절

STANDARD

32-01 Who controls the past controls the future; who controls the present controls the past. *George Orwell*
과거를 지배하는 자가 미래를 지배하고, 현재를 지배하는 자가 과거를 지배해.

32-02 It doesn't matter where you came from; what matters is where you are going.
네가 어디서 왔는지는 중요하지 않아. 중요한 것은 네가 어디로 가고 있는지야.

32-03 Whoever is careless with the truth in small matters cannot be trusted with important matters. *Albert Einstein*
작은 일에서 진실에 부주의한 누구든 중요한 일이 맡겨질 수 없어.

A

32-04 How a person uses social networking can change their feelings of loneliness in either a positive or negative way.
사람이 어떻게 소셜 네트워킹을 사용하는지가 외로움의 감정을 긍정적 또는 부정적으로 바꿀 수 있어.

32-05 It doesn't matter how new an idea is; what matters is how new it becomes. *Elias Canetti*
생각이 얼마나 새로운지는 중요하지 않고, 중요한 것은 그것이 얼마나 새롭게 되는지야.

32-06 I am who I am, not who you think I am, not who you want me to be.
난 네가 나라고 생각하는 사람도 아니고, 네가 나이기를 바라는 사람도 아니라, 그냥 나야. *Brigitte Nicole*

32-07 Design is not just what it looks like and feels like, but how it works.
디자인은 단지 그것이 어떻게 보이고 느껴지는지뿐만 아니라, 그것이 어떻게 기능하는지야. *Steve Jobs*

B

32-08 Home is where the heart can laugh without shyness, and the heart's tears can dry at their own pace. *Vernon Bake*
가정은 마음이 부끄럼 없이 웃을 수 있고, 마음의 눈물이 자신만의 속도로 마를 수 있는 곳이야.

32-09 People are prisoners of their phones; that's why it's called a "cell" phone.
사람들은 휴대폰의 포로들인데, 그게 휴대폰이 '셀(감방)'폰이라 불리는 이유야.

32-10 The test of a man or woman's breeding is how they behave in a quarrel. *Bernard Shaw*
남성이나 여성의 가정 교육의 시험대는 그들이 다툴 때 어떻게 행동하는지야.

32-11 Whoever said nothing is impossible never tried slamming a revolving door.
아무것도 불가능하지 않다고 말한 누구든 회전문을 쾅 닫는 걸 절대 시도한 적이 없어.

C

32-12 Nobody deserves your tears, but whoever deserves them will not make you cry. *Gabriel Marquez*
아무도 네 눈물을 받을 만하지 않지만, 그걸 받을 만한 누구든 널 울게 하지 않을 거야.

32-13 How far you go in life depends on your being tender with the young and compassionate with the aged. *George Carver*
네가 살면서 얼마나 성공할지는 네가 젊은이들에게 다정한 것과 노인들에게 동정심을 갖는 것에 달려 있어.

32-14 No thief can rob one of knowledge, and that is why knowledge is the best and safest treasure to acquire. *Frank Baum*
어떤 도둑도 사람에게서 지식을 빼앗아 갈 수 없는데, 그것이 지식이 얻기에 가장 좋고 가장 안전한 보물인 이유야.

32-15 A solar eclipse is when a portion of the Earth is engulfed in a shadow cast by the Moon fully or partially blocking sunlight.
일식은 지구의 일부가 햇빛의 전부나 일부를 가리는 달에 의해 드리워지는 그림자에 뒤덮일 때야.

Review

A

01 What mankind must know is that human beings cannot live without Mother Earth, but the planet can live without humans. *Evo Morales*
인류가 알아야 할 것은 인간은 어머니인 지구 없이는 살 수 없지만, 지구는 인간 없이도 살 수 있다는 거야.

02 The question is not whether but how the actions of a given gene influence some interesting aspect of behavior. *Jeffrey Hall*
문제는 특정 유전자의 작용이 행동의 어떤 흥미로운 양상에 영향을 미치는지 아닌지가 아니라, 어떻게 영향을 미치는지야.

03 One of the greatest regrets in life is being what others would want you to be, rather than being yourself. *Shannon Alder*
삶의 가장 큰 후회 중 하나는 너 자신이 되기보다 다른 사람들이 네가 되길 원하는 것이 되는 거야.

04 Whoever fights monsters should see to it that in the process he does not become a monster. *Friedrich Nietzsche*
괴물들과 싸우는 누구든 반드시 그 과정에서 자신도 괴물이 되지 않도록 확인해야 해.

05 The only mystery in life is why the kamikaze pilots wore helmets.
삶의 유일한 수수께끼는 가미카제 조종사들이 왜 헬멧을 썼는지야. *Al McGuire*

06 It does not matter how you came into the world; what matters is that you are here. *Oprah Winfrey*
네가 어떻게 세상에 태어났는지는 중요하지 않고, 중요한 것은 네가 여기에 있다는 거야.

07 Searching and learning is where the miracle process all begins.
탐구와 학습은 기적의 과정 모두가 시작되는 곳이야. *Jim Rohn*

본책 • p.106
Rainbow Book • p.82

B

08 Music, at its essence, is what gives us memories. *Stevie Wonder*
음악은 본질적으로 우리에게 추억을 주는 거야.

09 A bird in a nest is secure, **but** that is not why God gave it wings. *Matshona Dhliwayo*
둥지 안의 새는 안전하지**만**, 그건 신이 그에게 날개를 준 이유가 아니야.

10 Whatever appears as a motion of the sun is really due to the motion of the earth. *Copernicus*
태양의 움직임처럼 보이는 무엇이든 실제로는 지구의 움직임 때문이야.

“What society does to its children is what its children will do to society.

Cicero

My Favorite Sentences are ~

• Chapter 07 •

1. ______________________
The Original Sentence(원문)

→ ______________________
My Own Sentence(나만의 문장)

2. ______________________
The Original Sentence(원문)

→ ______________________
My Own Sentence(나만의 문장)

Unit 33 목적어 that절/whether[if]절

STANDARD

33-01 We must believe **that we are gifted for something and that this thing must be attained.** *Marie Curie*
우리는 자신이 무언가에 재능이 있고, 이것은 성취되어야 한다는 걸 믿어야 해.

33-02 We always have to ask ourselves **if we are focusing on the most important priorities.**
우리는 늘 스스로에게 자신이 가장 중요한 우선 사항에 집중하고 있는지 물어야 해.

33-03 Firemen don't talk about **whether a burning warehouse is worth saving.** *Sebastian Junger*
소방관은 불타고 있는 창고가 구할 가치가 있는지에 대해 말하지 않아.

33-04 Globalization makes it **clear** that social responsibility is required not only of governments, but of companies. *Anna Lindh*
세계화는 정부들뿐만 아니라 기업들의 사회적 책임도 요구된다는 걸 분명히 해.

A

33-05 Never doubt **that a small group of thoughtful, committed, organized citizens can change the world.** *Margaret Mead*
작은 집단의 사려 깊고 헌신적이고 조직된 시민들이 세계를 바꿀 수 있다는 것을 결코 의심하지 마.

33-06 You can tell **whether a man is clever** by his answers; you can tell **whether a man is wise** by his questions. *Naguib Mahfouz*
넌 어떤 사람의 대답으로 그가 영리한지 알 수 있고, 넌 어떤 사람의 질문으로 그가 현명한지 알 수 있어.

33-07 Every man must decide **whether he will walk in the light of creative altruism or in the darkness of destructive selfishness.**
모든 사람은 자신이 창조적인 이타주의의 빛 속을 걸을지 또는 파괴적인 이기주의의 어둠 속을 걸을지 결정해야 해.
Martin Luther King

B

☺ 33-08 Television has proved **that people will look at anything rather than each other.** *Ann Landers*
텔레비전은 사람들이 서로를 보기보다는 다른 뭔가를 볼 거라는 걸 입증했어.

☺ 33-09 Sometimes I wonder **if I'm in my right mind;** then it passes off **and I'm as intelligent as ever.** *Samuel Beckett*
때때로 난 내가 제 정신인지 궁금해. 그러고 나서 그 생각은 점차 사라지고 난 언제나처럼 똑똑해져.

33-10 Archaeology is like a jigsaw puzzle, **except that you can't cheat and look at the box, and not all the pieces are there.** *Stephen Dean*
고고학은 네가 속여 상자를 볼 수 없고, 모든 조각들이 거기에 있는 건 아니라는 것 외에는, 조각 그림 맞추기 같아.

33-11 I don't take it **for granted** that I wake up every morning, but I **always appreciate it.** *King Diamond*
난 내가 매일 아침 깨어나는 걸 당연히 여기는 게 아니라, 늘 그것을 고마워해.

C

33-12 The law of conservation of energy states **that the total energy of an isolated system remains constant.**
에너지 보존 법칙은 고립계의 총 에너지는 변함없다고 명시해.

33-13 Einstein proposed **that space and time may be united into a single, four-dimensional geometry consisting of 3 space dimensions and 1 time dimension.**
아인슈타인은 공간과 시간이 세 개의 공간 차원과 한 개의 시간 차원으로 구성되는 단일한 4차원의 기하학적 구조로 통합될 수도 있다고 제시했어.

33-14 Murphy's law doesn't mean **that something bad will happen;** it means **that whatever can happen will happen.** *Movie "Interstellar"*
머피의 법칙은 나쁜 일이 일어날 거라는 걸 의미하지 않고, 그것은 일어날 수 있는 무엇이든지 일어날 거라는 걸 의미해.

☺ 33-15 I do not know **whether I was then a man dreaming I was a butterfly, or whether I am now a butterfly dreaming I am a man.**
난 내가 그때 나비였던 꿈을 꾸고 있던 사람이었는지, 또는 내가 지금 사람인 꿈을 꾸고 있는 나비인지 모르겠어. *Zhuangzi(장자)*

Unit 34 목적어 what절

STANDARD

34-01 The eye sees only what the mind is prepared to comprehend. *Henri Bergson*
눈은 마음이 이해할 준비가 된 것만 봐.

34-02 Your worth consists in what you are, and not in what you have. *Thomas Edison*
네 가치는 네가 무엇을 가지고 있는지가 아니라, 네가 어떤 사람인지에 있어.

34-03 To be sure of hitting the target, shoot first, and call whatever you hit the target. *Ashleigh Brilliant*
확실히 목표물을 맞히려면, 먼저 쏘고, 네가 맞힌 무엇이든 목표물이라고 불러.

A

34-04 Ask not what your country can do for you; ask what you can do for your country. *John F. Kennedy*
나라가 너를 위해 무엇을 할 수 있는지 묻지 말고, 네가 나라를 위해 무엇을 할 수 있는지 물어.

34-05 Try to make sense of what you see, and wonder what makes the universe exist. *Stephen Hawking*
네가 보는 것을 이해하고, 무엇이 우주를 존재하게 하는지 궁금해하려고 노력해.

34-06 What lies behind us and what lies before us are tiny matters compared to what lies within us. *Ralph Emerson*
우리 뒤에 있는 것과 우리 앞에 있는 것은 우리 안에 있는 것과 비교해서 아주 작은 문제야.

34-07 Liberty is the right of doing whatever the laws permit. *Montesquieu*
자유는 법이 허용하는 무엇이든 할 수 있는 권리야.

B

34-08 Do to others **what you want them to do to you.** *Jesus*
네가 다른 사람들이 네게 하길 바라는 것을 다른 사람들에게도 해.

☺ **34-09** Only put off until tomorrow **what you are willing to die having left undone.** *Pablo Picasso*
끝내지 않고 기꺼이 죽을 수 있는 일만 내일로 미뤄.

34-10 I do not know **with what weapons World War III will be fought, but World War IV will be fought with sticks and stones.** *Albert Einstein*
난 3차 세계대전이 어떤 무기로 싸워질지 알지 못하지만, 4차 세계대전은 나뭇가지와 돌로 싸워질 거야.

34-11 What you do makes **a difference, and** you have to decide **what kind of a difference you want to make.** *Jane Goodall*
네가 하는 일은 영향을 미치는데, 넌 어떤 종류의 영향을 미치고 싶은지 결정해야 해.

C

☺ **34-12** The greatest pleasure in life is doing what people say you cannot do. *Walter Bagehot*
삶의 가장 큰 즐거움은 사람들이 네가 할 수 없다고 말하는 걸 하는 거야.

34-13 Let's go invent **tomorrow** rather than worrying about what happened yesterday. *Steve Jobs*
어제 일어난 일을 걱정하기보다 가서 내일을 발명하자.

34-14 Reason obeys **itself, and** ignorance submits to **whatever is dictated to it.** *Thomas Paine*
이성은 자신을 따르고, 무지는 그것(무지)에 지시되는 무엇에든 따라.

34-15 What a man sees depends **both** upon **what he looks at and** upon **what his previous visual-conceptual experience has taught him to see.** *Thomas Kuhn*
사람이 보는 것은 그가 보는 것과 이전의 시각적 개념적 경험이 그에게 보도록 가르쳤던 것 둘 다에 의해 결정돼.

Unit 35 목적어 wh-절

STANDARD

35-01 War doesn't determine **who's right**; war determines **who's left.**
전쟁은 누가 옳은지 결정하지 않고, 전쟁은 누가 (살아)남는지 결정해. *Bertrand Russell*

35-02 Where you end up does not depend on **where you start**, but on **which direction you choose.** *Kevin Ngo*
네가 어디서 끝나는지는 네가 어디서 시작하는지에 달려 있는 게 아니라, 네가 어느 방향을 택하는지에 달려 있어.

35-03 I just say **whatever I want**, to **whoever I want, whenever I want, wherever I want, however I want.** *Eminem*
난 그저 내가 원하는 무엇이든, 내가 원하는 누구에게든, 내가 원하는 언제든, 내가 원하는 어디서든, 내가 원하는 어떻게든 말할 뿐이야.

35-04 The brain makes each human **unique**, and defines **who he or she is.**
뇌는 각 인간을 독특하게 만들고, 그 혹은 그녀가 누구인지 규정해. *Stanley Prusiner*

35-05 Anthropology examines **how people live, what they think, what they produce, and how they interact with their environments.**
인류학은 사람들이 어떻게 살고, 무엇을 생각하고, 무엇을 생산하고, 어떻게 환경과 상호 작용하는지 조사해.

35-06 The ultimate goal of neuroscience has been to understand **how and where information is encoded in the brain.** *Thomas Insel*
신경 과학의 궁극적 목표는 정보가 뇌에서 어떻게 어디서 암호화되는지 이해하는 것이었어.

35-07 Give **whatever you are doing** and **whoever you are with** **the gift of your attention.** *Jim Rohn*
네가 하고 있는 무엇에든 네가 함께 있는 누구에게든 네 관심이라는 선물을 줘라.

B

☺ **35-08** Before borrowing money from a friend, **decide which you need more: the friend or the money.**
친구에게 돈을 빌리기 전에, 네가 친구나 돈 중 어느 게 더 필요한지 결정해라.

35-09 People will forget **what you said and what you did, but** people will never forget **how you made them feel.** *Maya Angelou*
사람들은 네가 뭘 말했는지와 네가 뭘 했는지는 잊어버리겠지만, 네가 자신들을 어떻게 느끼게 했는지는 절대 잊지 않을 거야.

35-10 You never know **when a moment and a few sincere words can have an impact on a life.** *Zig Ziglar*
넌 한 순간과 몇 마디 진심 어린 말이 언제 한 삶에 영향을 미칠 수 있을지 절대 알지 못해.

35-11 We all remember **how many religious wars were fought for a religion of love and gentleness.** *Karl Popper*
우리 모두는 얼마나 많은 종교 전쟁들이 사랑과 온화함의 종교를 위해 싸워졌는지 기억해.

C

35-12 If you want to know **who controls you,** look at **who you are not allowed to criticize.**
네가 누가 널 통제하는지 알고 싶으면, 네가 누구를 비판하도록 허용되지 않는지 봐.

35-13 Don't just listen to **what someone is saying,** but listen to **why they are saying it.**
누군가가 말하고 있는 걸 그냥 듣지 말고, 그들이 왜 그것을 말하고 있는지 들어.

☺ **35-14** A police officer asked me **where I was between 5 and 6.** I replied, **"Kindergarten."**
경찰관이 내게 5(시)와 6(시) 사이에 어디에 있었는지 물어서, 난 (5살과 6살 사이에) "유치원에 다녔다"고 대답했어.

35-15 Economists study **how societies use scarce resources to produce valuable commodities and distribute them among different people.** *Samuelson & Nordhaus*
경제학자는 사회가 가치 있는 물품들을 생산하고 그것들을 각기 다른 사람들에게 분배하기 위해 어떻게 부족한 자원을 사용하는지 연구해.

unit 36 명사동격 that절

STANDARD

36-01 The fact that the price must be paid is proof that it is worth paying.
대가가 치러져야 한다는 사실은 그것이 지불할 가치가 있다는 증거야. *Robert Jordan*

36-02 I heard a rumor that I had left the earth. *Cody Simpson*
난 내가 지구를 떠났다는 소문을 들었어.

36-03 There can be no doubt that distrust of the media is less harmful than unwarranted trust in them.
미디어에 대한 불신이 그것에 대한 부당한 신뢰보다 덜 해롭다는 것은 의심의 여지가 있을 수 없어.

A

36-04 Einstein's theory that nothing can travel faster than the speed of light in a vacuum still holds true.
아무것도 진공 상태에서 빛의 속도보다 더 빨리 이동할 수 없다는 아인슈타인의 이론은 여전히 사실이야.

36-05 The presumption of innocence is the legal principle that one is considered innocent unless proven guilty.
무죄 추정은 사람은 유죄로 입증되지 않는 한 무죄로 간주된다는 법적 원칙이야.

36-06 The belief that there is only one truth, and that oneself is in possession of it, is the root of all evil in the world. *Max Born*
오직 하나의 진리만 있고, 자기 자신이 그것을 소유하고 있다는 믿음은 세상 모든 악의 근원이야.

36-07 "Superabundance" is an ecological myth that we will never run out of resources, that the Earth is in a perpetual state of renewal.
'무한 풍부'는 우리가 자원을 절대 다 쓰지 않을 것이고, 지구는 끊임없는 회복 상태에 있다는 생태계의 근거 없는 믿음이야. *Daniel O'Sullivan*

본책 • pp.114~115
Rainbow Book • pp.90~91

B

36-08 Opportunity cost is the concept that once you spend your money on something, you can't spend it again on something else. *Malcolm Turnbull*
기회비용은 일단 네가 무언가에 돈을 쓰면 그 돈을 다른 것에 다시 쓸 수 없다는 개념이야.

36-09 Entropy as the degree of disorder in a system includes the idea that the lack of order increases over a period of time.
시스템 내의 무질서도로서의 엔트로피는 시간이 지나면서 무질서가 증가한다는 생각을 포함해.

36-10 There is a perception that the media is very liberal, very biased, and produces fake news. *Elizabeth Flock*
미디어는 매우 자유롭고, 매우 편향되고, 가짜 뉴스를 만들어 낸다는 인식이 있어.

36-11 There is no question that climate change is happening; the only arguable point is what part humans are playing in it. *David Attenborough*
기후 변화가 일어나고 있다는 데는 의문의 여지가 없고, 오직 논쟁의 소지가 있는 점은 인간이 그것(기후 변화)에 어떤 역할을 하고 있는지야.

C

36-12 Ethnocentrism is the viewpoint that one's own group is the center of everything, and that all others are rated with reference to it.
자기 민족 중심주의는 자기 자신의 집단이 모든 것의 중심이고, 모든 다른 집단들은 그것(자기 집단)과 관련해 평가된다는 관점이야.

36-13 The writer is driven by his conviction that some truths aren't arrived at so easily, and that life is still full of mystery. *Don DeLillo*
작가는 어떤 진실들은 그리 쉽게 도달되지 않고, 삶은 여전히 미스터리로 가득 차 있다는 자기 확신에 의해 추동되는 거야.

36-14 All democracies are based on the proposition that power is dangerous and that it is important not to let any person or group have too much power too long. *Aldous Huxley*
모든 민주주의는 권력은 위험하고 어떤 사람이나 집단이든 너무 오래 너무 많은 권력을 갖게 하지 않는 것이 중요하다는 명제에 기반을 둬.

36-15 We face the question whether a still higher "standard of living" is worth its cost in things natural, wild, and free. *Aldo Leopold*
우리는 더욱 더 높은 '생활수준'이란 게 자연적이고 야생적이고 자유로운 것들을 희생할 가치가 있는가라는 의문에 직면하고 있어.

Review

A

01 Alfred Adler argued that the individual's unconscious self works to convert feelings of inferiority to completeness in personality development.
알프레트 아들러는 개인의 무의식적 자아가 성격의 발달 과정에서 열등감을 완성 상태로 전환시키기 위해 작용한다고 주장했어.

02 Scientists have learned that light behaves like a particle at times and like a wave at other times.
과학자들은 빛이 때로는 입자처럼 다른 땐 파동처럼 작용한다는 걸 알게 되었어.

03 The law of diminishing marginal utility means that consuming the first unit has a higher utility than every other unit.
한계 효용 체감의 법칙은 첫 번째 단위를 소비하는 것이 모든 다른 단위보다 더 높은 효용을 갖는다는 걸 의미해.

☺ 04 People know what they do; frequently they know why they do what they do; but what they don't know is what what they do does.
사람들은 자신들이 무엇을 하는지 알고, 흔히 자신들이 하는 일을 왜 하는지 알지만, 그들이 모르는 것은 자신들이 하는 일이 무엇을 하는지야.
Michel Foucault

05 Look at how hard it was to get to where I am; it doesn't make sense to give it up. *Oprah Winfrey*
내가 있는 곳에 이르는 게 얼마나 힘들었는지 봐. 그걸 포기하는 건 말이 안 돼.

06 Victims of cyberbullying may not know who is bullying them, or why the bully is targeting them.
사이버 폭력의 피해자들은 누가 자신들을 괴롭히고 있는지, 또는 괴롭히는 자가 왜 자신들을 표적으로 삼고 있는지 알지 못할 수도 있어.

07 The question (of) whether a computer can think is no more interesting than the question (of) whether a submarine can swim.
컴퓨터가 생각할 수 있는지 아닌지의 문제가 흥미롭지 않은 것은 잠수함이 헤엄칠 수 있는지 아닌지가 흥미롭지 않은 것과 같아.
Edsger Dijkstra

본책 • p.116
Rainbow Book • p.92

B

08 **Cultural relativism is the idea that a person's beliefs, values, and practices should be understood based on his own culture.**
문화 상대주의는 인간의 신념들, 가치들, 그리고 관행들이 자신의 문화에 바탕을 두고 이해되어야 한다는 생각이야.

09 **We always long for the forbidden things, and desire what is denied us.** *Francois Rabelais*
우리는 늘 금지된 것들을 열망하고, 우리에게 허락되지 않는 것을 원해.

10 **The focus of physiology is on how organisms, organs, and cells carry out the chemical and physical functions in a living system.**
생리학의 초점은 유기체와 장기와 세포가 생체 내의 화학적 물리적 기능을 어떻게 수행하는지에 있어.

" I do not know whether I was then a man dreaming I was a butterfly, or whether I am now a butterfly dreaming I am a man.

Zhuangzi(장자) 

My Favorite Sentences are ~

• Chapter 08 •

1. ____________________
The Original Sentence(원문)

→ ____________________
My Own Sentence(나만의 문장)

2. ____________________
The Original Sentence(원문)

→ ____________________
My Own Sentence(나만의 문장)

Unit 37 주어 관계사 관계절

STANDARD

37-01 He who laughs last laughs best[longest]. *Proverb*
마지막에 웃는 사람이 가장 잘[오래] 웃어.

37-02 The crucial differences which distinguish human societies and human beings are not biological, but cultural. *Ruth Benedict*
인간 사회들과 인간들을 구별 짓는 결정적인 차이는 생물학적이 아니라 문화적인 거야.

☺ **37-03** It has been said that democracy is the worst form of government except all the others that have been tried. *Winston Churchill*
민주주의는 시도됐던 다른 모든 정치 체제들을 제외하고는 최악의 형태의 정치 체제라고 말해져 왔어.

A

☺ **37-04** Those who dance are considered insane by those who can't hear the music.
춤추는 사람들은 음악을 들을 수 없는 사람들에겐 제정신이 아닌 것으로 여겨져.

37-05 The only person who is educated is the one who has learned how to learn and change. *Carl Rogers*
학식 있는 유일한 사람은 학습하고 변화하는 법을 배운 사람이야.

37-06 Our heart is like a chemical computer that uses fuzzy logic to analyze information that can't be easily defined in zeros and ones. *Naveen Jain*
우리의 마음은 0과 1로 쉽게 정의될 수 없는 정보를 분석하기 위해 애매한 논리를 사용하는 화학적 컴퓨터와 같아.

37-07 An expert is a person who has made all the mistakes that can be made in a very narrow field. *Niels Bohr*
전문가는 매우 좁은 분야에서 행해질 수 있는 모든 잘못을 해 본 사람이야.

B

37-08 Bad officials are elected by good citizens who don't vote. *George Nathan*
나쁜 공직자들이 투표하지 않는 선한 시민들에 의해 선출돼.

37-09 There's no one who I believe has ever captured the soul of America more profoundly than Abraham Lincoln has. *Barack Obama*
내 생각에 에이브러햄 링컨보다 더 깊이 미국의 마음을 사로잡았던 사람은 아무도 없어.

37-10 The "cyborg" applies to an organism that has restored or enhanced functions due to the integration of some artificial components.
'사이보그'는 어떤 인공적 요소들의 통합으로 기능을 복구하거나 강화한 (인조)인간에 적용돼.

37-11 One part of knowledge consists in being ignorant of such things as are not worthy to be known. *Crates*
앎의 한 부분은 알 가치가 없는 것들을 모르는 것에 있어.

C

37-12 A true friend is the one who sees a fault, gives you advice and defends you in your absence. *Ali*
진정한 친구는 잘못을 보고, 네게 조언을 하고, 네가 없을 때 너를 옹호해 주는 사람이야.

37-13 Believe in yourself and all that you are; know that there is something inside you that is greater than any obstacle. *Christian Larson*
너 자신과 너인 모든 것을 믿고, 어떤 장애물보다 더 큰 무엇이 네 안에 있다는 것을 알아라.

37-14 User-generated content (UGC) is any form of content, such as images, videos, text and audio, that has been posted by users on online platforms.
사용자 생성 콘텐츠는 온라인 플랫폼에 사용자들에 의해 게시된 이미지, 동영상, 텍스트 그리고 오디오와 같은 어떤 형태의 콘텐츠든지야.

37-15 Divide each difficulty into as many parts as is feasible and necessary to resolve it. *Descartes*
각 어려움을 해결하기 위해 실현 가능하고 필요한 만큼의 부분들로 나누어.

Unit 38 목적어 관계사 관계절

S TANDARD

38-01 Good humor is one of the best articles of dress one can wear in society. *William Thackeray*
멋진 유머는 사람이 사회에서 입을 수 있는 최고 품목의 옷 중 하나야.

38-02 Those whom we most love are often the most alien to us.
우리가 가장 사랑하는 사람들이 흔히 우리에게 가장 낯설어. *Christopher Paolini*

38-03 Everyone is a moon, and has a dark side which he never shows to anybody. *Mark Twain*
모든 사람은 달이어서, 자신이 누구에게든 절대 보여 주지 않는 어두운 면이 있어.

A

38-04 Among those whom I like or admire, I can find no common denominator, but among those whom I love, I can. *W. H. Auden*
내가 좋아하고 존경하는 사람들 간에는 난 공통분모를 찾을 수 없지만, 내가 사랑하는 사람들 간에는 찾을 수 있어.

38-05 All of the people in my life I consider to be close friends are good thinkers. *John Maxwell*
내가 가까운 친구라 여기는 내 삶의 사람들 모두는 생각이 있는 사람들이야.

38-06 Do something today that your future self will thank you for.
네 미래의 자신이 네게 감사하게 될 무언가를 오늘 해라. *Sean Flanery*

☺ **38-07** Advertising is the art of convincing people to spend money they don't have for something they don't need. *Will Rogers*
광고는 사람들에게 필요 없는 것에 그들이 없는 돈을 쓰도록 확신시키는 기술이야.

B

38-08 **Morality is simply the attitude we adopt towards people whom we personally dislike.** *Oscar Wilde*
도덕성이란 단지 우리가 개인적으로 싫어하는 사람들에 대해 취하는 태도에 불과해.

38-09 **The only normal people are the ones you don't know very well.**
정상적인 유일한 사람들은 네가 그다지 잘 알지 못하는 사람들이야. *Alfred Adler*

38-10 You measure **the size of the accomplishment** by the obstacles you had to overcome to reach your goals. *Booker Washington*
넌 네가 목표를 달성하기 위해 극복해야 했던 장애물로 **성취의 크기를** 평가하는 거야.

38-11 I'm flying high in the sky with the two wings you gave me back then. *Song "Boy With Luv" by BTS*
나는 저 하늘을 높이 날고 있어. 그때 네가 내게 주었던 두 날개로.

C

38-12 **The time I kill is killing me.** *Mason Cooley*
내가 죽이는 시간이 날 죽이고 있어.

38-13 After an argument, I always think of **awesome things I could have said.**
논쟁이 끝난 후에야, 난 항상 **내가 말했을 수도 있었(으나 하지 못했)던 멋진 말들이** 생각나.

38-14 In a democracy, the people get **the government they deserve.**
민주주의에서 국민들은 **그들이 누릴 자격이 있는 정부를** 가져. *Joseph de Maistre*

38-15 In three words I can sum up **everything I've learned about life**: it goes on. *Robert Frost*
세 단어로 난 **삶에 대해 배운 모든 것을** 요약할 수 있어: it goes on(삶은 계속된다).

Unit 39 기타 관계사 관계절

STANDARD

39-01 Love is the condition in which the happiness of another person is essential to your own. *Robert Heinlein*
사랑은 다른 사람의 행복이 너 자신의 행복에 필수적인 상태야.

39-02 We cannot have peace among men whose hearts find delight in killing any living creature. *Rachel Carson*
우리는 그들의 마음이 어떤 살아 있는 생명체든 죽이는 것에서 기쁨을 찾는 사람들 속에서 평화를 가질 수 없어.

39-03 We live in an age when pizza gets to your home before the police. *Jeff Marder*
우리는 피자가 경찰보다 먼저 네 집에 도착하는 시대에 살고 있어.

A

39-04 Language is the blood of the soul into which thoughts run and out of which they grow. *Oliver Holmes*
언어는 생각이 거기로 흘러 들어가고 생각이 거기서 자라는 정신의 피야.

39-05 The right to vote is the one by which all of our rights are influenced, and without which none can be protected. *Benjamin Jealous*
투표권은 우리의 모든 권리가 그것에 영향을 받는 것이고, 그것 없이는 하나도 보호받을 수 없는 것이야.

39-06 The public is the only critic whose opinion is worth anything at all. *Mark Twain*
대중은 그들의 의견이 무엇이라도 가치가 있는 유일한 비평가야.

39-07 A welfare state is a political system where the state assumes responsibility for the health, education, and welfare of society.
복지 국가는 국가가 건강, 교육, 그리고 사회 복지에 대한 책임을 지는 정치 체제야.

B

39-08 Economic equilibrium occurs at the point where quantity demanded and quantity supplied are equal.
경제적 균형은 수요량과 공급량이 동일한 지점에서 이루어져.

39-09 As a teenager you are at the last stage in your life when you will be happy to hear that the phone is for you. *Fran Lebowitz*
십대로서 넌 폰이 네 거라는 말을 들어서 기뻐할 네 생애 마지막 시기에 있어.

39-10 No society can surely be flourishing and happy, of which the far greater part of the members are poor and miserable. *Adam Smith*
구성원들의 훨씬 더 많은 부분이 가난하고 비참한 어떤 사회도 확실히 번영해 나가거나 행복할 수 없어.

39-11 The reason why people give up so fast is that they tend to look at how far they still have to go, instead of how far they have come.
사람들이 그렇게 빨리 포기하는 이유는 그들이 얼마나 멀리 왔는지 대신에 아직 얼마나 멀리 더 가야 하는지 보는 경향이 있기 때문이야. *Nicky Gumbel*

C

39-12 Water and air on which all life depends have become global garbage cans. *Jacques Cousteau*
모든 생명체가 의존하는 물과 공기가 지구의 쓰레기통이 되어 버렸어.

39-13 Equal justice under law is one of the ends for which our entire legal system exists. *Lewis Powell Jr.*
법 아래 평등한 정의는 우리의 전체 법체계가 존재하는 목적 중 하나야.

39-14 We are still far from grasping the neuronal processes by which a memory is formed, stored, and retrieved.
우리는 기억이 형성되고 저장되고 검색되는 뉴런의 과정을 아직도 전혀 파악하지 못하고 있어.

39-15 There are special circumstances in which a gene can achieve its own selfish goals best by fostering a limited form of altruism.
유전자가 한정된 형태의 이타주의를 발전시켜 자신의 이기적인 목표를 가장 잘 달성할 수 있는 특수한 상황이 있어. *Richard Dawkins*

Unit 40 추가정보 관계절

STANDARD

40-01 Laws are like cobwebs, which may catch small flies but let wasps break through. *Jonathan Swift*
법들은 거미줄들과 같은데, 그것들은 작은 파리들은 잡을지 모르지만 말벌들은 뚫고 나가게 놔둬.

40-02 Linus Pauling, who is the only person to win two unshared Nobel Prizes, was awarded the Chemistry Prize in 1954, and the Peace Prize in 1962.
라이너스 폴링은, 두 개의 공동 수상이 아닌 노벨상을 탄 유일한 사람인데, 1954년에 화학상을, 1962년에 평화상을 수상했어.

40-03 Status quo bias is a preference for the current state, where any change is perceived as a loss.
현상 유지 편향은 현 상태에 대한 선호인데, 거기선 어떤 변화도 손실로 여겨져.

A

40-04 Tropical forest ecosystems, which cover 7 percent of earth's surface, contain about 90 percent of the world's species.
열대 우림 생태계는, 지표면의 7퍼센트에 걸쳐 있는데, 세계 종의 약 90퍼센트를 포함해.

40-05 We live in a framework based on global economy, which causes people to compete with each other through trade. *John Sulston*
우리는 세계 경제에 기반한 체제 속에 사는데, 그것은 사람들이 무역을 통해 서로 경쟁하게 해.

40-06 Social media users are able to select which photos and status updates to post, which can make other users feel inferior by comparison.
소셜 미디어 이용자들은 어떤 사진들과 상태 업데이트들을 게시할지 선택할 수 있는데, 그것들은 다른 이용자들이 비교로 인한 열등감을 느끼게 할 수 있어.

40-07 This is an era of specialists, each of whom sees his own problem and is unaware of the larger frame into which it fits. *Rachel Carson*
지금은 전문가들의 시대인데, 그들 각자는 자기 자신의 문제는 보면서 그것이 들어가는 더 큰 틀은 알지 못해.

B

40-08 The mind is like an iceberg, which floats with one-seventh of its bulk above water. *Sigmund Freud*
마음은 빙산과 같은데, 그것은 그 규모의 7분의 1만 물 위에 떠 있어.

40-09 Mediocre journalists simply make **headlines** of their conclusions, which suddenly become generally accepted by the people.
그리 훌륭하지 않은 기자들이 그냥 단순히 자신들의 결론들로 **기사 제목들을** 뽑는데, 그것들이 갑자기 대중들에게 일반적으로 받아들여져. *Alexander Solzhenitsyn*

40-10 The opposite of Murphy's law, Yhprum's law, where the name is spelled backwards, is "anything that can go right, will go right."
Murphy(머피)의 법칙의 반대인 Yhprum의 법칙은, 거기선 이름이 거꾸로 철자된 것인데, "잘될 수 있는 무엇이든 잘될 거다."야.

40-11 A narrative consists of **a set of events told in a process of narration**, in which the events are selected and arranged in a particular order.
이야기[내러티브]는 **서술 과정에서 말해지는 일련의 사건들로** 구성되는데, 거기서 사건들은 특정한 순서로 선택되고 배열돼.

C

40-12 Progress comes from people who make hypotheses, most of which turn out to be wrong, **but all of which ultimately point to the right answer.** *Milton Friedman*
진보는 가설들을 세우는 사람들로부터 비롯되는데, 그것들(가설들) 대부분이 잘못으로 드러나**지만, 그것들 모두는 결국 올바른 답을 시사해.**

40-13 Mathematics takes **us** into the region of absolute necessity, to which not only the actual word, but every possible word, must conform. *Bertrand Russell*
수학은 **우리를** 절대적 필연성의 영역으로 데려가는데, 거기에는 실제 언어뿐만 아니라 모든 가상 언어도 따라야 해.

40-14 The stranger is an archetype in epic poetry and novels, where the tension between alienation and assimilation has always been a basic theme. *Jhumpa Lahiri*
이방인[낯선 사람]은 서사시와 소설에서의 전형인데, 거기서 소외와 동화 사이의 긴장이 늘 기본 주제가 되어 왔어.

☺ **40-15** Seventeen publishers rejected **the manuscript**, when I knew **I had something pretty hot.** *Kinky Friedman*
17개 출판사들이 **원고를** 거절했는데, 그때 난 **내가 아주 강렬한 뭔가를 갖고 있다는** 걸 알게 되었어.

Review

A

☺ 01 Those who have no time for healthy eating will sooner or later have to find time for illness. *Edward Stanley*
건강하게 먹을 시간이 없는 사람들은 조만간 병에 걸릴 시간을 찾아야 할 거야.

☺ 02 A successful man is one who can lay a firm foundation with the bricks that others have thrown at him. *David Brinkley*
성공하는 사람은 다른 사람들이 자신에게 던진 벽돌로 단단한 토대를 놓을 수 있는 사람이야.

03 Genetically modified foods are produced from organisms that have had changes introduced into their DNA.
유전자 변형 식품은 디엔에이에 변형을 도입시킨 유기체들로부터 생산돼.

04 Each BTS member sings about the life he wants to live in a way that is true to himself. *Moon Jae-in*
각 BTS 구성원은 자신에게 충실한 방식으로 자신이 살고 싶어 하는 삶에 대해 노래해.

05 Dance is the only art of which we ourselves are the stuff of which it is made. *Ted Shawn*
춤은 우리 자신이 예술이 창조되는 재료인 유일한 예술이야.

06 There may be times that we are powerless to prevent injustice, but there must never be a time that we fail to protest. *Elie Wiesel*
우리가 불의를 막을 힘이 없을 때가 있을지 몰라도, 우리가 항의하지 못할 때는 절대 없을 거야.

07 REM sleep, which is an acronym for rapid eye movement sleep, is responsible for the most intense and visually realistic dreaming.
렘수면은, 빠른 안구 운동 수면의 두문자어인데, 가장 강렬하고 시각적으로 사실적인 꿈의 원인이 돼.

본책 • p.126
Rainbow Book • p.102

B

08 A "fact" merely marks **the point where we have agreed to let investigation cease.**
'사실'이란 단지 우리가 조사가 중단되도록 동의한 지점을 나타낼 뿐이야.

09 Using smartphones late at night can disturb **sleep** due to the blue light of the screen, **which affects melatonin levels and sleep cycles.**
밤늦게까지 스마트폰을 사용하는 것은 화면의 블루라이트 때문에 수면을 방해할 수 있는데, 그것(블루라이트)은 멜라토닌 수준과 수면 주기에 영향을 미쳐.

10 We live in a society dependent on science and technology, in which hardly anyone knows **anything about them.** *Carl Sagan*
우리는 과학과 기술에 의존하는 사회에 살고 있는데, 거기서 거의 아무도 그것들(과학과 기술)에 대해 아무것도 알지 못해.

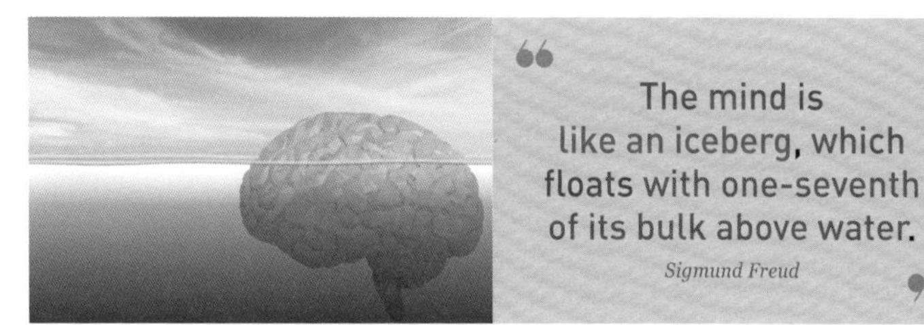

The mind is like an iceberg, which floats with one-seventh of its bulk above water.
Sigmund Freud

My Favorite Sentences are ~

• Chapter 09 •

1. ______________________________
The Original Sentence(원문)

→ ______________________________
My Own Sentence(나만의 문장)

2. ______________________________
The Original Sentence(원문)

→ ______________________________
My Own Sentence(나만의 문장)

Stage Ⅲ

모든 문장과 특수 구문

Unit 41 주어(구·절) 종합

STANDARD

41-01 **How you gather, manage, and use information will determine whether you win or lose.** *Bill Gates*
네가 어떻게 정보를 수집하고 관리하고 사용하는지가 네가 이길지 질지 결정할 거야.

41-02 **Destroying rainforest for economic gain is like burning a Renaissance painting to cook a meal.** *E. O. Wilson*
경제적 이익을 위해 열대 우림을 파괴하는 것은 식사를 준비하기 위해 르네상스 그림을 태우는 것과 같아.

41-03 **A journalist covering politics or the economy must be unbiased in their reporting.** *Walter Cronkite*
정치나 경제를 다루는 기자는 자신의 보도에 편파적이지 않아야 해.

A

41-04 **It is foolish to be convinced without evidence, but it is equally foolish to refuse to be convinced by real evidence.** *Upton Sinclair*
증거 없이 확신하는 것은 어리석지만, 실제 증거에도 납득하기를 거부하는 것도 똑같이 어리석어.

41-05 **To be yourself in a world that is constantly trying to make you something else is the greatest accomplishment.** *Ralph Emerson*
끊임없이 널 (너 아닌) 다른 뭔가가 되게 하려고 하는 세상에서 너 자신이 된다는 건 가장 위대한 성취야.

41-06 **Your decision to be, have and do something out of the ordinary entails facing difficulties out of the ordinary as well.** *Brian Tracy*
특이한 뭔가가 되고 뭔가를 갖고 뭔가를 하겠다는 네 결정은 특이한 어려움에 직면하는 것도 수반해.

41-07 **It doesn't matter how much you learn in school; it matters whether you learn how to go on doing things by yourself.** *Noam Chomsky*
네가 학교에서 얼마나 많이 배우는지는 중요하지 않고, 네가 혼자 힘으로 일들을 계속해 나가는 법을 배우는지가 중요해.

B

41-08 The possibilities of billions of people connected by mobile devices with unprecedented processing power and storage capacity are unlimited. *Klaus Schwab*
전례 없는 처리 능력과 저장 용량을 갖춘 모바일 장치로 연결된 수십억 사람들의 가능성은 무한해.

41-09 Whether the events in our life are good or bad, greatly depends on the way we perceive them. *Montaigne*
우리 삶에 일어나는 일들이 좋은지 나쁜지는 우리가 그것들을 인지하는 방식에 크게 의존해.

41-10 In the long history of humankind, those who learned to collaborate and improvise most effectively have prevailed. *Charles Darwin*
인류의 오랜 역사에서 가장 효과적으로 협력하고 임기응변하는 것을 배운 사람들이 승리해 왔어.

41-11 Any religion or philosophy which is not based on a respect for life is not a true religion or philosophy. *Albert Schweitzer*
생명 존중에 기반하지 않는 어떤 종교나 철학도 진정한 종교나 철학이 아니야.

C

41-12 It is important that we understand the importance of the Arctic, stop the process of destruction, and protect it. *Ludovico Einaudi*
우리가 북극의 중요성을 이해하고 파괴의 과정을 멈추고 그것을 보호하는 것이 중요해.

41-13 Whoever degrades another degrades me, and whatever is done or said returns at last to me. *Walt Whitman*
다른 사람을 비하하는 누구든 저 자신을 비하하는 것이고, 행해지거나 말해지는 무엇이든 결국 저 자신에게로 돌아와.

41-14 What you are thinking, what shape your mind is in, makes the biggest difference of all. *Willie Mays*
네가 무엇을 생각하고 있는지, 즉 네 마음이 어떤 상태에 있는지가 모든 것 중에 가장 큰 차이를 만들어.

☺ **41-15** The reason why rivers and seas are able to be lords over a hundred mountain streams is that they know how to keep below them. *Lao Tzu*(노자)
강들과 바다들이 백 개의 계곡물들을 다스리는 주인이 될 수 있는 이유는 강들과 바다들이 계곡물들 아래에 머무는 법을 알고 있기 때문이야.

Unit 42 보어(구·절) 종합

STANDARD

42-01 Success is walking from failure to failure without loss of enthusiasm. *Winston Churchill*
성공은 열정을 잃지 않고 실패에서 실패로 걸어가는 거야.

42-02 Life is 10 percent what happens to me and 90 percent how I react to it. *Charles R. Swindoll*
삶은 10퍼센트의 내게 무엇이 일어나는지와 90퍼센트의 내가 그것에 어떻게 반응하는지야.

42-03 The vote is the most powerful instrument devised by man for breaking down injustice. *Lyndon Johnson*
투표는 불의를 깨부수기 위해 인간에 의해 고안된 가장 강력한 수단이야.

A

42-04 The interpretation of dreams is the royal road to a knowledge of the unconscious activities of the mind. *Sigmund Freud*
꿈의 해석은 마음의 무의식적 활동에 대한 지식으로 가는 왕도야.

42-05 Peace is a daily, a weekly, a monthly process gradually changing opinions, slowly eroding old barriers, quietly building new structures. *John F. Kennedy*
평화는 차츰 여론을 바꾸고, 천천히 낡은 장벽을 무너뜨리고, 조용히 새로운 구조를 만들어 내는 매일 매주 매달의 과정이야.

42-06 The way to get good ideas is to get lots of ideas and throw the bad ones away. *Linus Pauling*
좋은 생각들을 얻는 방법은 많은 생각들을 얻어서 나쁜 생각들을 버리는 거야.

42-07 The question is not whether we are able to change but whether we are changing fast enough. *Angela Merkel*
문제는 우리가 변화할 수 있는지가 아니라 우리가 충분히 빨리 변화하고 있는지 아닌지야.

B

42-08 The "paradox of water and diamonds" is the contradiction that water possesses a value far lower than diamonds, but water is far more vital to a human being.

'물과 다이아몬드의 역설'은 물이 다이아몬드보다 훨씬 더 낮은 가치를 갖고 있지만, 물이 인간의 생명 유지에 훨씬 더 필수적이라는 모순이야.

42-09 Honesty is the fastest way to prevent a mistake from turning into a failure. *James Altucher*

정직은 실수가 실패가 되는 걸 막는 가장 빠른 방법이야.

42-10 Video game addiction is a compulsive disorder that can cause severe damage to the point of social isolation and abnormal human function.

비디오 게임 중독은 사회적 고립과 비정상적 인체 기능에 이를 정도로 극심한 손상을 입힐 수 있는 강박 장애야.

42-11 Irony is when something happens that is opposite from what is expected.

아이러니는 예상되는 것과 정반대의 뭔가가 일어날 때야.

C

42-12 Your best is whatever you can do comfortably without having a breakdown. *J. Moehringer*

너의 최선은 네가 신경 쇠약에 걸리지 않고 편안하게 할 수 있는 무엇이든지야.

☺ **42-13** The great pleasure of a dog is that you may make a fool of yourself with him, and not only will he not scold you, but he will make a fool of himself too. *Samuel Butler*

개가 주는 큰 즐거움은 네가 개와 함께 너 자신을 바보로 만들어도, 개는 널 꾸짖지 않을 뿐만 아니라, 개도 자신을 바보로 만들 거라는 거야.

42-14 The greatest weakness of most humans is their hesitancy to tell others how much they love them while they're alive. *Orlando Battista*

대부분 인간들의 최대의 결점은 그들이 다른 사람들을 얼마나 사랑하는지를 그들이 살아 있는 동안 그들에게 말하기를 주저한다는 거야.

42-15 Augmented reality (AR) is an interactive experience of a real-world environment where real-world objects are enhanced by computer-generated perceptual data.

증강 현실은 실세계의 사물들이 컴퓨터로 만들어진 지각 데이터에 의해 강화되는 실세계 환경의 상호 작용하는 경험이야.

unit 43 목적어/목적보어(구·절) 종합

STANDARD

43-01 Keep in mind that the real courage is not in dying but in living and suffering for what you believe. *Christopher Paolini*
진정한 용기는 죽는 데 있는 게 아니라 네가 믿는 것을 위해 살며 고통을 겪는 데 있다는 걸 명심해.

43-02 We have forgotten how to be good guests, how to walk lightly on the earth as its other creatures do. *Barbara Ward*
우리는 좋은 손님이 되는 법을, 지구의 다른 생물들이 하는 대로 지구 위를 가볍게 걷는 법을 잊어버렸어.

43-03 We must not allow other people's limited perceptions to define us. *Virginia Satir*
우리는 다른 사람들의 제한된 인식이 우리를 규정하도록 허용해서는 안 돼.

A

43-04 Everyone has the right to take part in the government of his country, directly or through freely chosen representatives. *세계 인권 선언*
모든 사람은 직접 또는 자유롭게 선출된 대표들을 통해 자기 나라의 정부에 참여할 권리가 있어.

43-05 The term "global village" means different parts of the world that form one community that's linked by the Internet.
'지구촌'이라는 용어는 인터넷으로 연결된 하나의 공동체를 형성하는 세계의 각각 다른 지역들을 의미해.

43-06 Do not do to others what you do not want others to do to you.
네가 다른 사람들이 네게 하길 바라지 않는 것을 다른 사람들에게 하지 마. *Confucius(공자)*

43-07 WHO defined "infodemic" as an over-abundance of information that makes it hard for people to find reliable information and guidance.
세계 보건 기구는 '정보유행병'을 사람들이 믿을 수 있는 정보와 지침을 찾기 어렵게 하는 정보의 과잉이라고 정의했어.

B

43-08 I love voting day; I love the sight of my fellow citizens lining up to make their voices heard. *Beth Broderick*
난 투표하는 날을 아주 좋아하는데, 난 자신들의 목소리를 들리게 하기 위해 줄을 서 있는 동료 시민들의 광경이 정말 좋아.

43-09 Never stop trying to make your dreams come true.
네 꿈이 이루어지게 하려고 노력하는 것을 절대 그만두지 마.

43-10 Don't let regrets about the past or worries about the future rob you of your enjoyment of the present. *Nicky Gumbel*
과거에 대한 후회나 미래에 대한 걱정이 네게서 현재의 즐거움을 빼앗도록 내버려 두지 마.

43-11 Never regard your study as a duty, but as the opportunity to learn the beauty of the intellect for your own joy and the profit of the community. *Albert Einstein*
절대로 네 공부를 의무로 여기지 말고, 네 자신의 기쁨과 공동체의 이익을 위해 지성의 아름다움을 배울 기회로 여겨.

C

43-12 I believe that the only thing worth doing is to add to the sum of accurate information in the world. *Margaret Mead*
난 할 가치가 있는 유일한 일은 세상의 정확한 정보의 총합에 더 보태는 것임을 믿어.

43-13 Experiments determine whether observations agree with or conflict with the predictions derived from a hypothesis.
실험은 관찰이 가설에서 얻어진 예측과 일치하는지 또는 상충하는지 밝혀.

43-14 Only a few know how much one must know to know how little one knows. *Werner Heisenberg*
몇몇 사람만이 자신이 얼마나 적게 아는지 알기 위해서 얼마나 많이 알아야 하는지를 알아.

☺ 43-15 I always wondered why somebody didn't do something about that; then I realized I was somebody. *Lily Tomlin*
난 늘 누군가가 왜 그것에 대해 뭔가를 하지 않는지 궁금했는데, 그러다 난 내가 바로 그 누군가라는 걸 깨달았어.

Unit 44 대등접속사

STANDARD

44-01 Choose **a job you love**, **and** you will never have to work a day in your life.
네가 정말 좋아하는 일을 선택하면, 넌 살면서 하루도 일할 필요가 결코 없을 거야.

44-02 Life is a tragedy when seen in close-up, **but** a comedy in long-shot. *Charlie Chaplin*
삶은 가까이서 보면 비극이지만, 멀리서 보면 희극이야.

44-03 Take care to get what you like, **or** you will be forced to like what you get. *Bernard Shaw*
네가 좋아하는 것을 얻도록 주의하지 않으면, 넌 네가 얻은 것을 좋아하도록 강요당할 거야.

A

44-04 You cannot do **a kindness** too soon, **for** you never know how soon it will be too late. *Ralph Emerson*
넌 아무리 빨리 친절한 행동을 해도 지나치지 않은데, 왜냐면 넌 그것이 얼마나 빨리 너무 늦어질지 결코 알지 못하기 때문이야.

44-05 Students must learn **to think and act for themselves**, **and** be free to cultivate **a spirit of inquiry and criticism**.
학생들은 스스로 생각하고 행동하는 것을 배워야 하고, 자유롭게 탐구심과 비판 의식을 길러야 해.

44-06 You can fool **all the people** some of the time, **and some of the people** all the time, **but** you cannot fool **all the people** all the time.
넌 모든 사람들을 얼마 동안 속일 수 있고, 일부 사람들을 내내 속일 수 있지만, 모든 사람들을 내내 속일 순 없어.
Abraham Lincoln

44-07 Stand up and face **your fears**, **or** they will defeat you. *LL Cool J*
일어서서 두려움에 맞서지 않으면, 그것들(두려움)이 널 패배시킬 거야.

B

☺ **44-08** In the arithmetic of love, one plus one equals everything, **and** two minus one equals nothing. *Mignon McLaughlin*
사랑의 연산에서, 1 더하기 1은 모든 것이고, 2 빼기 1은 아무것도 아니야.

44-09 You can't go back and change **the beginning, but** you can start where you are **and change the ending.** *C.S. Lewis*
넌 돌아가서 시작을 바꿀 수는 없지만, 네가 있는 곳에서 시작해서 결말을 바꿀 수는 있어.

44-10 Tell **me, and** I will forget; show **me, and** I may remember; involve **me, and** I will understand. *Confucius(공자)*
내게 말하면 난 잊어버릴 거고, 내게 보여 주면 난 기억할지도 모르고, 날 참여시키면 난 이해할 거야.

44-11 Education is the passport to the future, **for** tomorrow belongs to those who prepare for it today. *Malcolm X*
교육은 미래로 가는 여권인데, 왜냐면 내일은 오늘 그것(내일)을 준비하는 사람들의 것이기 때문이야.

C

☺ **44-12** Originality is the fine art of remembering what you hear but forgetting where you heard it. *Laurence Peter*
독창성이란 네가 듣는 것은 기억하지만 그걸 어디서 들었는지는 잊어버리는 멋진 기술이야.

44-13 We must learn **to live together as brothers or perish together as fools.** *Martin Luther King*
우리는 형제들로 함께 살거나 아니면 바보들로 함께 죽어야 한다는 걸 깨달아야 해.

44-14 Mathematics may be defined as the subject in which we never know what we are talking about, nor whether what we are saying is true. *Bertrand Russell*
수학은 우리가 무엇에 대해 말하고 있는지 결코 알지 못하고, 우리가 말하고 있는 게 사실인지 아닌지도 결코 알지 못하는 과목으로 정의될지도 몰라.

44-15 Whatever words we utter should be chosen with care, **for** people will hear **them and** be influenced by them for good or ill. *Buddha(석가모니)*
우리가 하는 어떤 말이든 조심해서 골라져야 하는데, 왜냐면 사람들이 그것들을 듣고 좋든 나쁘든 그것들에 의해 영향을 받을 것이기 때문이야.

Unit 45 상관접속사

STANDARD

45-01 Peace is not the absence of war, but the presence of justice. *Harrison Ford*
평화는 전쟁이 없는 게 아니라 정의가 있는 거야.

45-02 We have an infinite amount to learn both from nature and from each other. *John Glenn*
우리는 자연에서와 서로에게서 배울 게 무한히 많아.

45-03 To accomplish great things, we must not only act, but also dream, not only plan, but also believe. *Anatole France*
위대한 일을 성취하기 위해, 우리는 행동할 뿐만 아니라 꿈꿔야 하고, 계획을 세울 뿐만 아니라 믿어야 해.

A

45-04 Both excessive and insufficient exercise destroy one's strength, and both eating too much and too little destroy health. *Aristotle*
과도한 운동과 불충분한 운동 둘 다 사람의 힘을 파괴하고, 너무 많이 먹는 것과 너무 적게 먹는 것 둘 다 건강을 파괴해.

45-05 The poet's aim is either to please or to profit, or to blend in one the delightful and the useful. *Horace*
시인의 목적은 기쁨을 주는 것이거나 이익을 주는 것이거나, 또는 즐거운 것과 유용한 것을 하나로 섞는 것이야.

45-06 Where justice is denied and poverty is enforced, neither persons nor property will be safe. *Frederick Douglass*
정의가 부정되고 가난이 강요되는 곳에선, 사람도 재산도 안전하지 못할 거야.

45-07 In a democracy, the individual enjoys not only the ultimate power but carries the ultimate responsibility. *Norman Cousins*
민주주의에서 개인은 최대의 힘을 누릴 뿐만 아니라 최대의 책임도 떠맡아.

B

45-08 Both the optimist and the pessimist contribute to **society;** the optimist invents **the aeroplane, and** the pessimist **the parachute.**
낙관론자와 비관론자 둘 다 **사회**에 기여하는데, 낙관론자는 **비행기**를 발명하고, 비관론자는 낙하산을 발명해.
Bernard Shaw

45-09 All human beings search for **either reasons to be good, or excuses to be bad.** *Chuck Palahniuk*
모든 인간은 좋게 되는 이유나 나쁘게 되는 변명을 찾아.

45-10 I am neither especially clever nor especially gifted; I am only very, very curious. *Albert Einstein*
난 특별히 영리하지도 특별히 재능이 있지도 않고, 난 그저 매우, 매우 호기심이 많을 뿐이야.

45-11 Love does not consist in gazing at each other, but in looking outward together in the same direction. *Saint-Exupery*
사랑은 서로를 바라보는 데 있는 게 아니라, 같은 방향으로 함께 밖을 쳐다보는 데 있어.

C

45-12 The most common reaction of the human mind to achievement is not satisfaction, but craving for more. *Yuval Harari*
성취에 대한 인간 마음의 가장 흔한 반응은 만족이 아니라 더 많은 것에 대한 열망이야.

45-13 You can either waltz boldly onto the stage of life, or you can sit quietly into the shadows of fear and self-doubt. *Oprah Winfrey*
넌 삶의 무대 위로 대담하게 왈츠를 추거나, 두려움과 자기 회의의 어둠 속에 조용히 앉아 있거나 둘 중 하나를 할 수 있어.

45-14 History as well as life itself is complicated; neither life nor history is an enterprise for those who seek simplicity and consistency.
삶 자체뿐만 아니라 역사도 복잡한데, 삶도 역사도 단순함과 일관성을 추구하는 사람들을 위한 사업은 아니야.
Jared Diamond

45-15 Learning another language is not only learning different words for the same things, but learning another way to think about things.
다른 언어를 배우는 것은 같은 것에 대한 다른 단어를 배우는 것일 뿐만 아니라, 사물에 대해 생각하는 다른 방법을 배우는 거야.
Flora Lewis

Review

A

01 What is considered "conservative" and what is considered "liberal" changes in any given era. *Rick Perlstein*
'보수적'이라고 여겨지는 것과 '진보적'이라고 여겨지는 것은 어떤 주어진 시대에서든 달라져.

02 "Stream of consciousness" is a narrative mode that attempts to depict the multiple thoughts and feelings which pass through the mind of a narrator.
'의식의 흐름'은 서술자의 마음을 스쳐 지나가는 복합적인 생각과 감정을 묘사하려고 시도하는 서술 방식이야.

03 The moment we cry in a film is not when things are sad but when they turn out to be more beautiful than we expected them to be.
우리가 영화에서 우는 순간은 상황이 슬플 때가 아니라 상황이 우리가 그러리라 예상했던 것보다 더 아름다운 것으로 드러날 때야. *Alain de Botton*

☺ **04** I know that you believe that you understood what you think I said but I am not sure you realize that what you heard is not what I meant.
난 내가 말했다고 네가 생각하는 걸 네가 이해했다고 네가 믿는다는 건 알겠지만, 난 네가 들은 게 내가 의미한 것이 아니라는 걸 네가 아는지는 확신할 수 없어. *Robert McCloskey*

05 Show me a person who has never made a mistake, and I'll show you someone who has never achieved much. *Joan Collins*
내게 한 번도 실수한 적이 없는 사람을 보여 주면, 난 네게 한 번도 많은 걸 성취한 적이 없는 사람을 보여 줄게.

☺ **06** Love is the strongest of all passions, for it attacks simultaneously the head, the heart and the senses. *Lao Tzu(노자)*
사랑은 모든 열정들 중 가장 강한 것인데, 왜냐면 그것은 머리와 심장과 감각들을 동시에 공격하기 때문이야.

07 Truth is found neither in the thesis nor the antithesis, but in an emergent synthesis which reconciles the two. *Hegel*
진리는 테제[정립]에서나 안티테제[반정립]에서가 아니라, 그 둘을 조화시키는 새로운 진테제[종합]에서 발견되는 거야.

본책 • p.142
Rainbow Book • p.116

B

08 With the advent of genetic engineering, the time required for the evolution of new species may literally collapse. *Dee Hock*
유전 공학의 출현으로 새로운 종의 진화에 필요한 시간(이란 개념)은 그야말로 붕괴할지도 몰라.

09 Language's laws and principles are fixed, **but** the manner in which the principles of generation are used is free and infinitely varied.
언어의 법칙과 원리는 고정되어 있지만, 생성 원리가 사용되는 방식은 자유롭고 무한히 다양해. *Noam Chomsky*

10 Always recognize **that human individuals are ends, and** do not use them as means to your end. *Immanuel Kant*
항상 인간 개인들은 목적이란 걸 인정하고, 그들을 너의 목적에 대한 수단으로 이용하지 마.

"It is important that we understand the importance of the Arctic, stop the process of destruction, and protect it.
Ludovico Einaudi

My Favorite Sentences are ~

· Chapter 10 ·

1. ______________________
The Original Sentence(원문)

→ ______________________
My Own Sentence(나만의 문장)

2. ______________________
The Original Sentence(원문)

→ ______________________
My Own Sentence(나만의 문장)

Unit 46 시간 부사절

STANDARD

46-01 The rights of every man are diminished when the rights of one man are threatened. *John F. Kennedy*
모든 사람의 권리는 한 사람의 권리가 위협받을 때 약화돼.

46-02 A lie can travel halfway around the world while the truth is putting on its shoes. *Mark Twain*
거짓말은 진실이 신발을 신고 있는 동안 세계 반 바퀴를 돌 수 있어.

46-03 Until you make the unconscious **conscious**, it will direct your life **and** you will call it **fate**. *Carl Jung*
네가 무의식을 의식되도록 할 때까지, 무의식은 네 삶을 지배할 거고 넌 그걸 운명이라 여길 거야.

A

46-04 Civilization will reach **maturity** only when it learns to value **diversity of character and of ideas.** *Arthur Clarke*
문명은 개성과 생각의 다양성을 소중하게 여기는 걸 배울 때만 성숙함에 이를 거야.

46-05 You never really understand **a person** until you consider **things** from his point of view. *Novel "To Kill a Mockingbird"*
넌 어떤 사람의 관점에서 상황을 고려할 때까지, 그를 절대 진짜 이해하지 못해(넌 어떤 사람의 관점에서 상황을 고려하고 나서야 비로소 그를 진짜 이해하게 돼).

46-06 The moment you recognize **what is beautiful in this world,** you stop **being a slave.** *Aravind Adiga*
네가 이 세상에서 무엇이 아름다운지 인식하는 순간, 넌 노예 상태를 끝내게 돼.

46-07 The human brain is special; it starts **working** as soon as you get up, **and** it doesn't stop until you get to school. *Milton Berle*
인간의 뇌는 특별한데, 그건 네가 일어나자마자 활동하기 시작해서, 네가 학교에 도착할 때까지는 멈추지 않아(학교에 도착하고 나면 멈춰).

B

46-08 As we express **our gratitude**, we must never forget **that the highest appreciation is not to utter words, but to live by them.**
우리는 **감사를** 표하면서, **최고의 감사는 말을 하는 게 아니라 그 말에 따라 사는 거란 걸** 절대 잊어서는 안 돼.
John F. Kennedy

46-09 The learning process never ends even long after the days of school are over.
학창 시절이 끝난 오랜 후에도 학습 과정은 절대 끝나지 않아.

46-10 Whenever you find **yourself** on the side of the majority, it is time to reform. *Mark Twain*
네가 **자신이** 다수의 편에 있음을 알게 될 때마다, 그때가 개혁해야 할 때야.

46-11 Life is choices. No sooner have you made **one choice** than another is upon you. *Atul Gawande*
삶은 선택들이야. 네가 **하나의 선택을** 하자마자 또 하나의 선택이 네게 다가와 있어.

C

46-12 You sow in tears before you reap **joy**. *Ralph Ransom*
넌 **기쁨을** 거두기 전에 눈물을 흘리며 씨를 뿌려.

46-13 Every time we lose **a species**, we break **a life chain which has evolved over 3.5 billion years.** *Jeff McNeely*
우리가 **한 종을** 잃을 때마다, 우리는 **35억 년 이상 진화해 온 생명 사슬을** 끊는 거야.

46-14 The urge to explore has propelled **evolution** since the first water creatures reached **the land**. *Buzz Aldrin*
첫 수중 생물들이 **육지에** 닿은 이후 탐험하려는 욕구가 **진화를** 나아가게 해 왔어.

46-15 By the time this concert ends this evening, **30,000 Africans** will have died because of extreme poverty. *Brad Pitt*
오늘 저녁 이 콘서트가 끝날 때쯤에는, **3만 명의 아프리카인이** 극심한 빈곤 때문에 죽게 되었을 거예요.

Unit 47 이유[원인] 부사절

STANDARD

47-01 Someone is sitting in the shade today because someone planted a tree a long time ago. *Warren Buffett*
누군가가 오래 전에 나무를 심었기 때문에 누군가가 오늘 그늘에 앉아 있어.

47-02 Robots are blamed for rising technological unemployment as they replace workers in increasing numbers of functions.
로봇은 점점 더 많은 기능에서 노동자를 대신하기 때문에 늘어나는 기술적 실업의 원인으로 여겨져.

47-03 Since corrupt people unite among themselves to constitute a force, honest people must do the same. *Tolstoy*
부패한 사람들이 힘을 이루기 위해 자기들끼리 뭉치기 때문에 정직한 사람들도 똑같이 해야 해.

A

47-04 Most people do not really want freedom because freedom involves responsibility. *Sigmund Freud*
대부분의 사람들은 자유가 책임을 수반하기 때문에 자유를 정말로 원치 않아.

47-05 Be who you are and say what you feel because those who mind don't matter and those who matter don't mind. *Dr. Seuss*
상관하는 사람들은 중요하지 않고 중요한 사람들은 상관하지 않기 때문에 너 자신이 되고 네가 느끼는 것을 말해.

47-06 Humanity has advanced not because it has been sober and cautious, but because it has been playful and rebellious. *Tom Robbins*
인류는 진지하고 신중했기 때문이 아니라 놀기 좋아하고 반항적이었기 때문에 진보해 왔어.

47-07 No scientific theory can ever be considered final, since new problematic evidence might be discovered.
어떤 과학 이론도 문제가 있다는 새로운 증거가 발견될지도 모르기 때문에 언제든 최종적인 것으로 여겨질 수 없어.

B

47-08 The seasons occur because the axis on which Earth turns is tilted with respect to the plane of Earth's orbit around the Sun.
계절은 지구가 회전(자전)하는 축이 태양 둘레를 공전하는 지구의 궤도면에 대해 기울어져 있기 때문에 생겨나.

47-09 As media production has become more accessible to the public, large numbers of individuals are able to post **text, photos and videos** online.
미디어 제작이 대중에게 더 이용 가능하게 되었기 때문에, 많은 개인들이 **글과 사진과 동영상**을 온라인에 게시할 수 있어.

47-10 Food memories are more sensory than other memories in that they involve **really all five senses.** *Julie Thomson*
음식의 기억들은 **정말 오감 모두를** 포함하고 있다는 점에서 다른 기억들보다 더 감각적이야.

47-11 Now that I'm feeling **the responsibilities of adulthood,** the choices I make become an incredible weight. *Laura Marling*
이제 난 **성인의 책임감을** 느끼고 있으므로, 내가 하는 선택들이 믿을 수 없는 부담이 돼.

C

47-12 Humor is everywhere in that there's irony in just about anything a human does. *Bill Nye*
인간이 하는 거의 무엇에든 다 아이러니가 있으므로, 유머는 어디에나 있어.

47-13 Information is suited to "a gift economy" as information is a non-rival good **and** can be gifted at no cost.
정보는 비경쟁적 재화[비경합재]**이고** 무료로 선물될 수 있기 때문에 '선물 경제'에 적합해.

47-14 We learn by example and by direct experience because there are real limits to the adequacy of verbal instruction. *Malcolm Gladwell*
우리는 구두 설명의 적절성에 현실적 한계가 있기 때문에 예시와 직접 경험에 의해 배워.

47-15 With the advent of globalization, a decline in cultural diversity is inevitable because information sharing promotes **homogeneity.**
세계화의 도래로, 정보 공유가 **동질성을** 촉진하기 때문에 문화 다양성의 감소는 불가피해.

Unit 48 목적/결과/양상 부사절

STANDARD

48-01 Good teaching must be slow enough so that it is not confusing, and fast enough so that it is not boring. *Sydney Harris*
좋은 가르침은 혼란스럽지 않도록 충분히 느려야 하고, 지루하지 않도록 충분히 빨라야 해.

48-02 Everybody gets **so much information** all day long that they lose **their common sense.** *Gertrude Stein*
모두가 온종일 **너무 많은 정보를** 얻어서 **자신들의 상식은** 잃어버리게 돼.

48-03 As a well spent day brings **happy sleep,** so a life well spent brings **happy death.** *Leonardo da Vinci*
잘 보낸 하루가 **행복한 잠을** 가져오는 것처럼, 잘 보낸 삶은 **행복한 죽음을** 가져와.

A

48-04 Justice and power must be brought together so that whatever is just may be powerful, **and** whatever is powerful may be just. *Pascal*
정의로운 무엇이든 힘 있고 힘 있는 무엇이든 정의롭도록 정의와 힘은 결합되어야 해.

☺ **48-05** My neighbors loved **the music** so much when I turned **it** up that they invited the police **to listen.**
내 이웃들은 **음악을** 너무 많이 사랑해서 내가 소리를 높였을 때 경찰이 **듣도록** 초대했어.

48-06 There are two ways to live: you can live as if nothing is a miracle; you can live as if everything is a miracle. *Albert Einstein*
살아가는 두 가지 방법이 있는데, 넌 마치 아무것도 기적이 아닌 것처럼 살 수도 있고, 마치 모든 게 기적인 것처럼 살 수도 있어.

48-07 Just as no one can be forced into belief, so no one can be forced into unbelief. *Sigmund Freud*
아무도 믿음을 강요받을 수 없는 것처럼, 아무도 불신을 강요받을 수 없어.

B

48-08 Have **the courage to face a difficulty** lest it kick **you** harder than you bargain for. *Stanislaus I*
어려움이 네가 예상하는 것보다 더 세게 널 차지 않도록 어려움에 맞설 수 있는 용기를 가져.

48-09 The sky is blue **and the sun is shining,** so my tears are even more noticeable. *Song "I Need U" by BTS*
하늘이 파래서 햇살이 빛나서 내 눈물이 훨씬 더 잘 보이나 봐.

☺ **48-10** Schools should be so beautiful that the punishment should bar **undutiful children** from **going to school the following day.** *Oscar Wilde*
학교들이 너무 아름다워서 벌로 불성실한 아이들이 다음날 학교에 오지 못하게 해야 해.

48-11 Love is such a priceless treasure that you can buy **the whole world** with it. *Dostoevsky*
사랑은 너무 귀중한 보물이어서 넌 그것으로 온 세상을 살 수 있어.

C

48-12 We must not promise **what we ought not** lest we should be called on **to perform what we cannot.** *Abraham Lincoln*
우리는 우리가 행할 수 없는 것을 행하도록 요구받지 않도록 우리가 약속해선 안 되는 것을 약속해선 안 돼.

48-13 Parents should have **good working conditions** in order that they may have **the time and energy to look after their children.**
부모는 아이들을 돌볼 시간과 에너지를 갖도록 좋은 근로 조건을 가져야 해.

48-14 Absence diminishes **small loves and** increases **great ones,** as the wind blows out **the candle and** fans **the bonfire.** *Rochefoucauld*
부재는, 바람이 촛불은 끄고 모닥불은 거세게 하듯이, 작은 사랑은 더 작게 하고 큰 사랑은 더 크게 해.

☺ **48-15** I have **an underwater camera** just in case I crash **my car** into a river, **and** I see **a photo opportunity of a fish that I have never seen.** *Mitch Hedberg*
난 내 차를 강 속으로 추락시켜 내가 한 번도 본 적 없는 물고기를 찍을 기회를 맞이할 경우에 대비해 수중 카메라를 갖고 있어.

Unit 49 대조[반전] 부사절

STANDARD

49-01 In archaeology you uncover **the unknown**, **whereas** in diplomacy you cover **the known**. *Thomas Pickering*
고고학에서 넌 알려지지 않은 것을 알아내지만, 외교에선 넌 알려진 것을 덮어.

49-02 When we're happy time seems to pass by fast, **while** when we'r miserable it goes really slowly. *Lynsay Sands*
우리가 행복할 때는 시간이 빨리 지나가는 것 같은 데 반해, 우리가 우울할 때는 시간이 정말 느리게 가.

49-03 **Although** Nature needs **millions of years** to create a new species man needs **only a few dozen years** to destroy one. *Victor Scheffer*
자연이 새로운 종을 창조하기 위해서 수백만 년이 필요하지만, 인간이 그것을 파괴하기 위해선 단 수십 년만 필요해.

49-04 **Wherever** you go, **no matter what** the weather, always bring you own sunshine. *Anthony D'Angelo*
네가 어디에 가든지, 날씨가 어떻더라도, 늘 너 자신의 햇빛을 가져가.

A

49-05 Humanity is an ocean; **if** a few drops of the ocean are dirty, the ocean does not become dirty. *Mahatma Gandhi*
인류는 대양이어서, 대양의 몇 방울이 더러울지라도, 대양은 더러워지지 않아.

49-06 **However** difficult life may seem, there is always something you can do and succeed at. *Stephen Hawking*
삶이 아무리 힘들어 보일지라도, 네가 해서 성공할 수 있는 뭔가는 늘 있어.

49-07 Right is right **even if** everyone is against it, **and** wrong is wrong **even if** everyone is for it. *William Penn*
비록 모두가 그것에 반대할지라도 옳은 건 옳고, 비록 모두가 그것에 찬성할지라도 그른 건 그른 거야.

B

49-08 Though the connections are not always obvious, personal change is inseparable from social and political change. *Harriet Lerner*
연관성이 늘 분명하진 않지만, 개인의 변화는 사회와 정치의 변화와 분리할 수 없어.

49-09 The man who has done his level best is a success, even though the world may write him down a failure. *B.C. Forbes*
비록 세상이 그를 실패자라고 쓸지라도, 최선을 다한 사람은 성공한 사람이야.

☺ **49-10** Life is like riding in a taxi; whether you are going anywhere or not, the meter keeps ticking. *John Maxwell*
삶은 택시에 타고 있는 것 같은데, 네가 어디론가 가고 있든 아니든, 미터기는 계속 째깍거리며 올라가.

49-11 While classical physics describes the behavior of matter and energy, quantum mechanics describes the behavior of atoms and smaller particles.
고전 물리학이 물질과 에너지의 작용을 설명하는 데 반해, 양자 역학은 원자와 더 작은 입자들의 작용을 설명해.

C

49-12 No matter what accomplishments you make, somebody helped you. *Althea Gibson*
네가 어떤 업적을 이루더라도, 누군가가 널 도왔어.

☺ **49-13** No matter how much cats fight, there always seem to be plenty of kittens. *Abraham Lincoln*
고양이들은 아무리 많이 싸우더라도, 새끼 고양이들이 늘 많이 있는 것 같아.

49-14 Try as we may for perfection, the net result of our labors is an amazing variety of imperfectness. *Samuel Crothers*
우리가 완벽을 위해 노력해도, 노고의 최종 결과는 놀라울 만큼 다양한 불완전함이야.

49-15 Augmented reality alters the user's perception of a real-world environment, whereas virtual reality replaces the real-world environment with a simulated one.
증강 현실이 실세계 환경에 대한 사용자의 지각을 바꾸는 데 반해, 가상 현실은 실세계 환경을 모의 환경으로 대체해.

Unit 50 조건 부사절

STANDARD

☺ 50-01 If the only tool you have is a hammer, you tend to see every problem **as a nail.** *Abraham Maslow*
네가 가진 유일한 도구가 망치이면, 넌 모든 문제를 못으로 보는 경향이 있어.

50-02 Unless you try **to do something beyond what you have already mastered,** you will never **grow.** *Ronald Osborn*
네가 이미 숙달한 것 이상의 뭔가를 하려고 노력하지 않는 한, 넌 결코 성장하지 않을 거야.

50-03 Once you have read **a book you care about,** some part of it is **always with you.** *Louis L'Amour*
네가 일단 관심을 가진 책을 읽었으면, 그 일부는 늘 너와 함께 있게 돼.

A

50-04 If you don't read **the news,** you're uninformed; if you read the **news,** you're **misinformed.** *Mark Twain*
네가 뉴스를 읽지 않으면 넌 정보가 없게 되고, 네가 뉴스를 읽으면 넌 잘못된 정보를 얻게 돼.

☺ 50-05 If toast always lands butter-side down, **and** cats always land on their feet, what happens if you strap **toast** on the back of a cat **and** drop **it?** *Steven Wright*
토스트는 늘 버터 바른 면이 아래로 떨어지고 고양이는 늘 발로 착지한다면, 네가 토스트를 고양이 등 위에 끈으로 묶어 떨어뜨리면 무슨 일이 일어날까?

50-06 You can't be happy unless you're unhappy sometimes. *Lauren Oliver*
넌 때로 불행을 느끼지 않는 한 행복을 느낄 수 없어.

50-07 Do not allow yourselves **to be disheartened by any failure** as long as you have done **your best.** *Mother Teresa*
너희들이 최선을 다했기만 하면, 너희들 자신이 어떤 실패로 낙심하게 허락하지 마.

B

50-08 If you want **to know what a man's like,** take a good look at how **he treats his inferiors, not his equals.** *J.K. Rowling*
네가 어떤 사람이 어떤지 알고 싶으면, 그가 동등한 사람들이 아닌 아랫사람들을 어떻게 대하는지 잘 봐.

50-09 Success in creating AI might be the last event in human history unless we learn **how to avoid the risks.** *Stephen Hawking*
인공 지능 창조의 성공은 우리가 그 위험을 피하는 법을 배우지 않는 한, 인간 역사의 마지막 사건이 될지도 몰라.

50-10 As long as you can savor **the humorous aspect of misery and misfortune,** you can overcome **anything.** *John Candy*
네가 고통과 불행의 유머러스한 측면을 음미할 수 있기만 하면, 넌 무엇이든 이겨 낼 수 있어.

☺ **50-11** In case you're worried about what's going to become of the younger generation, it's going to grow up and start **worrying about the younger generation.** *Roger Allen*
네가 젊은 세대가 어떻게 될지 걱정한다면, 그 세대는 자라서 (자기보다 더) 젊은 세대에 대해 걱정하기 시작할 거야.

C

☺ **50-12** You will never reach **your destination** if you stop and throw **stones** at every dog that barks. *Winston Churchill*
네가 짖는 모든 개에게 멈춰 서서 돌을 던지면, 넌 결코 목적지에 도착하지 못할 거야.

50-13 Given that many animals have **senses, emotions and intelligence,** we should treat **them** with respect. *Jane Goodall*
많은 동물들이 감각과 감정과 지능을 갖고 있다는 걸 고려하면, 우리는 존중심을 갖고 그들을 대해야 해.

50-14 Once you overcome **the one inch tall barrier of subtitles,** you will be introduced to so many more amazing films. *Bong Joon Ho*
네가 일단 1인치 높이 자막의 장벽을 뛰어넘으면, 넌 훨씬 더 많은 놀라운 영화들을 접하게 될 거야.

50-15 The pleasure of work is open to anyone who can develop some specialized skill, provided that he can get **satisfaction** from the exercise of his skill. *Bertrand Russell*
일의 즐거움은 자신의 기술 발휘에서 만족을 얻을 수 있다면, 전문 기술을 발전시킬 수 있는 누구에게든 열려 있어.

Unit 51 v-ing 구문

STANDARD

51-01 I just spent **15 minutes** searching for my phone in my room, using my phone as a flashlight.
난 방금 내 폰을 손전등으로 사용해 내 방에서 내 폰을 찾느라 15분을 보냈어.

51-02 Passed from parents to offspring, DNA contains **the specific instructions that make each type of living creature unique.**
부모에서 자식으로 전해질 때, 디엔에이는 각종 생물을 독특하게 하는 특정 지시를 포함해.

51-03 Once having tasted flight, you will walk **the earth** with your eyes turned skywards. *Leonardo da Vinci*
일단 비행을 맛본 적이 있으면, 넌 네 눈을 하늘로 향한 채 땅을 걷게 될 거야.

A

51-04 Feeling confident I can always learn what I need to know, I never feel **I am incapable of succeeding.** *Susan Wiggs*
난 알아야 하는 것을 항상 배울 수 있다는 자신감을 느끼기 때문에, 난 결코 내가 성공할 수 없다고 느끼지 않아.

51-05 Not knowing the process by which results are arrived at, we judge **others** according to results. *George Eliot*
결과가 거쳐 도달되는 과정을 모르기 때문에, 우리는 다른 사람들을 결과에 따라 판단해.

51-06 The legal status of GM foods varies, with some nations banning or restricting them, and others permitting them.
유전자 변형 식품들의 법적 지위는 다양한데, 어떤 나라들은 그것들을 금지하거나 제한하고 다른 나라들은 그것들을 허용해.

51-07 Earth could contain **nearly 1 trillion species**, with only one-thousandth of 1 percent now identified.
지구는 거의 1조 개의 종들을 포함할 수도 있는데, 그 중 1퍼센트의 1000분의 1만 현재 발견되어 있어.

B

51-08 Judging by brain-to-body size, dolphins may be the second most intelligent mammal after humans.
두뇌 대 신체 크기로 판단하면, 돌고래는 인간 다음 두 번째로 가장 지능이 높은 포유류일지도 몰라.

51-09 Not affected by foreign conquest, all political revolutions originate in moral revolutions. *John Stuart Mill*
외국의 정복에 의해 영향을 받지 않는다면, 모든 정치 혁명은 도덕 혁명에서 비롯돼.

51-10 The proportion of the food expenses, other things being equal, is the best measure of the material standard of living of a population. *Ernst Engel*
음식비의 비율은, 다른 것들이 동일하다면, 인구의 물질적 생활 수준의 가장 좋은 척도야.

51-11 Cultural meanings, values and tastes run **the risk of becoming homogenized,** with information being so easily distributed throughout the world.
문화적 의미와 가치와 취향은, 정보가 전 세계로 매우 쉽게 유통되고 있으면서, **동질화될 위험이** 있어.

C

☺ **51-12** Drawing on my fine command of the English language, I said **nothing.** *Robert Benchley*
나의 훌륭한 영어 구사력을 활용해서, 난 **아무것도** 말하지 않았어.

51-13 Looking on you a moment, I can speak **no more** but my tongue falls silent, **and** with my eyes I can see **nothing.** *Sappho*
널 잠깐 바라볼 때면, 난 혀가 침묵에 빠지는 것 말고는 **더 이상** 말할 수 **없고** 눈으로 난 **아무것도** 볼 수 없어.

51-14 User-generated content (UGC) leads to **the democratization of content production,** breaking down traditional media hierarchies.
사용자 생성 콘텐츠는 **콘텐츠 생산의 민주화**에 이르러, 전통적 미디어 위계질서를 무너뜨려.

51-15 "Surrealist" artists created **strange creatures** from everyday objects, developing painting techniques that allowed the unconscious to express itself.
'초현실주의' 예술가들은 일상적 물건들로 **이상한 창조물들을** 창조해서, 무의식이 스스로 표현하도록 하는 미술 기법을 개발했어.

Review

A

☺ 01 When your children are teenagers, it's important to have a dog so that someone in the house is happy to see you. *Nora Ephron*
당신 아이들이 십대일 때, 집 안의 누군가가 당신을 보고 기뻐하도록 개를 기르는 게 중요해.

☺ 02 You know **you're in love** when you can't fall asleep because reality is finally better than your dreams. *Dr. Seuss*
넌 현실이 마침내 네 꿈보다 더 좋기 때문에 네가 잠들 수 없을 때 **네가 사랑에 빠진** 걸 알게 돼.

03 Sometimes people don't want **to hear the truth** since they don't want their illusions **destroyed.** *Friderich Nietzsche*
때로 사람들은 자신들의 환상이 **깨지는** 걸 원치 않기 때문에 **진실을 듣기를** 원치 않아.

☺ 04 If you really think **that the environment is less important than the economy,** try **holding your breath** while you count **your money.** *Guy McPherson*
네가 **환경이 경제보다 덜 중요하다고** 진짜 생각한다면, 네가 **돈을** 세는 동안 **숨을 참아** 봐.

05 A meaningful life can be satisfying even in the midst of hardship, whereas a meaningless life is a terrible ordeal no matter how comfortable it is. *Yuval Harari*
의미 있는 삶이 어려움의 한가운데서조차 만족스러울 수 있지만, 의미 없는 삶은 아무리 편안하더라도 끔찍한 시련이야.

06 Once you eliminate **the impossible,** whatever remains, no matter how improbable, must be the truth. *Conan Doyle*
일단 네가 **불가능한 것을** 제거하면, 무엇이든 남은 것이, 그게 아무리 사실 같지 않더라도, 사실임에 틀림없어.

07 Hamlet contemplates **death and suicide,** complaining about the pain and unfairness of life but acknowledging that the alternative might be worse.
햄릿은 **죽음과 자살을** 숙고하면서, 삶의 고통과 불공평에 대해 불평하지만 대안이 더 나쁠지도 모른다는 걸 인정해.

본책 • p.156
Rainbow Book • p.130

B 08 **Please don't lie to me unless you're absolutely sure I'll never find out the truth.** *Ashleigh Brilliant*
넌 내가 절대 진실을 알아내지 못할 거라고 완전히 확신하지 않는 한 제발 내게 거짓말하지 마.

09 **Sometimes we fall so that we can learn to pick ourselves back up.**
때로 우리는 우리 자신을 다시 일으켜 세우는 걸 배울 수 있기 위해 넘어져. *Movie "Batman Begins"*

10 **Communication is something so simple and difficult that we can never put it in simple words.** *T.S. Mathews*
커뮤니케이션(의사소통)은 너무 단순하면서도 어려운 것이어서 우리는 그걸 단순한 말로 결코 할 수 없어.

"Given that many animals have senses, emotions and intelligence, we should treat them with respect.
Jane Goodall

My Favorite Sentences are ~

• Chapter 11 •

1. ______________________________
The Original Sentence(원문)

→ ______________________________
My Own Sentence(나만의 문장)

2. ______________________________
The Original Sentence(원문)

→ ______________________________
My Own Sentence(나만의 문장)

Unit 52 가정표현 1

STANDARD

52-01 If you knew **how much work went into it,** you wouldn't call it **genius.** *Michelangelo*
만약 네가 얼마나 많은 노력이 그것에 들어가는지 안다면, 넌 그것을 천재성이라 부르지 않을 거야.

52-02 If life were predictable, it would cease **to be life, and** be without **flavor.** *Eleanor Roosevelt*
만약 삶이 예측할 수 있다면, 그건 삶인 걸 그치고 맛이 없어질 거야.

52-03 Without art, the crudeness of reality would make the world **unbearable.** *Bernard Shaw*
만약 예술이 없다면, 현실의 조야함이 세상을 견딜 수 없게 할 거야.

A

☺ **52-04** There's so much pollution in the air now that if it weren't for our lungs there would be no place to put it all. *Robert Orben*
지금 대기 중에 너무 많은 오염 물질이 있어서 만약 우리 폐들이 없다면 그것 모두를 둘 곳도 없을 거야.

52-05 But for words and writing, there would be no history **and** there could be no concept of **humanity.** *Hermann Hesse*
만약 말과 글쓰기가 없다면, 역사도 없을 것이고 인간성의 개념도 있을 수 없을 거야.

52-06 We face **many challenges and** have to fight like a warrior; otherwise, life would be boring.
우리는 많은 도전에 직면해 있고 전사처럼 싸워야 해. 만약 그렇지 않다면 삶은 지루할 거야.

52-07 Beyond some point, further doses of antibiotics would kill no **bacteria at all, and** might even become harmful to the body.
어느 단계를 넘어선다면, 더 이상의 항생제 투여는 박테리아를 전혀 죽이지 못하고, 심지어 인체에 해롭게 될지도 몰라.

B

52-08 If today were the last day of my life, would I want **to do what I am about to do today?** *Steve Jobs*
만약 오늘이 내 삶의 마지막 날이라면, 난 **내가 오늘 막 하려는 것을** 하길 원할까?

52-09 Life would be infinitely happier if we could only be born at the age of eighty **and gradually approach eighteen.** *Mark Twain*
만약 우리가 80살에 태어나 점점 **18살에** 다가갈 수만 있다면 삶은 엄청 더 행복할 텐데.

52-10 If a lion could talk, we could not understand **him.** *Ludwig Wittgenstein*
만약 사자가 말할 수 있더라도, 우리는 **그를** 이해할 수 없을 거야.

52-11 Were there none who were discontented with what they have, the world would never reach **anything better.** *Florence Nightingale*
만약 자신이 가진 것에 불만인 사람이 없다면, 세상은 결코 **더 좋은 곳**에 이르지 못할 거야.

C

52-12 Even if I knew **the world would end tomorrow,** I would continue **to plant my apple trees.** *Martin Luther*
난 비록 **세상이 내일 끝날 거라는 걸** 알더라도, 계속 **나의 사과나무들을** 심을 거야.

52-13 If there weren't any need for you in all your uniqueness to be on this earth, you wouldn't be here in the first place. *Buckminster Fuller*
만약 완전히 유일한 네가 이 세상에 있을 필요가 없다면, 넌 우선 여기에 있지 않을 거야.

52-14 A computer would deserve **to be called intelligent** if it could deceive **a human** into believing that it was human. *Alan Turing*
만약 컴퓨터가 **사람을** 속여 컴퓨터가 인간이라고 믿게 할 수 있다면 컴퓨터는 **지능적이라고 불릴** 자격이 있을 거야.

52-15 Suppose we were able to share **meanings** freely without distortion and self-deception, this would constitute a real revolution in culture. *David Bohm*
만약 우리가 왜곡과 자기기만 없이 자유롭게 **의미들을** 나눌 수 있다고 한다면, 이것이야말로 진정한 문화의 혁명이 될 거야.

Unit 53 가정표현 2

STANDARD

53-01 Man would not have attained the possible if he had not reached out for the impossible. *Max Weber*
만약 인간이 불가능한 것을 잡으려고 손을 뻗지 않았더라면 인간은 가능한 것에 이르지 못했을 거야.

53-02 Had Cleopatra's nose been shorter, the whole face of the world would have been changed. *Pascal*
만약 클레오파트라의 코가 좀 더 낮았더라면, 세계의 전체 모습이 바뀌었을 거야.

53-03 If you had seen one day of war, you would pray to God that you would never see another. *Duke of Wellington*
만약 네가 전쟁의 하루를 보았더라면, 넌 신에게 네가 절대 또 다른 하루를 보지 않기를 기도할 거야.

A

53-04 Many of the good things would never have happened if the bad events hadn't happened first. *Suze Orman*
만약 나쁜 사건들이 먼저 일어나지 않았더라면 많은 좋은 일들도 결코 생기지 않았을 거야.

53-05 If Van Gogh had taken medication for his mental illness, would the world have been deprived of a great artist? *Peter Kramer*
만약 반 고흐가 정신 질환에 대한 약물 치료를 받았더라면, 세계는 위대한 예술가를 빼앗겼을까?

53-06 Without quantum theory, scientists could not have developed nuclear energy or the electric circuits that provide the basis for computers.
만약 양자론이 없었더라면, 과학자들은 핵에너지나 컴퓨터에 기반을 제공하는 전자 회로를 개발할 수 없었을 거야.

53-07 Beauty is a manifestation of secret natural laws, which otherwise would have been hidden from us forever. *Goethe*
아름다움은 은밀한 자연법칙의 현현[나타남]인데, 만약 그렇지 않다면 그것(자연법칙)은 영원히 우리에게 숨겨져 있었을 거야.

본책 • pp.160~161
Rainbow Book • pp.134~135

B

☺ **53-08** If I had had **me** for a student, I would have thrown **me** out of class immediately. *Lynda Barry*
만약 내가 **나를** 학생으로 상대했더라면, (교사인) 난 **(학생인)** 날 즉시 교실 밖으로 던져 버렸을 거야.

53-09 Had it not been for you, I would have remained what I was when we first met. *Benjamin Disraeli*
만약 네가 없었더라면, 난 여전히 우리가 처음 만났을 때의 나였을 거야.

53-10 If the Romans had been obliged to learn **Latin**, they would never have found **time to conquer the world.** *Heinrich Heine*
만약 로마인들이 의무적으로 **라틴어를** 배워야 했더라면, 그들은 결코 **세계를 정복할 시간을** 찾지 못했을 거야.

53-11 If I had **no sense of humor,** I would have committed **suicide** long ago. *Mahatma Gandhi*
만약 내게 **유머 감각이 없다면**, 난 오래전에 **자살했을** 거야.

C

☺ **53-12** We owe **a lot** to Thomas Edison; if it had not been for him, we would be watching **television** by candlelight. *Milton Berle*
우리는 **많은 걸** 토머스 에디슨에 빚지고 있는데, 만약 그가 없었더라면 우리는 촛불로 **텔레비전을** 보고 있을 거야.

53-13 If it had not been for the discontent of a few fellows who had not been satisfied with their conditions, you would still be living in caves. *Eugene Debs*
만약 환경에 만족하지 않았던 소수의 동료 인간들의 불만이 없었더라면, 넌 여전히 동굴에서 살고 있을 거야.

53-14 I would be astounded if all the stuff we are pumping into the atmosphere hadn't changed **the climate.** *David Attenborough*
만약 우리가 대기로 퍼붓고 있는 모든 것들이 **기후를** 변화시키지 않았더라면 난 경악할 거야.

53-15 If the tongue had not been framed for articulation, man would still be a beast in the forest. *Ralph Emerson*
혀가 말을 발음할 수 있도록 만들어지지 않았더라면, 인간은 아직 숲속의 야수인 채로 있을 거야.

Unit 54 가정표현 3

STANDARD

54-01 If insects were to vanish, the environment would collapse into chaos. *E. O. Wilson*
만약 곤충들이 사라진다면, 환경은 혼돈 상태로 붕괴될 거야.

54-02 I wish money grew on trees, **but it takes hard work to make** money. *Jim Cramer*
돈이 나무에서 자란다면 좋을 테지만, 돈을 버는 데는 힘든 일이 필요해.

54-03 We are living on this planet as if we had **another one to go to.** *Terri Swearingen*
우리는 마치 우리가 갈 수 있는 또 다른 행성이 있는 것처럼 이 지구에서 살고 있어.

54-04 It's time you realized **that you have something in you more powerful than the things that affect you.** *Marcus Aurelius*
네가 네게 영향을 미치는 것들보다 더 강력한 뭔가를 네 안에 갖고 있음을 깨달아야 할 때야.

A

54-05 If you should leave me, my heart will turn to water **and** flood away. *Jeanette Winterson*
만약 네가 날 떠난다면, 내 가슴은 물로 변해 넘쳐 떠내려 갈 거야.

54-06 If people should ever start **to do only what is necessary,** millions would die of hunger. *Georg Lichtenberg*
만약 사람들이 언제든 단지 필요한 일만 하기 시작한다면, 수많은 사람들이 굶어 죽을 거야.

54-07 Live as if you were to die tomorrow; learn as if you were to live forever. *Mahatma Gandhi*
마치 네가 내일 죽을 것처럼 살고, 마치 네가 영원히 살 것처럼 배워.

B

54-08 I wish they would only take me **as I am.** *Vincent Van Gogh*
그들이 나를 그저 있는 그대로의 나로 받아들이기만 하면 좋을 텐데.

54-09 I wish I had known **that what seemed to be the end of the world often turned out to be a positive experience.** *Annie Lennox*
내가 세상의 끝처럼 보이는 것이 흔히 긍정적인 경험이 된다는 걸 알았더라면 좋을 텐데.

54-10 Students should not feel as if they had missed **the boat** if they failed **exams.** *Joseph Musca*
학생들은 시험에 떨어지면 마치 그들이 배를 놓친 것처럼 느껴선 안 돼.

54-11 No one on their deathbeds wished they had spent **more time** at the office – or watching TV. *Stephen Covey*
임종의 자리에서 누구도 사무실에서나 텔레비전을 보면서 더 많은 시간을 보냈기를 바라지 않았어.

C

54-12 What would happen if you were to travel back in time **and kill your grandfather** when he was still a child? *The Grandfather Paradox*
만약 네가 시간을 거꾸로 여행해 할아버지가 아직 아이였을 때 그를 돌아가시게 한다면 무슨 일이 일어날까?

54-13 Haven't you ever wished **that** you could steal back **just a few hours of your past?** *Lisa Kleypas*
넌 과거의 단지 몇 시간만이라도 도로 훔칠 수 있기를 바랐던 적이 없니?

54-14 It takes **great courage** to look at something as though we had never seen it before. *Henri Matisse*
우리가 뭔가를 마치 전에 한 번도 본 적이 없었던 것처럼 바라보는 데는 큰 용기가 필요해.

54-15 It's about time law enforcement got as organized as organized crime. *Rudy Giuliani*
법 집행이 조직화된 범죄만큼 조직화되어야 할 때야.

unit 55 가정표현 4

STANDARD

55-01 They proposed **that the UN establish an emergency center for climate change.**
그들은 유엔이 기후 변화에 대한 비상 센터를 설립할 것을 제의했어.

55-02 Descartes recommended **that we distrust the senses and rely on the use of our intellect.** *Allen Wood*
데카르트는 우리가 감각을 믿지 말고 지성의 사용에 의지할 것을 권고했어.

55-03 It is imperative that a suitable education be provided for all citizens. *Thomas Jefferson*
적절한 교육이 모든 시민들에게 제공되는 것이 긴요해.

A

55-04 Justice demands **that the good and hard-working be rewarded and the evil and the lazy be punished.** *Evan Sayet*
정의는 선량하고 근면한 사람들은 보상받고 악하고 게으른 사람들은 처벌받을 것을 요구해.

55-05 If you are a dog **and your owner suggests** that you wear a **sweater,** suggest **that he wear a tail.** *Fran Lebowitz*
네가 개이고 네 주인이 네가 스웨터를 입을 것을 제안하면, 그가 꼬리를 달 것을 제안해.

55-06 My mother insisted **that I find joy in small moments and take in the beauty of an ordinary day.** *Jennifer Garner*
내 어머니는 내가 작은 순간들에서 기쁨을 찾고 일상적인 날의 아름다움을 취해야 한다고 주장했어.

55-07 It's important that the media provide us with diverse and **opposing views, so we can choose the best available options.**
미디어는 우리가 최선의 가능한 선택을 할 수 있도록 우리에게 다양하고 대립되는 견해를 제공하는 것이 중요해. *James Winter*

본책 • pp.164~165
Rainbow Book • pp.138~139

B

55-08 Democracy requires **that the public be able to address common problems outside of their own self-interest.** *Eli Pariser*
민주주의는 대중이 자기 자신의 사리사욕 외에 공동의 문제들을 다룰 수 있기를 요구해.

55-09 I never insisted **that I was a good student.**
난 내가 모범생이라고 결코 주장하지 않았어.

55-10 Copernicus proposed **that the sun was the center of the universe and that the planets revolved around it.**
코페르니쿠스는 태양이 우주의 중심이고 행성들이 그 둘레를 돈다고 제시했어.

55-11 Chaos theory suggests **that what appears as chaos is not really chaotic, but a series of different types of orders.** *Frederick Lenz*
카오스 이론은 카오스[혼돈]처럼 보이는 것이 사실은 혼돈 상태가 아니라 일련의 다른 형태의 질서들임을 시사해.

C

55-12 It is necessary to the happiness of man that he be mentally faithful to himself. *Thomas Paine*
인간이 자신에게 정신적으로 충실한 것이 자신의 행복에 필수적이야.

55-13 It is vital that our relationship with nature and the environment be included in our education systems. *Lawrence Anthony*
자연과 환경과 우리의 관계가 우리 교육 체계에 포함되는 것은 절대 필요해.

55-14 To achieve something great, it is essential that a man use time responsibly and timely. *Eyler Coates*
큰일을 이루기 위해선, 인간이 시간을 책임 있고 시의적절하게 사용하는 것이 필수적이야.

55-15 It is not only desirable but necessary that there be legislation which carefully shields the interests of wage workers. *Theodore Roosevelt*
임금 노동자의 이익을 주의 깊게 보호하는 법률 제정이 있는 것은 바람직할 뿐만 아니라 필수적이야.

Review

A

01 This world would be melancholy without children, and inhuman without the aged. *Samuel Coleridge*
이 세상은 만약 아이들이 없다면 우울할 거고, 만약 노인들이 없다면 인간미가 없을 거야.

02 Nothing would be more tiresome than eating and drinking if God had not made them a pleasure as well as a necessity. *Voltaire*
만약 신이 먹고 마시는 걸 필수뿐만 아니라 즐거움이 되게 하지 않았더라면 아무것도 먹고 마시는 것보다 더 귀찮지 않을 거야.

03 If somebody had found an exploding black hole, I would have won a Nobel prize. *Stephen Hawking*
만약 누군가가 폭발하는 블랙홀을 발견했더라면, 난 노벨상을 받았을 텐데.

04 I wish I could buy you for what you are really worth and sell you for what you think you're worth. *Zora Hurston*
난 널 너의 진짜 가치만큼 주고 사서 네가 생각하는 너의 가치만큼 받고 팔 수 있으면 좋을 텐데.

05 Use your eyes as if tomorrow you would be stricken blind; listen to music as if you could never hear again. *Helen Keller*
마치 내일 네가 눈이 멀 것처럼 네 눈을 쓰고, 다시는 결코 들을 수 없을 것처럼 음악을 들어.

06 Tradition demands that we not speak ill of the dead. *Daniel Barenboim*
전통은 우리가 죽은 사람들에 대해 나쁘게 말하지 말 것을 요구해.

07 Experts advise that each person drink the right amount of water for their body weight, level of physical activity and the climate.
전문가들은 각자가 자신의 체중과 신체 활동 수준과 기후에 알맞은 양의 물을 마실 것을 조언해.

본책 • p.166
Rainbow Book • p.140

B

08 You probably wouldn't worry about **what people think of you** if you could know **how seldom they do.** *Olin Miller*
만약 네가 사람들이 너에 대해 얼마나 생각하지 않는지 알 수 있다면, 넌 아마 사람들이 너에 대해 어떻게 생각하는지 걱정하지 않을 거야.

09 If all mankind were to disappear, the world would regenerate back to the rich state of equilibrium that existed ten thousand years ago. *E. O. Wilson*
만약 모든 인류가 사라진다면, 세상은 만 년 전에 존재했던 풍부한 평형 상태로 다시 재생될 거야.

10 History suggests **that capitalism is a necessary condition for political freedom, not a sufficient condition.** *Milton Friedman*
역사는 자본주의가 정치적 자유를 위한 충분조건이 아니라 필요조건임을 시사해.

"Justice demands
that the good and hard-working
be rewarded and
the evil and the lazy be punished."
Evan Sayet

My Favorite Sentences are ~

· Chapter 12 ·

1. ______________________________
The Original Sentence(원문)

→ ______________________________
My Own Sentence(나만의 문장)

2. ______________________________
The Original Sentence(원문)

→ ______________________________
My Own Sentence(나만의 문장)

Unit 56 동등비교/우월비교

STANDARD

56-01 Cultural diversity is as necessary for humankind as biodiversity is for nature. *UNESCO*
문화의 다양성은 생물의 다양성이 자연에 필요한 만큼 인간에게 필요해.

56-02 The total number of stars in the universe is larger than all the grains of sand on all the beaches of the planet Earth. *Carl Sagan*
우주에 있는 별들의 총수는 지구의 모든 해변에 있는 모든 모래 알갱이보다 더 커.

56-03 We have **two ears and one mouth** so that we can listen twice as much as we speak. *Epictetus*
우리는 우리가 말하는 것의 두 배로 많이 들을 수 있도록 **두 개의 귀와 한 개의 입**을 가지고 있어.

A

56-04 The important thing in science is not so much to obtain new facts as to discover new ways of thinking about them. *William Bragg*
과학에서 중요한 것은 새로운 사실들을 얻는 거라기보다는 그것들에 대해 생각하는 새로운 방식들을 발견하는 거야.

56-05 The farmer and manufacturer can no more live without profit than the laborer without wages. *David Ricardo*
농부와 제조자가 수익 없이 살 수 없는 것은 노동자가 임금 없이 살 수 없는 것과 같아.

56-06 Language is a part of our organism and no less complicated than it.
언어는 우리 유기적 조직체[사회]의 일부인데 유기적 조직체[사회] 못지않게 복잡해. *Ludwig Wittgenstein*

56-07 Laziness is nothing more than the habit of resting before you get tired. *Jules Renard*
게으름은 피곤해지기 전에 쉬는 버릇에 불과해.

B

☺ **56-08** A blue whale's tongue alone can weigh as much as an elephant and its heart as much as an automobile.
흰긴수염고래의 혀만 무려 코끼리 무게나 되고 심장은 자동차 무게나 될 수 있어.

56-09 Each year the US population spends **more money** on diets **than the amount needed to feed all the hungry people in the rest of the world.**
매년 미국 사람들은 **나머지 세계의 모든 굶주리는 사람들을 먹이기에 필요한 금액보다 더 많은 돈을** 다이어트에 써.
Yuval Harari

56-10 Curiosity will conquer **fear** even more easily than bravery will.
호기심은 용기(가 두려움을 이겨 내는 것)보다 훨씬 더 쉽게 **두려움을** 이겨낼 거야. *James Stephens*

56-11 Depression is about ten times more common now than it was fifty years ago.
우울증은 50년 전보다 지금 약 10배 더 흔해졌어.

C

56-12 Several excuses are always less convincing than one. *Aldous Huxley*
여러 변명들은 늘 하나의 변명보다 덜 설득력 있어.

56-13 What happens is not as important as how you react to what happens. *Ellen Glasgow*
무슨 일이 일어나는지는 네가 일어나는 일에 어떻게 반응하는지만큼 중요하지 않아.

56-14 The tyranny of a king in a monarchy is not so dangerous to the public welfare as the apathy of a citizen in a democracy. *Montesquieu*
군주제에서의 왕의 폭정은 민주주의에서의 시민의 무관심만큼 공공복지에 위험하지 않아.

56-15 The art of government consists in taking as much money as possible from one party of the citizens to give to the other. *Voltaire*
정치의 기술은 다른 편의 시민들에게 주기 위해 한 편의 시민들에게 가능한 한 많은 돈을 받는 데 있어.

Unit 57 최상급 표현

STANDARD

57-01 An imbalance between rich and poor is the oldest and most fatal ailment of all republics. *Plutarch*
빈부 간의 불균형은 모든 공화국들의 가장 오래되고 가장 치명적인 질병이야.

57-02 Nothing is more beautiful than the loveliness of the woods before sunrise. *George Carver*
아무것도 해뜨기 전 숲의 사랑스러움보다 더 아름답지 않아.

57-03 The more I learn, the more I realize how much I don't know. *Albert Einstein*
내가 더 많이 배울수록, 난 내가 얼마나 많이 모르는지 더 많이 깨달아.

A

57-04 The sun is the nearest to the earth and the most extensively studied of all the stars in the universe.
태양은 우주의 모든 항성들 중에서 지구에 가장 가깝고 가장 광범위하게 연구돼.

57-05 Aggressive fighting for the right is the noblest sport the world affords. *Theodore Roosevelt*
옳은 것을 위한 적극적인 투쟁은 세상이 제공하는 가장 고귀한 운동이야.

☺ **57-06** Nothing is so firmly believed as what we least know. *Montaigne*
아무것도 우리가 가장 적게 아는 것만큼 확고히 믿어지지 않아.

57-07 There is no witness so terrible and no accuser so powerful as conscience which dwells within us. *Sophocles*
우리 안에 사는 양심만큼 지독한 증인과 강력한 고발인은 없어.

B

☺ **57-08** Q: What's the longest word in the world?
A: "**Smiles.**" There's a mile between the first and last letter.
Q: 세상에서 가장 긴 단어는 무엇일까?
A: "Smiles.(미소들)" 첫 글자와 끝 글자 사이에 1마일이 있으니까.

57-09 The practice of peace and reconciliation is one of the most vital and artistic of human actions. *Thich Nhat Hanh*
평화와 화해의 실천은 인간의 행동들 중에서 가장 필수적이고 예술적인 것들 중 하나야.

57-10 There is no scientific study more vital to man than the study of his own brain. *Francis Crick*
자신의 뇌에 대한 연구보다 인간에게 더 필수적인 과학 연구는 없어.

57-11 The greater the obstacle, the more glory in overcoming it. *Moliere*
장애가 더 클수록, 그것을 극복하는 데 더 많은 영광이 있어.

C

☺ **57-12** To an adolescent, there is nothing in the world more embarrassing than a parent. *Dave Barry*
청소년에게 부모보다 더 난처한 존재는 세상에 아무것도 없어.

☺ **57-13** People show **their character** in nothing more clearly than by what they think laughable. *Goethe*
사람들은 아무것에서도 그들이 웃긴다고 생각하는 것으로보다 더 분명히 **자신들의 성격**을 보여 주지 않아.

57-14 Human DNA is like a computer program, but far more advanced than any software we've ever created. *Bill Gates*
인간의 디엔에이는 컴퓨터 프로그램 같지만, 우리가 이제껏 만든 어떤 소프트웨어보다도 훨씬 더 진보된 거야.

57-15 The more restricted our society and work become, the more necessary it will be to find some outlet for the craving for freedom. *Roger Bannister*
우리 사회와 일이 제약을 더 받게 될수록, 자유에의 갈망을 위한 배출구를 찾는 게 더 필요해질 거야.

Unit 58 강조 구문

STANDARD

58-01 It is during our darkest moments that we must focus to see the light. *Aristotle*
우리가 빛을 보기 위해 집중해야 하는 때는 바로 우리의 가장 어두운 시기 동안이야.

58-02 Everyone can do simple things to make a difference, and every little bit really does count. *Stella McCartney*
모든 사람이 영향을 미칠 수 있는 간단한 일들을 할 수 있고, 모든 작은 부분도 정말로 중요해.

58-03 What a strange illusion it is to suppose that beauty is goodness! *Tolstoy*
아름다움(美)이 선함(善)이라 생각하는 건 얼마나 이상한 환상인가!

A

58-04 It is the historian who decides to which facts to give the floor, and in what order or context. *E. H. Carr*
어떤 사실에 어떤 순서나 맥락으로 발언권을 줄지 결정하는 사람은 바로 역사가야.

58-05 It is not the things I've done but those I did not do that I regret.
내가 후회하는 것은 내가 한 일들이 아니라 바로 내가 하지 않은 일들이야.

58-06 It is the passion that is in a kiss that gives to it its sweetness; it is the affection in a kiss that sanctifies it. *Christian Bovee*
키스에 달콤함을 주는 것은 바로 그 속에 있는 격정이고, 키스를 신성하게 하는 것은 바로 그 속에 있는 사랑이야.

58-07 It was not until the late 20th century that intellectual property became commonplace in the world's legal systems.
지적 재산은 세계 법체계에서 20세기 말까지는 흔하게 되지 않았어[지적 재산은 세계 법체계에서 20세기 말에야 비로소 흔하게 되었어].

B

58-08 It is not because things are difficult that we do not dare; it is because we do not dare that things are difficult. *Seneca*
우리가 용기를 내지 못하는 것은 상황이 어렵기 때문이 아니라, 상황이 어려운 것은 바로 우리가 용기를 내지 못하기 때문이야.

58-09 It is only the farmer who faithfully plants seeds in the spring, who reaps a harvest in the autumn. *B. C. Forbes*
가을에 수확을 거두는 사람은 바로 봄에 충실히 씨를 심은 농부뿐이야.

58-10 It is books, poems and paintings which often give us the confidence to take seriously feelings in ourselves. *Alain de Botton*
우리에게 우리 자신 속의 감정들을 진지하게 받아들일 수 있는 자신감을 주는 것은 바로 책과 시와 그림들이야.

58-11 What a wonderful thought it is that some of the best days of our lives haven't even happened yet! *Anne Frank*
우리 생애 최고의 날들 중 일부는 아직 있지조차 않았다는 건 얼마나 멋진 생각인가!

C

58-12 The DNA in my blood vessels tells me that it's you I was looking all over for. *Song "DNA" by BTS*
내 혈관 속 디엔에이가 내게 말해 줘 내가 곳곳을 찾아 헤매던 건 바로 너라는 걸.

58-13 How is it that you live, and what is it that you do? *William Wordsworth*
넌 사는 것은 도대체 어떻고, 네가 하는 것은 도대체 뭐니?

☺ **58-14** I was angry with my friend; I told my wrath, my wrath did end. I was angry with my foe; I told it not, my wrath did grow. *William Blake*
난 내 친구에게 화가 났는데, 난 노여움을 말했더니 내 노여움은 진짜 끝이 났어. 난 적에게 화가 났는데, 난 분노를 말하지 않았더니 내 분노는 진짜 자라났어.

58-15 The history of the world is none other than the progress of the consciousness of freedom. *Hegel*
세계 역사는 다름 아닌 바로 자유 의식의 진보야.

Unit 59 부정/도치 구문

STANDARD

59-01 Not everything that can be counted counts, **and** not everything that counts can be counted. *William Cameron*
셀 수 있는 모든 것이 다 중요한 건 아니고, 중요한 모든 것이 다 셀 수 있는 건 아니야.

59-02 Never was a story of more woe than this of Juliet and her Romeo.
줄리엣과 그녀의 로미오의 이 이야기보다 더 비통한 이야기는 결코 없었어. *Shakespeare*

59-03 Time doesn't take away from **friendship, nor** does separation.
시간은 **우정을** 깎아내리지 **않고**, 헤어짐도 그래. *Tennessee Williams*

A

59-04 A thing is not necessarily true because a man dies for it. *Oscar Wilde*
어떤 것이 어떤 사람이 그걸 위해 죽는다고 해서 반드시 진리인 건 아니야.

59-05 Economics does not necessarily have to be a zero-sum game; it can be a win-win proposition for everyone. *Ron Kind*
경제학은 반드시 제로섬 게임일 필요는 없고, 그것은 모두에게 유리한 제의가 될 수도 있어.

59-06 You can't live **a perfect day** without doing something for someone who will never be able to repay you. *John Wooden*
넌 네게 결코 보답할 수 없을 누군가를 위해 뭔가를 하지 않고는 **온전한 하루를** 살 수가 없어.

59-07 Blessed are you who are hungry now, **for** you will be filled; blessed are you who weep now, **for** you will laugh. *Jesus*
지금 배고픈 넌 복 받은 건데, **왜냐면** 넌 배가 채워질 것이기 **때문이고**, 지금 우는 넌 복 받은 건데, **왜냐면** 넌 웃을 것이기 **때문이야**.

B

59-08 Not only does God play **dice**, but he sometimes throws **them** where they cannot be seen. *Stephen Hawking*
신은 주사위 놀이를 할 뿐만 아니라, 때때로 그것들을 보이지 않는 곳에 던져.

59-09 Only through experience of trial and suffering can the soul be strengthened, ambition inspired, **and** success achieved. *Helen Keller*
오직 시련과 고통의 경험을 통해서만 정신은 강해질 수 있고, 야망은 불어넣어질 수 있고, 성공은 이루어질 수 있어.

59-10 Somewhere inside of all of us is the power to change the world.
우리 모두의 내면 어딘가에 세상을 바꾸는 힘이 있어. *Roald Dahl*

59-11 Confidence is contagious, **and** so is lack of confidence. *Vince Lombardi*
자신감은 전염성이 있고, 자신감 부족도 그래.

C

☺ **59-12** Nothing is impossible: the word itself says **"I'm possible"**!
아무것도 불가능하지 않아. 그 단어(impossible) 자체가 '난 가능해'(I'm possible)라고 말하잖아!
Audrey Hepburn

59-13 No industry or country can reach **its full potential** until women reach **their full potential**. *Sheryl Sandberg*
어떤 산업이나 국가도 여성들이 자신들의 최대 잠재력에 이를 때까지는 그것의 최대 잠재력에 이를 수 없어[어떤 산업이나 국가도 여성들이 자신들의 최대 잠재력에 이르러서야 비로소 그것의 최대 잠재력에 이를 수 있어].

59-14 Changes and progress very rarely are gifts from above; they come out of struggles from below. *Noam Chomsky*
변화와 진보는 아주 드물게 위로부터의 선물이고, 그것들은 아래로부터의 투쟁에서 생겨나.

59-15 Rome was not built in a day, **and** neither will peace and democratic development be achieved in a short period of time.
로마는 하루 만에 건설되지 않았고, 평화와 민주주의의 발전도 단기간에 이루어지지 않을 거야.
Reiss-Andersen

unit 60 수 일치 & 시제 조정

STANDARD

60-01 Every species is a masterpiece adapted to the particular environment in which it has survived. *E. O. Wilson*
모든 종은 그것이 살아남은 특정 환경에 적응된 걸작이야.

60-02 Even though a number of people have tried, no one has yet solved the problem.
비록 여러 사람들이 시도했지만, 아무도 그 문제를 아직 풀지 못했어.

☺ **60-03** When Adam said a good thing, he knew nobody had said it before. *Mark Twain*
아담이 좋은 생각을 말했을 때, 그는 아무도 전에 그것을 말한 적이 없었다는 걸 알았어.

A

60-04 Neither you nor the world knows what you can do until you have tried. *Ralph Emerson*
너도 세상도 네가 시도했을 때까지는 네가 무엇을 할 수 있는지 알지 못해[너도 세상도 네가 시도했어야 비로소 네가 무엇을 할 수 있는지 알아].

60-05 I believed that I was on the right track, but that did not mean that I would necessarily reach my goal. *Andrew Wiles*
난 내가 올바른 방향으로 나아가고 있다고 믿었지만, 그것이 내가 반드시 목표에 도달할 거라는 걸 의미하지는 않았어.

☺ **60-06** Louise Erdrich said that Columbus didn't discover America, but only discovered that he was in some new place.
루이스 어드리크는 콜럼버스가 아메리카를 발견한 게 아니라, 그저 자신이 어떤 새로운 곳에 있다는 걸 알게 되었을 뿐이라고 말했어.

60-07 One third of the world's population consumes two thirds of the world's resources.
세계 인구의 3분의 1이 세계 자원의 3분의 2를 소비해.

B

60-08 In civilized communities, property as well as personal rights is an essential object of the laws. *James Madison*
문명사회에서 개인의 권리들뿐만 아니라 재산도 법의 필수 대상이야.

60-09 The hottest places in hell are reserved for those who, in times of great moral crisis, maintain their neutrality. *John F. Kennedy*
지옥의 가장 뜨거운 자리는 큰 도덕적 위기의 시기에 중립을 지킨 사람들에게 예약되어 있어.

60-10 Many a man curses the rain that falls upon his head, and knows not that it brings abundance to drive away the hunger. *Saint Basil*
많은 사람들이 자신의 머리 위로 떨어지는 비를 욕하면서, 그것이 기아를 몰아내는 풍요를 가져온다는 걸 알지 못해.

60-11 People thought that if matter disappeared from the universe, space and time would remain; relativity declares that space and time would disappear with matter. *Albert Einstein*
사람들은 만약 물질이 우주에서 사라지더라도 공간과 시간은 남을 거라 생각했는데, 상대성 이론은 공간과 시간이 물질과 함께 사라질 거라고 선언해.

C

☺ **60-12** Statistics is the only science that enables different experts using the same figures to draw different conclusions. *Evan Esar*
통계학은 같은 수치를 사용하는 다른 전문가들이 다른 결론을 낼 수 있게 하는 유일한 과학이야.

60-13 Most of past climate changes are attributed to very small variations in Earth's orbit that change the amount of solar energy our planet receives.
대부분의 과거 기후 변화는 지구가 받는 태양 에너지의 양을 변화시키는 지구 궤도의 매우 작은 변화들의 결과로 봐.

60-14 I thought that the most powerful weapon in the world was the bomb, but I've learned that it is not the bomb but the truth.
난 세상에서 가장 강력한 무기가 핵폭탄이라고 생각했지만, 그것은 핵폭탄이 아니라 진실이라는 걸 알게 되었어. *Andrei Sakharov*

60-15 The great extinction that wiped out all of the dinosaurs was one of the outstanding events in the history of life on Earth.
모든 공룡을 완전히 없애 버린 거대한 멸종은 지구 생명체의 역사에서 가장 두드러진 사건들 중 하나였어.

Review

A

01 I care not so much **what I am to others** as **what I am to myself.** *Montaigne*
난 내가 다른 사람들에게 무엇인지보다는 나 자신에게 무엇인지에 관심을 가져.

02 Nature's imagination is so much greater than man's that she's never going to let us **relax.** *Richard Feynman*
자연의 상상력은 인간의 상상력보다 너무 훨씬 더 커서 자연은 결코 우리를 편히 쉬게 하지 않을 거야.

03 Nothing is so embarrassing as watching someone do something that you said couldn't be done. *Sam Ewing*
아무것도 누군가가 네가 될 수 없다고 말한 뭔가를 하는 걸 보는 것만큼 창피한 건 없어.

04 The more we understand **life and nature,** the less we look for **supernatural causes.** *Jawaharlal Nehru*
우리가 삶과 자연을 더 많이 이해할수록, 우리는 초자연적인 원인을 덜 찾게 돼.

05 **It is** not the biggest, the brightest or the best **that** will survive, but those who adapt the quickest. *Charles Darwin*
살아남게 될 이들은 가장 크거나 가장 똑똑하거나 가장 훌륭한 이들이 아니라, 바로 가장 빨리 적응하는 사람들이야.

06 You cannot get through **a single day** without having an impact on the world around you. *Jane Goodall*
넌 네 주위 세상에 영향을 주지 않고는 단 하루도 살아 나갈 수 없어.

07 Neither you nor I nor Einstein is brilliant enough to reach an intelligent decision on any problem without first getting the facts.
너도 나도 아인슈타인도 우선 사실들을 얻지 않고는 어떤 문제에 대해서도 현명한 결정을 내릴 만큼 뛰어나진 않아.
Dale Carnegie

본책 • p.178
Rainbow Book • p.152

B

08 It is neither wealth nor splendor, but tranquility and occupation which give happiness. *Thomas Jefferson*
행복을 주는 것은 부도 화려함도 아니라, 바로 평온함과 일이야.

09 I found that almost everyone had something interesting to contribute to my education. *Eleanor Roosevelt*
난 거의 모든 사람이 나의 교육에 기여할 수 있는 재밌는 뭔가를 갖고 있다는 걸 알게 되었어.

☺ **10** People who think they know everything are a great annoyance to those of us who do. *Isaac Asimov*
자기들이 모든 걸 안다고 생각하는 사람들은 모든 걸 아는 우리 같은 사람들에게는 왕짜증이야.

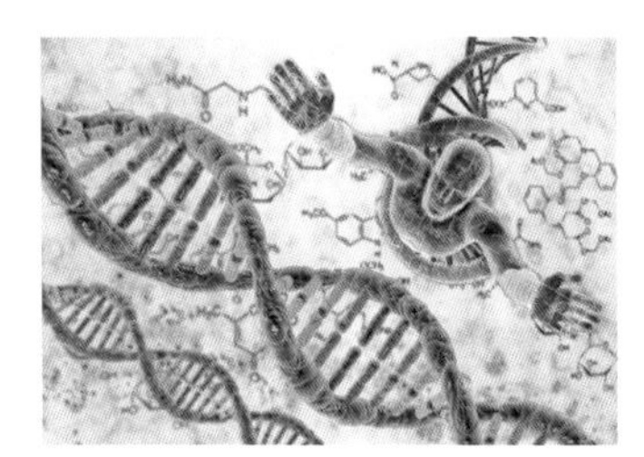

“Human DNA is
like a computer program, but
far more advanced than
any software we've ever created.”
Bill Gates

My Favorite Sentences are ~

· Chapter 13 ·

1. ______________________________
The Original Sentence(원문)

→ ______________________________
My Own Sentence(나만의 문장)

2. ______________________________
The Original Sentence(원문)

→ ______________________________
My Own Sentence(나만의 문장)

Memo

Memo

Memo

visang

마법같은
블록구문

Marvel Book 필수편

Organization & Strategies

영어문장 완전정복 게임에 등장하는 12가지 막강 전통・첨단 무기들

여기에 여러분이 이제껏 한 번도 듣도 보도 못했을 새로운 무기가 있다. 처음엔 다소 낯설기도 하겠지만 한 번 그 위력을 맛보게 되면 다시는 이전으로 되돌아가지 못하리라. 다른 기술 진보와 마찬가지로 학습법의 진보 역시 불가역적인(irreversible) 것이다.

<마블북(Marvel Book)・레인보우북(Rainbow Book)・메모리북(Memory Book)>

1 문장성분별 컬러화: 영어 문장성분인 주어·동사·보어·목적어를 자연계의 하늘·에너지·초목·땅의 상징 컬러인 파랑·빨강·초록·갈색에 대응시켜 직관적으로 영어문장의 구성 요소와 어순이 파악·습득·체화·각인될 수 있게 한다.

컬러	자연계 상징	문장성분	기능
파랑	하늘	주어	문장의 주체
빨강	불[에너지]	동사	주어의 동작·상태
초록	초목	보어	주어의 정체·성질
갈색	땅	목적어	동사의 대상
보라	장식	부사어	동사의 수식

2 Stage별 단계적[나선형] 학습 과정: 영어문장 완전정복을 위한 '단계적[나선형] 학습'(Spiral Learning) 과정을 3단계로 짜서, 정교하게 통제된 문장들을 통해 학습자가 좌절·포기하지 않고 게임을 즐기듯 자연스레 전체 숲에서 세부 나무들로 나아가게 한다.

Stage I	문장성분별 개별 단어 수준에서 영어문장의 기본 구조와 동사에 집중.
Stage II	명사구(v-ing/to-v)에서 절(명사절/관계절) 수준으로 확장.
Stage III	주성분별 총정리 후, 부사절 포함 모든 문장/특수 구문으로 완결.

3 명문[인용문](Quotation) 의미 학습: 언어 학습·기억 효과에 결정적 영향을 미치는 '의미'를 중심으로, 고전·최신 주제를 망라한 3000년 동서고금의 인상적인 명문[인용문]들을 총동원해, 영어 실력은 물론 고급 교양까지 갖춘 세계 문화인으로 거듭나게 한다.

4 내신·수능·실력·교양 일망타진: 벼락치기 암기나 문제 풀이 요령이 아니라, 확실한 영어 실력을 튼실히 쌓고 다져 내신·수능을 다 잡을 수 있게 한다. 특히 수능은 고노의 논리력·추리력·배경지식 싸움으로, 이 책 학습의 놀라운 효과는 아무도 못 말릴 것이다.

5 재미와 즐거움, 위로와 격려: 인간은 인공지능과 달리 감정이란 게 있어 재미있고 즐거워야, 때론 위로와 격려를 받아야 살아갈 수 있는 법. 스마일 이모티콘을 앞에 달고 있는 문장들이 지친 학습자에게 예기치 못한 재미와 지적 즐거움을 선물할 것이다.

상상 그 이상

모두의 새롭고 유익한 즐거움이
비상의 즐거움이기에

아무도 해보지 못한 콘텐츠를 만들어
학교에 새로운 활기를 불어넣고

전에 없던 플랫폼을 창조하여
배움이 더 즐거워지는 자기주도학습 환경을
실현해왔습니다

이제, 비상은
더 많은 이들의 행복한 경험과
성장에 기여하기 위해

글로벌 교육 문화 환경의
상상 그 이상을 실현해 나갑니다

상상을 실현하는 교육 문화 기업 비상

<마블북(Marvel Book)>

6 **영어문장의 컬러 블록화:** 각 Unit의 Block Board에 문장 구조를 컬러 블록화해 입체적으로 나타내, 문장성분을 이루는 단어·구·절이 서로 결합된 원리를 직관적으로 각인시킨다.

주어	동사	목적어	목적보어	부사어
No one	can make	you	feel inferior	without your consent.

7 **핵심 '영문장법'(English Sentence Grammar) 정리:** Block Board에 각 Unit에 등장하는 문장을 이해하는 데 꼭 필요한 문장 관련 핵심 문법 사항만 군더더기 없이 간추려 정리한다.

8 **문제 풀이식 학습:** 우선 Standard Sentences(표준 문장) 3-4개를 제시하고, 나머지 문장들은 A·B·C 그룹으로 나누어 우리말 해석/어법성 판단/어순 배열[빈칸 넣기] 등 문제화해, 수업에도 활용하고 학습자 스스로 문제 해결력도 기르게 한다.

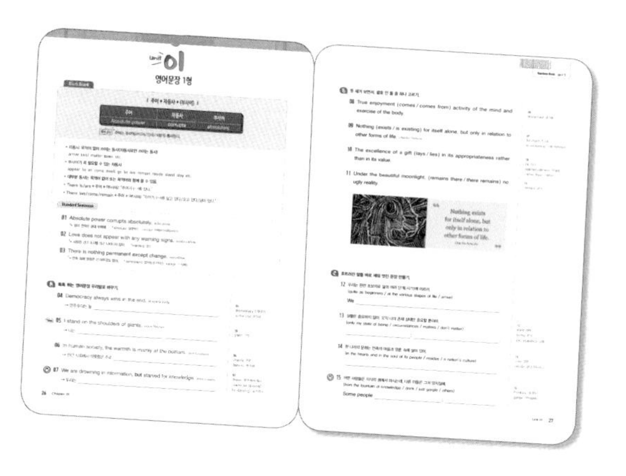

<레인보우북(Rainbow Book)>

9 **마블북-레인보우북 일치형 독립 학습서:** 마블북-레인보우북을 일치시켜 기억 학습 효과를 높인다. 레인보우북은 구문·내용 해설을 품고 있는, 부속물이 아니라 독립된 학습서다.

10 **체계적 구문 해설:** 정교한 구문 분석·해설로 '자학자습'의 의욕을 불타오르게 한다.

11 **유머 코드/배경지식/숨은 의미 해설:** 이 책의 또 하나의 백미로, 명문[인용문]의 심오한 의미와 참맛을 가장 간결하고 적확하게 핵심을 찔러 펼쳐 보인다.

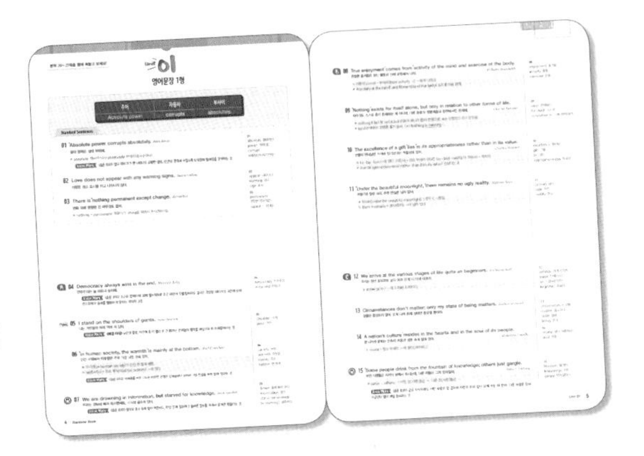

<메모리북(Memory Book)>

12 **초강력 암기 학습 '반려서':** 마블북-레인보우북과 일치시켜 질서정연한 암기 학습이 이루어지도록 한다. 언제 어디나 데리고 다니면서 1050문장 전부 피가 되고 살이 되게 하자.
각 Chapter의 '최애문' 2개를 뽑아, '나만의 문장'으로 변형·재창조하는 재미를 누리게도 한다.

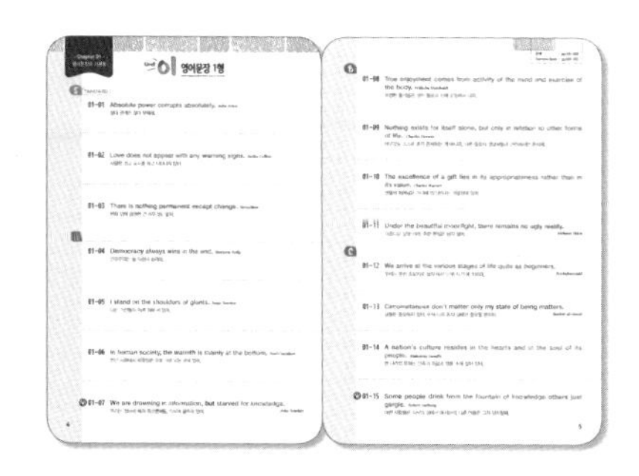

Contents

STAGE Ⅱ 주어/보어/목적어구·절 & 관계절

Contents

Colors, Abbreviations[Symbols] & References

<문장성분별 컬러>

컬러	문장성분
파랑	주어
빨강	동사
초록	보어
갈색	목적어/목적보어
보라	부사어

<약호>

약호	의미	약호	의미
V	동사원형[to 없는 부정사]	to-v	to 부정사
v-ing	동명사/현재분사	v-ed분사	과거분사
etc.	등(= et cetera)		

<기호>

기호	의미	기호	의미
/	나열/공동 적용 어구	[ ]	유의어/대체 가능 어구
( )	생략 가능 어구/설명	〈 〉	묶음
비교	어구/절/문장 비교	⊃	부분 집합(포함 관계)

<주요 참고서>

- A Comprehensive Grammar of the English Language(Quirk 외, Longman)
- 고급 영문법 해설(문용, 박영사)
- Grammar in Use(Murphy, Cambridge)
- Oxford Advanced Learner's Dictionary
- Longman Dictionary of Contemporary English
- Merriam-Webster CORE Dictionary

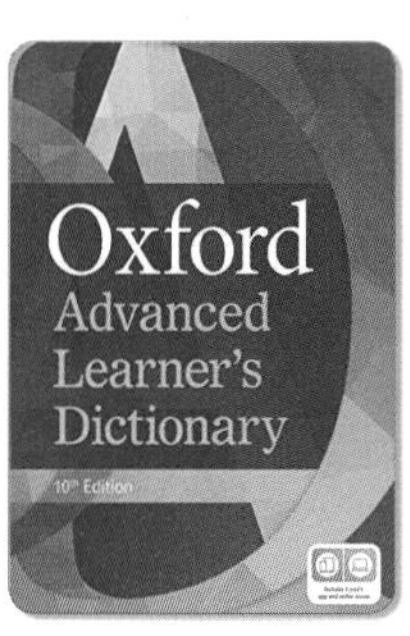

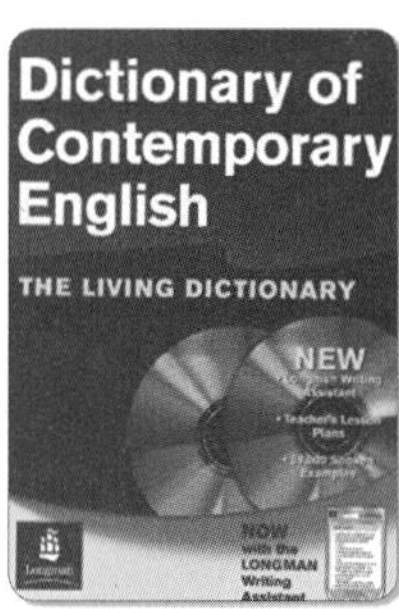

<주요 참고 사이트>

- google.com
- azquotes.com
- brainyquote.com
- goodreads.com
- en.wikipedia.org
- ko.wikipedia.org
- en.wikiquote.org
- quoteinvestigator.com

Preface

영어가 고역이 아닌 삶의 재미와 즐거움이 되는 이상한 일이 내게 일어나면 정말 안 되는 걸까?

"Never regard your study as a duty, but as the opportunity to learn the beauty of the intellect for your own joy and the profit of the community." *Albert Einstein*
절대로 네 공부를 의무로 여기지 말고, 네 자신의 기쁨과 공동체의 이익을 위해 지성의 아름다움을 배울 기회로 여겨. - 알버트 아인슈타인

고3 아이 대학 합격 발표 날이었다. 아이와 난 각자 컴퓨터로 검색하고 있었다. 3년 아니 12년 간 수험 공부의 성패가 판가름나는 순간 둘은 거의 동시에 합격자 명단을 확인했다. 삶의 한 장이 넘어간 후 아이가 가장 먼저 한 일은 무엇이었을까? 친구에게 전화 걸기도 아니었고, 기분을 만끽하기 위한 외출도 아니었다. 바로 그동안 공부해 온 책들을 모조리 재활용 쓰레기통으로 치우는 것이었다. 학습서를 쓰는 아비로서 그 광경을 그저 바라만 보며 만감이 교차했다. 얼마나 스트레스를 받았으면 저럴까? 저들은 이제 영영 잊어버려야 할 한 맺힌 쓰레기에 불과할까? 왜 자신이 힘든 시절 함께해 온 정든 친구들과 저리도 급히 작별해야 할까?

이 책은 몇 가지 문제의식에서 비롯되었다.

* 영어는 우리말과 구조가 달라 재능·조기 교육·몰입 환경이 갖추어져야만 습득할 수 있을까?
* 영어 공부가 대다수 학습자들에게 그저 고역이 아니라, 배우고 익히는 기쁨이 될 수는 없을까?
* 현행 영어 교육과 국내외 학습서가 과연 우리나라 학습자들에게 통하는 효과적인 것일까?

이 책은 이에 대한 오랜 모색과 시도 끝에 다다른 답이다.

* 영어는 우리말과 구조가 달라도, 영미인도 모르는 혁신적 방법으로 누구나 습득할 수 있다.
* 언어·문화 영역인 영어 공부는 잘만 하면 충분히 재밌고 배움의 즐거움을 누릴 수 있다.
* 대다수 학습자들이 능히 영어를 습득할 수 있는 제대로 된 학습법이 이제는 나와야 한다.

이 책은 혁명적 발상과 방법으로 완전히 새로운 영어 학습의 길을 활짝 열 것이다.

* 영어 학습의 흑백 시대를 끝내고, 영어 문장성분인 주어·동사·보어·목적어를 자연계의 하늘·에너지·초목·땅의 컬러인 파랑·빨강·초록·갈색으로 해 직관적으로 습득하게 될 것이다.
* 다양한 주제가 총망라된 동서고금의 명문[인용문]들을 통해 학습 효과를 극대화해 영어 실력은 물론 고급 교양까지 갖춘 세계 문화인으로 거듭나게 될 것이다.
* 이 책은 단순히 학습법만을 제시하는 것이 아니라, 실제로 실천하는 체계적 학습 과정이다.

이 책은 무슨 시험에 합격했다고 버려질 수 있는 게 아니다. 평생 곁에 두고 희로애락을 함께 나누는 삶의 든든한 동반자이자 길잡이가 될 것이다.

이제 이 책을 내비게이션이자 엔진으로 삼아 즐거이 언어의 바다를 항해해 저 무지개 너머 영어 정복의 낙원으로 나아가시라.

힘든 시기 진한 우정으로 격려와 도움을 아끼지 않은 우성희 학형과, 예정보다 세 배나 더 걸린 기간을 신뢰로 인내해 준 비상교육의 관련자들께 깊은 고마움을 남긴다.

2020년 10월 김승영 • 고지영

Game Manual: How to Use the Book

영어문장 완전정복 게임 매뉴얼: 권장 학습법

이 책은 페이지 구성이 일치하는 3쌍둥이로 이루어져 있다. 아래 권장 학습법은 자학자습용으로 제시되는 것으로, 수업용으로는 선생님들이 각자 융통성 있게 활용할 수 있다.

내용 특징	권장 학습법
마블북 Marvel Book  * 영어문장의 컬러 블록화 * 핵심 '영문장법' 정리 * 문제 풀이식 학습 * 이미지화 1문장	1. 우선 Unit의 큰 제목, Block Board 속 제목과 컬러 블록과 반갑게 첫인사를 나누며 목표 구문에 대해 감을 잡아 본다. 2. 컬러 블록 밑, 관련 핵심 문법 사항들을 쭉 한 번 훑어본다.(이후 문제를 풀다 막히면 다시 와 참고할 수 있도록 세부 사항보다 전체 숲을 파악해 둔다.) 3. 아래 3-4개의 표준 문장을 학습한다. 문장성분별로 컬러화된 영어문장과 우리말을 서로 비교하면서 목표 구문의 특징을 파악하며 문장의 의미도 새긴다. 4. 3-4개로 이루어진 우리말로 바꾸기인 A형 문제를 풀기 시작한다. 처음부터 완벽하게 하려 하지 말고, 문장성분별 컬러화를 도우미 삼아 자유롭고 편하게 풀어 본다. 5. 같은 방식으로 B형 문제(양자택일 어법성 판단)와 C형 문제(어순 배열/빈칸 넣기 등)도 풀어 본다. 6. 이때도 너무 꼼꼼하게 많은 시간을 들이지 말고 자유롭고 빠르게 나아가도록 한다. 단순히 정답 맞히기보다는 문장 자체의 구조와 의미 파악에 주력한다. 7. 이제 또 다른 독립된 책인 레인보우북으로 가서 정답도 확인하고(마블북 맨 뒤 Answer Key도 활용 가능), 본격적으로 문장의 확실한 구조와 의미를 파악한다.
레인보우북 Rainbow Book  * 마블북-레인보우북 일치형 독립 학습서 * 체계적 구문 해설 * 내용 해설(유머 코드/배경지식/숨은 의미)	1. 이 책은 마블북의 해설서로 사용할 수 있다. 마블북으로 문제 풀이 학습을 한 후, 여기서 정답도 확인하면서 완전한 문장을 확인 학습할 수 있다. 이 책은 마블북과 달리 모든 문장이 문장성분별로 컬러화되어 있다. 2. 이 책은 독립적으로 쓰일 수도 있다. 마블북의 문제 풀이식 학습이 맞지 않는 학습자는 바로 이 책만으로 학습할 수 있다. 이때 마블북 Block Board 문장법 정리를 참고할 수 있다. 3. 구문 해설에서, 문장의 관련 구문 시작 단어 위에 Unit 목표 구문은 주황색 점으로, 기타 구문은 회색 점으로 표시되어 있다. 4. 내용 해설(유머 코드/배경지식/숨은 의미)도 잘 음미하여 이 책의 영양분을 실컷 섭취한다. 5. 본문에도 단어 정리가 잘 되어 있고, 각 Chapter 시작 페이지에 Unit별 주요 단어들이 정리되어 있으니 학습 전후에 활용하도록 한다.
메모리북 Memory Book  * 휴대용 암기장 * 마블북-레인보우북-메모리북 일치형 * My favorite Sentences are ~	1. 이 앙증맞은 메모리북은 휴대용 암기장으로 이용한다. 언제 어디든 지니고 다니면서 위로와 격려를 나눌 수 있는 소중한 친구다. 2. 마블북·레인보우북과 페이지 구성이 일치하므로 친숙할 것이니 이를 십분 활용해 가장 효과적인 암기를 이룰 수 있을 것이다. 3. 각 Chapter Review 뒤에, 그 Chapter에서 배운 문장 중 가장 좋아하는 문장 2개를 뽑아 쓰고, '나만의 문장'으로 변형·재창조할 수 있는 난도 마련했으니 재밌게 잘 활용하도록 하자.

The Story of Colors 컬러 이야기

> "Color directly influences **the soul**. Color is the keyboard, the eyes are the hammers, the soul is the piano."
> 컬러는 **영혼**에 직접적으로 영향을 미친다. 컬러는 키보드고, 눈은 해머고, 영혼은 피아노다. - **바실리 칸딘스키** *Wassily Kandinsky*

"우리말은 중국말과 달라 한자와 서로 통하지 않으므로, 어리석은 백성들은 말하고 싶은 것이 있어도 끝내 자신의 뜻을 나타낼 수 없는 사람들이 많다. 내 이를 딱하게 여겨 새로 스물여덟 자를 만드니, 사람마다 쉽게 익혀 날마다 쓰는 데 편하게 하고자 할 따름이다." - 훈민정음(訓民正音)

"영어는 우리말과 달라 그 구조가 서로 같지 않으므로, 보통 학습자들은 영어로 말하고 싶은 것이 있어도 끝내 자신의 뜻을 나타낼 수 없는 사람들이 많다. 우리는 이를 딱하게 여겨 새로 <오색 무지개 영어>를 만드니, 학습자마다 쉽게 익혀 날마다 쓰는 데 편하게 하고자 할 따름이다."

- 레인보우 잉글리쉬(Rainbow English)

* 영어와 우리말은 문장을 이루는 단어들의 짜임새인 문장 구조(Sentence Structure)가 서로 다르다.
  즉, 영어는 문장 구성 요소인 '**문장성분**'(주어 · 동사 · 보어 · 목적어 · 부사어)과 그 순서('**어순**')가 우리말과 다른 것이다.
* 이러한 구조 차이는 우리나라 사람들의 영어 학습을 가로막는 최대 걸림돌이 되어 왔다. 이를 해소하기 위해 영어 교육 현장에서 수많은 선생님들과 학생들이 골치를 썩여 왔다.
  S니 V니 C니 O니 DO니 IO니 OC니 하는 이상한 기호를 동원하는가 하면, 밑줄을 긋고 사선을 치면서 무슨 공식이란 걸 만들기도 해 왔다. 과연 그 결과는? 듣는 순간은 뭔가 알 것 같다가도 돌아서면 말짱 도루묵이었다.
* 여기다 110년도 넘게 이어져 온 지엽적 · 예외적 세부 사항에 대해 '맞느냐 틀리느냐'를 따지는 일제식 죽은 변태 영문법 교육은 불난 집에 기름 붓는 꼴이었다.
* 저자는 교육 현장에서의 경험을 바탕으로, 영어문장을 제대로 이해하고 고등학교를 졸업하는 학생은 20-30%도 채 안 되리라 추정한다.
* 저자도 영어 교육과 학습서 개발에 평생을 바쳐 왔으니 이 문제의 해결은 필생의 과제였다. 오랜 세월 수많은 시도와 실험을 해 봤지만 확실한 결정타가 없었다. 우리나라 영어 교육계 최대 난제이자 고민거리였다. 이를 풀지 못하는 자괴감에 괴로워했다.
* 온통 이 문제 해결에 몰두해 있던 어느 날, 제주 해안을 달리고 있었다. 막 소나기가 그치는데 한라산을 바라보니, 아, 쌍무지개가 떠 황홀히 빛나고 있는 게 아닌가! 순간 무슨 계시를 받은 듯 가슴이 뜨거워지고 머리가 맑아지며 오랜 체증이 내리는 느낌에 휩싸였다.

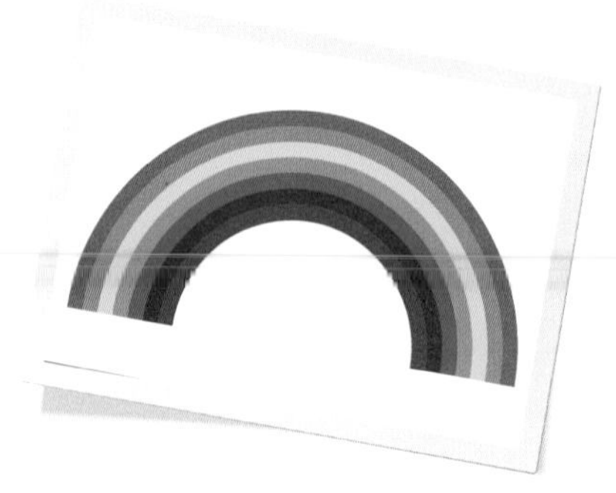

<빛의 삼원색과 색의 삼원색>

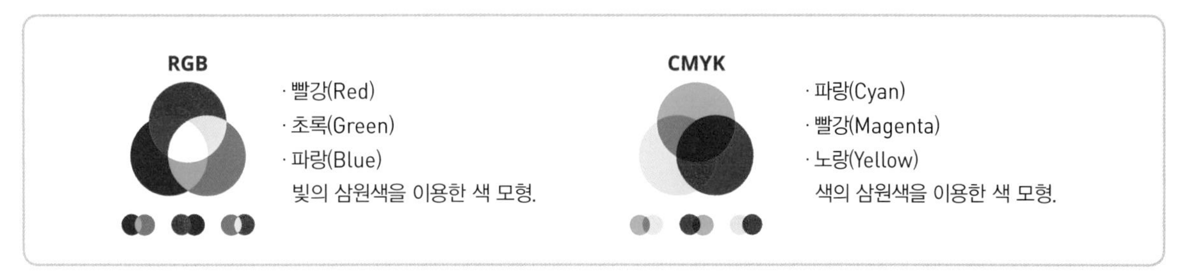

RGB
· 빨강(Red)
· 초록(Green)
· 파랑(Blue)
빛의 삼원색을 이용한 색 모형.
CMYK
· 파랑(Cyan)
· 빨강(Magenta)
· 노랑(Yellow)
색의 삼원색을 이용한 색 모형.

* 아이작 뉴턴이 처음으로 프리즘을 사용해 햇빛을 7색으로 나누었다. 무지개는 햇빛에 포함된 가시광선의 굴절 현상이다.
* 빨강(red) · 주황(orange) · 노랑(yellow) · 초록(green) · 청록(cyan) · 파랑(blue) · 보라(violet) 7색 중 가독성을 위해 노랑 · 주황을 합해 갈색으로 해서 5색을 전부 이용하기로 했다.
* 여기서 무엇보다 중요하고 획기적인 점은, 자연계의 질서에 따라 영어 문장성분의 컬러화를 이루었다는 것이다. 즉, 자연계의 대표 물상인 하늘 · 에너지 · 초목 · 땅의 컬러 질서인 파랑 · 빨강 · 초록 · 갈색을 영어 문장성분인 주어 · 동사 · 보어 · 목적어에 1 : 1 대응시켜 직관적 체화 · 기억의 각인이 이루어지게 했다.
* 이러한 체계화에는 동 · 서양 자연 철학(음양오행, 색채론 등)과 인지 심리학(지각 · 이해 · 기억 · 사고 · 학습 이론 등) · 뇌과학 · 정보 과학 · 언어학 등 관련 과학 이론이 총동원되었다.

<하늘 · 에너지 · 초목 · 땅의 컬러 질서 파랑 · 빨강 · 초록 · 갈색>

<5대 상징색과 5대 문장성분>

컬러	자연계 상징	문장성분	기능
파랑	하늘	주어	문장의 주체
빨강	불(에너지)	동사	주어의 동작 · 상태
초록	초목	보어	주어의 정체 · 성질
갈색	땅	목적어	동사의 대상
보라	장식	부사어	동사의 수식

* 이로써 우리는 가장 강력한 감각인 시각, 그 중에서도 가장 인상적인 색깔을 이용해, 우리나라 영어 교육계 최대 난제를 풀고 지금까지와는 완전히 다른 고효율의 영어 학습을 이룰 수 있는 혁명적인 실천법과 구체적인 교재를 갖게 되었다.
* 아울러 이에 대응하는 우리말 문장도 컬러화해 서로 비교해 볼 수 있게 함으로써, 우리말과 다른 영어문장의 구조를 직관적으로 파악해 습득할 수 있는 길도 활짝 열게 되었다.

<문장성분별 컬러화를 적용한 영어문장 기본형>

1	주어	자동사	(부사어)		
	하늘(주어)이 불(에너지)(동사)를 부리고, 장식(부사어)이 불(에너지)(동사)를 꾸민다.				
	"주어는 부사어(어디서/언제/어떻게) 동사한다."				
	01-02 Love does not appear with any warning signs. *Jackie Collins* 사랑은 경고 표시를 하고 나타나지 않아.				
2	주어	연결동사	보어		
	하늘(주어)의 정체나 성질이 초목(보어)으로 나타난다.				
	"주어는 보어(무엇/어떠한) 동사다."				
	02-02 A dream becomes reality through determination and hard work. 꿈은 투지와 노력을 통해 현실이 돼.				
3	주어	타동사	목적어	(부사어)	
	하늘(주어)이 불(에너지)(동사)를 부려 땅(목적어)에 영향을 미친다.				
	"주어는 목적어를 동사한다."				
	03-08 We inhabit a universe characterized by diversity. *Desmond Tutu* 우리는 다양성으로 특징지어지는 우주에 살고 있어.				
4	주어	(주는)동사	(에게)목적어	(을)목적어	(부사어)
	하늘(주어)이 불(에너지)(동사)를 부려 땅((에게)목적어/(을)목적어)에 영향을 미친다.				
	"주어는 (에게)목적어에게 (을)목적어를 동사해 준다."				
	04-01 Work gives you the meaning and purpose of life. *Stephen Hawking* 일은 네게 삶의 의미와 목적을 줘.				
5	주어	타동사	목적어	목적보어	(부사어)
	하늘(주어)이 불(에너지)(동사)를 부려 땅(목적어/목적보어)에 영향을 미친다.				
	"주어는 목적어가 목적보어이게 동사한다."				
	05-01 Global warming makes weather more extreme. 지구 온난화가 날씨를 더욱 극단적으로 만들어.				

* 문장성분별 컬러화를 이용해 영어문장을 '**유기체(생명체)**'(Organisms)로 나타내 보자.

❶ 1형 영어문장: 주어 + 자동사 + 부사어
❷ 2형 영어문장: 주어 + 연결동사 + 보어
❸ 3형 영어문장: 주어 + 타동사 + 목적어
❹ 4형 영어문장: 주어 + (주는)동사 + (에게)목적어 + (을)목적어
❺ 5형 영어문장: 주어 + 타동사 + 목적어 + 목적보어

* '**유기체[생명체]**'(Organisms)를 통해 영어문장 '**구**'(v-ing/to-v/v-ed분사)를 이해해 보자.

❶ **Skipping meals** isn't healthy. (주어 v-ing)
식사를 거르는 것은 건강에 좋지 않아.

❷ It is good **to see you again.** (진주어 to-v)
널 다시 봐서 좋아.

❸ I want you **to be happy.** (목적보어 to-v)
난 네가 행복하기를 바라.

❹ Most goods **made in Korea** are good. (명사수식어 v-ed분사)
한국에서 만들어지는 대부분의 제품은 좋아.

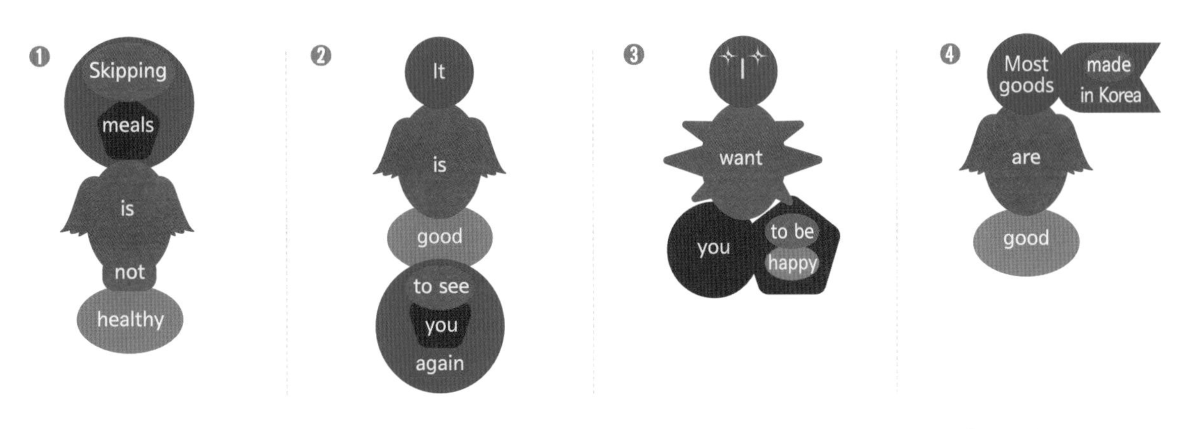

* '**유기체[생명체]**'를 통해 영어문장 '**절**'(명사절[that절]/관계절/부사절)을 이해해 보자.

❶ I think **(that) you are right.** (목적어 that절)
난 네가 옳다고 생각해.

❷ I like people **who make me laugh.** (주어 관계사 관계절)
난 날 웃게 하는 사람들이 좋아.

❸ **If I had time,** I would do it. (부사절-가정표현)
내가 시간이 있다면, 난 그것을 할 텐데.

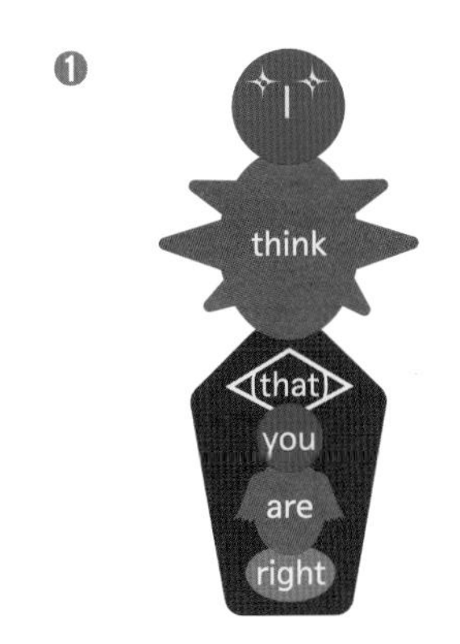

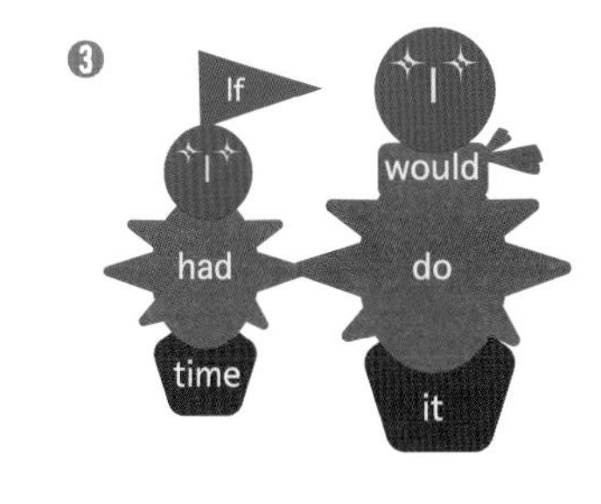

The Story of Quotations 인용문 이야기

"Language is the blood of the soul into which thoughts run and out of which they grow." *Oliver Holmes*
언어는 생각이 거기로 흘러 들어가고 생각이 거기서 자라는 정신의 피야. - **올리버 홈즈**

* 문제는 '**의미**'(Meaning)다. 삶에도 의미가 있어야 하고 공부에도 의미가 있어야 하듯, 영어문장을 배우고 익히는 데도 의미가 있어야 한다.
* 매사에 의미를 부여하고 추구하는 인간의 본성상, 의미심장하고 인상적인 문장의 학습과 기억 효과는 두말하면 잔소리다.
* 영어권을 포함한 서양 문화권의 **명문[인용문](Quotation[Quote])**의 일상화와 이에 대한 각별한 애정(좌우명 문화, 장식 · 이미지화 등)은 분명 우리가 참고해야 할 유익한 것이다.
* 힘든 시기나 새로운 도전에 직면할 때 격려나 지침이 되는 글귀의 위력은 상상 이상인데, 특히 삶의 방향이 결정되는 시기에 있는 감수성 예민한 세대에게는 더하다.
* 이제 미래의 주인공인 여러분은, 고전 · 최신 주제가 총망라된 3000년 동서고금의 명문[인용문]들과 만나, 영어 실력은 물론 고급 교양까지 갖춘 세계 문화인으로 거듭나게 될 것이다.
* 대부분의 인용문은 하루아침에 이루어진 게 아니라 최초 화자나 필자의 입이나 손을 떠나 오랜 세월 갈고 닦인 결정체로, 의미와 형식에서 이미 검증된 강력한 힘을 지니고 있다.
* 이 책의 정교한 학습 과정을 통해 여러분은 **Colorful/Powerful/Beautiful/Meaningful/Helpful/Interesting/Inspiring/Encouraging/Impressive/Educational/Artistic/Scientific English Sentences**, 즉 최고의 문어체 영어문장들을 자기 것으로 만드는 행운을 누리게 될 것이다.

1. 인용문에는 꿈과 희망이 있어.

	02-09 **Your dreams can come true through four C's: Curiosity, Courage, Confidence and Constancy.** *Walt Disney* 네 꿈은 네 가지 "C"(호기심, 용기, 자신감 그리고 지조)를 통해 이루어질 수 있어. *월트 디즈니*
	31-01 **What makes the desert beautiful is that somewhere it hides a well.** *Saint-Exupéry* 사막을 아름답게 만드는 것은 어딘가에 사막이 샘을 숨기고 있다는 거야. *생텍쥐페리*

2. 인용문에는 삶과 철학이 있어.

	38-15 **In three words I can sum up everything I've learned about life: it goes on.** *Robert Frost* 세 단어로 난 삶에 대해 배운 모든 것을 요약할 수 있어: it goes on(삶은 계속된다). *로버트 프로스트*
	26-01 **We continue to shape our personality all our life.** *Albert Camus* 우리는 평생 우리의 인격을 계속 형성해. *알베르 카뮈*

3. 인용문에는 위로와 격려가 있어.

10-02 We must have **perseverance and above all confidence in ourselves.** *Marie Curie*

우리는 인내심과 무엇보다 자신에 대한 신뢰를 가져야 해. *마리 퀴리*

09-01 I have not failed; I've just found **10,000 ways that won't work.** *Thomas Edison*

난 실패하지 않았고, 효과가 없을 10,000가지 방법을 막 발견했을 뿐이야. *토머스 에디슨*

41-05 To be yourself in a world that is constantly trying to make you something else is **the greatest accomplishment.** *Ralph Emerson*

끊임없이 널 (너 아닌) 다른 뭔가가 되게 하려고 하는 세상에서 너 자신이 된다는 건 가장 위대한 성취야. *랄프 에머슨*

4. 인용문에는 우정과 사랑이 있어.

04-05 True friends show you **their love** in times of trouble, not happiness. *Euripides*

진짜 친구들은 행복할 때가 아니라 어려울 때 네게 사랑을 보여 줘. *에우리피데스*

16-01 Love is composed of **a single soul inhabiting two bodies.** *Aristotle*

사랑은 두 몸에 사는 한 영혼으로 이루어져. *아리스토텔레스*

5. 인용문에는 인간과 과학이 있어.

42-04 The interpretation of dreams is the royal road to a knowledge of the unconscious activities of the mind. *Sigmund Freud*

꿈의 해석은 마음의 무의식적 활동에 대한 지식으로 가는 왕도야. *지그문트 프로이트*

50-08 If you want to know what a man's like, take a good look at **how he treats his inferiors, not his equals.** *J.K. Rowling*

네가 어떤 사람이 어떤지 알고 싶으면, 그가 동등한 사람들이 아닌 아랫사람들을 어떻게 대하는지 잘 봐. *J. K. 롤링*

6. 인용문에는 자연과 과학이 있어.

14-06 The world will not be inherited by the strongest; it will be inherited by those most able to change. *Charles Darwin*

세상은 가장 강한 것들이 물려받게 되지 않고, 가장 잘 변화할 수 있는 것들이 물려받게 될 거야. *찰스 다윈*

19-07 We are just an advanced breed of monkeys on a minor planet of a very average star, **but we can understand the universe.** *Stephen Hawking*

우리는 매우 평범한 별의 작은 행성에 사는 단지 진화된 원숭이 종일뿐이지만, 우리는 우주를 이해할 수 있어. *스티븐 호킹*

7. 인용문에는 문학과 예술과 음악이 있어.

17-02 Poetry is the spontaneous overflow of powerful feelings recollected in tranquility. *William Wordsworth*
시는 평온함 속에서 회상되는 강렬한 감정의 자연스러운 넘쳐흐름이야. *윌리엄 워즈워스*

23-01 The purpose of art is washing the dust of daily life off our souls. *Pablo Picasso*
예술의 목적은 우리의 영혼에서 일상의 먼지를 씻어 내는 거야. *파블로 피카소*

Review 07-08 Music, at its essence, is what gives us memories. *Stevie Wonder*
음악은 본질적으로 우리에게 추억을 주는 거야. *스티비 원더*

8. 인용문에는 유머와 웃음이 있어.

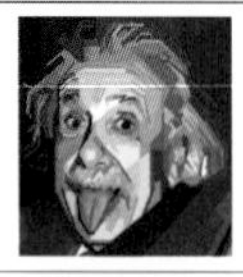

07-03 You can't blame gravity for falling in love. *Albert Einstein*
넌 사랑에 빠진 것에 대해 중력을 탓할 수 없어. *알버트 아인슈타인*

28-12 You should make people laugh without hurting somebody else's feelings. *Ellen DeGeneres*
넌 다른 사람의 감정을 상하게 하지 않고 사람들을 웃겨야 해. *엘런 드제너러스*

48-10 Schools should be so beautiful that the punishment should bar undutiful children from going to school the following day. *Oscar Wilde*
학교들이 너무 아름다워서 벌로 불성실한 아이들이 다음날 학교에 오지 못하게 해야 해. *오스카 와일드*

9. 인용문에는 지식과 지혜가 있어.

03-13 An investment in knowledge always pays the best interest. *Benjamin Franklin*
지식에 대한 투자는 늘 최고의 이자를 지불해. *벤저민 프랭클린*

Review 06-02 To make knowledge productive, we will have to learn to see both forest and tree, and to connect. *Peter Drucker*
지식을 생산적이 되게 하기 위해 우리는 숲과 나무 둘 다 보는 것과 연결하는 것을 배워야 할 거야. *피터 드러커*

31-03 Whatever is flexible and living will tend to grow; whatever is rigid and blocked will wither and die. *Lao Tzu*
유연하고 살아 있는 무엇이든 자라기 쉽겠지만, 뻣뻣하고 막힌 것은 무엇이든 시들어 죽을 거야. *노자*

10. 인용문에는 민주주의와 정치가 있어.

19-01 Democracy is government of the people, by the people, and for the people. *Abraham Lincoln*
민주주의는 국민의, 국민에 의한, 국민을 위한 정치 체제야. *에이브러햄 링컨*

02-12 Enlightened citizens are essential for the proper functioning of a republic. *Thomas Jefferson*
깨우친 시민들은 공화국의 적절한 기능을 위해 필수적이야. *토머스 제퍼슨*

03-05 The ignorance of one voter in a democracy impairs **the security of all.** *John F. Kennedy*
민주주의에서 한 투표자의 무지는 **모두의 안전을** 해쳐. *존 F 케네디*

11. 인용문에는 사회와 문화가 있어.

12-05 We cannot too strongly attack **all kinds of superstitions or social evils.** *Rousseau*
우리는 **모든 종류의 미신이나 사회악을** 아무리 강하게 공격해도 지나치지 않아. *루소*

39-10 No society can surely be flourishing and happy, of which the far greater part of the members are poor and miserable. *Adam Smith*
구성원들의 훨씬 더 많은 부분이 가난하고 비참한 어떤 사회도 확실히 번영해 나가거나 행복할 수 없어. *애덤 스미스*

01-14 A nation's culture resides in the hearts and in the soul of its people. *Mahatma Gandhi*
한 나라의 문화는 민족의 마음과 영혼 속에 살아 있어. *마하트마 간디*

12. 인용문에는 정의와 평화가 있어.

33-05 Never doubt **that a small group of thoughtful, committed, organized citizens can change the world.** *Margaret Mead*
작은 집단의 사려 깊고 헌신적이고 조직된 시민들이 세계를 바꿀 수 있다는 것을 결코 의심하지 마. *마거릿 미드*

24-03 Imagine **all the people living life in peace and sharing all the world.** *John Lennon*
모든 사람들이 평화롭게 살아가면서 온 세상을 나누는 걸 상상해 봐. *존 레논*

45-01 Peace is not the absence of war, but the presence of justice. *Harrison Ford*
평화는 전쟁이 없는 게 아니라 정의가 있는 거야. *해리슨 포드*

Introduction to the Book Story 3

The Story of English Sentence Structure 영어문장 구조 이야기

* 영어문장(English Sentences)은 단어들(Words)로 이루어진다.
* 문법(Grammar)이란 단어들이 (형태를 바꾸어) 문장을 이루는 규칙(Rules)이다.
* 품사(Word Classes[Parts of Speech])란 단어를 문법상의 특성(의미 · 기능 · 형태)에 따라 나눈 것이다.

<주요 의미를 지니는 4대 품사>

품사	의미	기능	형태
명사	이름 / 개념	주어 / 보어 / 목적어	-ance / ence / ery / ion / ity / ment / ness
동사	동작 / 상태	주어(-목적어) 작용 / 주어-보어 연결	-ate / en / ify / ish / ize
형용사	성질 / 상태	보어 / 명사수식어	-able / al / ary / ate / ful / ive
부사	성질 / 상태	동사 · 형용사 · 부사 · 문장 수식어	형용사 + ly

* 많은 영어 단어는 같은 형태로 여러 가지 품사의 기능을 할 수 있는데, 문장에서의 위치와 다른 단어와의 관계로 구별할 수 있다.

<문법 기능을 하는 기타 품사>

품사	종류	기능	형태
대명사	인칭/지시/불특정 대명사 의문사/관계사	명사 대신	I you it they myself / this that anybody one / who which what
조동사	be / have / do '태도'조동사	진행형 · 수동태 / 완료형 의문 · 부정문 / 가능 · 의무 · 추측	can must may[might] will would should could
한정사	관사(부정관사/정관사) 수량/소유/지시 형용사	명사의 한정 · 특정화	a(n) the / some any each every my your their / this that
전치사	장소(방향)/시간/주제/소속 수단/원인/비교 전치사	〈전치사 + 명사〉로, 명사수식어/부사어	of for to in on at with about from by except / in spite of
접속사	대등(상관)접속사 종속접속사	단어/구/절의 연결	and but or for / both ~ and that when because so if though

* 문장성분(Elements of Sentences)이란 문장을 이루는 요소이다.

<5대 문장성분과 명사수식어>

문장성분	기능	해당 품사
주어	동작 · 상태의 주체	(대)명사
동사	주어의 동작 · 상태 / 목적어에 작용 / 주어-보어 연결	동사
보어	주어의 정체 · 정의 · 성질 · 상태	(대)명사 / 형용사
목적어	동사를 통한 영향의 대상	(대)명사
(목적보어)	(목적어의 정체 · 상태 / 목적어와 주어-서술어 관계)	(대)명사 / 형용사
부사어	동사 · 문장 수식	부사

명사수식어	명사 수식	형용사

<4대 품사와 5대 문장성분의 관계>

4대 품사	상호 관계	5대 문장성분
(대)명사		주어
동사		동사
형용사		보어
부사		목적어
		(목적보어)
		부사어

* 둘 이상의 단어가 모여 이루는 '구'와 '절'도 각 품사의 구실을 해 그에 따른 문장성분의 기능을 한다.
* 구(Phrase): '주어 + 동사' 형식이 아닌 둘 이상의 단어가 모여 명사/형용사/부사의 구실을 해 그에 따라 주어/보어/목적어/부사어/(명사수식어) 등 문장성분의 기능을 하는 것.

구	형식	기능	예문
명사구	v-ing	주어 / 보어 / 목적어	**Killing time** murders opportunities.
	to-v		I want **to learn how to play the guitar.**
형용사구	to-v	명사수식어 / 목적보어	I have a song **to sing for you.**
	v-ing / v-ed분사		all the people **living life in peace**
	전치사 + 명사	명사수식어	government **of the people**
부사구	to-v	부사어(동사 수식어)	I do my best **to help** you.
	전치사 + 명사	부사어(동사 수식어)	You must learn **from your mistakes.**
	v-ing ~	부사어(주절 수식어)	**Seeing her,** he ran away.

* 절(Clause): '주어 + 동사' 형식을 갖춘 것으로, 그 중 문장의 주절이 아닌 절(종속절)은 명사/형용사/부사의 구실에 따른 주어/보어/목적어/부사어/명사수식어의 기능을 한다.

절	형식	기능
대등절	주어 + 동사 + and / but / or / for + 주어 + 동사	절-절 대등 연결
명사절	that / whether / what / wh- + (주어) + 동사	주어 / 보어 / 목적어 / 동격
관계절	who / which(that) + (주어) + 동사	명사수식어
부사절	when / because / so / though / if + 주어 + 동사	시간 / 이유 / 목적·결과 / 대조 / 조건 부사어

<5대 문장성분·명사수식어와 4대 품사(구/절)의 관계>

문장성분	품사(구/절)
주어	(대)명사 / 명사구(v-ing / to-v) / 명사절(that절 / whether절 / what절 / wh-절)
동사	동사 / 구동사(동사 + 전치사(부사))
목적어	(대)명사 / 명사구(v-ing / to-v) / 명사절(that절 / whether절 / what절 / wh-절)
(목적보어)	(대)명사 / 형용사(구) / to-v(v) / v-ing / v-ed분사
보어	형용사(구) / (대)명사 / 명사구(v-ing / to-v) / 명사절(that절 / whether절 / what절 / wh-절)
부사어	부사 / 부사구(to-v / 전치사 + 명사 / v-ing ~) / 부사절(시간 / 이유 / 목적·결과 / 대조 / 조건)

명사수식어	형용사(구) / to-v / v-ing / v-ed분사 / 전치사 + 명사 / 관계절(who / which(that)절)

The Story of "Flowing Reading" '물 흐르듯 읽기' 이야기

* 복잡한 것 같은 영어문장도 사실은 딱 3가지뿐이다.

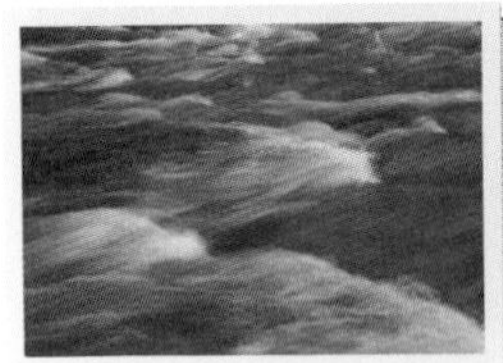

1	주어	자동사	(부사어)
2	주어	연결동사	보어
3	주어	타동사	((에게)목적어) + (을)목적어
			목적어 + 목적보어

* 이를 5형과 4품사를 적용해 좀 복잡하지만 자세히 나타내 보면 다음과 같다.

	주어		동사	보어/목적어/(에게)목적어		(을)목적어/목적보어		부사어
1형	명사	명사수식어	동사					부사어
2형	명사	명사수식어	동사	명사 / 형용사	명사수식어			
3형	명사	명사수식어	동사	명사	명사수식어			부사어
4형						명사	명사수식어	
5형						명사 / 형용사		

* 그런데 왜 영어문장이 어렵게 느껴질까? 그 주범은 뭘까? 바로 구질구질한 구·절 때문이다.
저 명사가 그냥 단어 하나가 아닌 명사구·절이 되고, 저 명사수식어가 형용사 하나가 아닌 명사수식구·절이 되며, 저 부사어가 부사 하나가 아닌 부사구·절이 되기 때문이다.

명사	구	형용사 + 명사 / v-ing(+ 보어/목적어/부사어) / to-v(+ 보어/목적어/부사어)
	절	that/whether/what/wh-절(that/whether/what/wh- + (주어) + 동사)
명사수식어	구	v-ing/v-ed분사(+ 보어/목적어/부사어) / to-v / 전치사 + 명사
	절	관계절(who/which(that) + (주어) + 동사)
부사어	구	전치사 + 명사 / to-v / v-ing 구문
	절	시간/이유/목적·결과/대조/조건 부사절(when/because/so/though/if + 주어 + 동사)

* 자, 그럼 이런 영어문장을 어떻게 빨리 읽어 정확한 의미를 파악할 수 있을까?
정답은 이렇다. 물이 높은 데서 낮은 데로 거침없이 흐르듯, 맨 왼쪽 주어부터 맨 오른쪽 마침표(.)까지 쉼 없이 쭉 읽어 나가면서, 누구나 타고난 언어 능력과 이 책을 통한 문장성분별 컬러화 학습의 위력을 믿고, 저 위의 **'의미 그룹'(Sense Groups)**인 **문장성분**과 **구·절**을 어느 인공 지능보다도 잘난 우리 인간의 뇌로 구별·판단·해석해 내면 되는 것이다.

오리가 물 위에서 그냥 헤엄쳐 나아가는 듯 보이지만 사실은 물 밑에서 물갈퀴를 빠르고 정확하게 움직여야 하듯, **'물 흐르듯 읽기'(Flowing Reading)도 그냥 흐르는 게 아니라, 타고난 언어 능력과 올바른 학습 체험과 논리력·추리력·상상력을 총동원한 고도의 정신 활동이다.**

* 소위 '끊어 읽기'란 건 애당초 난센스(nonsense)다.
대본을 미리 연습한 배우나 성우도 아닌데, 어떻게 영어문장을 미리 알고 끊어 읽는단 말인가? 복잡한 영어문장 읽기를 학습시킬 특별한 방법이 없으니 그냥 만들어 낸 미신에 불과하다. 굳이 고치자면, **'의미 그룹별 묶어 읽기'** 정도가 될 것이다.
물이 흐르는 걸 보라. 흐르다 서로 뭉쳐 흐르긴 하지만, 흐르다 말고 어디 쉬려고 멈추더냐?

Introduction to the Book Story 5

The Story of Creative Transformation of My Favorite Sentences
내가 좋아하는 문장 창의적 변형(나만의 문장 만들기) 이야기

"Language is a process of free creation." *Noam Chomsky*
언어는 자유로운 창조 과정이야. - 노엄 촘스키

이 책에 실려 있는 수많은 인용문 중 특히 심금을 울리는 것을 골라 변형시켜 세상에 하나밖에 없는 자신만의 멋진 문장으로 재창조해 보자.

*** 변형-재창조 예**

01-08 True enjoyment comes from activity of the mind and exercise of the body. *Wilhelm Humboldt*
진정한 즐거움은 정신 활동과 신체 운동에서 나와.
→ True enjoyment comes from learning and sharing knowledge.

02-04 The opposite of love is not hate, but indifference. *Elie Wiesel*
사랑의 반대는 증오가 아니라 무관심이야.
→ The opposite of life is not death, but indifference.
→ The opposite of happiness is not sadness, but boredom.

03-04 Follow your heart, but take your brain with you. *Alfred Adler*
네 심장을 따라가더라도, 네 뇌도 함께 데려가.
→ Follow your dream, but take your reality with you.
→ Seize the day, but prepare for tomorrow.

04-01 Work gives you the meaning and purpose of life. *Stephen Hawking*
일은 네게 삶의 의미와 목적을 줘.
→ Learning gives me so much pleasure.
→ You give me the meaning and purpose of life.

05-03 Don't let anyone limit your dreams. *Donovan Bailey*
누구도 네 꿈을 제한하게 하지 마.
→ Don't let anyone steal your joy.
→ Don't let anyone control your life.

이 게임은 영어문장 완전 정복을 위한 '단계적[나선형] 학습' 과정이 3단계로 이루어져,
게임자는 게임을 즐기는 사이 자연스레 영어문장의 전체 숲에서 세부 나무들로 나아가게 된다.

* 우선 STAGE I에서는 영어문장의 기본 구조와 영어문장의 중심인 동사에 집중해, 영어문장 습득의 최고봉에 오르는 나선 계단의 바탕을 튼실히 다진다.
* 단, 여기서는 영어문장을 복잡하게 하는 명사구·명사절·관계절·부사절 등은 (극소수 예외를 제외하곤) 아직 등장하지 않는다.
* 정교하게 통제된 재밌는 문장들을 통해 게임자는 좌절이나 포기를 겪지 않고, 영어문장의 기본 골격을 가장 효과적으로 득템하게 된다.
* Chapter 1에서 영어문장의 기본 5형과 구동사와, Chapter 2에서 동사의 시간표현과 조동사와, Chapter 3에서 수동태와 게임을 벌이게 된다.
* Chapter 4에서는 영어문장을 복잡하게 하는 데 한몫하는 명사수식어와 부사어를 잘 길들여 든든한 친구로 삼게 된다.
* 이로써 게임자는 영어문장의 아름다운 숲을 이미 지니게 되고, 다음 단계로 나아가 영어문장의 화려한 나무들까지 아우를 수 있는 기본 파워를 갖추게 된다.

Stage I

영어문장 구조와 동사

- 영어문장을 문장성분(주어·동사·목적어·보어·(부사어))을 바탕으로 5형(또는 7형)으로 나누어 보는 것은, 문장의 기본 구조와 어순을 이해하는 데 도움이 된다.
- 영어문장 구조를 결정하는 것은 동사(자동사/타동사)지만, 대부분의 동사는 한 가지 형으로만이 아니라 다른 문장성분들과 더불어 여러 가지로 쓰인다.

  Turn left. (왼쪽으로 돌아.) – 자동사(1형)
  It turns warm. (따뜻해져.) – 연결동사(2형)
  Turn your head. (고개를 돌려.) – 타동사(3형)
  The sun turns the sky red. (태양이 하늘을 붉게 변하게 해.) – 타동사(5형)

- 모든 영어문장이 기본형에 딱 들어맞는 것은 아니므로, 문장의 형식을 지나치게 따지지 않도록 하자.
- 평소 동사들의 여러 가지 쓰임새를 즐겁게 익혀 두어, 동사와 다른 문장성분과의 관계를 통해 문장의 정확한 의미를 파악해야 한다.
- 특히 기본형으로 설명이 어려운 구동사(동사 + 전치사[부사])를 포함한 문장들은 따로 다루기로 한다.

〈참고〉 정통 영문법에서 분류되는 7형.
– 1형: 주어 + 동사
– 2형: 주어 + 동사 + 목적어
– 3형: 주어 + 동사 + 보어
– 4형: 주어 + 동사 + (필수)부사어
– 5형: 주어 + 동사 + (에게)목적어 + (을)목적어
– 6형: 주어 + 동사 + 목적어 + 목적보어
– 7형: 주어 + 동사 + 목적어 + (필수)부사어

Block Board Overview

Unit 01

영어문장 1형 | 주어 + 자동사 + (부사어)

주어	자동사	부사어
Absolute power	corrupts	absolutely.

Unit 02

영어문장 2형 | 주어 + 연결동사 + 보어

주어	연결동사	보어
Language	is	a process of free creation.

Unit 03

영어문장 3형 | 주어 + 타동사 + 목적어 + (부사어)

주어	타동사	목적어
Peace	means	respect for the rights of others.

Unit 04

영어문장 4형 | 주어 + (주는)동사 + (에게)목적어 + (을)목적어

주어	(주는)동사	(에게)목적어	(을)목적어
Work	gives	you	the meaning and purpose of life.

Unit 05

영어문장 5형 | 주어 + 타동사 + 목적어 + 목적보어

주어	타동사	목적어	목적보어
Global warming	makes	weather	more extreme.

Unit 06

구동사 1 | 주어 + 동사 + 전치사 + 목적어 / 주어 + be동사 + 형용사 + 전치사 + (동)명사

주어	동사 + 전치사	목적어
Our health	relies on	the vitality of our fellow species on Earth.

Unit 07

구동사 2 | 주어 + 동사 + 목적어 + 전치사 + 목적어

주어	동사	목적어	전치사	목적어
Preoccupation with possessions	prevents	us	from	living freely and nobly.

(prevents ~ from: 구동사)

Unit 01 영어문장 1형

Block Board

I 주어 + 자동사 + (부사어) I

주어	자동사	부사어
Absolute power	corrupts	absolutely.

해석 공식 **주어**는 **부사어**(어디서/언제/어떻게) **동사**한다.

- 자동사: 목적어 없이 쓰이는 동사(자동사로만 쓰이는 동사)
  arrive exist matter 중요하다 etc.
- 부사어가 꼭 필요할 수 있는 자동사
  appear be 있다 come dwell go lie live remain reside stand stay etc.
- 대부분 동사는 목적어 없이 또는 목적어와 함께 쓸 수 있음.
- There is/are + 주어 + (부사어): "주어가 (~에) 있다."
- There live/come/remain + 주어 + (부사어): "주어가 (~에) 살고 있다/오고 있다/남아 있다."

Standard Sentences

01 Absolute power corrupts absolutely. *John Acton*
↳ 절대 권력은 절대 부패해. *absolute 절대적인 corrupt 부패하다(타락시키다)

02 Love does not appear with any warning signs. *Jackie Collins*
↳ 사랑은 경고 표시를 하고 나타나지 않아. *warning 경고

03 There is nothing permanent except change. *Heraclitus*
↳ 변화 외에 영원한 건 아무것도 없어. *permanent 영원한(영구적인) except ~ 외에는

A 톡톡 튀는 영어문장 우리말로 바꾸기.

04 Democracy always wins in the end. *Marjorie Kelly*
→ 민주주의는 늘 ____________________.

04
democracy 민주주의
in the end 마침내

Think **05** I stand on the shoulders of giants. *Isaac Newton*
→ 나는 ____________________.

05
giant 거인

06 In human society, the warmth is mainly at the bottom. *Noel Counihan*
→ 인간 사회에서 따뜻함은 주로 ____________________.

06
mainly 주로
bottom 맨 아래

☺ **07** We are drowning in information, but starved for knowledge. *John Naisbitt*
→ 우리는 ____________________.

07
drown 물에 빠져 죽다
starve(be straved/be starving) 굶주리다

B 뜻 새겨 보면서, 괄호 안 둘 중 하나 고르기.

08 True enjoyment (comes / comes from) activity of the mind and exercise of the body.

09 Nothing (exists / is existing) for itself alone, but only in relation to other forms of life. *Charles Darwin*

10 The excellence of a gift (lays / lies) in its appropriateness rather than in its value.

11 Under the beautiful moonlight, (remains there / there remains) no ugly reality.

Nothing exists for itself alone, but only in relation to other forms of life.
Charles Darwin

08
enjoyment 즐거움

09
for itself 스스로
in relation to ~에 관(련)하여

10
lie 있다
appropriateness 적절성
rather than ~보다는

11
remain 남다

C 흐트러진 말들 바로 세워 멋진 문장 만들기.

12 우리는 완전 초보자로 삶의 여러 단계[시기]에 이르러.
(quite as beginners / at the various stages of life / arrive)

We ______________________________.

13 상황은 중요하지 않아. 오직 나의 존재 상태만 중요할 뿐이야.
(only my state of being / circumstances / matters / don't matter)

______________________; ______________________.

14 한 나라의 문화는 민족의 마음과 영혼 속에 살아 있어.
(in the hearts and in the soul of its people / resides / a nation's culture)

______________________________.

15 어떤 사람들은 지식의 샘에서 마시는데, 다른 이들은 그저 양치질해.
(from the fountain of knowledge / drink / just gargle / others)

Some people ______________________; ______________________.

13
state 상태
being 존재
circumstance 상황

14
soul 영혼
reside 살다[거주하다]

15
fountain 샘[분수]
gargle 양치질하다

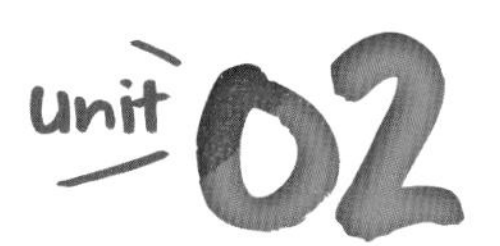

영어문장 2형

Block Board

| 주어 + 연결동사 + 보어 |

주어	연결동사	보어
Language	is	a process of free creation.

해석 공식 **주어**는 **보어**(무엇/어떠한) **동사**다.

- 연결동사: 주어와 보어를 연결하는 동사

be(이다): 상태	주어 = 보어	keep lie remain stand stay etc.	
become(되다): 변화	주어 → 보어	get grow come go fall make run turn etc.	
감각동사	주어 = 보어	look sound smell taste feel	seem appear

- 보어: 주어의 정체, 상태, 성질 등을 설명해 주는 것으로, (대)명사/형용사가 쓰임.
- 주어 + 연결동사 + 형용사(× 부사)
  - Keep quiet(× ~~quietly~~)!
  - It is getting warm(× ~~warmly~~).
  - It sounds strange(× ~~strangely~~).

Standard Sentences

01 Language is a process of free creation. *Noam Chomsky*
↳ 언어는 자유로운 창조 과정이야.

02 A dream becomes reality through determination and hard work.
↳ 꿈은 투지와 노력을 통해 현실이 돼. *determination 투지 hard work 노력

03 Our own prejudice and bias always seem so rational to us. *T. S. Eliot*
↳ 우리 자신의 편견과 편향이 우리에게는 늘 너무나 합리적으로 보여. *prejudice 편견 bias 편향 rational 합리적인

A 톡톡 튀는 영어문장 우리말로 바꾸기.

04 The opposite of love is not hate, but indifference. *Elie Wiesel*
→ 사랑의 반대는 ______________________.

05 The basis of memory in the brain remains largely mysterious.
→ 뇌에 있는 기억의 기반은 ______________________.

06 Our hearts grow tender with childhood memories and family love.
→ 우리 마음은 ______________________.

07 Your life does not get better by chance; it gets better by change. *Jim Rohn*
→ 네 삶은 ______________________.

04
not A but B A가 아니라 B
hate 증오
indifference 무관심

05
basis 기반[기초]
largely 대체로
mysterious 불가사의한

06
tender 다정한

07
by chance 우연히

B 뜻 새겨 보면서, 괄호 안 둘 중 하나 고르기.

08 The love for all living creatures (is / are) the most noble attribute of man. *Charles Darwin*

09 Your dreams can (come / go) true through four C's: Curiosity, Courage, Confidence and Constancy. *Walt Disney*

10 Stay (strong / strongly) and (positive / positively), and never give up.

11 Most new ideas sound (crazy and stupid / crazily and stupidly), and then they turn out right.

"Your life does not get better by chance; it gets better by change."
Jim Rohn

08
noble 고귀한
attribute 자질

09
curiosity 호기심
confidence 자신감
constancy 지조[절개]

10
positive 긍정적인

11
turn out 되다[드러나다]

C 흐트러진 말들 바로 세워 멋진 문장 만들기.

12 깨우친 시민들은 공화국의 적절한 기능을 위해 필수적이야.
(of a republic / essential / for the proper functioning)

Enlightened citizens are ______________________________.

13 해질녘에 바다는 분홍으로, 하늘은 빨갛게 변해.
(pink / turns / the sea)

At sunset, ____________________, and the sky red.

14 비가 많이 오는 영국인데도 2050년쯤에는 물이 부족해질 수 있어.
(by 2050 / short of water / could run)

Rainy Britain ______________________________.

15 물 위 햇빛이 너무나 아름답게 보여.
(so lovely / sunshine on the water / looks)

______________________________.

12
republic 공화국
function 기능하다
enlightened 깨우친

13
sunset 해질녘

14
run short of ~이 부족해지다

영어문장 3형

Block Board

ㅣ 주어 + 타동사 + 목적어 + (부사어) ㅣ

주어	타동사	목적어
Peace	means	respect for the rights of others.

해석 공식 주어는 **목적어**를 **동사**한다.

- 타동사: 목적어(타동사의 대상)와 함께 쓰이는 동사(타동사로만 쓰이는 동사)
  mean have treat 대하다 create need require 요구하다 seek 찾다 impair 해치다
- 타동사 뒤 목적어 앞에 **전치사**를 붙일 수 없음.
  reach ~~to~~ ~에 이르다 / inhabit ~~in~~ ~에 살다[거주하다] / lack ~~in~~ ~이 부족하다 / resemble ~~with~~ / discuss ~~about~~ / affect ~~on~~ ~에 영향을 미치다 / approach ~~to~~ / answer ~~to~~ / marry ~~with~~ / mention ~~about~~ / leave ~~from~~ etc.
- **타동사 + 동족목적어** * 동족목적어: 타동사와 동형이거나 어원이 같거나 또는 의미가 비슷한 목적어.
  live our own life / sleep a peaceful sleep / dream a strange dream etc.

Standard Sentences

01 Between individuals, as between nations, peace means respect for the rights of others. *Benito Juárez*
↳ 국가 간처럼 개인 간에도, 평화는 다른 이들의 권리에 대한 존중을 의미해. *nation 국가

02 Have no fear of perfection; you'll never reach it. *Salvador Dalí*
↳ 완벽에 대한 두려움을 갖지 마. 넌 절대 거기에 이르지 못할 거야. *perfection 완벽

03 People do not lack strength; they lack will. *Victor Hugo*
↳ 사람들은 힘이 부족한 게 아니라, 그들은 의지가 부족해.

A 톡톡 튀는 영어문장 우리말로 바꾸기.

04 Follow your heart, but take your brain with you. *Alfred Adler*
→ ______________________.

05 The ignorance of one voter in a democracy impairs the security of all.
→ 민주주의에서 한 투표자의 무지는 ______________________.

06 Treat me well, and I'll treat you better; treat me badly, and I'll treat you worse. *Sonny Barger*
→ 날 좋게 대하면, ____________. ______________________.

07 Anyone can shoot a film on their phone, edit the film, create the sound, and mix the final cut on a computer.
→ 누구나 ______________________.

04
take 데려가다

05
ignorance 무지
impair 해치다
security 안전

07
shoot 찍다[촬영하다]
edit 편집하다

B 뜻 새겨 보면서, 괄호 안 둘 중 하나 고르기.

08 We (inhabit / inhabit in) a universe characterized by diversity.

09 Life (resembles / resembles with) a novel more often than novels (resemble / resemble with) life.

10 Great minds (discuss / discuss about) ideas; average minds (discuss / discuss about) events; small minds (discuss / discuss about) people. *Eleanor Roosevelt*

11 We (need / are needing) a new definition of malnutrition. Malnutrition (means / is meaning) under—and over—nutrition.

08
characterize 특징짓다
diversity 다양성

10
average 평균[보통]의

11
definition 정의
malnutrition 영양불량
nutrition 영양

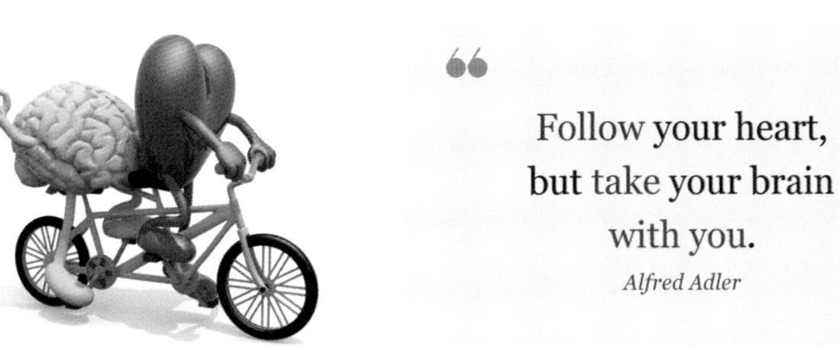
Follow your heart,
but take your brain
with you.
Alfred Adler

C 흐트러진 말들 바로 세워 멋진 문장 만들기.

12 너 자신의 삶을 살아가고, 너 자신의 별을 따라가.
(your own life / your own star / live / follow)

______________________; ______________________.

13 지식에 대한 투자는 늘 최고의 이자를 지불해.
(the best interest / always pays / an investment in knowledge)

____.

14 지구 온난화는 세계 식량 공급에 영향을 미치고, 해수면을 변하게 해.
(world food supply / affects / global warming)

______________________________, and changes sea level.

15 어리석은 자는 행복을 멀리서 찾고, 지혜로운 이는 행복을 자기 발아래에 길러.
(under his feet / grows / it)

The foolish man seeks happiness in the distance; the wise ________
______________.

13
interest 이자
investment 투자

14
supply 공급

15
grow 기르다
in the distance 저 멀리

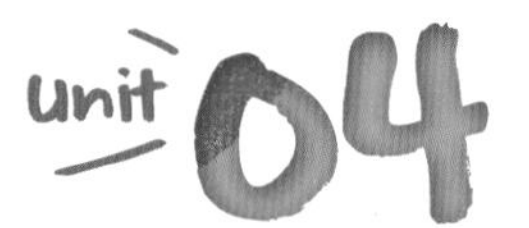

영어문장 4형

Block Board

| 주어 + (주는)동사 + (에게)목적어 + (을)목적어 |

주어	(주는)동사	(에게)목적어	(을)목적어
Work	gives	you	the meaning and purpose of life.

해석 공식 **주어**는 **(에게)목적어**에게 **(을)목적어**를 **동사**해 준다.

- (주는)동사: 목적어 두 개((에게)목적어 + (을)목적어)와 함께 쓰이는 동사
- 문형 바꾸기: (에게)목적어 앞에 **to/for**를 붙여 (을)목적어 뒤로 보내 바꿀 수 있음.

  주어 + 동사 + (에게)목적어 + (을)목적어 → 주어 + 동사 + (을)목적어 + to/for (에게)목적어

  ▷ give teach show bring send grant offer tell owe lend etc. + (을)목적어 + **to** (에게)목적어

  ▷ buy bring get cook make find call choose order etc. + (을)목적어 + **for** (에게)목적어

Plus⊕ • ask you a favor (너에게 부탁을 하다) → ask a favor of you
• cost/envy/forgive: 바꾸기 불가.

Standard Sentences

01 Work gives you **the meaning and purpose of life.** *Stephen Hawking*
↳ 일은 네게 **삶의 의미와 목적을** 줘.

02 A dog teaches you **fidelity and perseverance.** *Robert Benchley*
↳ 개는 네게 **충실함과 인내를** 가르쳐 줘. *fidelity 충실함 perseverance 인내

03 All the money in the world can't buy you **good health.** *Reba McEntire*
↳ 세상의 모든 돈으로도 네게 **좋은 건강을** 사 줄 수 없어.

A 톡톡 튀는 영어문장 우리말로 바꾸기.

04 Life always offers you **a second chance.** It's called tomorrow.
→ 삶은 늘 ______________________. 그건 내일이라고 불려.

05 True friends show you **their love** in times of trouble, not happiness.
→ 진짜 친구들은 ______________________.

06 Bring me **any problem**; problems are the price of progress. *Charles Kettering*
→ ______________________. 문제들은 진보의 대가야.

07 Money can't buy you **love**, but it can get you **some really good chocolate biscuits.** *Dylan Moran*
→ 돈으로 ______________________.

04
offer 제공하다

05
trouble 곤란(어려움)
B, not A A가 아닌 B

06
price 대가(가격)
progress 진보(진전)

B 뜻 새겨 보면서, 괄호 안 둘 중 하나 고르기.

08 Send (flowers me / me flowers) while I'm alive; they won't do me good after I'm dead.

09 Friends ask (you / of you) questions; enemies question you.

10 No one can grant (happiness you / you happiness); it is your own choice.

Up! 11 Kind words cost (you / for you) nothing, but are sometimes worth more than a million dollars. *Omar Suleiman*

Send me flowers while I'm alive; they won't do me good after I'm dead.
Joan Crawford

08
do good 도움이 되다

09
question 질문[심문/의심](하다)
enemy 적

10
grant 허락[승인]하다

11
cost 비용이 들다
worth 가치가 있는

C 흐트러진 말들 바로 세워 멋진 문장 만들기.

12 예술은 사람들에게 주위 환경을 보는 다른 방식을 제공해 줘.
(people / of looking at their surroundings / a different way / gives)

Art ______________________________.

13 내게 네 친구들을 보여 주면, 내가 네게 네가 어떤 사람인지 말해 줄게.
(your friends / who you are / me / you)

Show ______________, and I will tell ______________.

14 난 부모님께 지원에 대해 감사의 빚을 지고 있어[감사해야 해].
(my parents / a debt of gratitude / owe)

I ______________________________ for their support.

Think 15 너 자신을 다른 사람들에게 빌려줘. 그러나 너 자신을 너 자신에게만 줘.
(yourself / to others / lend / yourself / give / to yourself)

______________, but ______________.

12
surroundings 환경

14
debt 빚
gratitude 감사
owe 빚[신세]을 지다
support 지원[지지]

15
lend 빌려주다

영어문장 5형

Block Board

| 주어 + 타동사 + 목적어 + 목적보어 |

주어	타동사	목적어	목적보어
Global warming	makes	weather	more extreme.

해석 공식 주어는 목적어가 **목적보어**이게 **동사**한다.

- **타동사**: 목적어 + 목적보어가 함께 쓰이는 동사
- **목적보어**: 목적어를 설명해 주는 것으로, 명사/형용사/부정사/분사 등이 쓰임.

목적보어	타동사
명사/형용사	make keep consider find call name leave elect turn etc.
V/to-v	help get let have make see hear feel allow enable cause etc.
v-ing/v-ed분사	see hear feel find notice get have keep etc.

- 목적어 – **목적보어**: 의미상 주어 – 서술어 관계.

Global warming makes weather more extreme. (Weather is more extreme.)
주어 서술어

Standard Sentences

01 Global warming makes weather more extreme. 지구 온난화가 날씨를 더욱 극단적으로 만들어.

02 I see the sun shining on the patch of white clouds in the blue sky.
↳ 난 태양이 푸른 하늘의 흰 조각구름 위에 빛나고 있는 걸 봐. *patch 조각[부분]

03 Don't let anyone limit your dreams. *Donovan Bailey* 누구도 네 꿈을 제한하게 하지 마.

A 톡톡 튀는 영어문장 우리말로 바꾸기.

04 Seize the day; make your lives extraordinary. *Movie "Dead Poets Society"*
→ 오늘을 잡아. ______________________.

05 I awoke one morning, and found myself famous. *Lord Byron*
→ 난 어느 날 아침 깨어나 보니, ______________________.

06 The coward calls the brave man reckless; the reckless man calls him a coward. *Aristotle*
→ 겁쟁이는 ______________, 무모한 사람은 ______________.

07 You cannot teach a person anything; you can only help them find it within themselves. *Galileo Galilei*
→ 넌 어떤 사람에게 아무것도 가르쳐 줄 수 없어. 넌 ______________________.

04
seize 잡다
extraordinary 비범한

05
awake 깨다(-awoke-awoken)
find 알게 되다

06
coward 겁쟁이
reckless 무모한

07
within 속[안]에

B 뜻 새겨 보면서, 괄호 안 둘 중 하나 고르기.

08 The media makes the innocent (guilt / guilty), and the guilty (innocence / innocent). *Malcolm X*

08
innocent 무죄의
guilty 유죄의

09 Traveling leaves you (speech / speechless), then turns you into a storyteller.

09
speechless 말문이 막힌
turn A into B A를 B로 바꾸다
storyteller 이야기꾼

10 All music is folk music. I have never heard a horse (sing / to sing) a song. *Louis Armstrong*

10
folk 사람들
folk music 민속 음악[민요]

11 Optimism allows us (evolve / to evolve) our ideas, (improving / to improve) our situation, and (hopes / to hope) for a better tomorrow.

11
optimism 낙관주의
evolve 발전[진화]시키다
improve 개선하다

"Don't let anyone limit your dreams."
Donovan Bailey

C 흐트러진 말들 바로 세워 멋진 문장 만들기.

12 우리는 우리 그룹의 이름을 '진짜 정의'라고 지었어.
("True Justice" / named / our group)

We ______________________________________.

12
justice 정의
name 이름을 짓다

13 많은 사람들이 기후 변화를 오늘날 세계가 직면한 가장 중요한 위기라고 여겨.
(climate change / the most important crisis / consider)

A lot of people ____________________ facing the world today.

13
crisis 위기
face 직면하다

14 예술은 우리가 자신을 찾는 동시에 자신을 잃어버릴 수 있게 해.
(to find ourselves and lose ourselves / us / enables)

Art ______________________________ at the same time.

14
enable 할 수 있게 하다

15 실패했을 때 네 고개를 들고 있고, 성공했을 때 네 고개를 숙이고 있어.
(your head / up / keep)

__________________ in failure, and your head down in success.

15
keep 유지하다

구동사 1

Block Board

| 주어 + 동사 + 전치사 + 목적어 / 주어 + be동사 + 형용사 + 전치사 + (동)명사 |

주어	동사 + 전치사	목적어
Our health	relies on	the vitality of our fellow species on Earth.

- 〈구동사(동사 + 전치사) + 목적어〉 구문은 기본 5형으로 설명될 수 없으니 따로 익혀야 함.
  rely (up)on ~에 의존[의지]하다　deal with 다루다[처리하다]　consist of ~로 이루어지다[구성되다]　focus on ~에 집중하다
  aim at 목표하다　object to ~에 반대하다　disapprove of ~에 동의하지 않다　refer to 가리키다[나타내다]
- 〈be동사 + 형용사 + 전치사 + (동)명사〉도 비슷한 구문으로 따로 익힐 필요가 있음.
  be subject to ~에 지배당하다　be composed of ~로 구성되다　be fed up with ~에 질리다　be independent of ~에서 독립되다

Standard Sentences

01 Our health relies entirely on the vitality of our fellow species on Earth. *Harrison Ford*
↳ 우리의 건강은 전적으로 지구상의 동료 종들의 활력에 의존해.　*entirely 전적으로　vitality 활력

02 Cloning in biotechnology refers to the process of creating clones of organisms or copies of cells or DNA fragments.
↳ 생명공학에서의 클로닝은 생물체의 클론 또는 세포나 디엔에이 조각의 복제체를 만드는 과정을 가리켜.　*organism 유기체[생물]　fragment 조각

03 Great art is subject to time, but victorious over it. *Andre Malraux*
↳ 위대한 예술은 시간에 지배당하지만 시간에 승리해.　*victorious 승리하는

A 톡톡 튀는 영어문장 우리말로 바꾸기.

04 Good character consists of knowing the good, desiring the good, and doing the good. *Thomas Lickona*
→ 좋은 성격은 ______________________.

04
character 성격
desire 바라다

05 BTS' lyrics focus on social commentary, troubles of youth, and the journey towards loving oneself.
→ 방탄소년단의 노랫말은 ______________________.

05
lyric 가사
commentary 비판
journey 여정

06 Genes are composed of DNA, thread-like molecules.
→ 유전자는 ______________________.

06
gene 유전자
thread 실
molecule 분자

07 In a democratic age, the behavior of the authorities is subject to public criticism. *Anthony Daniels*
→ 민주주의 시대엔 당국의 활동이 ______________________.

07
authorities 당국
criticism 비판

B 뜻 새겨 보면서, 괄호 안 둘 중 하나 고르기.

08 Always aim (at / to) complete harmony of thought, word and deed.

08
complete 완벽한
deed 행동[행위]

09 I do not object (against / to) the phenomena, but I do object (against / to) the parrot. *Stella Gibbons*

09
phenomenon 현상
(복수형 phenomena)

10 I disapprove (of / to) what you say, but I will defend to the death your right to say it. *Evelyn Hall*

10
defend 옹호하다
to the death 죽을 때까지

11 I am fed up (of / with) this world; I will have a chance to change it.

“In a democratic age, the behavior of the authorities is subject to public criticism.”
Anthony Daniels

C [보기] 딱 맞는 것 골라 멋진 문장 끝내주기.

보기
are independent of   deals with   refers to   rely on

12 A mouse does not ______________ just one hole. *Plautus*
쥐는 단지 한 구멍에만 의존하지 않아.

13 Catharsis ______________ the purification of emotions, particularly pity and fear, through tragedy.
카타르시스는 비극을 통한 감정 특히 연민과 공포의 정화를 가리켜.

13
purification 정화
pity 연민[동정]
tragedy 비극

14 Social psychology ______________ various phases of social experience from the psychological standpoint of individual experience.
사회심리학은 개인적 경험에 대한 심리학적 관점에서 사회적 경험의 다양한 국면을 다루어.

14
psychology 심리학
phase 국면
standpoint 관점[견지]

15 Self-actualized people ______________ the good opinion of others.
자아 실현된 사람들은 다른 이들의 호평으로부터 독립돼 있어.

15
self-actualize 자아 실현하다

구동사 2

Block Board

| 주어 + 동사 + 목적어 + 전치사 + 목적어 |

주어	동사	목적어	전치사	목적어
Preoccupation with possessions	prevents	us	from	living freely and nobly.

(prevents ... from: 구동사)

• 〈동사 + 목적어 + 전치사 + 목적어〉

prevent A from B A가 B하는 것을 막다
remind A of B A에게 B를 생각나게 하다
blame A for B[B on A] A를 B에 대해 탓하다
compare A with/to B A를 B와 비교하다
turn A into B A를 B로 바꾸다
add A to B A를 B에 더하다
regard A as B A를 B로 여기다
attribute A to B A를 B의 결과로 보다
owe A to B A를 B에 빚지다[A는 B 덕분이다]
accuse A of B A를 B에 대해 비난하다
combine A with B A를 B와 결합하다
confine A to B A를 B에 한정하다[가두다]
deprive A of B A에게서 B를 빼앗다[박탈하다]
distinguish A from B A를 B와 구별하다
substitute A for B[B with/by A] A를 B 대신 쓰다
provide A with B[B for A] A에게 B를 제공하다

Standard Sentences

01 Preoccupation with possessions prevents us from living freely and nobly. *Bertrand Russell*
↳ 소유에 대한 집착은 우리가 자유롭고 고귀하게 사는 것을 막아. *preoccupation 집착 possession 소유 nobly 고귀하게

02 Good books remind you of your highest self, and liberate you from false beliefs and illusions. 좋은 책은 네게 최고의 네 모습을 생각나게 하고, 널 잘못된 신념과 환상으로부터 해방시켜 줘. *liberate 해방시키다

03 You can't blame gravity for falling in love. *Albert Einstein*
↳ 넌 사랑에 빠진 것에 대해 중력을 탓할 수 없어.

A 톡톡 튀는 영어문장 우리말로 바꾸기.

04 Don't compare yourself with other people; compare yourself with who you were yesterday. *Jordan Peterson*

→ ______________________________.

05 Gratitude can turn a meal into a feast, and a house into a home.

→ 감사는 ______________________________.

06 A quarrel between friends, when made up, adds a new tie to friendship. *Francis Sales*

→ 친구 간의 다툼은 화해되었을 때 ______________________________.

07 I regard gratitude as an asset, and its absence as a major interpersonal flaw. *Marshall Goldsmith*

→ 난 ______________________________.

05
gratitude 감사
feast 잔치

06
quarrel 다툼
make up 화해하다
tie 유대

07
asset 자산
interpersonal 대인관계의
flaw 결함

B 뜻 새겨 보면서, 괄호 안 둘 중 하나 고르기.

08 People always take credit for the good, and attribute the bad (at / to) fortune.

09 Ethnocentrism combines a positive attitude toward one's own cultural group (to / with) a negative attitude toward the other cultural group.

10 Men may deprive you (from / of) your liberty, but no man can deprive you (from / of) the control of your imagination. *Jesse Jackson*

Think **11** Intellect distinguishes the possible (from / with) the impossible; reason distinguishes the sensible (from / with) the senseless.

"I regard gratitude as an asset, and its absence as a major interpersonal flaw."
Marshall Goldsmith

C 보기 딱 맞는 것 골라 멋진 문장 끝내주기.

보기
accuse – of   confines – to   owes – to   provides – with   substitute – for

12 I don't ________ anybody else's judgment ________ my own.
난 다른 누구의 판단도 나 자신의 판단 대신 쓰지 않아.

13 Social Security ________ people ________ health care, unemployment benefit, pensions, and public housing.
사회 보장 제도는 사람들에게 의료 서비스, 실업 수당, 연금 그리고 공공 주택을 제공해.

14 Some people ________ other generations ________ being ignorant of their own generation. 어떤 사람들은 다른 세대를 자신의 세대에 대해 무지하다고 비난해.

15 The world ________ its progress ________ nervous men; the happy man ________ himself ________ old limits.
세상은 진보를 불편해하는 사람들에게 빚지고 있어. 행복한 사람은 자신을 옛 한계에 가둬.

08
take credit for
~의 공을 차지하다

09
ethnocentrism
자기 민족 중심주의
negative 부정적인

10
liberty 자유

11
intellect 지능(지적 능력)
sensible 분별 있는
senseless 분별없는

12
judgment 판단

13
health care 의료 서비스
unemployment benefit
실업 수당
pension 연금

14
ignorant 무지한

15
progress 진보
limit 한계

Chapter 01

Review

A 오색빛깔 영어문장 우리말로 바꾸기.

01 Strength lies in differences, not in similarities. *Stephen Covey*

02 I asked God for a bike, but God doesn't work that way. So I stole a bike and asked for forgiveness.

03 Do not live in the past; do not dream of the future; concentrate the mind on the present moment. *Budda(석가모니)*

04 Don't count the days; make the days count. *Muhammad Ali*

05 Times change so rapidly; we must keep our aim focused on the future. *Walt Disney*

06 The pessimist complains about the wind; the optimist expects it to change; the realist adjusts the sails.

07 Sometimes you make the right decision; sometimes you make the decision right. *Phil McGraw*

01
similarity 닮음

02
ask (for) 부탁하다[요청하다]
steal 훔치다 (-stole-stolen)
forgiveness 용서

03
past 과거
concentrate 집중하다

04
count 세다/중요하다

05
rapidly 빨리
aim 목표

06
pessimist 비관주의자
complain 불평하다
optimist 낙관주의자
realist 현실주의자
adjust 조정하다
sail 돛

B 뜻 새겨 보면서, 괄호 안 둘 중 하나 고르기.

08 Success without honor is an unseasoned dish; it will satisfy your hunger, but it won't taste (good / well).

09 God gives (every bird its food / its food every bird), but does not throw it into the nest.

10 Consider (impossible nothing / nothing impossible); then treat possibilities as probabilities. *Charles Dickens*

08
honor 명예
unseasoned 양념하지 않은
satisfy 충족시키다[채우다]

09
nest 둥지

10
treat A as B A를 B로 여기다
possibility 가능성
probability 개연성

시간표현 & 조동사

Block Board Overview

- 현실의 〈과거 – 현재 – 미래〉라는 '시간'(Time)과, 영문법의 '시제'(Tense)는 다르다.
- 동사의 형태 변화를 통한 시간표현을 시제라 하는데, 영어에는 현재시제(동사원형(-s))와 과거시제(동사원형-ed)가 있다.
- 영어의 미래는 will〔be going to〕+ 동사원형/현재시제/현재〔미래〕진행형 등으로 나타낸다.
- 영어에는 진행형(be + v-ing)과 완료형(have + v-ed분사)이라는 시간표현도 있다.
- 동사를 돕는 조동사 중 '태도'조동사는 동사 앞에 붙어, 듣는 사람이나 말하는 내용에 대한 말하는 사람의 태도와 판단을 나타낸다.
- can/must/should/may〔might〕 등 '태도'조동사가 나타내는 마음의 태도에는 능력〔가능〕/의무/추측〔가능성〕 등이 있다.
- 조동사 뒤에는 동사원형이 와야 하는데, 이와 같은 조동사의 성질과 의미를 띠는 준조동사(be going to/be about to/be able to/have to/be supposed to 등)도 있다.

Unit 08

시간표현 1: 현재 / 과거 / 미래 / 진행

주어 + V(-s) / v-ed / will V / be going to V / be about to V / be v-ing

주어	동사	목적어	부사어
Nature	is painting	pictures of infinite beauty	every day.

Unit 09

시간표현 2: 현재완료 / 과거완료 / 미래완료

주어 + have[has] / had / will have + v-ed분사

주어	동사	목적어
I	have just found	10,000 ways that won't work.

Unit 10

조동사 1: 능력[가능] / 의무[권고]

주어 + can / must[have to] / should[ought to] / had better + V

주어	조동사 + V	목적어	부사어
Nobody	can hurt	me	without my permission.

Unit 11

조동사 2: 추측[가능성] / 후회

주어 + may[might] / must / can't + V / have v-ed분사

주어 + should[ought to] + have v-ed분사

주어	조동사 + V	목적어
Cybercrime	may threaten	a person or a nation's security.

Unit 12

조동사 3: 기타 조동사 / 준조동사

주어 + used to / would / may[might] (as) well / cannot (help) but / would rather + V

주어 + be + supposed to / obliged to / bound to / likely to / willing to + V

주어	조동사 + V	보어
I	used to be	ashamed.

시간표현 1: 현재/과거/미래/진행

Block Board

| 주어 + V(-s) / v-ed / will V / be going to V / be about to V / be v-ing |

주어	동사	목적어	부사어
Nature	is painting	pictures of infinite beauty	every day.

- **현재시제**: 현재의 상태·습관과 일반적 사실 등을 나타냄.
- **과거시제**: 과거의 행위·상태·습관과 경험, (역사적) 사실 등을 나타냄.
- **미래표현**: will V(동사원형) / be going to V / be about to V 등으로 나타냄.
- **진행형**: 현재/과거진행(be v-ing) / 미래진행(will be v-ing)
  현재/과거/미래의 순간 진행 중인 (끝나지 않은) 동작이나 상태를 나타냄.
- **현재시제의 미래표현**: 미래를 나타내는 시간·조건부사절(when / if ~)에 현재시제가 쓰임.
  When[If] + 주어 + V(-s)(× will V), 주어 + will V[be going to V]

Standard Sentences

01 Nature is painting pictures of infinite beauty for us every day. *John Ruskin*
↳ 자연은 날마다 우리를 위해 무한히 아름다운 그림들을 그리고 있어. *infinite 무한한

02 One pandemic of Spanish flu took about 30 million lives worldwide from 1918 to 1920.
↳ 스페인 독감이라는 전 세계적인 유행병은 1918년에서 1920년까지 전 세계적으로 약 3천만 명의 목숨을 앗아갔어. *pandemic 전 세계적인 유행병

03 The development of biology is going to destroy our traditional grounds for ethical belief. *Francis Crick*
↳ 생물학의 발달은 윤리적 신념에 대한 우리의 전통적 기반을 파괴할 거야. *ground 지면[기반] ethical 윤리적인

04 When your future arrives, will you blame your past? *Robert Half*
↳ 네 미래가 왔을 때, 넌 네 과거를 탓할 거니?

A 톡톡 튀는 영어문장 우리말로 바꾸기.

05 General relativity explains the law of gravitation and its relation to other forces of nature.
→ 일반 상대성 이론은 ______________________________.

06 AI is going to displace 40 percent of world's jobs within 15 years.
→ 인공 지능이 15년 내에 ______________________________.

07 Something great is about to happen to me: I'm about to love somebody. *Jack Kerouac*
→ 멋진 일이 ________________. ________________.

05
relativity 상대성 (이론)
gravitation 중력[만유인력]

06
AI(= artificial intelligence) 인공지능
displace 대체하다

07
be about to 막 ~하려고 하다

B 뜻 새겨 보면서, 괄호 안 둘 중 하나 고르기.

08 The Human Genome Project (identifies / identified) the chromosomal locations and structure of the estimated 25,000 genes in human cells in 2003.

> 08
> identify 밝히다[발견하다]
> chromosomal 염색체의
> estimate 추산하다

09 If you (are / will be) prepared, you will be confident and will do the job. *Tom Landry*

> 09
> confident 자신감 있는

10 Dear pimples, if you (don't leave / won't leave) my face, you will have to pay some rent.

> 10
> pimple 여드름
> rent 집세[방세]

11 Grab a chance, and you (will / won't) be sorry for a might-have-been. *Arthur Ransome*

> 11
> grab 붙잡다
> sorry 후회하는
> might-have-been 있었을지도 모르는 일

"AI is going to displace 40 percent of the world's jobs within 15 years."
Kai-Fu Lee

C 보기 동사 골라 ⟨be v-ing⟩ 진행형 문장 끝내주기.

보기: live sleep think wear work

12 No one ____________ about you; they're thinking about themselves, just like you.

아무도 너에 대해 생각하고 있지 않아. 그들도 꼭 너처럼 자신들에 대해 생각하고 있어.

13 You ____________ soundly, so I didn't wake you up.

네가 곤히 잠자고 있어서, 난 널 깨우지 않았어.

> 13
> soundly 깊이[곤히]

14 Q: What ________ the biologist ________ on his first date?
A: Designer jeans.

Q: 생물학자가 첫 데이트 때 무엇을 입고 있었을까? A: 유명 브랜드 진바지.

> 14
> biologist 생물학자
> designer jeans 유명 디자이너 진바지
> ❗ jeans/genes(유전자들): 같은 발음.

15 In the next 50 years, people will ____________ to be 130; they'll ____________ until they're 100.

앞으로 50년 후에는, 사람들이 130살까지 살고 있을 거고, 100살까지 일하고 있을 거야.

시간표현 2: 현재완료/과거완료/미래완료

Block Board

| 주어 + have[has] / had / will have + v-ed분사 |

주어	동사	목적어
I	have just found	10,000 ways that won't work.

- **현재완료**: have[has] v-ed분사
  현재의 관점에서 과거의 일을 보는 것으로, 과거의 일이 현재 어떤 영향을 미치고 있음을 나타냄.
  ▷ 완료/결과: 과거의 일이 현재 완료되었거나, 어떤 결과로 남았음을 나타냄.(~했다 + just/already ...)
  ▷ 경험: 현재까지 영향을 미치는 과거 경험을 나타냄.(~한 적이 있다 + ever/never/once/before ...)
  ▷ 계속: 과거의 일이 현재까지 계속됨을 나타냄.(~해 왔다 + for/since ...)
- **과거완료**: had v-ed분사(과거 어느 시점 이전 일이나, 그 일의 완료·결과·경험·계속을 나타냄.)
- **미래완료**: will have v-ed분사(미래 어느 시점 이전 일의 완료·결과·경험·계속을 나타냄.)
- **현재/과거/미래완료진행**: have/had/will have + been + v-ing(계속의 의미를 강조: ~해 오고 있다)

Standard Sentences

01 I have not failed; I've just found 10,000 ways that won't work. *Thomas Edison*
↳ 난 실패하지 않았고, 효과가 없을 10,000개의 방법을 막 발견했을 뿐이야. *work 효과가 있다

02 I have been reading science fiction since I was a little kid.
↳ 난 어린아이였을 때부터 공상과학 소설을 읽어 오고 있어.

03 When God had completed his work on the seventh day, he rested from all his work. *The Bible*
↳ 신이 7일째 그의 일을 끝마쳤을 때, 그는 모든 일에서 벗어나 쉬었어.

04 By the year 2100, between 50% and 90% of the languages currently spoken in the world will have gone extinct. 2100년쯤에는 세계에서 현재 말해지는 언어들 중 50퍼센트에서 90퍼센트 사이가 사라지게 될 거야.

A 톡톡 튀는 영어문장 우리말로 바꾸기.

05 Humans have been enjoying the fruits of bee labor for 9,000 years.
→ 인간은 9,000년 동안 ______________________.

06 Have you ever watched a leaf leave a tree, or heard the silence just before the dawn?
→ 넌 나뭇잎이 ______________________?

07 Children have never been very good at listening to their elders, but they have never failed to imitate them. *James Baldwin*
→ 아이들은 ______________________.

05 labor 노동

06 silence 고요[침묵]
dawn 새벽

07 elders 어른들
never fail to-v 어김없이 v하다
imitate 모방하다

B 뜻 새겨 보면서, 괄호 안 둘 중 하나 고르기.

08 A cosmic explosion called the big bang occurred about 13.7 billion years ago, and the universe (has / had) since been expanding and cooling.

08
cosmic 우주의
explosion 폭발
billion 10억
expand 팽창[확대]하다

09 Many movie stars (have / had) been playing several small roles before they got big ones.

09
movie star 유명 영화배우
role 역할[배역]

10 If you produce one book, you (had done / will have done) something wonderful in your life. *Jackie Kennedy*

10
produce 생산하다[만들어 내다]

11 The wide knowledge (has / had) already died out by the close of the 18th century; and by the end of the 19th century the specialist (has / had) evolved. *Dietrich Bonhoeffer*

11
die out
멸종하다[자취를 감추다]
specialist 전문가
evolve 발달[진화]하다

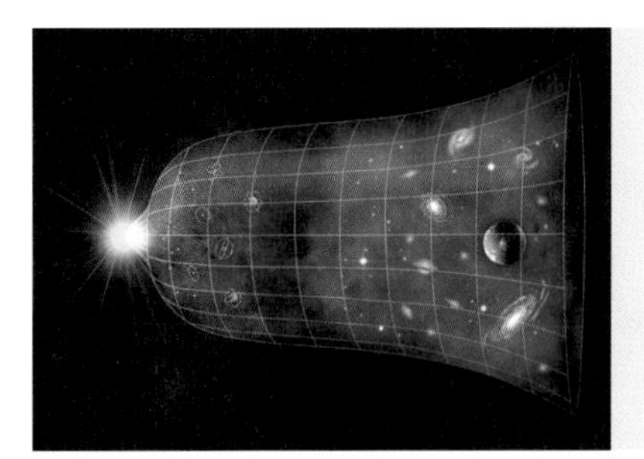

A cosmic explosion called the big bang occurred about 13.7 billion years ago, and the universe has since been expanding and cooling.

C [보기] 동사 골라 〈have[has] v-ed분사〉 현재완료형 문장 끝내주기.

보기

bring   consist of   decline   discover

consist of ~로 이루어지다
decline 감소하다

12 We ________ already ________ more than 4,000 planets outside the solar system in the Milky Way.
우리는 이미 은하계의 태양계 밖에 있는 4,000개 넘는 행성을 발견했어.

12
solar 태양의
the Milky Way 은하(계)

13 Poverty among seniors ____________ since Social Security started. 어르신 빈곤이 사회 보장 제도가 시작된 이후로 감소해 왔어.

13
senior (= senior citizen) 어르신
Social Security 사회 보장 제도

14 Much of human history ____________ unequal conflicts between the haves and the have-nots.
인간 역사의 대부분이 가진 자들과 못 가진 자들 사이의 불평등한 갈등으로 이루어져 왔어.

14
unequal 불공평한
conflict 갈등
the haves and the have-nots 가진 자들과 못 가진 자들

15 Technology and social media ____________ power back to the people. 과학 기술과 소셜 미디어는 권력을 (특권 계층이 아닌) 보통 사람들에게 돌려주었어.

15
the people
(특권 계층이 아닌) 보통 사람들

조동사 1: 능력[가능]/의무[권고]

Block Board

I 주어 + can / must[have to] / should[ought to] / had better + V I

주어	조동사 + V	목적어	부사어
Nobody	can hurt	me	without my permission.

- **'태도'조동사**: 동사 앞에 붙어, 듣는 사람이나 말하는 내용에 대해 말하는 사람의 태도를 덧붙이는 것.
- **능력·가능**: can (~할 수 있다) / will be able to (~할 수 있을 것이다)
- **의무·권고(~해야 한다)** : must[have to] / should[ought to]
  - ▷ must[have to]: 강한 의무·권고 • must not: 금지 (~해서는 안 된다)
  - ▷ don't have to: 불필요 (~할 필요가 없다)
  - ▷ should[ought to]: 약한 의무·권고 • shouldn't[ought not to]: ~해서는 안 된다[안 하는 게 좋다]
  - ▷ had better: 강한 권고[경고](~하는 게 좋을 걸) • had better not: ~하지 않는 게 좋을 걸

Standard Sentences

01 Nobody can hurt me without my permission. *Mahatma Gandhi*
↳ 아무도 내 허락 없이 날 아프게 할 수 없어.

02 We must have perseverance and above all confidence in ourselves. *Marie Curie*
↳ 우리는 인내심과 무엇보다 자신에 대한 신뢰를 가져야 해. *perseverance 인내(심) above all 무엇보다도

03 We should not give up; we should not allow the problem to defeat us. *Abdul Kalam*
↳ 우리는 포기해선 안 돼. 우리는 문제가 우리를 이기도록 허용해선 안 돼. *defeat 패배시키다[이기다]

04 We have to transform our energy system from fossil fuels to sustainable energy.
↳ 우리는 화석 연료에서 지속 가능한 에너지로 우리의 에너지 체계를 완전히 바꿔야 해. *sustainable 지속 가능한

A 톡톡 튀는 영어문장 우리말로 바꾸기.

05 You can't wait for inspiration; you have to go after it with a club. *Jack London*
→ 넌 ______________________.

06 Q: Why should you never date tennis players?
A: Love means nothing to them.
→ Q: 넌 왜 ______________? A: 러브는 그들에게 아무것도 아닌 걸 의미하니깐.

07 We must always take sides: neutrality helps the oppressor, never the victim. *Elie Wiesel*
→ 우리는 ______________. 중립은 압제자를 돕지, 절대 피해자를 돕지 않아.

05
inspiration 영감
go after ~을 뒤쫓다[따라가다]
club 곤봉

06
love (테니스에서) 영점[무득점]

07
take sides 편을 들다
neutrality 중립
oppressor 압제자
victim 피해자

B 뜻 새겨 보면서, 괄호 안 둘 중 하나 고르기.

08 Humans, chimpanzees, elephants and dolphins (can / should) recognize themselves in a mirror.

08
recognize 알아보다

09 With genetic engineering, we (will be able to / will can) increase the complexity of our DNA, and improve the human race. *Stephen Hawking*

09
genetic engineering 유전 공학
complexity 복잡성

10 Poverty (doesn't have to / must not) be a bar to learning; learning must offer an escape from poverty. *Lyndon Johnson*

10
poverty 가난[빈곤]
bar 장해(물)
offer 제공하다

11 If you want something, you (had better / ought not to) make some noise.

"You don't have to see the whole staircase; just take the first step."
Martin Luther King

C 보기 조동사 골라 멋진 문장 끝내주기.

보기

can　　don't have to　　had better not　　ought to

12 Darkness cannot drive out darkness; only light ______________ do that. *Martin Luther King* 어둠은 어둠을 몰아낼 수 없고, 오직 빛만이 그렇게 할 수 있어.

12
drive out 몰아내다

13 You ______________ see the whole staircase; just take the first step. 넌 계단 전체를 볼 필요가 없고, 그저 첫 걸음만 내디뎌.

13
staircase 계단

14 Courage ______________ have eyes as well as arms.
용기는 (행동하는) 팔뿐만 아니라 (분별하는) 눈도 있어야 해.

14
courage 용기
as well as ~뿐만 아니라

15 One ______________ rush; otherwise dung comes out rather than creative work. *Anton Chekhov*
우리는 서두르지 않는 게 좋을 걸. 그렇지 않으면 창조적인 작품보다는 똥이 나와.

15
rush 서두르다
otherwise 그렇지 않으면
dung 똥
rather than ~보다는[대신에]

조동사 2: 추측(가능성)/후회

Block Board

| 주어 + may[might] / must / can't + V / have v-ed분사 |
| 주어 + should[ought to] + have v-ed분사 |

주어	조동사 + V	목적어
Cybercrime	may threaten	a person or a nation's security.

- **추측·가능성**: '태도'조동사는 확신의 정도가 다른 추측과 가능성을 나타냄.

가장 확실 ← → 가장 불확실

must/can't(부정) > will > would > ought to > should > can > could > may > might

▷ 불확실한 추측: may(might) + V (~일지도 모른다) / may(might) + have v-ed분사 (~였을지도 모른다)
▷ 확실한 추측: must(ought to) + V (틀림없이 ~일 것이다) / must + have v-ed분사 (틀림없이 ~였을 것이다)
▷ 가능성 부정: can't + V (~일 리가 없다) / can't + have v-ed분사 (~였을 리가 없다)
▷ 과거에 대한 후회·유감: should(ought to) + have v-ed분사 (~했어야 했는데 (하지 않았다))
shouldn't + have v-ed분사 (~하지 말았어야 했는데 (했다))

Standard Sentences

01 Cybercrime may threaten a person or a nation's security and financial health.
↳ 사이버범죄는 사람이나 국가의 안전과 재정 건전성을 위협할지 몰라. *security 보안(안전)

02 I must have been an unsatisfactory child for grownups to deal with. *William Golding*
↳ 난 틀림없이 어른들이 다루기에 만족스럽지 못한 아이였을 거야. *unsatisfactory 만족스럽지 못한

03 I should have judged her according to her actions, not her words. *The Little Prince*
↳ 난 그녀를 말이 아니라 행동으로 판단했어야 했어.

A 톡톡 튀는 영어문장 우리말로 바꾸기.

04 People might look great on the outside, but they may have problems.
→ 사람들은 ______________, 그들은 ______________.

05 We must be for ourselves in the long run; the mild and generous are only more justly selfish than the arrogant. *Emily Bronte*
→ 우리는 ______________, 온화하고 너그러운 사람들은 오만한 사람들보다 단지 더 정당하게 이기적일 뿐이야.

06 You just had two regular pizzas; you can't be hungry.
→ 넌 방금 보통 크기 피자 2개를 먹었으니, ______________.

07 The Internet could be a very positive step towards education and participation in a meaningful society. *Noam Chomsky*
→ 인터넷은 교육과 의미 있는 사회 참여를 위한 ______________.

04
on the outside 겉으로는

05
in the long run 결국에는
mild 온화한
arrogant 오만한

06
regular 보통 크기의

07
positive 긍정적인
step 단계
participation 참여

B 뜻 새겨 보면서, 괄호 안 둘 중 하나 고르기.

08 The good man ought to (be / being) a lover of self; he will benefit both himself and his neighbors by acting nobly. *Aristotle*

09 I shouldn't (say / have said) it, but the word slipped out of my mouth as easily as air. *Obert Skye*

10 George Washington (cannot know / could not have known) Abraham Lincoln; they lived at different times.

11 Millions of flies (can / can't) be wrong, but we can't eat waste like them.

"I should have judged her according to her actions, not her words."

The Little Prince

08
benefit 유익하다
both A and B A와 B 둘 다
nobly 고귀하게

09
slip 빠져나가다[미끄러지다]

11
fly 파리
waste 쓰레기

C 보기 조동사 – 동사 골라 〈조동사 + have v-ed분사〉형 문장 끝내주기.

보기
should – be   could – go   might – turn out   ought to – disappear

12 I always wanted to be somebody, but I __________ more specific. 난 언제나 대단한 사람이 되기를 원했지만, 난 더 구체적이었어야 했어.

13 History is one long regret; everything __________ so different. 역사는 하나의 긴 후회인데, 모든 게 아주 달라졌을지도 몰라.

14 Our evolution __________ in different directions a lot of times; we __________ extinct at some points. *Sam Kean*
우리의 진화는 여러 번 다른 방향으로 갔을 수도 있었고, 우리는 어느 시점에서 멸종되었을 수도 있었어.

15 Many traditional religious attitudes __________ as biological understanding accumulated over the last century.
많은 전통적인 종교적 사고방식은 생물학적 이해가 지난 세기 동안 축적되면서 없어졌어야 했어.

turn out 되다

12
somebody 중요한[대단한] 사람
specific 구체적인[명확한]

13
regret 후회

14
evolution 진화
extinct 멸종된

15
biological 생물학적인
accumulate 축적하다[모으다]

unit 12

조동사 3: 기타 조동사 / 준조동사

Block Board

I 주어 + used to / would / may[might] (as) well / cannot (help) but / would rather + V I
I 주어 + be + supposed to / obliged to / bound to / likely to / willing to + V I

주어	조동사 + V	보어
I	used to be	ashamed.

▷ used to: 과거 오랫동안 계속된 상태(전에는 어떠했다)나 반복된 동작(습관)(~하곤 했다)을 나타냄.
▷ would: 과거 얼마동안 반복된 동작(습관)(~하곤 했다)을 나타냄.
▷ may[might] well: ~하는 것도 당연하다[마땅히 ~하여야 한다]/아마도 ~할 것이다
▷ may[might] as well (A as B): (B보다는 차라리 A)하는 편이 낫다
▷ cannot (help) but: ~하지 않을 수 없다
▷ cannot V too ~: 아무리 ~해도 지나치지 않다
▷ would rather (A than B): (B보다는 차라리 A)하겠다[하고 싶다]
▷ be supposed to: ~하기로 되어 있다[해야 한다]/~인 것으로 여겨진다[~라고 한다]
▷ be obliged to: (의무적으로) ~해야 한다
▷ be bound to: 꼭 ~할 것 같다/~해야 한다
▷ be likely to: ~할 것 같다
▷ be willing to: 기꺼이 ~하다

Standard Sentences

01 I used to be ashamed; now I am proud. I used to walk head bent; now I stand up tall. *Judith McNaught*
↳ 난 부끄러워하곤 했었지만, 지금은 자랑스러워. 난 고개를 숙이고 걷곤 했었지만, 지금은 꼿꼿이 서 있어.

02 We cannot help but smile at babies and watch them smile back. *Madeleine Kunin*
↳ 우리는 아기들에게 미소 짓지 않을 수 없고 그들이 되받아 미소 지어 주는 걸 보지 않을 수 없어.

03 We are not supposed to be all equal; we are supposed to have equal rights under law. *Ben Stein*
↳ 우리는 모두 동등해야 하는 게 아니라, 법 아래 평등한 권리를 가져야 해. *equal 동등한[평등한]

A 톡톡 튀는 영어문장 우리말로 바꾸기.

04 Dear haters, I couldn't help but notice "awesome" ends with "me" and "ugly" starts with "(yo)u."
→ 혐오자들에게, 난 ______________________.

05 We cannot too strongly attack all kinds of superstitions or social evils.
→ 우리는 모든 종류의 미신이나 사회악을 ______________________.

Up! **06** I am not bound to win, but I am bound to be true; I am not bound to succeed, but I am bound to live up to the light I have. *Abraham Lincoln*
→ 난 꼭 이길 것 같지는 않지만, 진실해야 해. ______________________.

07 A great man is always willing to be little. *Ralph Emerson*
→ 위대한 사람은 ______________________.

04
hater 혐오자
notice 알아차리다

05
attack 공격하다
superstition 미신

06
live up to ~에 따라 살다

B 뜻 새겨 보면서, 괄호 안 둘 중 하나 고르기.

08 When I was little, my mom (will / would) read me bedtime stories every night.

08
bedtime story 잠잘 때의 동화

09 You (may well / may as well) not know a thing at all as know it imperfectly.

09
imperfectly 불완전하게

10 Teenagers (would rather / don't have to) text than talk; they feel calls would reveal too much. *Sherry Turkle*

10
text 문자를 보내다
reveal 드러내다

11 We (are obliged to / don't have to) respect and defend the common bonds of union and fellowship of the human race. *Cicero*

11
defend 방어[수호]하다
bond 유대
union 통합
fellowship 동료애

"Teenagers would rather text than talk; they feel calls would reveal too much."
Sherry Turkle

C 우리말 참고해 [보기] 조동사 골라 멋진 문장 끝내주기.

보기
be more likely to   be supposed to   might as well   might well

12 "Parasite" ______________ be one of the greatest movies in the world. '기생충'은 세계적으로 가장 훌륭한 영화들 중 하나로 여겨져.

12
parasite 기생충

13 You ______________ remember that nothing can bring you success but yourself. *Napoleon Hill*
넌 너 자신 외에는 아무것도 너에게 성공을 가져다줄 수 없다는 것을 마땅히 기억해야 해.

13
but ~ 외에

14 You only get one life; you ______________ feel all the feelings.
넌 오직 한 번의 삶만 있으니, 모든 감정들을 느끼는 편이 나아.

15 A humble person ______________ be self-confident.
겸손한 사람이 더 자신감이 높은 것 같아.

15
humble 겸손한
self-confident 자신감 있는

Chapter 02 Review

A 오색빛깔 영어문장 우리말로 바꾸기.

01 When people tell me, "You're going to regret that in the morning," I sleep until noon.

02 Our phones and computers have become reflections of our personalities, our interests, and our identities. *James Comey*

03 The past can hurt; you can either run from it, or learn from it.
Movie "The Lion King"

04 A great democracy must be progressive, or it will soon cease to be a great democracy. *Theodore Roosevelt*

05 We should feel sorrow, but should not sink under its oppression.
Confucius(공자)

06 I'm totally exhausted; I should have taken a break, and not done such a long push.

07 We all have to live together; we might as well live together happily.
Dalai Lama

01
regret 후회하다

02
reflection 반영
personality 인격
identity 정체성

03
either A or B
A이거나 B인 (둘 중 하나)

04
progressive 진보적인
cease 중단하다

05
sink 빠지다
oppression 압박(감)

06
exhausted 탈진한
push 밀기

B 뜻 새겨 보면서, 괄호 안 둘 중 하나 고르기.

08 When the power of love (overcomes / will overcome) the love of power, the world will know peace. *Jimi Hendrix*

09 I (had / have) just come home from school when I received your message.

Up! **10** I (may as well / would rather) be a superb meteor, every atom of me in magnificent glow, than a sleepy and permanent planet. *Jack London*

08
overcome 극복하다(이기다)

10
superb 최고의
meteor 유성
atom 원자
magnificent 아름다운
glow 불빛
sleepy 졸리는(생기 없는)
permanent 영구(영속)적인

Block Board Overview

- 주어와 동사의 능동/수동 관계를 나타내는 형식을 '태'(Voice)라고 하며, 능동태와 수동태가 있다.
- 능동태(Active Voice)는 〈타동사 + 목적어〉로 나타내며, 수동태(Passive Voice)는 능동태 목적어를 주어로, 동사는 〈be + v-ed분사〉로, 능동태 주어는 〈by + 명사〉로 나타낸다.
- 주어가 목적어에 어떤 영향을 미치는지에 초점을 맞출 때는 능동태를, 주어가 어떤 영향을 받는지에 초점을 맞출 때는 수동태를 쓴다.
- 수동태는 동작의 주체가 분명하지 않거나 중요하지 않을 때, 동작의 주체를 드러내지 않으려 할 때, 주체보다 대상을 강조하려고 할 때 등에 쓴다.
- 수동태는 능동태와 관점을 달리하는 표현이므로, 수동태를 능동태로 바꾸어 생각하려 하지 말고 수동의 의미를 그냥 그대로 받아들이자.

Unit 13

기본 수동태 |

주어 + be동사 + v-ed분사 + (목적어 / 보어) + (by 명사)

주어	be동사 + v-ed분사	by 명사	부사어
General relativity	was developed	by Einstein	between 1907 and 1915.

Unit 14

진행 / 완료 / 미래 수동태 |

주어 + be동사 being / have been / will be + v-ed분사

주어	be동사 + being + v-ed분사	by 명사
Biodiversity	is being destroyed	by human activities.

Unit 15

조동사 수동태 & 기타 수동태 |

주어 + can / must / should / may + be + v-ed분사

주어	조동사 + be + v-ed분사	부사어
Peace	cannot be achieved	through violence.

unit 13

기본 수동태

Block Board

| 주어 + be동사 + v-ed분사 + (목적어 / 보어) + (by 명사) |

주어	be동사 + v-ed분사	by 명사	부사어
General relativity	was developed	by Einstein	between 1907 and 1915.

- 주어-동사의 관계가 능동(~하다)이면 능동태, **수동(~되다/~지다/~받다/~당하다)**이면 수동태.
- 능동태(주어 + 타동사 + 목적어) → **수동태**(능동태목적어 + [be동사 + v-ed분사] + by 능동태주어)
- **4형 능동태** 주어 + (주는)동사 + (에게)목적어 + (을)목적어
  → **수동태 1** [능동태(에게)목적어] + [be동사 + v-ed분사] + [(을)목적어] + [(by 능동태주어)]
  수동태 2 [능동태(을)목적어] + [be동사 + v-ed분사] + (to) / for + [(에게)목적어] + [(by 능동태주어)]
- **5형 능동태** 주어 + 타동사 + 목적어 + 목적보어
  → **수동태** [능동태목적어] + [be동사 + v-ed분사] + [능동태목적보어] + [(by 능동태주어)]

Standard Sentences

01 General relativity was developed by Einstein between 1907 and 1915.
↳ 일반 상대성 이론은 1907년에서 1915년 사이에 아인슈타인에 의해 전개되었어. *general relativity 일반 상대성 이론

02 Freedom is never given us for free; it is won. *Philip Randolph*
↳ 자유는 우리에게 절대 공짜로 주어지지 않고, 그것은 쟁취되는 거야. *win 쟁취하다[획득하다](-won-won)

03 Teenagers are treated like children but expected to act like adults.
↳ 십대들은 아이처럼 취급되지만 어른처럼 행동하도록 기대돼.

A 톡톡 튀는 영어문장 우리말로 바꾸기.

04 A man is known to his dog by the smell, to his friend by the smile.
→ 사람은 ______________________________.

05 Nostalgia is associated with a yearning for the past, especially the "good old days" or a "warm childhood."
→ 향수는 ______________________________.

06 The calcium in our teeth and the iron in our blood were made in the interiors of collapsing stars; we are made of star stuff. *Carl Sagan*
→ 치아 속의 칼슘과 혈액 속의 철분이 ______________________________.

07 I was taught a very strong work ethic including punctuality, reliability, cooperation, respect, and professionalism. *Nicole Kidman*
→ 난 시간 엄수, 신뢰성, 협력, ______________________________.

05
nostalgia 향수
associate 연상하다[연관 짓다]
yearning 갈망[동경]

06
interior 내부
collapse 붕괴하다
stuff 물질[물건]

07
ethic 윤리
punctuality 시간 엄수
reliability 신뢰성
professionalism 전문성

B 뜻 새겨 보면서, 괄호 안 둘 중 하나 고르기.

08 Narrative (finds / is found) in all forms of human creativity, art, and entertainment.

09 The financial crisis (caused / was caused) by bad government policy and the total failure of regulation.

10 The Fourth Industrial Revolution (marks / is marked) by AI, robotics, the Internet of Things, autonomous vehicles, 3-D printing, and nanotechnology.

11 Electricity (considered / was considered) an evil thing when it was first discovered and utilized.

Freedom is never given us
for free; it is won.
Philip Randolph

C 보기 동사 골라 〈be동사 + v-ed분사〉 수동태 문장 끝내주기.

보기: accompany award recognize tell

12 Q: Why did the man sit on a clock?
A: Because he ______________ to work overtime.
Q: 그 남자는 왜 시계 위에 앉았을까? A: 그는 오버타임[시간 외 근무]를 하라는 말을 들었기 때문에.

13 Depression __________ often ____________ by poor appetite, sleeplessness, lack of energy, and low self-esteem.
우울증은 흔히 식욕 부진, 불면증, 원기 부족, 그리고 낮은 자존감이 동반돼.

14 The Nobel Prize ______________ in six categories: Physics, Chemistry, Physiology or Medicine, Literature, Peace, and Economics.
노벨상은 물리학, 화학, 생리 의학, 문학, 평화, 그리고 경제학의 6가지 범주에서 수여돼.

Up! **15** Particular religious practices ______________ by the UN as unethical, including polygamy, child brides, and human sacrifice.
일부다처제, 어린이 신부, 그리고 인간 제물을 포함한 특정한 종교적 관행들은 유엔에 의해 비윤리적인 것으로 인정돼.

08
narrative 내러티브[이야기]
entertainment 오락

09
crisis 위기
cause 초래하다
regulation 규제

10
mark 특징짓다
AI 인공 지능
(= artificial intelligence)
robotics 로봇 공학
autonomous 자율적인

11
evil (사)악한
utilize 이용[활용]하다

accompany 동반하다
recognize 인정[인식]하다

12
work overtime
시간 외 근무를 하다

13
depression 우울증
appetite 식욕
sleeplessness 불면(증)
self-esteem 자부심[자존감]

14
category 범주
physics 물리학
chemistry 화학
physiology 생리학

15
practice 관행
polygamy 일부다처제
sacrifice 희생[제물]

unit 14

진행/완료/미래 수동태

Block Board

I 주어 + be동사 being / have been / will be + v-ed분사 I

주어	be동사 + being + v-ed분사	by 명사
Biodiversity	is being destroyed	by human activities.

• **진행 수동태:** 주어 + be동사 being + v-ed분사(~되고 있다)

▷ 진행형 is[am/are]/was[were] v-ing
▷ 수동태 + be v-ed분사
is[am/are]/was[were] being v-ed분사

• **완료 수동태:** 주어 + have[has] been + v-ed분사(~되어 왔다)

▷ 완료형 have[has]/had/will have v-ed분사
▷ 수동태 + be v-ed분사
have[has]/had/will have been v-ed분사

• **미래 수동태:** 주어 + will[be going to] be + v-ed분사(~될 것이다)

Standard Sentences

01 Biodiversity is being destroyed by human activities.
↳ 생물 다양성이 인간의 활동들로 파괴되고 있어. *biodiversity 생물 다양성

02 Nothing great in the world has ever been accomplished without passion. *Hegel*
↳ 세상의 위대한 어떤 것도 열정 없이 성취된 적이 없어.

03 Your rewards will be determined by the extent of your contribution, that is your service to others. *Earl Nightingale*
↳ 네 보상은 네 공헌, 즉 다른 사람들에 대한 네 봉사의 정도에 의해 결정될 거야. *extent 정도 contribution 공헌 that is 즉

A 톡톡 튀는 영어문장 우리말로 바꾸기.

04 Many natural systems are being affected by climate changes, particularly temperature increases.
→ 많은 자연계가 ______________________________.

05 The real food is not being advertised. *Michael Pollan*
→ 진짜 음식은 ______________________________.

Think **06** The world will not be inherited by the strongest; it will be inherited by those most able to change. *Charles Darwin*
→ 세상은 가장 강한 것들이 ______________________________.

07 Science is going to be revolutionized by AI assistants. *Oren Etzioni*
→ 과학은 ______________________________.

04
affect ~에 영향을 미치다
particularly 특히
increase 증가

05
advertise 광고하다

06
inherit 물려받다

07
revolutionize 혁신하다
assistant 비서[조수]

B 뜻 새겨 보면서, 괄호 안 둘 중 하나 고르기.

08 During the war, certain blood (was shedding / was being shed) for uncertain reasons. *Tim O'Brien*

09 Millions of people (are infecting / are being infected) by various viruses around the world.

10 The prize (won't send / will not be sent) you; you have to win it. *Ralph Emerson*

11 The project will (have completed / have been completed) before the deadline.

08
certain 확실한
shed (피·눈물 등을) 흘리다 (-shed-shed)

09
millions of 수많은
infect 감염시키다
virus 바이러스

10
win 획득하다[얻다]

11
complete 완료하다
deadline 기한[마감]

Many natural systems are being affected by climate changes, particularly temperature increases.

C 보기 동사 골라 ⟨have[has] been + v-ed분사⟩ 완료 수동태 문장 끝내주기.

보기
drive interpret modify recognize

12 BTS' "Spring Day" ______________ by fans as remembrance of the victims of the Sewol Ferry tragedy.
방탄소년단의 '봄날'은 팬들에 의해 세월호 비극의 희생자들에 대한 추모로 해석되어 왔어.

13 A wide variety of organisms ________ genetically ________, from animals to plants and microorganisms.
동물에서 식물과 미생물까지 매우 다양한 유기체들이 유전적으로 변형되어 왔어.

14 Climate change ______________ largely by increased carbon dioxide and other man-made emissions into the atmosphere.
기후 변화는 주로 대기 속의 증가된 이산화탄소와 인간이 생성한 다른 배기가스에 의해 몰아쳐져 왔어.

15 Adolescence ______________ as a stage of human development since medieval times. *Terri Apter*
청소년기는 중세부터 인간 발달의 한 단계로 인식되어 왔어.

drive 몰아가다
interpret 해석하다
modify 수정[변형]하다

12
remembrance 추모[추억]
victim 피해자[희생자]
tragedy 비극

13
genetically 유전적으로
microorganism 미생물

14
largely 주로
carbon dioxide 이산화탄소
emission 배기가스
atmosphere 대기

15
adolescence 청소년기
medieval 중세의

조동사 수동태 & 기타 수동태

Block Board

주어 + can / must / should / may + be + v-ed분사

주어	조동사 + be + v-ed분사	부사어
Peace	cannot be achieved	through violence.

- **'태도'조동사 수동태:** 주어 + can/must/should/may + be + v-ed분사
- **능동태** 주어 + believe/expect/know/say/think + that ~
  → **수동태 1** It + be v-ed분사 + that ~ / **수동태 2** 주어 + be v-ed분사 + to-v
  They say that she studies 16 hours a day.
  → It **is said** that she studies 16 hours a day. / She **is said** to study 16 hours a day. 그녀는 하루 16시간 공부한다고 말해져.
- **구동사 수동태:** 한 덩어리로 간주 • make use of → be made use of • deal with → be dealt with
- 주어 + make(~하게 하다)/지각동사(see/hear/feel ...) + 목적어 + V(동사원형)
  → **수동태** 능동태목적어 + be동사 + v-ed분사 + to-v

Standard Sentences

01 Peace cannot be achieved through violence; it can only be attained through understanding. 평화는 폭력을 통해 성취될 수 없고, 그것은 오직 이해로만 이루어질 수 있어. *attain 이루다[획득하다] *Ralph Emerson*

02 Knowledge has to be improved, challenged, and increased constantly, or it vanishes. *Peter Drucker*
↳ 지식은 끊임없이 향상되고 도전받고 증가되어야 해. **그렇지 않으면** 그것은 사라져. *vanish 사라지다[없어지다]

03 The brain is believed to consume about 20 percent of the body's energy.
↳ 뇌는 신체 에너지의 약 20퍼센트를 소비한다고 여겨져.

04 It is well known that frustration, depression, and despair produce negative biochemical changes in the body. *Norman Cousins* 좌절감과 우울과 절망은 신체에 부정적인 생화학적 변화를 초래한다고 잘 알려져 있어.

A 톡톡 튀는 영어문장 우리말로 바꾸기.

05 Lost wealth may be replaced by industry, lost knowledge by study, but lost time is gone forever. *Samuel Smiles*
→ 잃어버린 재산은 근면으로, 잃어버린 지식은 ______________________.

06 Hard truths can be dealt with and triumphed over, but lies will destroy your soul. *Patricia Briggs*
→ 냉엄한 진실은 ______________________, 거짓말은 네 정신을 파괴할 거야.

07 Things do not happen; things are made to happen. *John F. Kennedy*
→ 일들은 일어나는 게 아니라, 일들은 ______________________.

05
replace 되돌리다[대신하다]
industry 근면

06
deal with 다루다
triumph over
승리를 거두다[이기다]

B 뜻 새겨 보면서, 괄호 안 둘 중 하나 고르기.

08 Artificial intelligence is (making use of / being made use of) for a variety of health care purposes.

09 Some books (should taste / should be tasted), some (devour / devoured), but only a few should be chewed and digested thoroughly.

10 A mockingbird was heard (blend / to blend) the songs of 32 different kinds of birds into a 10 minute performance. *Tom Robbins*

11 Sunlight (is said that / is said to) be the best of disinfectants; electric light the most efficient policeman. *Louis D. Brandeis*

"Some books should be tasted, some devoured, but only a few should be chewed and digested thoroughly."
Francis Bacon

08
make use of ~을 이용하다
health care 의료 서비스

09
devour 게걸스럽게 먹다
digest 소화하다
thoroughly 완전히

10
mockingbird 흉내지빠귀
blend 섞다
performance 공연

11
disinfectant 소독약[살균제]
efficient 유능한[효율적인]

C 보기 조동사–동사 골라 〈조동사 + be v-ed분사〉 조동사 수동태 문장 만들기.

보기

must – seek out　　can – treat　　may – consider　　must – pull

12 Most people with depression ______________ with medication, psychotherapy, or both.
우울증을 가진 대부분의 사람들은 약물, 심리 치료, 또는 둘 다로 치료될 수 있어.

13 The study of dreams ______________ the most trustworthy method of investigating deep mental processes. *Sigmund Freud*
꿈에 대한 연구는 깊은 정신 과정을 연구하는 가장 믿을 수 있는 방법으로 여겨질지도 몰라.

14 Learning is not attained by chance; it ______________ with passion and attended to with diligence.
배움은 우연히 얻어지지 않아. 그것은 열정적으로 추구되어야 하고 성실하게 처리되어야 해.

15 We ______________ by our dreams, rather than pushed by our memories. 우리는 우리의 추억에 떠밀리기보다는 우리의 꿈에 이끌려야 해.

seek out (추)구하다
consider 여기다

12
medication 약(물)
psychotherapy 심리 치료

13
trustworthy 믿을 수 있는
investigate 조사[연구]하다

14
by chance 우연히
attend to 처리하다[돌보다]
diligence 근면[성실]

Chapter 03 Review

A 오색빛깔 영어문장 우리말로 바꾸기.

01 In "Cubist" artwork, objects are analyzed, broken up and reassembled in an abstracted form.

02 Books have been thought of as windows to another world of imagination.

03 Some decisions are being made, and some mistakes will be made along the way; we'll find the mistakes and fix them. *Steve Jobs*

04 Any scientific theory must be based on a rational examination of the facts.

Think **05** Thousands of candles can be lit from a single candle, and the life of the candle will not be shortened. *Budda(석가모니)*

06 A discovery is said to be an accident meeting a prepared mind.

07 People have been known to achieve more as a result of working with others than against them. *Allan Fromme*

01
Cubist 입체파의
object 물체
analyze 분석[분해]하다
break up 부수다
reassemble 재조립하다
abstract 추출[추상화]하다

03
decision 결정
mistake 잘못
along the way 도중에

04
rational 합리적인
examination 검토[조사]

05
light 불을 켜다(-lit-lit)
shorten 짧게 하다

06
discovery 발견
accident 우연

07
achieve 성취하다

B 뜻 새겨 보면서, 괄호 안 둘 중 하나 고르기.

08 The virus is (transmitting / transmitted) mainly via small respiratory droplets and aerosols through sneezing, coughing, talking or breathing.

09 No human masterpiece has ever (created / been created) without great labor. *Andre Gide*

10 The best and most beautiful things in the world cannot be seen or even touched; they (must feel / must be felt) with the heart. *Helen Keller*

08
transmit 전염시키다
respiratory 호흡(기)의
droplet 작은 물방울
aerosol
에어로졸(공기 중 미세한 입자)
sneeze 재채기하다

09
masterpiece 걸작[명작]
labor 노동

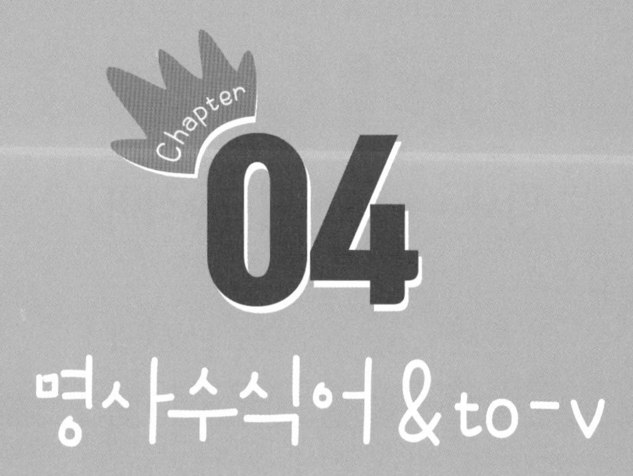

명사수식어 & to-v

Block Board Overview

- 영어문장에서 명사는 문장성분 중 주어/(동사·전치사) 목적어/보어 역할을 하는 핵심 요소이다.
- 명사는 형용사 외에도 여러 단어들이 합쳐진 v-ing/v-ed분사/to-v/전치사구(전치사 + 명사) 등의 수식을 받는다.
- 특히 뒤에 목적어/보어/부사어를 거느린 v-ing/v-ed분사는 명사 뒤에서 앞 명사를 수식하는데, 앞 명사와 능동 관계면 v-ing, 수동 관계면 v-ed분사를 쓴다(이는 매우 중요해 각종 시험에 자주 출제됨).
- to-v는 명사수식어 외에도, 동사를 수식하는 부사어로도 쓰이고, 형용사·부사를 수식하기도 한다.
- 전치사구(전치사 + 명사)는 명사수식어 외에도, 동사를 수식하는 부사어로도 쓰인다.

Unit 16

명사 + v-ing(명사수식어) ❙ 명사 + v-ing + 목적어/보어/부사어

주어	동사	명사 + v-ing	
Love	is composed of	a single soul	inhabiting two bodies.

Unit 17

명사 + v-ed분사(명사수식어) ❙ 명사 + v-ed분사 + 목적어/보어/부사어

명사 + v-ed분사		동사	보어
The fruit	derived from labor	is	the sweetest of pleasures.

Unit 18

명사 + 형용사구/to-v(명사수식어) ❙ 명사 + 형용사구/명사 + to-v

주어	동사	명사 + 형용사구	
Peace	is	the only battle	worth fighting.

Unit 19

전치사구(명사수식어/부사어) ❙ 명사 + 전치사구(전치사 + 명사)/주어 + 동사 + 전치사구(부사어)

주어	동사	명사 + 전치사구	
Democracy	is	government	of the people, by the people, and for the people.

Unit 20

to-v(부사어/형용사·부사수식어) ❙ 주어 + 동사 + to-v(부사어)/형용사·부사 + to-v

주어	동사	목적어	to-v
We	need	about 8 hours of sleep per night	to function optimally.

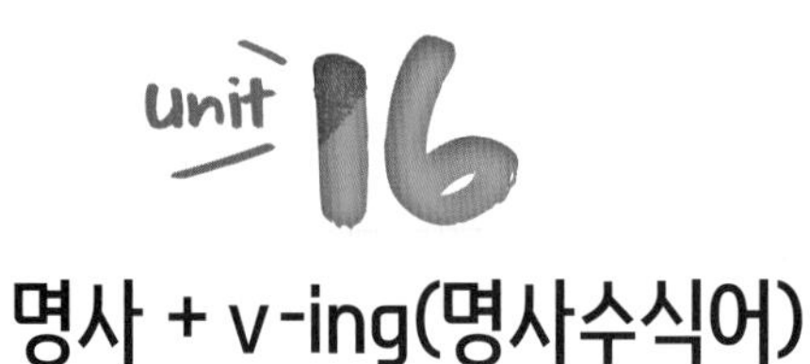

명사 + v-ing(명사수식어)

Block Board

명사 + v-ing + 목적어 / 보어 / 부사어

주어	동사	명사 + v-ing	
Love	is composed of	a single soul	inhabiting two bodies.

- **현재분사(v-ing) / 과거분사(v-ed분사)**
  - ▷ 현재분사(v-ing)는 진행형을 만들고, 과거분사(v-ed분사)는 완료형/수동태를 만듦.
  - ▷ 분사는 일종의 형용사로, 명사를 앞/뒤에서 수식함.
- **현재분사(v-ing) 명사 수식: 진행(~하고 있는) 또는 그냥 능동(~하는)의 의미.**
  - ▷ v-ing + 명사: 단독으로 앞에서 명사 수식(**앞수식**).

    falling leaves 떨어지고 있는 나뭇잎들　　working mothers 직장에 다니는 어머니들
  - ▷ 명사 + 〈v-ing + 목적어/보어/부사어〉: v-ing가 다른 것들을 거느리면 뒤에서 앞 명사 수식(**뒤수식**).

    all the people living life in peace 평화롭게 살아가는 모든 보통 사람들

Standard Sentences

01 Love is composed of a single soul **inhabiting** two bodies. 사랑은 두 몸에 사는 한 영혼으로 이루어져.

02 The most important single factor **influencing** learning is learners' prior knowledge. *David Ausubel*
↳ 학습에 영향을 미치는 가장 중요한 단일 요인은 학습자의 사전 지식이야. *prior 사전의

03 A true community consists of individuals **respecting** each other's individuality and privacy. 진정한 공동체는 서로의 개성과 사생활을 존중해 주는 개인들로 이루어져.

A 톡톡 튀는 영어문장 우리말로 바꾸기.

04 A work of art is a world in itself reflecting senses and emotions of the artist's world. *Hans Hofmann*

→ 예술 작품은 ______________________________.

05 The child approaching a new subject is like the scientist operating at the leading edge of his field. *Jerome Bruner*

→ ______________ 아이는 ______________ 과학자와 같아.

06 All comedy is talking about social issues and things affecting our lives.

→ 모든 코미디는 ______________________________.

07 A smartphone zombie or "smombie" is a walking person using a smartphone, not paying attention, and risking an accident.

→ 스마트폰 좀비 또는 '스몸비'는 ______________________________.

04
in itself 그 자체가
reflect 반영하다

05
approach 접근하다
operate 작업하다
leading edge 최첨단

06
affect ~에 영향을 미치나

07
risk ~의 위험을 무릅쓰다

B 뜻 새겨 보면서, 괄호 안 둘 중 하나 고르기.

08 A parallel universe in fantasy or science fiction is a world (coexist / coexisting) with and (have / having) certain similarities to the known world.

08
parallel 평행한
coexist 공존하다
similarity 유사점

09 Autumn leaves (fall / falling) down like pieces into place can be pictured after all these days.

09
picture
상상하다[마음속에 그리다]

10 We love a tale of heroes and villains, and conflicts (required / requiring) a neat resolution.

10
villain 악당
conflict 갈등
resolution 해결

11 Speculation is only a word (covered / covering) the making of money out of the manipulation of prices, instead of supplying goods and services. *Henry Ford*

11
speculation 투기
cover 다루다
manipulation 조작

Impressionism emphasizing accurate depiction of light in its changing qualities was a 19th-century art movement.

C 보기 (구)동사 골라 v-ing로 바꿔 멋진 문장 끝내주기.

보기
emphasize orbit pass wait for

emphasize 강조하다
orbit 궤도를 돌다

12 Impressionism ________ accurate depiction of light in its changing qualities was a 19th-century art movement.
변화하는 특성을 가진 빛의 정확한 묘사를 강조하는 인상주의는 19세기 미술 운동이었어.

12
impressionism 인상주의
depiction 묘사

13 An exoplanet (extrasolar planet) is a planet ________ a solar-type star outside the solar system.
외계 행성은 태양계 밖에서 태양 타입 항성의 궤도를 도는 행성이야.

13
exoplanet
외계 행성(태양계 밖 행성)
extrasolar 외계의

14 The world is full of magical things patiently ________ our wits to grow sharper. 세상은 우리의 지능이 더 예리해지기를 참을성 있게 기다리는 마법 같은 것들로 가득 차 있어.

14
patiently 끈기 있게[참을성 있게]
wit 기지[지능]

15 Smell is a strong evoker of memory due to the processing of stimuli ________ through the emotional seat of the brain.
냄새는 뇌의 감정 부위를 통과하는 자극의 처리 과정 때문에 기억을 강하게 환기시키는 것이야.

15
evoker 환기시키는 것
process 처리하다
stimulus 자극(복수형 stimuli)

명사 + v-ed분사(명사수식어)

Block Board

I 명사 + v-ed분사 + 목적어 / 보어 / 부사어 I

명사 + v-ed분사		동사	보어
The fruit	derived from labor	is	the sweetest of pleasures.

• **과거분사(v-ed분사) 명사 수식**: 타동사는 **수동**(~되는), 자동사는 **완료**(~한)의 의미.

▷ **v-ed분사 + 명사**: v-ed분사 단독으로 앞에서 명사 수식(**앞수식**).

a **planned** city 계획된 도시 (수동) a **grown** child 다 자란 아이 (완료)

▷ **명사 + 〈v-ed분사 + 부사어/보어/목적어〉**: v-ed분사가 다른 것들을 거느리면 뒤에서 앞 명사 수식(**뒤수식**).

the ideas **suggested** by students 학생들에 의해 제안되는 아이디어들 (수동)

Plus⊕ 명사와 수식 분사를 주어와 동사로 해서, 그 관계를 따져 보아 수동의 의미이면 v-ed분사를 써야 함. The ideas(주어) are suggested(수동태). (수동 관계)

Standard Sentences

01 The fruit **derived** from labor is the sweetest of pleasures. *Luc de Clapiers*
↳ 노동에서 얻어지는 열매는 기쁨들 중에서 가장 달콤해. *derive 얻다[끌어내다]

02 Poetry is the spontaneous overflow of powerful feelings **recollected** in tranquility. *William Wordsworth*
↳ 시는 평온함 속에서 회상되는 강렬한 감정의 자연스러운 넘쳐흐름이야. *spontaneous 자연스러운 tranquility 평온

03 Fake news consists of **deliberate false information spread** via traditional news media or online social media. 가짜 뉴스는 전통적 뉴스 미디어나 온라인 소셜 미디어를 통해 퍼지는 고의적인 허위 정보로 이루어져.

A 톡톡 튀는 영어문장 우리말로 바꾸기.

04 A child educated only at school is an uneducated child. *George Santayana*
→ ______________________ 교육받지 못한 아이야.

05 Common sense is the collection of prejudices acquired by age eighteen. *Albert Einstein*
→ 상식은 ______________________.

06 A cell of a higher organism contains a thousand different substances arranged in a complex system. *Herbert Jennings*
→ 고등 생물의 세포 하나는 ______________________.

07 Dance is the movement of the universe concentrated in an individual.
→ 춤은 ______________________.

04
educate 교육하다
uneducated 교육을 받지 못한[무식한]

05
collection 수집품
prejudice 편견
acquire 습득하다

06
contain 포함하다
substance 물질
arrange 배열하다

07
movement 움직임
concentrate 집중하다

B 뜻 새겨 보면서, 괄호 안 둘 중 하나 고르기.

08 A gene is a basic unit of heredity (finding / found) in the cells of all living organisms, from bacteria to humans.

09 Only people (affected / affecting) by the same disease understand each other. *Franz Kafka*

10 Mathematics is a game (played / playing) according to certain simple rules with meaningless marks on paper.

11 The cultural heritage (transmitted / transmitting) from generation to generation is recreated by communities in response to their environment.

> Dance is the movement of the universe concentrated in an individual.
>
> *Isadora Duncan*

08
gene 유전자
unit 단위
heredity 유전

09
affect 병이 나게 하다

10
meaningless
무의미한[의미 없는]

11
transmit 전하다
recreate 되살리다[재창조하다]
response 반응

C 보기 동사 골라 v-ed분사로 바꿔 멋진 문장 끝내주기.

보기

connect　find　impose　produce

impose 부과하다

12 Anyone ________ guilty of corruption will be dealt with in accordance with the law. 부정부패로 유죄 판결을 받은 누구나 법에 따라 처리될 거야.

13 GDP measures the total value of all goods and services ________ in a country in one year.
국내 총생산(GDP)은 일 년 동안 한 나라에서 생산된 모든 재화와 용역의 총 가치야.

14 The internal enemies of any state have betrayed the trust ________ upon them by the people.
어떤 국가든 내부의 적들이 민중에 의해 그들에게 부과된 신뢰를 배반해 왔어.

15 Cyberterrorism disrupts computer networks ________ to the Internet by means of viruses, phishing, and other malicious software.
사이버테러리즘은 바이러스, 피싱 사기, 그리고 다른 악성 소프트웨어로 인터넷에 연결된 컴퓨터 네트워크를 방해해.

12
guilty 유죄의
corruption 부패[타락]
in accordance with ~에 따라

13
GDP (gross domestic product) 국내 총생산
measure
(크기·양이) ~이다[측정하다]

14
internal 내부의
state 국가
betray 배신[배반]하다

15
disrupt 방해하다
by means of ~을 써서
phishing 피싱 사기
malicious 악의적인

명사 + 형용사구 / to-v(명사수식어)

Block Board

명사 + 형용사구 / 명사 + to-v

주어	동사	명사 + 형용사구	
Peace	is	the only battle	worth fighting.

- **명사 + 형용사구**: 형용사는 보통 앞에서 명사를 수식하지만, 두 단어 이상일 때는 뒤에서 수식(뒤수식).
  - ▷ 명사 + 〈worth + 명사[v-ing](~할 가치가 있는)〉
  - ▷ 명사 + 〈available to + 명사(~가 이용할 수 있는)〉
  - ▷ 명사 + 〈full of + 명사(~로 가득한)〉
  - ▷ 명사 + 〈similar to / different from + 명사(~와 비슷한/다른)〉
- **명사 + to-v**: to-v가 뒤에서 앞 명사 수식(뒤수식). (v하는/v할/v해야 할/v할 수 있는 ~)

  I have a song **to sing** for you. 난 네게 불러 줄 노래가 있어.
- **명사 + to be v-ed분사**: 수동형 to-v (v되는/v될/v되어야 할/v될 수 있는 ~) a problem **to be** solved 해결되어야 할 문제

Standard Sentences

01 Peace is the only battle **worth** fighting. *Albert Camus* 평화는 싸울 가치가 있는 유일한 투쟁이야.

02 People in grief need someone **to walk** with them without judging them. *Gail Sheehy*
↳ 비탄에 빠진 사람들은 그들을 판단하지 않고 그들과 함께 걸어 줄 누군가가 필요해. *grief 비탄[비통]

03 The deepest principle in human nature is the craving **to be** appreciated. *William James*
↳ 인간 본성의 가장 깊은 원리는 인정받으려는 욕구야. *craving 갈망[욕구] appreciate 인정하다

A 톡톡 튀는 영어문장 우리말로 바꾸기.

04 Dear restroom, you are a place to talk, cry, gossip and escape from my class. Sincerely, teenagers.

→ 화장실에게, 귀하는 ______________________ 곳입니다. 십대들 올림.

05 History is the long struggle of man to understand and act on his environment and himself. *E. H. Carr*

→ 역사란 ______________________ 오랜 투쟁이야.

06 Words are the most powerful force available to humanity; they have energy to help, to heal, to hurt, and to harm. *Yehuda Berg*

→ 말은 ______________ 힘인데, 그것들은 ______________ 갖고 있어.

07 Digital literacy refers to an individual's ability to find, evaluate, and create information on various digital platforms.

→ 디지털 리터러시는 ______________________ 가리켜.

04
gossip 험담[남 얘기]를 하다
escape 탈출하다[빠져나오다]

05
struggle 투쟁
act on
~에 작용하다[영향을 미치다]

06
available 이용할[구할] 수 있는
humanity 인류[인간]
heal 치유하다
harm 해치다

07
literacy
글을 읽고 쓸 수 있는 능력
refer to 가리키다[나타내다]
evaluate 평가하다

B 뜻 새겨 보면서, 괄호 안 둘 중 하나 고르기.

08 Democracy is a charming form of government (filled / full) of variety and disorder. *Plato*

09 Virtual reality (VR) is a simulated experience (similar / similarly) to or completely different from the real world.

10 Life is not a problem to be solved, but a reality to (experience / be experienced).

11 You are the main character of your life's story; it's time to give your audience something (to inspire / to be inspired) by. *Kevin Ngo*

> People in grief need someone to walk with them without judging them.
> *Gail Sheehy*

08
charming 매력적인
disorder 무질서

09
virtual reality 가상 현실
simulate
모방해 만들다[시뮬레이션하다]

11
inspire 영감을 주다

C 보기 동사 골라 to-v로 바꿔 멋진 문장 끝내주기.

보기

maximize　　remember　　solve　　stop or slow down　　take

12 Too often we give children answers ________ rather than problems ________. *Roger Lewin*

너무도 흔히 우리는 아이들에게 풀어야 할 문제 대신에 기억해야 할 답을 줘.

13 Social distancing is a set of infection control actions ________ the spread of a contagious disease.

사회적 거리 두기는 전염병의 확산을 멈추거나 늦추려는 일련의 전염 통제 조치야.

14 AI perceives its environment and takes actions ________ its chance of successfully achieving its goals.

인공 지능은 자신의 환경을 감지하고 목표를 성공적으로 달성할 기회를 최대화하는 조치를 취해.

15 Music has the healing power ________ people out of themselves for a few hours.

음악은 사람들에게 몇 시간 동안 근심을 잊게 하는 치유력을 가지고 있어.

maximize 최대화하다

13
infection 감염[전염병]
spread 확산
contagious 전염의

14
perceive 감지하다

unit 19

전치사구(명사수식어/부사어)

Block Board

I 명사 + 전치사구(전치사 + 명사) / 주어 + 동사 + 전치사구(부사어) I

주어	동사	명사 + 전치사구	
Democracy	is	government	of the people, by the people, and for the people.

- **명사 + 전치사구(전치사 + 명사)**: 전치사구(전치사 + 명사)가 뒤에서 앞 명사 수식(뒤수식). government **for** the people
- 주어 + 동사 + 전치사구(부사어): 전치사구(전치사 + 명사)가 문장의 뒤 또는 앞에서 동사/문장 수식.
- **전치사의 기본 의미**: 여러 가지 용법도 기본 의미에서 나오는 것이므로 꼭 익혀 둘 것.

of ~의 for ~을 위해/~ 때문에 from ~에서 to ~로/~에 대해 in ~ 안에 on ~ 위에 at ~ 점에 by ~에 의해 about ~에 관해[대해]
with ~와 함께 without ~ 없이 against ~에 반해[맞서] through ~을 통해 like ~같이 including ~을 포함해 except ~을 제외하고
despite ~에도 불구하고 between ~ 사이에 according to ~에 따르면 because of[due to] ~ 때문에 instead of ~ 대신에

Standard Sentences

01 Democracy is government **of** the people, **by** the people, and **for** the people. *Abraham Lincoln*
↳ 민주주의는 국민의, 국민에 의한, 국민을 위한 정치 체제야.

02 Strive **for** continuous improvement **instead of** perfection. 완벽 대신 지속적인 개선을 위해 노력해.

03 **Through** all my life, the new sights of Nature made me rejoice **like** a child. *Marie Curie*
↳ 평생 자연의 새로운 광경이 날 어린아이처럼 크게 기뻐하게 했어. *rejoice 크게 기뻐하다

A 톡톡 튀는 영어문장 우리말로 바꾸기.

04 Everyone has the right to freedom of thought, conscience and religion, and to freedom of opinion and expression. *Declaration of Human Rights*
→ 모든 사람은 ______________________________.

05 There are serious concerns about dangers in the areas of privacy and security in the Internet of Things.
→ ______________________________ 심각한 우려가 있어.

Up! **06** The laureates were awarded the prize for contributions to our understanding of the evolution of the universe and Earth's place in the cosmos. *Swedish Academy*
→ 수상자들은 ______________________________.

07 We are just an advanced breed of monkeys on a minor planet of a very average star, but we can understand the universe. *Stephen Hawking*
→ 우리는 ______________________________, 우리는 우주를 이해할 수 있어.

04
conscience 양심

05
concern 우려[걱정]
security 보안
Internet of Things 사물 인터넷

06
laureate 수상자
contribution 기여
evolution 진화

07
advanced 진화된
breed (품)종
minor 작은

B 뜻 새겨 보면서, 괄호 안 둘 중 하나 고르기.

08 Politics is war (with / without) bloodshed; war is politics (with / without) bloodshed. *Mao Zedong*

08
politics 정치
bloodshed 유혈 사태

09 Justice for crimes (for / against) humanity must have no limitations.

09
justice 처벌[정의]
limitation 공소 시효[제한]

10 Victims of bullying experience lower self-esteem and various negative emotions, (except / including) being scared, angry and depressed.

10
victim 피해자
bully 약자를 괴롭히다
self-esteem 자존감

11 Tragedy heals the audience (across / through) their experience of pity and fear in response to the suffering of the characters in the drama.

11
pity 연민[동정]
in response to ~에 (반)응하여

Through all my life,
the new sights of Nature
made me rejoice like a child.
Marie Curie

C 보기 딱 맞는 것 골라 멋진 문장 끝내주기.

보기

according to   because of   despite   except

12 Nothing occurs contrary to nature ______________ the impossible, and that never occurs.

불가능한 것을 제외하고는 아무것도 자연에 반해서 일어나지 않고, 그 불가능한 것은 절대 일어나지 않아.

12
occur 일어나다[발생하다]
contrary to ~에 반해서

13 History followed different courses for different peoples ______________ environmental differences, not biological differences.

역사는 생물학적 차이가 아니라 환경적 차이 때문에 각기 다른 민족들의 각기 다른 코스들을 따라갔어.

13
people 민족[국민]
(복수형 peoples)
biological 생물학적인

14 ______________ general relativity, the gravitational attraction between masses results from the distortion of space and time by those masses.

일반 상대성 이론에 따르면, 질량을 가진 물체들 사이의 중력은 그 질량들에 의한 시공간의 휘어짐으로부터 생겨.

14
gravitational attraction 중력
mass 질량
distortion 휘어짐[왜곡]

15 ______________ his hearing loss, Beethoven composed some of the world's most beautiful symphonies.

청력 상실에도 불구하고, 베토벤은 세상에서 가장 아름다운 교향곡들을 작곡했어.

15
loss 상실
compose 작곡하다
symphony 교향곡

unit 20

to-v(부사어/형용사·부사수식어)

Block Board

| 주어 + 동사 + to-v(부사어) / 형용사·부사 + to-v |

주어	동사	목적어	to-v
We	need	about 8 hours of sleep per night	to function optimally.

- 주어 + 동사 + to-v(부사어): to-v가 동사[형용사]를 수식하여, 목적/원인[이유]/결과 등을 나타냄.
  - ▷ 목적(v하기 위해[v하도록]): 가장 많이 쓰임(= **in order to**/**so as to**).
  - ▷ 원인[이유](v해서/v하다니): 감정의 원인(감정 형용사 + to-v)이나, 판단의 근거를 나타냄.
  - ▷ 결과(~해서 v하다): 예상 밖의 결과로 to-v가 되는 것을 나타냄. wake up **to find** / only **to-v**
- **형용사 + to-v**: v하기에 ~한 hard to understand 이해하기에 어려운 free to ask 묻기에 자유로운
- **too ~ to-v**: 너무 ~해서 v할 수 없는[v하기엔 너무 ~한]
- **~ enough to-v**: v할 만큼 충분히 ~한
- **so ~ as to-v**: v할 만큼 ~한

Standard Sentences

01 We need about 8 hours of sleep per night **to function** optimally during waking hours.
↳ 우리는 깨어있는 시간 동안 최적으로 기능하기 위해 하룻밤에 약 8시간의 수면이 필요해. *optimally 최적으로

02 Maybe one day we will be glad **to remember** even these hardships. *Virgil*
↳ 아마도 어느 날 우리는 이 어려움조차 기억하게 되어서 기쁠 거야.

03 A teenager is always **too** tired **to hold** a dishcloth, but never **too** tired **to hold** a phone.
↳ 십대는 늘 너무 피곤해서 행주는 들 수 없지만, 결코 전화기를 들기엔 너무 피곤하지 않아. *dishcloth 행주

A 톡톡 튀는 영어문장 우리말로 바꾸기.

04 Life is like riding a bicycle; to keep your balance, you must keep moving. *Albert Einstein*
→ 삶은 자전거를 타는 것과 같아서, ______________________.

04
keep 유지하다/계속 ~하다

05 He was eating pillow-shaped biscuits in his dream, and woke up to find the mattress half gone. *Fred Allen*
→ 그는 꿈에서 베개 모양의 비스킷을 먹고 있었는데, ______________________.

05
pillow 베개
half 반쯤
gone 없어진

06 The scientist must be free to ask any question, to doubt any assertion, to seek any evidence, and to correct any errors. *Robert Oppenheimer*
→ 과학자는 ______________________.

06
assertion 주장
evidence 증거
correct 바로잡다

07 In order to achieve anything you must be brave enough to fail.
→ ______________ 넌 ______________________.

07
achieve 성취하다

B 뜻 새겨 보면서, 괄호 안 둘 중 하나 고르기.

08 I was hugely relieved (discovering / to discover) there was a purpose for girls with loud voices.

09 Your dreams must be (big enough / enough big) not to lose sight of them. *Oscar Wilde*

10 I cannot speak (enough well / well enough) to be unintelligible.

11 You are never (so / too) old to set another goal or to dream a new dream. *C.S. Lewis*

Life is like riding a bicycle; to keep your balance, you must keep moving.

Albert Einstein

08 relieved 다행으로 여기는[안도하는]

09 lose sight of ~이 더 이상 안 보이게 되다

10 unintelligible 이해할 수 없는

11 set a goal 목표를 세우다

C 보기 딱 맞는 것 골라 멋진 문장 끝내주기.

보기

as to be | only to find | so as to damage | to write

12 Fake news is made up __________ a person or organization, or gain financially or politically.

가짜 뉴스는 개인이나 조직에 피해를 입히거나, 금전적이나 정치적으로 이익을 얻기 위해 지어내져.

13 __________ effective fantasies, authors rely on the readers' "suspension of disbelief," an acceptance of the unbelievable for enjoyment.

효과적인 공상 소설을 쓰기 위해 작가들은 독자들의 '불신 유보', 즉 즐거움을 위한 믿기 힘든 것의 수용을 필요로 해.

14 People may climb the ladder of success __________ that the ladder is leaning against the wrong wall.

사람들은 성공의 사다리를 타고 올라가서 사다리가 잘못된 벽에 기대어 있다는 것을 알게만 될지도 몰라.

Up! 15 There is nothing so likely to produce peace __________ well prepared to meet the enemy. *George Washington*

적과 대결할 준비가 잘 되어 있는 것만큼 평화를 가져올 가능성이 큰 건 아무것도 없어.

12 organization 조직 gain (이익을) 얻다

13 suspension 유보 disbelief 불신 acceptance 수락[수용]

14 ladder 사다리 lean 기대다

15 likely to-v v할 가능성이 있는[할 것 같은] meet 만나다[대결하다]

Chapter 04 Review

A 오색빛깔 영어문장 우리말로 바꾸기.

01 There is no fundamental difference between man and animals in their ability to feel pleasure and pain, happiness and misery. *Charles Darwin*

02 A people without the knowledge of their history and culture is like a tree without roots. *Marcus Garvey*

Up! **03** The Information Age is a period characterized by the shift from traditional industry to an economy based upon information technology.

04 Most people have the will to win; few have the will to prepare to win. *Bobby Knight*

05 Fear is the "preparation energy" to do your best in a new situation.

06 Countries must work together and learn from one another in order to create a better world for all people.

07 To be a lighthouse, you must be strong enough to resist every storm and loneliness, and you must have a light inside you! *Mehmet Ildan*

B 뜻 새겨 보면서, 괄호 안 둘 중 하나 고르기.

08 A person (used / using) virtual reality equipment is able to look around the artificial world and interact with virtual features or items.

09 Most remarks (made / making) by children consist of correct ideas very badly expressed. *W. Sawyer*

10 We are already seeing an increase of extreme weather events (disrupted / disrupting) lives across the region.

01
fundamental 근본[본질]적인
pain 고통
misery 고통[불행]

02
root 뿌리

03
characterize 특징짓다
shift 변화

04
will 의지

05
fear 두려움

06
one another 서로

07
lighthouse 등대
resist 견디다[참다]
loneliness 외로움

08
equipment 장비
artificial 인공의
feature 특징

09
remark 발언[말]
correct
맞는[정확한]/옳은[적절한]

10
disrupt 방해하다
across ~에 걸쳐[온 ~에]

A Day Without Laughter is a Day Wasted.

웃지 않는 날은 허비되는 날이야. *Charlie Chaplin*

01 All generalizations are false, including this one. *Mark Twain*
모든 일반화는 틀려. 이것도 포함하여.

02 Dear math, Go buy a calculator and solve your own problems. I'm a teenager, not a therapist.
수학에게, 가서 계산기를 사서 자신의 문제를 (스스로) 풀어. 난 십대이지 (문제를 해결해 주는) 치료사가 아니야.

03 During a test people look up for inspiration, down in desperation, and left and right for information.
시험 보는 동안 사람들은 영감을 얻기 위해 위를 보고, 자포자기해 아래를 보고, 정보를 찾기 위해 좌우를 봐.

04 I wrote this on the board: William Shakespeare(1564-1616), and a student asked me, "Is that Shakespeare's real phone number? *Kevin M.*
내가 칠판에 '윌리엄 셰익스피어(1564–1616)' 이렇게 쓰자, 한 학생이 "그게 셰익스피어의 진짜 전화번호인가요?"라고 내게 물었어.

05 You should always go to other people's funerals, otherwise, they won't come to yours. *Yogi Berra*
넌 항상 다른 사람들의 장례식에 가야 해. 그렇지 않으면 그들이 네 장례식에 오지 않을 거야.

06 Q: What do maps and fish have in common? A: Both have scales.
Q: 지도와 물고기는 무엇을 공통으로 가질까? A: 둘 다 scale(축척 / 비늘)이 있어.

07 Q: You find me in December, but not in any other month. What am I?
A: The letter D!
Q: 넌 나를 12월에는 찾지만, 다른 어느 달에도 못 찾아. 난 뭘까? A: 글자 D!

08 Q: Why do magicians do so well in school?
A: They're good at trick questions.
Q: 마술사들은 왜 학교에서 공부를 아주 잘할까? A: 그들은 함정 있는 문제를 잘 풀거든.
유머 코드 속임수에 능한 마술사에 빗대어, 함정 있는 문제가 출제되는 학교 시험을 꼬집는 것.

09 Teacher: Can anyone give me a sentence with a direct object?
Student: You are pretty. Teacher: What's the direct object?
Student: A good report card.
선생님: 누가 내게 직접 목적어(직접적 목적)가 있는 문장을 말해 줄 수 있니? 학생: 선생님은 예뻐요.
선생님: 직접 목적어(직접적 목적)가 무엇이니? 학생: 좋은 성적표요.
유머 코드 선생님에게 학생이 아부해 좋은 성적을 얻으려는 직접적 목적을 이루려고 [illegible] 못 말리는 학생

10 Dad: Can I see your report card, son? Son: I don't have it.
Dad: Why?
Son: I gave it to my friend. He wanted to scare his parents.
아빠: 아들, 네 성적표 좀 볼까? 아들: 성적표 없는데요.
아빠: 왜? 아들: 전 그걸 친구에게 줬어요. 그가 자기 부모님을 겁주고 싶어 했거든요.

01
generalization 일반화

02
calculator 계산기
therapist 치료사

03
inspiration 영감
desperation 자포자기(절망)

08
magician 마술사
trick 마술/교묘한(함정 있는)

이 게임은 영어문장 완전 정복을 위한 '단계적[나선형] 학습' 과정이 3단계로 이루어져,
게임자는 게임을 즐기는 사이 자연스레 영어문장의 전체 숲에서 세부 나무들로 나아가게 된다.

* 이번 STAGE II에서는 STAGE I에서 이미 득템한 영어문장의 기본 골격에 구 · 절이라는 멋진 살을 붙여, 영어문장 습득의 최고봉에 오르는 나선 계단의 중심부를 확고히 구축한다.
* 단, 여기에 영어문장을 복잡하게 하는 부사절이나 특수 구문은 (극소수 예외를 제외하곤) 아직 출연하지 않는다.
* 세심하게 통제된 감동적인 문장들을 통해 게임자는 영어문장의 주성분인 주어 · 보어 · 목적어를 이루는 명사구 · 명사절과 더불어, 명사수식어인 관계절을 차례로 정복해 나갈 것이다.
* Chapter 5 · 6에서 주어/보어/목적어로 쓰이는 v-ing/to-v와, Chapter 7 · 8에서 주어/보어/목적어로 쓰이는 that절/whether절/what절/wh-절과 게임을 벌이게 된다.
* Chapter 9에서는 영어문장을 복잡하게 하는 데 한몫 톡톡히 하는 명사수식어인 관계절을 마스터해, STAGE I에 이어 이제 모든 명사수식어와 친하게 지내게 된다.
* 이로써 게임자는 영어문장의 뼈와 살, 숲과 나무를 이미 체화하게 되고, 영어문장 완전 정복에 이르는 마지막 관문만을 남겨 두게 된다.

Stage Ⅱ

주어/보어/목적어구·절 & 관계절

Block Board Overview

- 영어의 동사는 주어와 함께 문장을 만드는 필수 성분이며, 주어의 인칭·수·시제에 따라 형태가 변한다.
- 이와는 달리 v-ing와 to-v는(v-ing/v-ed분사도 ➲Unit 16·17) 주어의 인칭·수·시제에 따라 형태가 변하지 않고 문장의 동사도 되지 못한다. 즉 동사인 듯 동사 아닌 것이다.
- v-ing는 동사처럼 목적어·보어·부사어를 거느릴 수 있고, 명사 기능을 해 문장에서 주어/보어/(타동사·전치사) 목적어로 쓰인다(v하는 것).
- to-v는 동사처럼 목적어·보어·부사어를 거느릴 수 있고, 명사 기능을 해 문장에서 주어/보어/목적어로 쓰인다(v하는 것).
- to-v는 이 밖에도 명사수식어/부사어/형용사·부사수식어 기능을 한다. ➲Unit 18·20
- 주어로서의 v-ing와 to-v는 it(형식주어)을 앞세우고 문장 뒤로 빠질 수 있다.
- v-ing와 to-v는 동사처럼 완료형(having + v-ed분사/to have + v-ed분사)과 수동형(being + v-ed분사/to be + v-ed분사)도 있다.

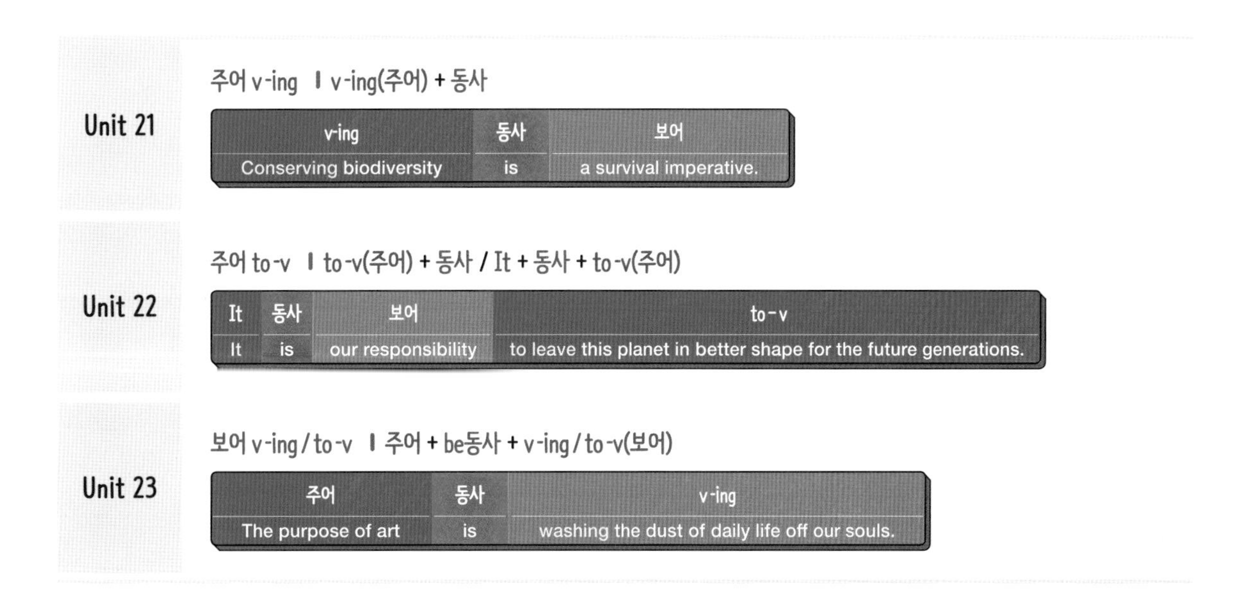

Unit 21 주어 v-ing | v-ing(주어) + 동사

v-ing	동사	보어
Conserving biodiversity	is	a survival imperative.

Unit 22 주어 to-v | to-v(주어) + 동사 / It + 동사 + to-v(주어)

It	동사	보어	to-v
It	is	our responsibility	to leave this planet in better shape for the future generations.

Unit 23 보어 v-ing/to-v | 주어 + be동사 + v-ing/to-v(보어)

주어	동사	v-ing
The purpose of art	is	washing the dust of daily life off our souls.

Unit 21

주어 v-ing

Block Board

| v-ing(주어) + 동사 |

v-ing	동사	보어
Conserving biodiversity	is	a survival imperative.

- **v-ing + (목적어/보어/부사어)**: 동사처럼 목적어/보어/부사어가 함께 쓰일 수 있고, 명사의 기능을 하여 문장에서 주어/보어/(타동사·전치사) 목적어로 쓰임. (v하는 것)
- **v-ing(주어) + 동사**: **Killing** time murders **opportunities**. 시간을 죽이는 것은 기회를 죽인다.
- **not + v-ing**: v-ing의 부정은 v-ing 바로 앞에 not을 붙여 나타냄. (v하지 않는 것) **not having** time to think
- **being + v-ed분사**: 의미상 주어와의 관계가 수동이면 수동형 **being + v-ed분사**로 나타냄. (v되는 것)
- **having + v-ed분사**: 본동사보다 앞선 시간이나 완료를 나타낼 때는 **having + v-ed분사**를 씀.
- **It**(형식주어) **+ be동사 + no use/worth/nice + v-ing**(진주어): v하는 것은 소용없다/가치 있다/좋다

Standard Sentences

01 Conserving biodiversity is not a luxury in our times but a survival imperative. *Vandana Shiva*
↳ 생물의 다양성을 보존하는 것은 우리 시대의 사치가 아니라 생존에 긴요한 일이야. *conserve 보호[보존]하다 imperative 긴요한 것

02 Not having time to think may be not having the wish to think. *John Steinbeck*
↳ 생각할 시간이 없는 것은 생각하고 싶은 마음이 없는 것일지도 몰라.

03 It's no use blaming the looking glass if your face is untidy. 얼굴이 깔끔하지 못하면 거울을 탓해야 소용없어.

A 톡톡 튀는 영어문장 우리말로 바꾸기.

04 Quitting smoking is easy; I've done it hundreds of times. *Mark Twain*
→ ______________________, 난 그걸 수백 번 해 봤어.

04 quit 끊다[그만하다]

05 Anything can look like a failure in the middle; pushing through this challenging mid-point is the only path to success. *Rosabeth Kanter*
→ 무엇이든 도중엔 실패처럼 보일 수 있는데, ______________ 성공으로 가는 유일한 길이야.

05 push through 통과하다[끝까지 해내다] challenging 도전적인 mid-point 중간 (지점)

06 Having seen something is not as good as knowing it; knowing it is not as good as putting it into practice. *Xunzi(순자)*
→ ______________________ 그것을 아는 것만큼 좋지는 않고, ______________________ 그걸 실행에 옮기는 것만큼 좋지는 않아.

06 put ~ into practice ~을 실행에 옮기다

07 This is your life; it is worth risking everything to make it yours.
→ 이건 네 삶이니, 그걸 네 것으로 만들기 위해 ______________________.

07 risk ~의 위험을 무릅쓰다

B 뜻 새겨 보면서, 괄호 안 둘 중 하나 고르기.

08 (Sing / Singing) sad songs often has a way of healing a situation.

08 heal 치유하다

09 Sometimes (doing not / not doing) something is the best form of self-love.

09 self-love 자기애

10 (Loving deeply / Being deeply loved) by someone gives you strength; loving someone deeply gives you courage. *Lao Tzu* (노자)

10 courage 용기

11 (It / That) is nice finding the place where you can just go and relax.

11 relax 쉬다

"Using social media
to hurt and destroy
is acted out by cowards
hiding behind computers."
Martin Garrix

C 보기 동사 골라 v-ing로 바꿔 멋진 문장 끝내주기.

보기

raise　understand　use　walk

raise 높이다[올리다]

12 __________ awareness on the most pressing environmental issues of our time is more important than ever. *Leonardo DiCaprio*

우리 시대의 가장 긴급한 환경 문제에 대한 의식을 높이는 것이 그 어느 때보다 더 중요해.

12 awareness 의식 / pressing 긴급한

13 __________ economics can help you make better decisions and lead a happier life.

경제학을 이해하는 건 네가 더 나은 결정을 하고 더 행복한 삶을 살도록 도울 수 있어.

13 economics 경제학 / lead a ~ life ~한 삶을 살다

14 __________ at a moderate pace for an hour a day is considered a moderately intense level of exercise.

하루에 한 시간 동안 적당한 속도로 걷는 것이 적당한 강도의 운동으로 여겨져.

14 moderate 적당한 / pace 속도 / intense 강렬한 / level 정도

15 __________ social media to hurt and destroy is acted out by cowards hiding behind computers.

상처 주고 파괴하기 위해 소셜 미디어를 사용하는 짓이 컴퓨터 뒤에 숨어 있는 겁쟁이들에 의해 행해져.

15 act out 실행하다 / coward 겁쟁이

unit 22

주어 to-v

Block Board

to-v(주어) + 동사 / It + 동사 + to-v(주어)

It	동사	보어	to-v
It	is	our responsibility	to leave this planet in better shape for the future generations.

- to-v + (목적어/보어/부사어): 동사처럼 목적어/보어/부사어와 함께 쓰일 수 있고, 명사의 기능을 하여 문장에서 주어/보어/목적어로 쓰임.(v하는 것)
- to-v(주어) + 동사: To keep your secret is wisdom. 네 비밀을 지키는 것은 현명한 일이다.
- It(형식주어) + 동사 ~ + to-v(진주어): to-v 주어는 보통 형식주어 it을 앞세우고 뒤로 빠짐.
- It(형식주어) + 동사 ~ + for 명사(의미상 주어) + to-v(진주어): to-v의 의미상 주어를 밝힐 필요가 있을 때.
- It(형식주어) + be동사 + 성격 형용사(kind/wise/silly/careless) + of 명사(의미상 주어) + to-v(진주어)
- not + to-v: to-v의 부정은 to-v 바로 앞에 not을 붙여 나타냄. not to know something

Standard Sentences

01 It's all of our responsibility to leave this planet in better shape for the future generations. *Mike Huckabee*
↳ 이 지구를 미래 세대들에게 더 나은 상태로 남겨 주는 것은 우리 모두의 책임이야.

02 To keep your secret is wisdom, but to expect others to keep it is folly. *Samuel Johnson*
↳ 네 비밀을 지키는 것은 현명한 일이지만, 다른 이들이 그걸 지킬 거라 기대하는 것은 어리석은 생각이야. *folly 어리석음

03 It is always possible for a scientific law to be contradicted, restricted, or extended by future observations. 과학 법칙이 미래의 관찰에 의해 반박되거나 제한되거나 확장되는 것은 언제나 가능해. *contradict 부정(반박)하다

A 톡톡 튀는 영어문장 우리말로 바꾸기.

04 To find fault is easy; to do better may be difficult. *Plutarch*
→ ______________ 쉽지만, ______________ 어려울지도 몰라.

05 To study and not think is a waste; to think and not study is dangerous. *Confucius(공자)*
→ ______________ 낭비고, ______________ 위험해.

06 It is better to fail in originality than to succeed in imitation.
→ ______________________________ 더 나아.

07 The dead cannot cry out for justice; it is a duty of the living to do so for them. *Lois Bujold*
→ 죽은 이들은 정의를 위해 외칠 수 없으니, ______________ 산 자들의 의무야.

04
fault 잘못

06
originality 독창성
imitation 모방

07
cry out 외치다
duty 의무

B 뜻 새겨 보면서, 괄호 안 둘 중 하나 고르기.

08 (Not know / Not to know) is bad; (not wish / not to wish) to know is worse. *African Proverb*

09 It's common (for / of) a video game addict to spend over 10 hours a day gaming, and suffer from sleep deprivation.

10 It was silly (for / of) me to get angry about something so small.

11 It is wise (for / of) you to become more flexible and cooperative.

09
addict 중독자
deprivation 부족[박탈]

10
silly 어리석은

11
flexible 융통성 있는[유연한]
cooperative 협조적인

"To regard old problems from a new angle requires creative imagination and marks real advance in science."
Albert Einstein

C 보기 동사 골라 to-v로 바꿔 멋진 문장 끝내주기.

보기

dwell enable regard show

12 It does not do __________ on dreams and forget to live.
꿈들을 곱씹으며 (실제로) 사는 걸 잊어버리는 것은 적절하지 않아.

13 It takes a lot of courage __________ your dream to someone else.
네 꿈을 다른 사람에게 보여주는 데는 많은 용기가 필요해.

14 __________ old problems from a new angle requires creative imagination and marks real advance in science.
오래된 문제들을 새로운 시각에서 보는 것은 창의적인 상상력이 필요하고 진정한 과학의 발전을 나타내.

15 __________ man to understand the past and to increase his mastery over the present is the dual function of history. *E. H. Carr*
인간이 과거를 이해하고 현재에 대한 지배력을 높일 수 있도록 하는 것이 역사의 이중 기능이야.

dwell on 곱씹다

12
do 적절하다

13
take 필요하다

14
angle 각도[시각]
mark 나타내다
advance 발전

15
mastery 지배(력)
dual 이중의
function 기능

unit 23

보어 v-ing / to-v

Block Board

I 주어 + be동사 + v-ing / to-v(보어) I

주어	동사	v-ing
The purpose of art	is	washing the dust of daily life off our souls.

• 주어 + be동사 + v-ing(보어): Loving yourself is **loving** the universe. 너 자신을 사랑하는 건 우주를 사랑하는 것이다.
 ▹ **being + v-ed분사**: 의미상 주어와의 관계가 수동이면 수동형 **being + v-ed분사**로 나타냄.(v되는 것)
 ▹ **not + v-ing**: v-ing의 부정은 v-ing 바로 앞에 not을 붙여 나타냄. **not having** any money

• 주어 + be동사 + to-v(보어): The hardest work is **to go** idle. 가장 힘든 일은 할 일이 없어지는 것이다.
 ▹ **for 명사**(의미상 주어) **+ to-v**: to-v의 의미상 주어를 밝힐 필요가 있을 때는 to-v 앞에 〈for + 명사〉.
 ▹ **to be + v-ed분사**: 의미상 주어와의 관계가 수동이면 to-v 수동형 **to be + v-ed분사**로 나타냄.(v되는 것)
 to understand and **to be understood** 이해하고 이해되는 것

Standard Sentences

01 The purpose of art is washing the dust of daily life off our souls. *Pablo Picasso*
↳ 예술의 목적은 우리의 영혼에서 일상의 먼지를 씻어 내는 거야.

02 One of the most beautiful qualities of true friendship is to understand and to be understood. *Seneca*
↳ 참된 우정의 가장 아름다운 특징 중 하나는 이해하고 이해받는 거야. *quality 특징[특성]

03 The only thing necessary for the triumph of evil is for good men to do nothing. *Edmund Burke*
↳ 악의 승리에 필요한 유일한 것은 선한 사람들이 아무것도 안 하는 거야. *triumph 승리 evil 악

A 톡톡 튀는 영어문장 우리말로 바꾸기.

04 The only thing worse than being blind is having sight but no vision.
→ 눈이 먼 것보다 더 나쁜 유일한 것은 ______________________.

05 Being young is not having any money; being young is not minding not having any money. *Katharine Whitehorn*
→ 젊다는 건 ______________, 젊다는 건 ______________.

06 The way to get started is to quit talking and begin doing. *Walt Disney*
→ 시작하는 법은 ______________________.

Up! **07** The goal of education is not to increase the amount of knowledge but to create the possibilities for a child to invent and discover.
→ 교육의 목표는 ______________________.

04
sight 시력
vision 비전[전망]

05
mind 신경 쓰다

07
possibility 기회

B 뜻 새겨 보면서, 괄호 안 둘 중 하나 고르기.

08 Growing up is (losing / loss) some illusions in order to acquire others. *Virginia Woolf*

08
illusion 환상
acquire 얻다[획득하다]

09 The purpose of intellectual property law is (encouragement / to encourage) the creation of a wide variety of intellectual goods.

09
intellectual property 지식 재산
encourage 장려하다

10 Courage is not living without fear, but (to be / being) scared to death and doing the right thing anyway. *Chae Richardson*

10
scared 무서워하는
to death 죽도록
anyway 그래도[어쨌든]

11 Happiness is (being not / not being) pained in body or troubled in mind. *Thomas Jefferson*

11
pain 고통스럽게 하다
trouble 괴롭히다

“The goal of education is not to increase the amount of knowledge but to create the possibilities for a child to invent and discover.”
Jean Piaget

C 보기 딱 맞는 것 골라 멋진 문장 끝내주기.

보기
becoming　moving　to be prepared　to give

12 Dancing is ______________ to the music without stepping on anyone's toes, pretty much the same as life.
춤은 삶과 거의 같이 누구의 발가락도 밟지 않으면서 음악에 맞춰 움직이는 거야.

12
step on 밟다
pretty much 거의
the same as ~ ~와 같은[같이]

13 Learning a new language is ______________ a member of the community of speakers of that language.
새로운 언어를 배우는 것은 그 언어 사용자들 공동체의 일원이 되는 거야.

13
community 공동체

14 The best way to handle an emergency is ______________ for every situation. 비상사태에 대처하는 최선의 방법은 모든 상황에 준비되어 있는 거야.

14
handle 다루다[처리하다]
emergency 비상(사태)

15 To love yourself right now, just as you are, is ______________ yourself heaven.
그냥 너인 그대로, 바로 지금 너 자신을 사랑하는 것이 너 자신에게 천국을 선사하는 거야.

15
heaven 천국

Chapter 05 Review

A 오색빛깔 영어문장 우리말로 바꾸기.

01 Doing the best at this moment puts you in the best place for the next moment. *Oprah Winfrey*

02 One's only failure is failing to live up to one's own possibilities. *Abraham Maslow*

03 To live is to suffer; to survive is to find some meaning in the suffering. *Friedrich Nietzsche*

04 To talk eloquently is a great art, but an equally great one is to know the right moment to stop. *Wolfgang Amadeus Mozart*

05 It takes a great deal of bravery to stand up to our enemies, but just as much to stand up to our friends.

06 The purpose of anthropology is to make the world safe for human differences.

07 The aim of "surrealism" is to resolve the contradiction of dream and reality into an absolute reality, a super-reality. *André Breton*

B 뜻 새겨 보면서, 괄호 안 둘 중 하나 고르기.

08 (Not having / Having not) a clear goal leads to nothing by a thousand compromises.

09 It is no use (speaking / to speak) in soft, gentle tones if everyone else is shouting.

10 It is easier (for / of) a camel to go through the eye of a needle than for a rich man to enter the kingdom of God. *Jesus*

02
live up to ~에 부응하다
possibility 가능성

03
suffer 고통받다
survive 살아남다[살아가다]

04
eloquently 유창하게
art 기술

05
bravery 용기
stand up to ~에 맞서다

06
anthropology 인류학

07
surrealism 초현실주의
resolve 해결하다
contradiction 모순

08
clear 분명한
lead to ~에 이르다
compromise 타협

09
gentle 조용한[온화한]

10
camel 낙타
needle 바늘

목적어구

Block Board Overview

- v-ing와 to-v는 동사처럼 목적어·보어·부사어를 거느릴 수 있고, 명사 기능을 해 문장에서 목적어로 쓰인다(v하는 것).
- 타동사 중에는 v-ing/to-v만을 목적어로 하는 동사, v-ing/to-v 둘 다 목적어로 하면서 의미 차이가 거의 없는 동사, v-ing/to-v 둘 다 목적어로 하면서 의미 차이가 나는 동사가 있다.
- to-v(V)가 목적보어로 쓰일 수 있는데, 이때 목적어와 to-v(V)는 의미상 주어-서술어 관계이다.
- v-ing/v-ed분사도 목적보어로 쓰이는데, 목적어와 목적보어의 의미상 관계가 진행이면 v-ing, 수동이면 v-ed분사를 쓴다.
- 전치사의 목적어로 동사가 올 때는 반드시 v-ing 꼴이 되어야 한다.

Unit 24

목적어 v-ing | 주어 + 동사 + v-ing(목적어)

주어	동사	v-ing
Winners	enjoy	working in the present toward the future.

Unit 25

목적어 to-v | 주어 + 동사 + to-v(목적어)

주어	동사	to-v
You	shouldn't agree	to be slaves in an authoritarian structure.

Unit 26

목적어 v-ing / to-v | 주어 + 동사 + v-ing / to-v(목적어)

주어	동사	to-v
We	continue	to shape(shaping) our personality all our life.

Unit 27

목적보어 to-v | 주어 + 동사 + 목적어 + to-v(목적보어)

주어	동사	목적어	to-v
Experience	enables	you	to recognize a mistake.

Unit 28

목적보어 V / v-ing / v-ed분사 | 주어 + 동사 + 목적어 + V / v-ing / v-ed분사(목적보어)

주어	동사	목적어	V	부사어
No one	can make	you	feel inferior	without your consent.

Unit 29

전치사목적어 v-ing | 전치사 + v-ing

주어	동사	전치사 + v-ing		전치사 + v-ing
A man	is not paid	for having a head and hands,	but	for using them.

unit 24

목적어 v-ing

Block Board

I 주어 + 동사 + v-ing(목적어) I

주어	동사	v-ing
Winners	enjoy	working in the present toward the future.

- **주어 + 동사 + v-ing + (목적어/보어/부사어)**: v-ing가 목적어/보어/부사어와 함께 동사의 목적어로 쓰임.
  I enjoy watching (× ~~to watch~~) sci-fi movies. 난 공상 과학 영화를 보는 것을 즐긴다.
- **v-ing만을 목적어로 하는 동사**: 주로 현재/과거의 일.(v하는[한] 것을 ~)
  enjoy imagine 상상하다 consider recommend 권(고)하다 suggest 제안하다 involve 포함(수반)하다 go on keep (on) 계속하다 stop quit 그만두다 finish give up 포기하다 put off 미루다 avoid (회)피하다 mind 꺼리다 deny 부인하다 admit 인정하다 risk 위험을 무릅쓰다 etc.
- **(대)명사 소유격[목적격] + v-ing**: v-ing의 의미상 주어는 v-ing 바로 앞에 (대)명사 소유격[목적격].
  Imagine all the people(의미상 주어) **living** life in peace.

Standard Sentences

01 Winners learn from the past and enjoy working in the present toward the future. *Denis Waitley*
↳ 성공하는 사람들은 과거로부터 배우고, 미래를 위해 현재 일하는 걸 즐겨.

02 We cannot put off living until we are ready. *Ortega Gasset* 우리는 준비될 때까지 사는 걸 미룰 순 없어.

03 Imagine all the people living life in peace and sharing all the world. *John Lennon*
↳ 모든 사람들이 평화롭게 살아가면서 온 세상을 나누는 걸 상상해 봐.

A 톡톡 튀는 영어문장 우리말로 바꾸기.

04 We can never give up longing and wishing while we are thoroughly alive. *George Eliot*

→ 우리는 완전히 살아 있는 동안 ______________________.

05 Never mind searching for who you are. *Robert Breault*

→ ______________________.

06 Avoid using the word "very" because it's lazy; a man is not very tired, he is exhausted. *Movie "Dead Poets Society"*

→ ______________________. 어떤 사람이 매우 피곤한 게 아니라, 그는 기진맥진한 거야.

07 The process of the scientific method involves making hypotheses, deriving predictions from them, and carrying out experiments.

→ 과학적 방법의 과정은 ______________________.

04
long 열망[갈망]하다
thoroughly 완전히

05
not[never] mind 기꺼이 ~하다
search for 찾다

06
lazy 게으른(성의가 부족한)
exhausted 기진맥진한(탈진한)

07
hypothesis 가설
derive 끌어내다[얻다]
prediction 예측
carry out 수행하다

B 뜻 새겨 보면서, 괄호 안 둘 중 하나 고르기.

08 I recommend (limiting / to limit) one's involvement in other people's lives to a minimum.

09 Have you ever considered (quitting / to quit) school?

10 Two teenagers deny (attempting / to attempt) to rob a schoolboy after chasing him into an alley.

11 Keep your feet on the ground and keep (reaching / to reach) for the stars.

"Keep your feet on the ground and keep reaching for the stars."

Casey Kasem

08
involvement 관여
minimum 최소한

10
attempt 시도하다
chase 뒤쫓다
alley 골목

11
reach for ~로 손을 뻗다
! keep: (특정한 위치에) 계속 있다
keep (on): 계속 ~하다

C 보기 동사 골라 알맞은 꼴로 바꿔 멋진 문장 끝내주기.

보기

be eat save write

12 FAO suggests ____________ insects as a possible solution to environmental degradation caused by livestock production.

유엔 식량 농업 기구는 가축 생산에 의해 야기되는 환경의 저하에 대한 가능한 해결책으로 곤충을 먹을 것을 제안해.

13 You cannot go on indefinitely __________ just an ordinary, decent egg; we must be hatched or go bad.

넌 계속 무기한 그저 보통의 제대로 된 계란일 수는 없어. 우리는 부화되거나 상해야 해.

14 The author should die once he has finished __________, so as not to trouble the path of the text. *Umberto Eco*

작가는 글의 진로를 방해하지 않기 위해, 일단 글쓰기를 끝내면 사라져야 해.

Up! **15** It is better to risk __________ a guilty man than to condemn an innocent one. *Voltaire*

한 죄 없는 사람에게 유죄 판결하는 것보다 죄 있는 사람의 죄를 면하게 하는 위험을 감수하는 게 더 나아.

12
degradation 저하
livestock 가축

13
indefinitely 무기한으로
decent 제대로 된
hatch 부화하다

14
once 일단 ~하면
trouble 괴롭히다[방해하다]
path 길[진로]

15
condemn 유죄 판결하다
innocent 무죄의

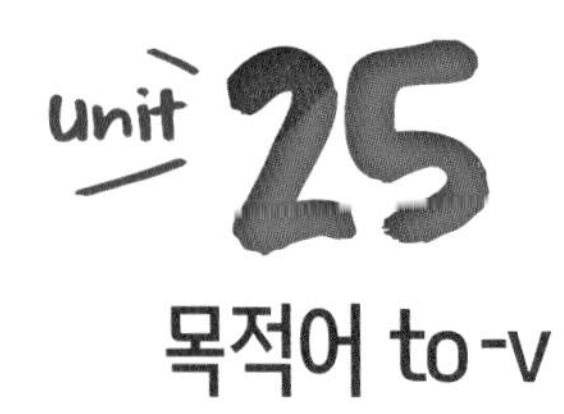

목적어 to-v

Block Board

| 주어 + 동사 + to-v(목적어) |

주어	동사	to-v
You	shouldn't agree	to be slaves in an authoritarian structure.

- 주어 + 동사 + to-v + (목적어/보어/부사어): to-v가 목적어/보어/부사어와 함께 동사의 목적어로 쓰임.
  I want **to learn** how to play the guitar. 난 기타 치는 법을 배우기를 원한다.
- to-v만을 목적어로 하는 동사: 주로 미래의 일.(v할 것을 ~)
  want hope expect plan decide choose need agree refuse 거절하다 promise learn attempt 시도하다 fail 실패하다 etc.
- 동사 + wh-(what/where/how 등) + to-v: ⟨wh- + to-v⟩가 목적어로 쓰임. (무엇을/어디서/어떻게 v해야 할지를 ~하다)
  • know what to do 무엇을 할지 알다 • tell you how to do 어떻게 할지 너에게 말해 주다

Standard Sentences

01 You shouldn't agree **to be slaves in an authoritarian structure.** *Noam Chomsky*
↳ 넌 권위주의적 구조의 노예가 되는 걸 동의해선 안 돼. *authoritarian 권위주의적인[독재적인]

02 The Internet of Things promises **to reshape our lives as fundamentally as the introduction of the railway.**
↳ 사물 인터넷은 철도의 도입만큼 근본적으로 우리 생활의 모습을 바꿀 것 같아. *promise 약속하다[~일 것 같다] reshape 모양을 바꾸다

03 I don't need **to know everything**; I just need **to know where to find it.** *Albert Einstein*
↳ 난 모든 걸 알 필요는 없고, 단지 그걸 어디서 찾아야 할지 알기만 하면 돼.

A 톡톡 튀는 영어문장 우리말로 바꾸기.

04 If you fail **to plan**, you are planning **to fail.** *Benjamin Franklin*
→ ______________________________.

05 People do not decide **to become extraordinary**; they decide **to accomplish extraordinary things.** *Edmund Hillary*
→ 사람들은 ______________________________.

05
extraordinary 비범한
accomplish 성취하다

Think **06** The media does not tell us **what to think**; it tells us **what to think about.** *Walter Lippmann*
→ 대중 매체는 우리에게 ______________________________.

06
media 미디어[대중 매체]

07 Sports teach players **how to strive for a goal and handle mistakes.**
→ 스포츠는 ______________________________.

07
strive 분투하다
handle 다루다[처리하다]

B 뜻 새겨 보면서, 괄호 안 둘 중 하나 고르기.

08 Let's choose (hearing / to hear) one another out.

09 Most of the students expect (to grade / to be graded) individually for their contribution to group work.

10 Writers want (to express / expressing) themselves; readers want (being / to be) impressed.

Think **11** We don't ask how to make a pig happy; we ask (what / how) to grow it faster, fatter, cheaper, and that's not a noble goal. *Joel Salatin*

The Internet of Things promises to reshape our lives as fundamentally as the introduction of the railway.

08
hear out 말을 끝까지 들어주다
one another 서로

09
grade 성적을 매기다
contribution 기여

10
impressed 감동[감명]을 받은

11
noble 고귀한

C 보기 동사 골라 알맞은 꼴로 바꿔 멋진 문장 끝내주기.

보기			
grow	look	provide	rearrange

12 We hope ________ old and we dread old age; that is to say, we love life and we flee from death.

우리는 나이 드는 걸 바라면서도 노년은 두려워해. 즉, 우리는 삶을 사랑하면서 죽음으로부터 달아나.

13 I plan ________ the alphabetical order; I have just discovered that U and I should be together.

난 알파벳 순서를 재배열할 계획인데. 난 방금 'U'와 'I'가 함께 있어야 한다는 걸 발견했거든.

14 Welfare attempts ________ poor people with certain goods and social services, such as health care and education.

복지는 가난한 사람들에게 일정한 물품과 의료 서비스와 교육과 같은 사회 서비스를 제공하려고 시도해.

15 We learn in friendship ________ with the eyes of another person, to listen with their ears, and to feel with their heart. *Alfred Adler*

우리는 우정에서 다른 사람의 눈으로 보고, 그들의 귀로 듣고, 그들의 마음으로 느끼는 걸 배워.

provide 제공하다
rearrange 재배열[재배치]하다

12
dread 두려워하다
that is to say 즉
flee 달아나다

13
alphabetical 알파벳순의
order 순서

14
welfare 복지
health care 의료 서비스

unit 26

목적어 v-ing / to-v

Block Board

I 주어 + 동사 + v-ing / to-v(목적어) I

주어	동사	to-v
We	continue	to shape[shaping] our personality all our life.

- **v-ing/to-v 둘 다 목적어로 하면서 의미 차이가 거의 없는 동사:** like love prefer hate / start begin continue
- **v-ing/to-v 둘 다 목적어로 하면서 의미 차이가 나는 동사: v-ing (과거)/to-v (미래)**
  - remember + **v-ing** (과거에) v한 것을 기억하다 : • remember + **to-v** (앞으로) v할 것을 기억하다
  - forget + **v-ing** (과거에) v한 것을 잊다 : • forget + **to-v** (앞으로) v할 것을 잊다
  - regret + **v-ing** (과거에) v한 것을 후회하다 : • regret + **to-v** 유감스럽게도 v하다
  - try + **v-ing** (시험 삼아) v해 보다 : • try + **to-v** v하려고 노력하다
  - mean + **v-ing** v하는 것을 의미[수반]하다 : • mean + **to-v** v하려고 의도[작정]하다

Plus⊕ • stop + v-ing v하는 것을 그만두다 • stop + to-v(부사어) v하려고 멈추다

Standard Sentences

01 We continue **to shape[shaping]** our personality all our life. *Albert Camus*
↳ 우리는 평생 우리의 인격을 계속 형성해.

02 I regret **not having spent** more time with you.
↳ 난 너와 더 많은 시간을 보내지 않은 걸 후회해.

03 An anthropologist tries **to understand other cultures from the perspective of an insider.**
↳ 인류학자는 내부자의 관점으로 다른 문화를 이해하려고 노력해. *anthropologist 인류학자 perspective 관점[시각]

A 톡톡 튀는 영어문장 우리말로 바꾸기.

04 Begin to accept[accepting] your own weakness, and growth begins.
→ ______________________________, 성장이 시작돼.

05 Try doing something different every day like talking to a stranger.
→ 낯선 이에게 말을 거는 것 같은 ______________________________.

06 Don't forget to tell yourself positive things daily. *Hannah Bronfman*
→ ______________________________.

07 True equality means holding everyone accountable in the same way.
→ 진정한 평등은 ______________________________.

04
accept 받아들이다
weakness 약점
❶ 명령문, and 주어 + 동사: ~하면 ...

06
positive 긍정적인
daily 매일

07
hold ~ accountable ~에게 책임지게 하다

B 뜻 새겨 보면서, 괄호 안 둘 중 하나 고르기.

08 I remember (being taught / to be taught) to read at a very early age.

09 Did you ever stop to think, and forget (starting / to start) again?

10 We regret (informing / to inform) you that your application has not been successful.

> 10
> inform 알리다
> application 지원(신청)

11 I stopped (fighting / to fight) my inner self; we're on the same side now.

> 11
> inner 내부의(내면의)

I stopped fighting
my inner self; we're
on the same side now.

C 보기 동사 골라 알맞은 꼴로 바꿔 멋진 문장 끝내주기.

보기
choose expand read use

> expand 확대(확장)하다

12 I will never forget __________ this book in high school.
난 고등학교 때 이 책을 읽은 걸 절대 잊지 않을 거야.

13 I prefer __________ which traditions to keep and which to let go.
난 어느 전통은 지켜야 하고 어느 것은 버려야 할지 선택하는 걸 좋아해.

> 13
> tradition 전통
> let go 버리다(포기하다)

14 Remember __________ your vote; remember to speak out and feel empowered. *Sarah Gavron*
네 투표권을 행사할 것을 기억해. 공개적으로 발언할 것과 권한 받은 걸 느낄 것을 기억해.

> 14
> vote 투표(권)
> speak out 공개적으로 말하다
> empower 권한을 주다

15 To innovate does not necessarily mean __________; very often it means to simplify. *Russell Ballard*
혁신하는 것은 반드시 확대하려고 의도하는 건 아니고, 아주 흔히 그것은 간소화하려고 의도해.

> 15
> simplify 간소화(단순화)하다

unit 27

목적보어 to-v

Block Board

| 주어 + 동사 + 목적어 + to-v(목적보어) |

주어	동사	목적어	to-v
Experience	enables	you	to recognize a mistake.

- 주어 + 동사 + 목적어 + to-v: "주어는 목적어가 v하게 동사한다."
- 목적어 + to-v: 의미상 주어−서술어 관계. Experience enables you to recognize a mistake. (You recognize a mistake.) (You: 주어, recognize a mistake: 서술어)
- 〈목적어 + to-v〉와 함께 쓰이는 동사(~하게 하다)
  advise 조언(권고)하다 allow ask cause ~하게 하다 compel 강요하다 enable 할 수 있게 하다 encourage 격려(권장)하다 expect 기대하다 force 강요하다 get permit 허용(허락)하다 persuade 설득하다 require want warn etc.
- 동사(find/make) + it(형식목적어) + 목적보어 + to-v(진목적어)
  Social networking services make it possible to connect people. (it = to connect people)

Standard Sentences

01 Experience enables you to recognize a mistake when you make it again. *Franklin Jones*
↳ 경험은 네가 잘못을 다시 할 때 네가 그것을 알아볼 수 있게 해.

02 The best teachers encourage students to find the truth inside their own experience. *Tamika Schilbe*
↳ 최고의 선생님들은 학생들에게 자신들의 경험 속에서 진리를 발견하도록 권장해.

03 Children with ADHD find it difficult to focus on and complete tasks such as schoolwork.
↳ 주의력결핍 과다행동장애를 가진 아이들은 학업과 같은 과업에 집중해서 끝마치는 게 어렵다고 여겨.

A 톡톡 튀는 영어문장 우리말로 바꾸기.

04 Adversity causes some men to break; others to break records.
→ 역경은 ______________________.

05 You can persuade someone to look at your face, but you can't persuade them to see the beauty therein. *Michael Johnson*
→ 넌 누군가에게 ______________________.

06 Expect people to be better than they are; it helps them to become better.
→ 사람들이 현재의 그들보다 ______________________.

07 Social networking services make it possible to connect people across political, economic, and geographic borders.
→ 소셜 네트워킹 서비스는 ______________________.

04
cause ~하게 하다
break 깨지다(깨다)
record 기록

05
persuade 설득하다
therein 그 안에

07
connect 연결하다
geographic 지리적인
border 국경(경계)

B 뜻 새겨 보면서, 괄호 안 둘 중 하나 고르기.

08 She warned him not (being / to be) deceived by appearances, for beauty is found within. *Movie "Beauty and the Beast"*

Up! **09** Bertolt Brecht wanted the audience (being / to be) alienated emotionally from the action and characters, and to intellectually analyze the world.

10 Consumer protection policies and laws compel manufacturers (make / to make) products safe.

11 How can I get you (understand / to understand) the uncertainty principle?

"Adversity causes some men to break; others to break records."
William Ward

C 보기 동사 골라 알맞은 꼴로 바꿔 멋진 문장 끝내주기.

보기: access confront do stay

12 I can't permit myself ________ things halfway.
난 나 자신이 일을 어중간하게 하는 걸 허용할 수 없어.

13 Media literacy allows people ________, critically evaluate, and create media.
미디어 리터러시는 사람들이 미디어에 접근하고, 미디어를 비판적으로 평가하고 만드는 것을 가능하게 해.

14 Growing up sometimes forces us ________ the distance between our childhood hope and the truth.
성장하는 것은 때로는 우리에게 어린 시절 희망과 현실 사이의 거리에 직면하도록 강요해.

15 Health authorities advise residents ________ indoors as much as possible, to close windows, and to drink plenty of water.
보건 당국은 주민들에게 실내에 가능한 한 많이 머무르고, 창문을 닫고, 그리고 충분한 물을 마실 것을 권고해.

08
deceive 속이다
appearance 외모
within 내부[안]에서

09
alienate 멀리하다[소외시키다]
action (이야기 속) 사건
intellectually 지적으로
analyze 분석하다

10
protection 보호
manufacturer 제조업자

11
the uncertainty principle 불확정성 원리

access 접근하다
confront 직면하다

12
halfway 중간에

13
literacy 글을 읽고 쓸 줄 아는 능력
critically 비판적으로
evaluate 평가하다

15
authority 당국
resident 거주자[주민]
indoors 실내에서

Unit 28

목적보어 V/v-ing/v-ed분사

Block Board

| 주어 + 동사 + 목적어 + V / v-ing / v-ed분사(목적보어) |

주어	동사	목적어	V	부사어
No one	can make	you	feel inferior	without your consent.

- 주어 + make/let + 목적어 + V(to 없는 부정사): "주어는 목적어가 v하게 한다."
- 주어 + 지각동사 + 목적어 + V(to 없는 부정사): "주어는 목적어가 v하는 것을 본다/듣는다/느낀다."
  ↳ see/watch/look at/notice/hear/listen to/feel
- 주어 + 동사(지각동사, leave, find, keep) + 목적어 + v-ing: 목적어와 v-ing는 '의미상 주어-서술어' 관계(진행).
  I saw them dancing. 난 그들이 춤추고 있는 것을 보았다. (They were dancing.)
- 주어 + 동사 + 목적어 + v-ed분사: 목적어와 v-ed분사는 '의미상 주어-서술어' 관계(수동).
  ▷ have(~시키다/~당하다), make, get, keep, find, want, 지각동사 등
  I had[got] my hair colored. 난 머리 염색을 시켰다. (My hair was colored.)

Standard Sentences

01 No one can make you feel inferior without your consent. *Eleanor Roosevelt*
↳ 아무도 네 동의 없이는 널 열등감을 느끼게 할 수 없어. *inferior 열등한 consent 동의(승낙)

02 I could feel the sweat running down my back. 난 땀이 내 등에 흘러내리는 걸 느낄 수 있었어.

03 He got his hair dyed, and she had her eyebrows tattooed.
↳ 그는 머리 염색을 시켰고, 그녀는 눈썹 문신을 시켰어. *dye 염색하다 tattoo 문신하다

A 톡톡 튀는 영어문장 우리말로 바꾸기.

04 Leave me not drowning in a sea of grief. *Ned Ward*
→ ______________________________.

05 A good trainer can hear a horse speak to him; a great trainer can hear him whisper. *Monty Roberts*
→ 좋은 조련사는 ______________, 훌륭한 조련사는 ______________.

06 I saw large rivers flowing along for miles, and huge forests extending along several borders. *Astronaut John Bartoe*
→ 난 커다란 강들이 ______________, 거대한 숲들이 ______________.

07 Everyone should have their mind blown once a day. *Neil Tyson*
→ 모든 사람은 ______________________________.

04
drown 익사하다(물에 빠져 죽다)
grief 깊은 슬픔

05
whisper 속삭이다

06
flow 흐르다
extend 포괄하다(이어지다)
border 국경

07
blow one's mind
완전 뽕가게 만들다

B 뜻 새겨 보면서, 괄호 안 둘 중 하나 고르기.

08 Scientific knowledge is in perpetual evolution; it finds itself (change / changed) from one day to the next. *Jean Piaget*

09 At the first kiss I felt something acute (melt / to melt) inside me; everything was transformed. *Hermann Hesse*

10 I stop and watch the woods (fill / to fill) up with snow. *Robert Frost*

11 I want you (tune / tuned) in to my eyes. *Song "Boy With Luv" by BTS*

" I saw large rivers flowing along for miles, and huge forests extending along several borders. "
Astronaut John Bartoe

08
perpetual 끊임없는
from one day to the next 하루하루

09
acute 격심한
melt 녹다
transform 완전히 바꾸다

10
wood 숲
fill up (with) (~로) 가득 차다

11
tune 맞추다

C 보기 동사 골라 멋진 문장 끝내주기. (필요하면 형태를 바꿀 것)

보기: laugh motivate rob water

12 You should make people ________ without hurting somebody else's feelings. 넌 다른 사람의 감정을 상하게 하지 않고 사람들을 웃겨야 해.

13 Let your tears ________ the seeds of your future happiness.
네 눈물이 네 미래 행복의 씨앗에 물을 주게 해.

14 Don't let anyone ________ you of your imagination, your creativity, or your curiosity; it's your life.
누가 네게서 상상력이나 창의성이나 호기심을 빼앗아 가지 않게 해. 그건 네 인생이야.

15 Goals keep you ________, and they give you a direction.
목표는 네가 계속 동기 부여가 되게 하고, 네게 방향을 제시해 줘.

motivate 동기를 부여하다
water 물을 주다

14
curiosity 호기심

15
direction 방향

Unit 29
전치사목적어 v-ing

Block Board

| 전치사 + v-ing |

주어	동사	전치사 + v-ing		전치사 + v-ing
A man	is not paid	for having a head and hands,	but	for using them.

- **전치사 + v-ing**: 전치사 뒤에는 명사가 오는데, 동사가 올 때는 반드시 v-ing로 해야 함.
  like + v-ing: v하는 것과 같은 **by + v-ing**: v함으로써 **in + v-ing**: v하는 데
  about + v-ing: v하는 것에 관한 **with + v-ing**: v하는 것으로 **without + v-ing**: v하지 않고
  instead of + v-ing: v하는 대신에 **in addition to + v-ing**: v하는 것에 더하여
- **동사/형용사 + 전치사 + v-ing**: • pay for v-ing • be vital to v-ing • be based on v-ing
- **look forward to v-ing**: v하기를 고대하다 • **prefer A(v-ing) to B(v-ing)**: A(v하는 것)를 B(v하는 것)보다 더 좋아하다
- **be used to + v-ing**: v하는 데 익숙하다 I **am used to staying** up late. 난 늦게까지 안 자는 데 익숙하다.
  비교 **used to V**: ~하곤 했다 I **used to stay** up late. 난 늦게까지 안 자곤 했다.

Standard Sentences

01 A man is not paid **for having** a head and hands, but **for using** them. *Elbert Hubbard*
↳ 사람은 머리와 손을 가진 대가를 받는 게 아니라, 그들을 사용하는 대가를 받아.

02 Memory is vital **to forming** a person's identity and **providing** a stable sense of reality.
↳ 기억은 사람의 정체성을 형성하고 안정된 현실감을 제공하는 데 필수적이야. *vital 필수적인 stable 안정된

03 I look forward **to having** the opportunity to take on new challenges.
↳ 난 새로운 도전적인 일들을 맡을 기회를 갖길 고대해. *take on 맡다

A 톡톡 튀는 영어문장 우리말로 바꾸기.

04 Falling in love is like getting hit by a truck, and yet not being mortally wounded. *Jackie Collins*
→ 사랑에 빠지는 건 ______________________.

05 Discoveries are often made by not following instructions, by going off the main road, by trying the untried. *Frank Tyger*
→ 발견은 흔히 ______________________.

06 Life isn't about finding yourself, but creating yourself. *Bernard Shaw*
→ 삶은 ______________________.

Up! **07** We've been trained to prefer being right to learning something, to prefer passing the test to making a difference. *Seth Godin*
→ 우리는 ______________________ 훈련받아 왔어.

04
yet 그렇지만(그런데도)
mortally 치명적으로
wound 상처를 입히다

05
instruction 지시
go off (어떤 장소를) 벗어나다
untried 시험해 보지 않은

07
train 훈련시키다
make a difference 영향을 미치다

B 뜻 새겨 보면서, 괄호 안 둘 중 하나 고르기.

08 The truest mark of (have / having) been born with great qualities is to have been born without envy.

09 A liar begins with (make / making) falsehood appear like truth and ends with (make / making) truth itself appear like falsehood. *William Shenstone*

10 Our economic knowledge serves us in managing our personal lives, in (understand / understanding) society, and in (improve / improving) the world around us.

11 I used to (be / being) a fighter, and I am used to (lose / losing) weight.

"Enjoy your own life without comparing it with that of another."
Nicolas Condorcet

08
mark 표시
quality 자질
envy 부러움

09
liar 거짓말쟁이
falsehood 거짓임

10
serve 도움이 되다[기여하다]
manage 관리하다

C 보기 동사 골라 알맞은 꼴로 바꿔 멋진 문장 끝내주기.

보기

abuse compare get handle

abuse 학대[남용]하다
handle 다루다[처리하다]

12 Love yourself instead of __________ yourself.
너 자신을 학대하는 대신에 너 자신을 사랑해.

13 Enjoy your own life without __________ it with that of another.
너 자신의 삶을 다른 사람의 삶과 비교하지 말고 너 자신의 삶을 즐겨.

14 Society needs people managing projects in addition to __________ individual tasks. 사회는 개인적 일을 처리하는 것에 더해 프로젝트를 관리하는 사람들이 필요해.

15 Most comedy is based on __________ a laugh at somebody else's expense. 대부분의 코미디는 다른 누군가를 희생해서 웃음을 얻는 데 바탕을 둬.

15
be based on ~에 기반을 두다
at the expense of [at one's expense] ~을 희생해서

Chapter 06
Review

A 오색빛깔 영어문장 우리말로 바꾸기.

01 I'm trying to concentrate, but my mind keeps wandering.

02 To make knowledge productive, we will have to learn to see both forest and tree, and to connect. *Peter Drucker*

03 To choose to live with a dog is to agree to participate in a long process of interpretation.

04 To know when to go away and when to come closer is the key to any lasting relationship. *Domenico Cieri*

05 Everyone has the ability of making someone happy: some by entering the room, others by leaving it.

Up! **06** A video game addict engages in gaming activities at the cost of fulfilling daily responsibilities or pursuing other interests.

07 Experience tells you what to do; confidence allows you to do it.

01
concentrate 집중하다
wander 헤매다[방황하다]

02
productive 생산적인
connect 연결하다

03
participate in ~에 참여하다
interpretation 해석[이해]

04
lasting 지속적인

06
addict 중독자
engage in ~에 참여[관여]하다
at the cost of ~을 희생하고
fulfill (의무·약속을) 다하다
pursue 추구하다
interest 관심(사)

B 뜻 새겨 보면서, 괄호 안 둘 중 하나 고르기.

08 If you cannot enjoy (reading / to read) a book over and over, there is no use reading it at all. *Oscar Wilde*

09 I make it a rule (that / to) test action by thought, thought by action. *Goethe*

10 Words make you (think / to think) a thought; music makes you (feel / to feel) a feeling; a song makes you (feel / to feel) a thought.

08
over and over
반복해서[여러 번]

Chapter

07

주어절 / 보어절

Block Board Overview

- 영어문장의 주어/보어 역할을 하는 것에 that절/whether절/what절/wh-절이 있다.
- that절('~ 것')은 that 없이도 완전한 형식과 의미를 갖춘 절로, 사실을 나타낸다.
- 주어로서의 that절은 주로 it(형식주어)을 앞세우고 문장 뒤로 빠진다.
- whether절('~인지 (아닌지)')은 whether 없이도 완전한 형식과 의미를 갖춘 절로, 여부나 선택을 나타낸다.
- 주어로서의 whether절은 it(형식주어)을 앞세우고 문장 뒤로 빠질 수 있다.
- what절('~인 것'/'무엇 ~인지')은 명사 하나가 부족한 절로, 그 명사 역할을 what이 한다고 보면 된다.
- wh-(who/which/where/when/how/why)절('누구/어느/어디/언제/어떻게·얼마나/왜 ~인지')도 주어/보어 역할을 한다.

Unit 30

주어/보어 that절/whether절 I

that절/whether절 + 동사 / 주어 + be동사 + that절/whether절

It	동사	보어	that절
It	is	a miracle	that curiosity survives formal education.

Unit 31

주어/보어 what절 I

what절 + 동사 / 주어 + be동사 + what절

what절	동사	보어
What makes the desert beautiful	is	that somewhere it hides a well.

Unit 32

주어/보어 wh-절 I

wh-절 + 동사 / 주어 + be동사 + wh-절

wh-절	동사	목적어
Who controls the past	controls	the future.

unit 30

주어/보어 that절/whether절

Block Board

I that절/whether절 + 동사 / 주어 + be동사 + that절/whether절 I

It	동사	보어	that절
It	is	a miracle	that curiosity survives formal education.

- 명사절 **that절**(that + 주어 + 동사 = '~ 것'): 주어/보어/목적어/명사동격어 등으로 쓰임.
  - ▹ **that절 주어**: 주로 형식주어 It을 앞세우고 that절은 뒤로 빠짐.
    That we will succeed is certain. = **It** is certain **that** we will succeed. 우리가 성공할 것은 확실하다.
  - ▹ **that절 보어**: that은 생략 가능. The problem is (**that**) I study too hard. 문제는 내가 너무 열심히 공부한다는 것이다.
- 명사절 **whether[if]절**(whether[if] + 주어 + 동사 = '**~인지 (아닌지)**'): 주어/보어/목적어 등으로 쓰임.
  - ▹ **whether[if]절 주어**: whether절은 문두에 올 수 있으나, if절은 형식주어 It을 앞세워야만 가능.
    Whether(× If) I study hard matters. = **It** matters **whether[if]** I study hard. 내가 열심히 공부하는지가 중요하다.
  - ▹ **whether절 보어**: if절은 불가. The problem is **whether**(× if) I can study hard. 문제는 내가 열심히 공부할 수 있는지 아닌지다.

Standard Sentences

01 It is a miracle **that** curiosity survives formal education. 호기심이 정규 교육에서 살아남는 것은 기적이야.

02 One of the penalties for refusing to participate in politics is **that** you end up being governed by your inferiors. 정치 참여를 거부하는 것으로 인한 불이익들 중 하나는 네가 결국 너보다 못한 사람들에 의해 지배당하게 되는 거야.

03 It doesn't matter **if** you fall down; it matters **whether** you get back up. *Michael Jordan*
↳ 네가 넘어지는지는 중요하지 않아. 네가 다시 일어서는지 아닌지가 중요해.

A 톡톡 튀는 영어문장 우리말로 바꾸기.

04 Isn't it remarkable that of all the machines devised by the humans, not one can replace imagination? *Abhijit Naskar*
→ ______________________ 놀랍지 않니?

05 The liar's punishment is not that he is not believed, but that he cannot believe anyone else. *Bernard Shaw*
→ 거짓말쟁이의 벌은 ______________________.

Up! **06** The whole problem with the world is that fools and fanatics are always so certain of themselves, and wise people so full of doubts.
→ 세상의 중대한 문제는 ______________, 똑똑한 사람들은 ______________.

07 The test of our progress is not whether we add more to the abundance of the rich, but whether we provide enough for the poor.
→ 우리 진보의 시험대는 ______________________.

04
remarkable 놀랄 만한[주목할 만한]
devise 고안[창안]하다
replace 대신[대체]하다

05
punishment (처)벌

06
whole 전체의[중대한]
fanatic 광적인 사람[광신도]
doubt 의심

07
test 시험대[시금석]
abundance 풍부
enough 필요한 만큼의 수[양]

B 뜻 새겨 보면서, 괄호 안 둘 중 하나 고르기.

08 It is expected (that / whether) a children's story will raise a difficulty and then so promptly resolve it.

09 The incredible thing about virtual reality is (that / whether) you feel like you're actually present in another place with other people.
Mark Zuckerberg

10 (If / Whether) histories have a happy ending or not depends on when the historian ends the tale.

11 The question is (if / whether) or not the communities ruling the Internet can make their spaces safer for users.

" It doesn't matter
if you fall down;
it matters
whether you get back up.
Michael Jordan "

08
raise 불러일으키다
promptly 즉시
resolve 해결하다

09
incredible 믿을 수 없는
virtual reality 가상 현실
present 있는[존재하는]

10
depend on ~에 달려있다
historian 역사가[사학자]
tale 이야기

C 흐트러진 말들 바로 세워 멋진 문장 만들기.

12 사실이 소설보다 더 이상하다는 것은 놀랍지 않아. 소설은 말이 되어야 하니.
(is / stranger / that / truth)
It's no wonder ______________________ than fiction; fiction has to make sense. *Mark Twain*

13 사회적 관심사와 추세는 텔레비전과 영화 같은 대중 매체에 반영되는 것으로 널리 여겨져.
(are reflected / social concerns and trends / that)
It is widely believed ______________________ in the mass media such as television and film.

14 바로 지금 삶의 가장 슬픈 양상은 과학이 사회가 지혜를 모으는 것보다 더 빨리 지식을 모은다는 거야.
(gathers / knowledge / science / that)
The saddest aspect of life right now is ______________________ faster than society gathers wisdom.

15 공화국에서 큰 위험은 다수가 소수의 권리를 충분히 존중하지 않을 수도 있다는 거야.
(may not sufficiently respect / that / the majority / the rights of the minority)
In republics, the great danger is ______________________.

12
wonder 놀라움[경이]
fiction 소설[허구]
make sense 타당하다[말이 되다]

13
reflect 반영하다
concern 관심사
trend 추세[동향]

14
aspect 양상[측면]

15
sufficiently 충분히
majority 다수
minority 소수 (집단)
republic 공화국

unit 31

주어/보어 what절

Block Board

| what절 + 동사 / 주어 + be동사 + what절 |

what절	동사	보어
What makes the desert beautiful	is	that somewhere it hides a well.

- 명사절 **what절**(what + (주어) + 동사 = '~인 것'/'무엇 ~인지'): 주어/보어/목적어 등으로 쓰임.
  - ▷ **what절 주어**: **What** I need is some advice. 내가 필요한 것은 조언이다.
  - ▷ **what절 보어**: This book is **what** I have been looking for. 이 책이 내가 찾아 왔던 것이다.

  Plus⊕ what절은 불완전한 절로 명사 하나가 필요한데, what이 바로 그 명사 역할을 한다고 보면 됨.
  - what절 속 주어 역할: what(주어) makes(동사) the desert(목적어) beautiful(목적보어)
  - what절 속 보어 역할: what(보어) an observatory(주어) would be(동사)
  - what절 속 목적어 역할: what(목적어) we(주어) achieve(동사)
- **whatever절**(whatever + (주어) + 동사 = '~인 무엇이든지'): 주어/보어/목적어 등으로 쓰임.

Standard Sentences

01 **What** makes the desert beautiful is that somewhere it hides a well. *The Little Prince*
↳ 사막을 아름답게 만드는 것은 어딘가에 사막이 샘을 숨기고 있다는 거야.

02 The soul without imagination is **what** an observatory would be without a telescope. *Henry Beecher*
↳ 상상력 없는 정신은 망원경 없는 관측소 같은 것이야. *observatory 관측소[천문대]

03 **Whatever** is flexible and living will tend to grow; **whatever** is rigid and blocked will wither and die. 유연하고 살아 있는 무엇이든 자라기 쉽겠지만, 뻣뻣하고 막힌 것은 무엇이든 시들어 죽을 거야. *flexible 유연한 rigid 뻣뻣한 wither 시들다

A 톡톡 튀는 영어문장 우리말로 바꾸기.

04 What we achieve inwardly will change outer reality. *Plutarch*
→ ______________________ 외부 현실을 바꿀 거야.

05 What society does to its children is what its children will do to society.
→ 사회가 (현재) 아이들에게 하는 것이 ______________________.

06 What is moral is what you feel good after; what is immoral is what you feel bad after. *Ernest Hemingway*
→ 도덕적인 것은 네가 (그것을 한) 후에 기분 좋은 것이고, ______________________.

07 Whatever has happened to you in your past has no power over this present moment because life is now. *Oprah Winfrey*
→ ______________________ 이 현재 순간에 대해서는 힘을 갖지 못해.

04
achieve 성취하다[이루다]
inwardly 마음속으로
outer 외부의

06
moral 도덕적인
immoral 비도덕적인[부도덕한]

B 뜻 새겨 보면서, 괄호 안 둘 중 하나 고르기.

08 (That / What) we want is to see the child in pursuit of knowledge, and not knowledge in pursuit of the child.

> 08
> pursuit 추구(좇음)/추적(뒤쫓음)

09 Great music is great music; it doesn't matter (what / whether) genre it belongs to.

> 09
> genre 장르
> belong to ~에 속하다

10 It doesn't matter (that / what) it is; what matters is what it will become.

11 One's religion is (whatever / whether) they are most interested in.

" What society does to its children is what its children will do to society. "

Cicero

C 흐트러진 말들 바로 세워 멋진 문장 만들기.

12 우리가 우리 부모에게 빚지고 있는 것은 우리 아이들에 의해 우리에게 주어질 청구서야.
(our parents / owe / we / what)

________________________ is the bill presented to us by our children.

> 12
> owe 빚지고 있다
> bill 청구서
> present 주다(제시하다)

13 피해자를 가장 아프게 하는 것은 압제자의 잔인함이 아니라, 방관자의 침묵이야.
(hurts / the victim / what)

________________________ most is not the cruelty of the oppressor, but the silence of the bystander.

> 13
> victim 피해자
> oppressor 압제자
> bystander 구경꾼(방관자)

14 교육은 배워졌던 것이 잊혔을 때 살아남는 거야.
(has been learned / survives / what / what)

Education is __________ ____ when ____ __________ has been forgotten. *B. F. Skinner*

15 이 세상을 명예롭게 사는 가장 훌륭한 방법은 우리가 무엇인 척하는 것이 (진짜) 되는 거야.
(pretend / to be / we / what)

The greatest way to live with honor in this world is to be __________ _______________. *Socrates*

> 15
> pretend ~인 척하다
> honor 명예

unit 32
주어/보어 wh-절

Block Board

| wh-절 + 동사 / 주어 + be동사 + wh-절 |

wh-절	동사	목적어
Who controls the past	controls	the future.

- 명사절 **who/where/when/how/why절**: 주어/보어/목적어로 쓰임.
- **who절**(who + (주어) + 동사 = **'누구 ~인지'/'~ 사람'**): **who** I am / **who** controls the past
- **where절**(where + 주어 + 동사 = **'어디 ~인지'/'~ 곳'**): **where** you came from
- **when절**(when + 주어 + 동사 = **'언제 ~인지'/'~ 때'**): **when** a portion of the Earth is engulfed
- **how절**(how + 주어 + 동사 = **'어떻게·얼마나 ~인지'/'~ 방법'**): **how** new an idea is / **how** it works
- **why절**(why + 주어 + 동사 = **'왜 ~인지'/'~ 이유'**): **why** it's called a "cell" phone
- **whoever절**(whoever + (주어) + 동사 = **'~인 누구든지'**): **whoever** is careless

Standard Sentences

01 **Who** controls the past controls **the future**; **who** controls the present controls **the past**. *George Orwell*
↳ 과거를 지배하는 자가 미래를 지배하고, 현재를 지배하는 자가 과거를 지배해.

02 It doesn't matter **where** you came from; what matters is **where** you are going.
↳ 네가 어디서 왔는지는 중요하지 않아. 중요한 것은 네가 어디로 가고 있는지야.

03 **Whoever** is careless with the truth in small matters cannot be trusted with important matters. *Albert Einstein* 작은 일에서 진실에 부주의한 누구든 중요한 일이 맡겨질 수 없어. *trust A with B A에게 B를 맡기다

A 톡톡 튀는 영어문장 우리말로 바꾸기.

04 How a person uses social networking can change their feelings of loneliness in either a positive or negative way.
→ ______________ 외로움의 감정을 긍정적 또는 부정적으로 바꿀 수 있어.

05 It doesn't matter how new an idea is; what matters is how new it becomes. *Elias Canetti*
→ ______________ 중요하지 않고, 중요한 것은 ______________.

Up! **06** I am who I am, not who you think I am, not who you want me to be.
→ 난 네가 나라고 생각하는 사람도 아니고, ______________, 그냥 나야.

07 Design is not just what it looks like and feels like, but how it works.
→ 디자인은 ______________.

04
loneliness 외로움

07
work 작동하다[기능하다]

B 뜻 새겨 보면서, 괄호 안 둘 중 하나 고르기.

08 Home is (when / where) the heart can laugh without shyness, and the heart's tears can dry at their own pace.

08
shyness 수줍음[부끄럼]
dry 마르다
pace 속도

09 People are prisoners of their phones; that's (how / why) it's called a "cell" phone.

09
prisoner 죄수[포로]
cell
감방/휴대폰 (= cellphone)/세포

10 The test of a man or woman's breeding is (how / when) they behave in a quarrel. *Bernard Shaw*

10
test 시험대[시금석]
breeding 가정 교육
quarrel (말)다툼

11 (Whatever / Whoever) said nothing is impossible never tried slamming a revolving door.

11
slam 쾅 닫다
revolving door 회전문

"It doesn't matter how new an idea is; what matters is how new it becomes."
Elias Canetti

C 보기 딱 맞는 것 골라 멋진 문장 끝내주기.

보기: how far　when　whoever　why

12 Nobody deserves your tears, but __________ deserves them will not make you cry. 아무도 네 눈물을 받을 만하지 않지만, 그걸 받을 만한 누구든 널 울게 하지 않을 거야.

12
deserve 받을 만하다

13 __________ you go in life depends on your being tender with the young and compassionate with the aged.
네가 살면서 얼마나 성공할지는 네가 젊은이들에게 다정한 것과 노인들에게 동정심을 갖는 것에 달려 있어.

13
go far 장차 크게 되다[성공하다]
tender 다정한
compassionate
연민 어린[동정하는]

14 No thief can rob one of knowledge, and that is __________ knowledge is the best and safest treasure to acquire.
어떤 도둑도 사람에게서 지식을 빼앗아 갈 수 없는데, 그것이 지식이 얻기에 가장 좋고 가장 안전한 보물인 이유야.

14
rob A of B
A에게서 B를 앗아 가다
acquire 얻다[습득하다]

Up! 15 A solar eclipse is __________ a portion of the Earth is engulfed in a shadow cast by the Moon fully or partially blocking sunlight.
일식은 지구의 일부가 햇빛의 전부나 일부를 가리는 달에 의해 드리워지는 그림자에 뒤덮일 때야.

15
solar eclipse 일식
engulf 휩싸다[뒤덮다]
cast 던지다[드리우다] (-cast-cast)

Chapter 07 Review

A 오색빛깔 영어문장 우리말로 바꾸기.

01 What mankind must know is that human beings cannot live without Mother Earth, but the planet can live without humans.

01
mankind 인류
the planet (Earth) 지구

Up! **02** The question is not whether but how the actions of a given gene influence some interesting aspect of behavior.

02
action 작용
given 특정한
gene 유전자
influence 영향을 미치다

03 One of the greatest regrets in life is being what others would want you to be, rather than being yourself.

03
regret 후회
rather than ~보다는

04 Whoever fights monsters should see to it that in the process he does not become a monster. *Friedrich Nietzsche*

04
monster 괴물
see to it that ~ 반드시 ~하도록 확인하다
process 과정

☺ **05** The only mystery in life is why the kamikaze pilots wore helmets. *Al McGuire*

05
kamikaze 일제의 가미카제 자살 특공대

06 It does not matter how you came into the world; what matters is that you are here. *Oprah Winfrey*

06
come into the world 세상에 나오다[태어나다]

07 Searching and learning is where the miracle process all begins.

B 뜻 새겨 보면서, 괄호 안 둘 중 하나 고르기.

08 Music, at its essence, is (that / what) gives us memories. *Stevie Wonder*

08
essence 본질

☺ **09** A bird in a nest is secure, but that is not (when / why) God gave it wings.

09
nest 둥지
secure 안전한

10 (Whatever / Whoever) appears as a motion of the sun is really due to the motion of the earth. *Copernicus*

10
motion 운동[움직임]
due to ~ 때문에

목적어절 & 동격절

Block Board Overview

- 영어문장의 목적어 역할을 하는 것에 that절/whether절/what절/wh-절이 있다.
- that절('~ 것')은 that 없이도 완전한 형식과 의미를 갖춘 절로, 사실을 나타낸다.
- what절('~인 것'/'무엇 ~인지')은 명사 하나가 부족한 절로, what을 그 명사라 보면 된다.
- that절과 what절의 구별(명사 하나 필요 여부)은 매우 중요해 각종 시험에 자주 출제된다.
- whether절('~인지 (아닌지)')은 whether 없이도 완전한 형식과 의미를 갖춘 절로, 여부나 선택을 나타낸다.
- wh-(who/which/where/when/how/why)절('누구/어느/어디/언제/어떻게·얼마나/왜 ~인지')도 목적어 역할을 한다.
- 명사동격 that절은 앞 명사와 동격 관계(앞 명사=that절)로, that 없이도 완전한 절인 점에서 불완전한 절인 관계절 that절과 구별된다.

Unit 33

목적어 that절/whether[if]절 | 주어 + 동사 + that절/whether[if]절

주어	동사	that절
We	must believe	that we are gifted for something.

Unit 34

목적어 what절 | 주어 + 동사 + what절

주어	동사	what절
The eye	sees	only what the mind is prepared to comprehend.

Unit 35

목적어 wh-절 | 주어 + 동사 + wh-절

주어	동사	wh-절
War	doesn't determine	who is right.

Unit 36

명사동격 that절 | 명사 = that절(명사동격)

명사 = that절		동사	명사 = that절	
The fact	that the price must be paid	is	proof	that it is worth paying.

unit 33

목적어 that절 / whether[if]절

Block Board

ㅣ 주어 + 동사 + that절 / whether[if]절 ㅣ

주어	동사	that절
We	must believe	that we are gifted for something.

- 명사절 **that절**(that + 주어 + 동사 = '~ 것'): that 없이도 완전한 형식과 의미를 갖춘 절.
  ▷ **that절 목적어**: that은 생략 가능. I believe (**that**) justice will prevail. 나는 정의가 승리할 것을 믿는다.
- 명사절 **whether[if]절**(whether[if] + 주어 + 동사 = '**~인지 (아닌지)**'): whether[if] 없이도 완전한 형식과 의미를 갖춘 절.
  ▷ **whether[if]절 목적어**: 동사(ask tell decide wonder know doubt 등) + whether[if]절
  We asked them **whether[if]** they will join us. 우리는 그들에게 그들이 우리와 함께할지 말지 물었다.

Plus⊕ that절(사실: '~ 것') 　 비교 　 whether[if]절(여부/선택: '~인지 (아닌지)')
Do you know **that** it is good? (그것이 좋다는 것) 　 Do you know **whether** it is good? (그것이 좋은지 아닌지)

- **주어 + 동사 + it**(형식목적어) **+ 목적보어 + that절**(진목적어): it을 앞세우고 that절을 뒤에 둠. (it = that절)
  I make it clear that I like you. 난 내가 널 좋아한다는 걸 분명히 해.

Standard Sentences

01 We must believe **that** we are gifted for something and **that** this thing must be attained. *Marie Curie*
↳ 우리는 자신이 무언가에 재능이 있고, 이것은 성취되어야 한다는 걸 믿어야 해. *gifted 재능이 있는 attain 성취[획득]하다

02 We always have to ask ourselves **if** we are focusing on the most important priorities.
↳ 우리는 늘 스스로에게 자신이 가장 중요한 우선 사항에 집중하고 있는지 물어야 해. *priority 우선 사항

03 Firemen don't talk about **whether** a burning warehouse is worth saving. *Sebastian Junger*
↳ 소방관은 불타고 있는 창고가 구할 가치가 있는지에 대해 말하지 않아.

04 Globalization makes it clear **that** social responsibility is required not only of governments, but of companies. *Anna Lindh* 세계화는 정부들뿐만 아니라 기업들의 사회적 책임도 요구된다는 걸 **분명히** 해.

A 톡톡 튀는 영어문장 우리말로 바꾸기.

05 Never doubt that a small group of thoughtful, committed, organized citizens can change the world. *Margaret Mead*
→ ______________________ 결코 의심하지 마.

06 You can tell whether a man is clever by his answers; you can tell whether a man is wise by his questions. *Naguib Mahfouz*
→ 넌 어떤 사람의 대답으로 ______________________.

07 Every man must decide whether he will walk in the light of creative altruism or in the darkness of destructive selfishness. *Martin Luther King*
→ 모든 사람은 ______________________ 결정해야 해.

05
doubt 의심하다
thoughtful 사려 깊은
committed 헌신적인
organized 조직된

06
tell 알다[판단하다]
clever 영리한
wise 현명한

07
altruism 이타주의
destructive 파괴적인
selfishness 이기적임

B 뜻 새겨 보면서, 괄호 안 둘 중 하나 고르기.

08 Television has proved (that / what) people will look at anything rather than each other.

09 Sometimes I wonder (if / that) I'm in my right mind; then it passes off and I'm as intelligent as ever. *Samuel Beckett*

Up! 10 Archaeology is like a jigsaw puzzle, (except for / except that) you can't cheat and look at the box, and not all the pieces are there.

11 I don't take it for granted (that / to) I wake up every morning, but I always appreciate it.

09
in one's right mind 제 정신인
pass off 점차 사라지다
intelligent 똑똑한[총명한]

10
archaeology 고고학
jigsaw puzzle 조각 그림 맞추기
except 외에는

11
take ~ for granted 당연히 여기다
appreciate 고마워하다
! not A but B: A가 아니라 B

" I do not know whether I was then a man dreaming I was a butterfly, or whether I am now a butterfly dreaming I am a man. "

Zhuangzi(장자)

C that/whether로 빈칸 채워 멋진 문장 끝내주기.

12 The law of conservation of energy states ________ the total energy of an isolated system remains constant.
에너지 보존 법칙은 고립계의 총 에너지는 변함없다고 명시해.

13 Einstein proposed ________ space and time may be united into a single, four-dimensional geometry consisting of 3 space dimensions and 1 time dimension. 아인슈타인은 공간과 시간이 세 개의 공간 차원과 한 개의 시간 차원으로 구성되는 단일한 4차원의 기하학적 구조로 통합될 수도 있다고 제시했어.

14 Murphy's law doesn't mean ________ something bad will happen; it means ________ whatever can happen will happen. *Movie "Interstellar"*
머피의 법칙은 나쁜 일이 일어날 거라는 걸 의미하지 않고, 그것은 일어날 수 있는 무엇이든지 일어날 거라는 걸 의미해.

15 I do not know ________ I was then a man dreaming I was a butterfly, or ________ I am now a butterfly dreaming I am a man. *Zhuangzi(장자)*
난 내가 그때 나비였던 꿈을 꾸고 있던 사람이었는지, 또는 내가 지금 사람인 꿈을 꾸고 있는 나비인지 모르겠어.

12
conservation 보존
state 말하다[명시하다]
isolated 고립된
constant 변함없는

13
propose 제안[제시]하다
unite 통합하다
dimension(al) 차원(의)
geometry 기하학(적 구조)

unit 34

목적어 what절

Block Board

| 주어 + 동사 + what절 |

주어	동사	what절
The eye	sees	only what the mind is prepared to comprehend.

- 명사절 **what절**(what + (주어) + 동사 = '~인 것'/'무엇 ~인지'): 주어/보어/목적어 등으로 쓰임.
  - ▸ **what절 목적어**: I believe **what** you told me. 나는 네가 내게 말한 것을 믿는다.
    Nobody knows **what** will happen next. 아무도 무엇이 다음에 일어날지 모른다.
  - ▸ **what절 전치사 목적어**: Pay attention to **what** I'm saying. 내가 말하는 것에 주목해라.
- 명사절 **whatever절**(whatever + (주어) + 동사 = **'~인 무엇이든지'**) Do **whatever** you like. 네가 좋아하는 무엇이든 해라.

Plus⊕ **what절**(what 없이는 명사 하나가 부족한 절) 비교 **that/whether[if]절**(that/whether[if] 없이도 완전한 절)

I don't care **what you did.** → what이 did의 목적어에 해당. (네가 무엇을 했는지)

I don't care **that/whether[if] you did it.** (네가 그것을 한 것을/했는지 안 했는지를)

Standard Sentences

01 The eye sees only **what** the mind is prepared to comprehend. 눈은 마음이 이해할 준비가 된 것만 봐.

02 Your worth consists in **what** you are, and not in **what** you have. *Thomas Edison*
↳ 네 가치는 네가 무엇을 가지고 있는지가 아니라, 네가 어떤 사람인지에 있어. *consist in ~에 있다

03 To be sure of hitting the target, shoot first, and call **whatever** you hit the target. *Ashleigh Brilliant*
↳ 확실히 목표물을 맞히려면, 먼저 쏘고, 네가 맞힌 무엇이든 **목표물**이라고 불러. *target 표적[목표물]

A 톡톡 튀는 영어문장 우리말로 바꾸기.

04 Ask not what your country can do for you; ask what you can do for your country. *John F. Kennedy*

→ ______________ 묻지 말고, ______________ 물어.

05 Try to make sense of what you see, and wonder what makes the universe exist. *Stephen Hawking*

→ ______________ 이해하고, ______________ 궁금해하려고 노력해.

06 What lies behind us and what lies before us are tiny matters compared to what lies within us. *Ralph Emerson*

→ ______________ 아주 작은 문제야.

07 Liberty is the right of doing whatever the laws permit. *Montesquieu*

→ 자유는 ______________.

05
make sense of 이해하다
exist 존재하다

06
lie 있다
tiny 아주 작은
compared to ~와 비교해서

07
right 권리
permit 허용[허락]하다

B 뜻 새겨 보면서, 괄호 안 둘 중 하나 고르기.

08 Do to others (what / whether) you want them to do to you. *Jesus*

09 Only put off until tomorrow (that / what) you are willing to die having left undone. *Pablo Picasso*

10 I do not know with (what / whatever) weapons World War III will be fought, but World War IV will be fought with sticks and stones.

11 (What / That) you do makes a difference, and you have to decide what kind of a difference you want to make. *Jane Goodall*

"The greatest pleasure in life is doing what people say you cannot do."
Walter Bagehot

C 흐트러진 말들 바로 세워 멋진 문장 만들기.

12 삶의 가장 큰 즐거움은 사람들이 네가 할 수 없다고 말하는 걸 하는 거야.
(people / say / what / you cannot do)
The greatest pleasure in life is doing ______________________.

13 어제 일어난 일을 걱정하기보다 가서 내일을 발명하자.
(happened / what / yesterday)
Let's go invent tomorrow rather than worrying about ____________.

14 이성은 자신을 따르고, 무지는 그것(무지)에 지시되는 무엇에든 따라.
(is dictated / to it / whatever)
Reason obeys itself, and ignorance submits to ________________.

Up! **15** 사람이 보는 것은 그가 보는 것과 이전의 시각적 개념적 경험이 그에게 보도록 가르쳤던 것 둘 다에 의해 결정돼.
(has taught / him to see / his previous visual-conceptual experience / what)
What a man sees depends both upon what he looks at and upon ____. *Thomas Kuhn*

09
be willing to 기꺼이 ~하다
undone 끝나지 않은

11
make a difference 영향을 미치다

14
dictate 지시[명령]하다
reason 이성
ignorance 무지
submit 굴복하다[따르다]

15
previous 이전의
visual 시각의
conceptual 개념의

unit 35

목적어 wh-절

Block Board

| 주어 + 동사 + wh-절 |

주어	동사	wh-절
War	doesn't determine	who is right.

- 명사절 **wh-절**(who/which + (주어) + 동사, where/when/how/why + 주어 + 동사): 주어/보어/목적어 등으로 쓰임.
  - ▷ who절 목적어('누구 ~인지'): Tell me **who** you are. 나에게 네가 누구인지 말해 다오.
  - ▷ which절 목적어('어느 ~인지'): I wonder **which** team will win. 나는 어느 팀이 이길지 궁금하다.
  - ▷ where절 목적어('어디 ~인지'): Do you know **where** you are going? 너는 네가 어디로 가고 있는지 아니?
  - ▷ when절 목적어('언제 ~인지'): I don't know **when** I'll see you again. 나는 내가 언제 너를 다시 볼지 모르겠다.
  - ▷ how절 목적어('어떻게·얼마나 ~인지'): Please explain **how** this works. 이것이 어떻게 작동하는지 설명 좀 해 주세요.
  - ▷ why절 목적어('왜 ~인지'): I understand **why** you hate English. 나는 네가 왜 영어를 싫어하는지 이해한다.
  - ▷ 전치사 목적어: Your success depends **on how** you think. 네 성공은 네가 어떻게 생각하는지에 달렸다.
  - ▷ whoever절('~인 누구든지'): I'll invite **whoever** wants to come. 나는 오고 싶어 하는 누구든 초대하겠다.

Standard Sentences

01 War doesn't determine **who's** right; war determines **who's** left. *Bertrand Russell*
↳ 전쟁은 누가 옳은지 결정하지 않고, 전쟁은 누가 (살아)남는지 결정해. *leave 남기다(-left-left)

02 Where you end up does not depend on **where** you start, but on **which** direction you choose. *Kevin Ngo*
↳ 네가 어디서 끝나는지는 네가 어디서 시작하는지에 달려 있는 게 아니라, 네가 어느 방향을 택하는지에 달려 있어.

03 I just say whatever I want, to **whoever** I want, whenever I want, wherever I want, however I want. 난 그저 내가 원하는 무엇이든, 내가 원하는 누구에게든, 내가 원하는 언제든, 내가 원하는 어디서든, 내가 원하는 어떻게든 말할 뿐이야.

A 톡톡 튀는 영어문장 우리말로 바꾸기.

04 The brain makes each human unique, and defines who he or she is.
→ 뇌는 각 인간을 독특하게 만들고, ______________________.

05 Anthropology examines how people live, what they think, what they produce, and how they interact with their environments.
→ 인류학은 ______________________ 조사해.

06 The ultimate goal of neuroscience has been to understand how and where information is encoded in the brain. *Thomas Insel*
→ 신경 과학의 궁극적 목표는 ______________________.

07 Give whatever you are doing and whoever you are with the gift of your attention. *Jim Rohn*
→ ______________________ 네 관심이라는 선물을 줘라.

04
define 규정[정의]하다

05
anthropology 인류학
examine 조사하다
interact 상호 작용하다

06
ultimate 궁극적인
neuroscience 신경 과학
encode 암호화하다

B 뜻 새겨 보면서, 괄호 안 둘 중 하나 고르기.

☺ **08** Before borrowing money from a friend, decide (which / which do) you need more: the friend or the money.

09 People will forget what you said and what you did, but people will never forget (how / which) you made them feel.

10 You never know (what / when) a moment and a few sincere words can have an impact on a life.

11 We all remember (how / what) many religious wars were fought for a religion of love and gentleness.

10
sincere 진심 어린
impact 영향

11
gentleness 온화함

> Where you end up does not depend on where you start, but on which direction you choose.
>
> *Kevin Ngo*

C [보기] 딱 맞는 의문사 골라 멋진 문장 끝내주기.

보기

how where who why

12 If you want to know ________ controls you, look at ________ you are not allowed to criticize.
네가 누가 널 통제하는지 알고 싶으면, 네가 누구를 비판하도록 허용되지 않는지 봐.

13 Don't just listen to what someone is saying, but listen to ________ they are saying it. 누군가가 말하고 있는 걸 그냥 듣지 말고, 그들이 왜 그것을 말하고 있는지 들어.

☺ **14** A police officer asked me ________ I was between 5 and 6. I replied, "Kindergarton."
경찰관이 내게 5(시)와 6(시) 사이에 어디에 있었는지 물어서, 난 (5살과 6살 사이에) "유치원에 다녔다"고 대답했어.

Up! **15** Economists study ________ societies use scarce resources to produce valuable commodities and distribute them among different people.
경제학자는 사회가 가치 있는 물품들을 생산하고 그것들을 각기 다른 사람들에게 분배하기 위해 어떻게 부족한 자원을 사용하는지 연구해.

12
control 통제[지배]하다
criticize 비판[비난]하다

15
scarce 부족한
commodity 상품[물품]
distribute 분배하다

unit 36

명사동격 that절

Block Board

명사 = that절(명사동격)

명사 = that절		동사	명사 = that절	
The fact	that the price must be paid	is	proof	that it is worth paying.

- **명사 + that절[명사 = that절]**: 앞 명사와 뒤 that절은 동격(=) ('…다는 ~').
  fact/proof/rumor/doubt/theory/belief/concept/idea/perception/viewpoint/conviction 등 + [=] **that절**(that + 주어 + 동사 ~)
- **the question + (of) + whether절**('~인지의 의문') the question (of) whether there is life on Mars

Plus⊕ 명사동격절 **that절**(that 없이도 완전한 절) 비교 **관계절 that절**(불완전한 절) ➲ unit 37, 38
(명사동격절) The news **that our team won** excited us. 우리 팀이 이겼다는 소식이 우리를 흥분시켰다.
(관계절) The news **that (주어) excited us** was our team won. 우리를 흥분시킨 소식은 우리 팀이 이겼다는 것이었다.
(관계절) The news **that we heard (목적어)** excited us. 우리가 들은 소식이 우리를 흥분시켰다.

Standard Sentences

01 **The fact that** the price must be paid is **proof that** it is worth paying. *Robert Jordan*
↳ 대가가 치러져야 한다는 사실은 그것이 지불할 가치가 있다는 증거야. *price 대가[값]

02 I heard **a rumor that** I had left the earth. *Cody Simpson* 난 내가 지구를 떠났다는 소문을 들었어.

03 There can be **no doubt that** distrust of the media is less harmful than unwarranted trust in them. 미디어에 대한 불신이 그것에 대한 부당한 신뢰보다 덜 해롭다는 것은 의심의 여지가 있을 수 없어. *unwarranted 부당한

A 톡톡 튀는 영어문장 우리말로 바꾸기.

04 Einstein's theory that nothing can travel faster than the speed of light in a vacuum still holds true.
→ ________________________________ 여전히 사실이야.

05 The presumption of innocence is the legal principle that one is considered innocent unless proven guilty.
→ 무죄 추정은 사람은 유죄로 입증되지 않는 한 ________________________________.

Up! **06** The belief that there is only one truth, and that oneself is in possession of it, is the root of all evil in the world. *Max Born*
→ ________________________________ 세상 모든 악의 근원이야.

07 "Superabundance" is an ecological myth that we will never run out of resources, that the Earth is in a perpetual state of renewal.
→ '무한 풍부'는 우리가 자원을 절대 다 쓰지 않을 것이고, ________________________________.

04
theory 이론
vacuum 진공
hold true 사실이다

05
presumption 추정
innocence 무죄[결백]
principle 원칙
prove 입증[증명]하다

06
possession 소유
root 뿌리[근원]

07
ecological 생태계의
myth 신화[근거 없는 믿음]
perpetual 끊임없는
renewal 회복

B 뜻 새겨 보면서, 괄호 안 둘 중 하나 고르기.

08 Opportunity cost is the concept (if / that) once you spend your money on something, you can't spend it again on something else.

09 Entropy as the degree of disorder in a system includes the idea (that / of) the lack of order increases over a period of time.

10 There is a perception (that / what) the media is very liberal, very biased, and produces fake news.

11 There is no question (that / which) climate change is happening; the only arguable point is what part humans are playing in it.

08
opportunity cost 기회비용
once 일단 ~하면

09
entropy 엔트로피
degree 정도
disorder 무질서

10
perception 인식
liberal 자유로운[진보적인]
biased 편향된
fake 가짜의

"The belief that there is only one truth, and that oneself is in possession of it, is the root of all evil in the world."

Max Born

C 보기 딱 맞는 것 골라 멋진 문장 끝내주기.

• 보기 •

conviction that   proposition that   question whether   viewpoint that

conviction 확신[신념]
proposition 명제

12 Ethnocentrism is the ______________ one's own group is the center of everything, and that all others are rated with reference to it.

자기 민족 중심주의는 자기 자신의 집단이 모든 것의 중심이고, 모든 다른 집단들은 그것(자기 집단)과 관련해 평가된다는 관점이야.

12
ethnocentrism
자기 민족 중심주의
rate 평가하다
with reference to
~와 관련하여

13 The writer is driven by his ______________ some truths aren't arrived at so easily, and that life is still full of mystery. 작가는 어떤 진실들은 그리 쉽게 도달되지 않고, 삶은 여전히 미스터리로 가득 차 있다는 자기 확신에 의해 추동되는 거야.

13
drive 몰아가다[추동하다]

Up! **14** All democracies are based on the ______________ power is dangerous and that it is important not to let any person or group have too much power too long. *Aldous Huxley* 모든 민주주의는 권력은 위험하고 어떤 사람이나 집단이든 너무 오래 너무 많은 권력을 갖게 하지 않는 것이 중요하다는 명제에 기반을 둬.

14
be based on ~에 기반을 두다

15 We face the ______________ a still higher "standard of living" is worth its cost in things natural, wild, and free. 우리는 더욱 더 높은 '생활수준'이란 게 자연적이고 야생적이고 자유로운 것들을 희생할 가치가 있는가라는 의문에 직면하고 있어.

15
still (비교급 강조) 훨씬[더욱]
standard of living 생활수준

Chapter 08
Review

A 오색빛깔 영어문장 우리말로 바꾸기.

01 Alfred Adler argued that the individual's unconscious self works to convert feelings of inferiority to completeness in personality development.

02 Scientists have learned that light behaves like a particle at times and like a wave at other times.

03 The law of diminishing marginal utility means that consuming the first unit has a higher utility than every other unit.

04 People know what they do; frequently they know why they do what they do; but what they don't know is what what they do does.

05 Look at how hard it was to get to where I am; it doesn't make sense to give it up. *Oprah Winfrey*

06 Victims of cyberbullying may not know who is bullying them, or why the bully is targeting them.

Up! **07** The question (of) whether a computer can think is no more interesting than the question (of) whether a submarine can swim.

01
argue 주장[논증]하다
unconscious 무의식의
convert 전환시키다
inferiority 열등함
completeness 완성

02
behave 행동[작용]하다
particle 입자
at times 때로는

03
law of diminishing marginal utility 한계 효용 체감의 법칙
consume 소비하다
unit 단위

04
frequently 흔히

05
make sense 타당하다[말이 되다]

06
cyberbullying 사이버 폭력
bully 약자를 괴롭히다/약자를 괴롭히는 자
target 표적으로 삼다

07
❶ A no more ~ than B: A가 ~ 아닌 것은 B가 아닌 것과 같다
submarine 잠수함

B 뜻 새겨 보면서, 괄호 안 둘 중 하나 고르기.

08 Cultural relativism is the idea (that / which) a person's beliefs, values, and practices should be understood based on his own culture.

09 We always long for the forbidden things, and desire (what / which) is denied us.

10 The focus of physiology is on (how / what) organisms, organs, and cells carry out the chemical and physical functions in a living system.

08
relativism 상대주의
practice 관행[관습]

09
long for 열망[갈망]하다
forbidden 금지된
deny 거부하다[허락하지 않다]

10
physiology 생리학
organ 장기[기관]
physical 물리적인

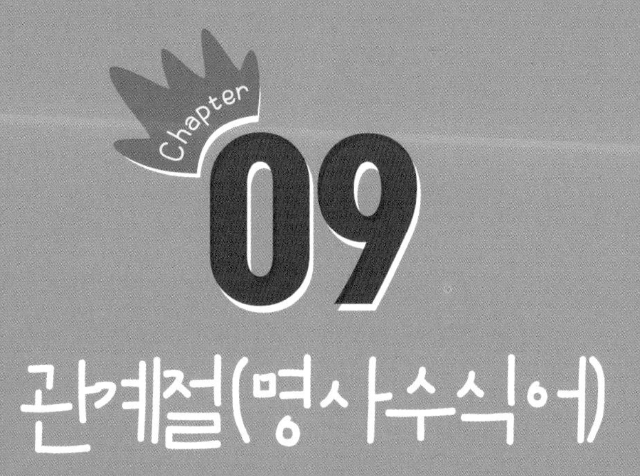

Chapter 09 관계절(명사수식어)

Block Board Overview

- 관계절은 앞명사를 수식하는 절로, 그 속 관계사는 관계절과 앞명사의 관계를 맺어 준다.
- 관계사는 앞명사(사람/사물)와 관계절 속 관계사 기능(주어/목적어/소유격/부사어)이 합해져 결정된다.

	명사수식 관계절		추가정보 관계절	
	사람	사물	사람	사물
주어 관계사	who[that]	which[that]	who	which
목적어 관계사	(who(m)[that])	(which[that])	who(m)	which
소유격 관계사	whose	whose[of which]	whose	whose[of which]

- 관계절의 의미와 형식은 앞명사를 관계사 자리에 넣어 그냥 이해하면 된다.
- 추가정보 관계절은 앞명사를 수식하지 않고, 앞명사나 앞문장 전체나 일부에 대해 보충 설명한다.

Unit 37

주어 관계사 관계절 | (대)명사 + who / which[that] + 동사

(대)명사 + who + 동사		동사	부사어
He	who laughs last	laughs	best[longest].

Unit 38

목적어 관계사 관계절 | (대)명사 + (who(m) / which[that]) + 주어 + 동사

주어	동사	(대)명사 + (which[that]) + 주어 + 동사	
Good humor	is	one of the best articles of dress	(that) one can wear in society.

Unit 39

기타 관계사 관계절 | (대)명사 + <전치사 + which> + 주어 + 동사
(대)명사 + (where / when / why[that]) + 주어 + 동사

주어	동사	(대)명사 + in which + 주어 + 동사	
Love	is	the condition	in which the happiness of another person is essential to your own.

Unit 40

추가정보 관계절 | ~, 관계사 + (주어) + 동사

주어	동사	보어	which	동사	목적어
Laws	are	like cobwebs,	which	may catch	small flies.

Unit 37

주어 관계사 관계절

Block Board

(대)명사 + who / which[that] + 동사

(대)명사 + who + 동사		동사	부사어
He	who laughs last	laughs	best[longest].

- **관계절**: 앞명사를 수식하는 절로, 그 속 관계사는 앞명사를 대신하면서 관계절과 앞명사를 관계 맺음. ('~하는')
- **관계사 결정**: **앞명사**(사람/사물) + 관계절 속 **관계사의 기능**(주어/목적어/소유격/전치사목적어/부사어)
  - ▷ 앞명사 **사람** + 관계절 속 **주어** 관계사: who[that] (주로 who.)
  - ▷ 앞명사 **사물** + 관계절 속 **주어** 관계사: which[that] (주로 that.)

  Tip 앞명사를 관계사 자리에 넣어 보면 됨.(앞명사 = 관계사)

  people **who[that](= people)** have good citizenship 훌륭한 시민 의식을 가진 사람들

  a book **which[that](= a book)** gives us a insight into the life 우리에게 삶에 대한 통찰력을 주는 책
- as/such/same + 앞명사 + as + (주어) + 동사 ~: as는 관계사(who/which[that])처럼 쓰임.
  (as → 유사관계사)

Standard Sentences

01 **He who** laughs last laughs best[longest]. *Proverb* 마지막에 웃는 사람이 가장 잘[오래] 웃어.

02 **The crucial differences which** distinguish human societies and human beings are not biological, but cultural. 인간 사회들과 인간들을 구별 짓는 결정적인 차이는 생물학적이 아니라 문화적인 거야. *crucial 결정적인

03 It has been said that democracy is the worst form of government except **all the others that** have been tried. 민주주의는 시도됐던 다른 모든 정치 체제들을 제외하고는 최악의 형태의 정치 체제라고 말해져 왔어.

A 톡톡 튀는 영어문장 우리말로 바꾸기.

04 Those who dance are considered insane by those who can't hear the music.

→ ______________________ 제정신이 아닌 것으로 여겨져.

05 The only person who is educated is the one who has learned how to learn and change. *Carl Rogers*

→ ______________________.

Up! **06** Our heart is like a chemical computer that uses fuzzy logic to analyze information that can't be easily defined in zeros and ones.

→ 우리의 마음은 0과 1로 ______________________ 화학적 컴퓨터와 같아.

07 An expert is a person who has made all the mistakes that can be made in a very narrow field. *Niels Bohr*

→ 전문가는 ______________________.

04
insane 미친[제정신이 아닌]

05
educated 많이 배운[학식 있는]

06
fuzzy 애매한[불분명한]
logic 논리
analyze 분석하다
define 정의하다

07
expert 전문가
narrow 좁은
field 분야

B 뜻 새겨보면서, 괄호 안 둘 중 하나 고르기.

08 Bad officials are elected by good citizens (which / who) don't vote.

08
official (고위) 공무원[관리]
elect 선출하다

09 There's no one (who / whom) I believe has ever captured the soul of America more profoundly than Abraham Lincoln has. *Barack Obama*

09
capture 사로잡다
profoundly 깊이

10 The "cyborg" applies to an organism (that / as) has restored or enhanced functions due to the integration of some artificial components.

10
restore 복구하다
enhance 강화하다
integration 통합
component 요소[부품]

Up! **11** One part of knowledge consists in being ignorant of such things (as / who) are not worthy to be known. *Crates*

11
ignorant 무지한
worthy 가치 있는

"Those who dance are considered insane by those who can't hear the music."

C who[that] / that[which] / as로 빈칸 채워 멋진 문장 끝내주기.

12 A true friend is the one ______ sees a fault, gives you advice and defends you in your absence.

진정한 친구는 잘못을 보고, 네게 조언을 하고, 네가 없을 때 너를 옹호해 주는 사람이야.

12
defend 옹호[변호]하다
absence 부재[없음]

13 Believe in yourself and all ______ you are; know that there is something inside you ______ is greater than any obstacle.

너 자신과 너인 모든 것을 믿고, 어떤 장애물보다 더 큰 무엇이 네 안에 있다는 것을 알아라.

13
obstacle 장애(물)

14 User-generated content (UGC) is any form of content, such as images, videos, text and audio, ______ has been posted by users on online platforms.

사용자 생성 콘텐츠는 온라인 플랫폼에 사용자들에 의해 게시된 이미지, 동영상, 텍스트 그리고 오디오와 같은 어떤 형태의 콘텐츠든지야.

14
user-generated content (UGC) 사용자 생성 콘텐츠

Up! **15** Divide each difficulty into as many parts ______ is feasible and necessary to resolve it. *Descartes*

각 어려움을 해결하기 위해 실현 가능하고 필요한 만큼의 부분들로 나누어.

15
as many ~ as … …한 만큼의 ~
feasible 실현 가능한
resolve 해결하다

unit 38

목적어 관계사 관계절

Block Board

ǀ (대)명사 + (who(m) / which[that]) + 주어 + 동사 ǀ

주어	동사	(대)명사 + (which[that]) + 주어 + 동사	
Good humor	is	one of the best articles of dress	(that) one can wear in society.

- 앞명사 **사람** + 관계절 속 **목적어/전치사목적어** 관계사: **who(m)**[that]
- 앞명사 **사물** + 관계절 속 **목적어/전치사목적어** 관계사: **which**[that]
- **관계사 생략**: 관계절 속 (전치사)목적어 관계사는 주로 생략됨.
- 앞명사 + (who(m)/which[that]) + 주어 + 동사 → (대)명사 + (대)명사 + 동사 the time(명사) I(대명사) kill(동사)

Tip 앞명사를 관계절 속 목적어 자리에 넣어 보면 됨.(앞명사 = 관계사)

people (**who(m)**[that]) I met (**people**) on line 내가 온라인에서 만난 사람들

the government (**which**[that]) the people deserve (**the government**) 국민들이 누릴 자격이 있는 정부

Standard Sentences

01 Good humor is one of **the best articles of dress** one can wear in society. *William Thackeray*
↳ 멋진 유머는 사람이 사회에서 입을 수 있는 최고 품목의 옷 중 하나야. *article 물품[품목]

02 **Those whom** we most love are often the most alien to us. *Christopher Paolini*
↳ 우리가 가장 사랑하는 사람들이 흔히 우리에게 가장 낯설어. *alien 생소한[낯선]

03 Everyone is a moon, and has **a dark side which** he never shows to anybody. *Mark Twain*
↳ 모든 사람은 달이어서, 자신이 누구에게든 절대 보여 주지 않는 어두운 면이 있어.

A 톡톡 튀는 영어문장 우리말로 바꾸기.

04 Among those whom I like or admire, I can find no common denominator, but among those whom I love, I can. *W. H. Auden*

→ ________ 난 공통분모를 찾을 수 없지만, ________ 찾을 수 있어.

05 All of the people in my life I consider to be close friends are good thinkers. *John Maxwell*

→ ________ 생각이 있는 사람들이야.

06 Do something today that your future self will thank you for. *Sean Flanery*

→ 네 미래의 자신이 ________ 오늘 해라.

07 Advertising is the art of convincing people to spend money they don't have for something they don't need. *Will Rogers*

→ 광고는 ________ 기술이야.

04
admire 존경하다
denominator 분모

07
advertising 광고
convince 확신시키다

B 뜻 새겨보면서, 괄호 안 둘 중 하나 고르기.

08 Morality is simply the attitude we adopt towards people (whom / which) we personally dislike. *Oscar Wilde*

Think 09 The only normal people are the ones (don't know you / you don't know) very well. *Alfred Adler*

10 You measure the size of the accomplishment by the obstacles (had to overcome you / you had to overcome) to reach your goals.

11 I'm flying high in the sky with the two wings (gave you / you gave) me back then. *Song "Boy With Luv" by BTS*

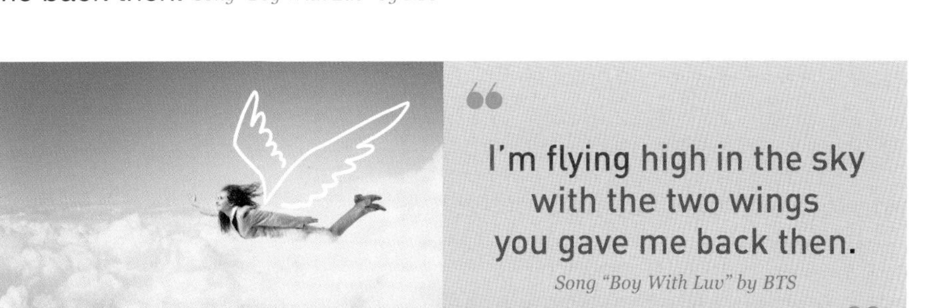
I'm flying high in the sky
with the two wings
you gave me back then.
Song "Boy With Luv" by BTS

08
morality 도덕성
adopt 취하다(채택하다)

10
measure 측정(평가)하다
accomplishment 성취(업적)
obstacle 장애(물)
overcome 극복하다

C 보기 딱 맞는 것 골라 멋진 문장 끝내주기.

보기

I could have said | I kill | I've learned about life | they deserve

12 The time ______________ is killing me.
내가 죽이는 시간이 날 죽이고 있어.

13 After an argument, I always think of awesome things ______________.
논쟁이 끝난 후에야, 난 항상 내가 말했을 수도 있었(으나 하지 못했)던 멋진 말들이 생각나.

14 In a democracy, the people get the government ______________.
민주주의에서 국민들은 그들이 누릴 자격이 있는 정부를 가져.

15 In three words I can sum up everything ______________: it goes on.
세 단어로 난 삶에 대해 배운 모든 것을 요약할 수 있어: it goes on(삶은 계속된다).

deserve
~을 받을 만하다(누릴 자격이 있다)

13
argument 논쟁(언쟁)

15
sum up 요약하다

Unit 39

기타 관계사 관계절

Block Board

(대)명사 + 〈전치사 + which〉 + 주어 + 동사 / (대)명사 + (where / when / why[that]) + 주어 + 동사

주어	동사	(대)명사 + in which + 주어 + 동사	
Love	is	the condition	in which the happiness of another person is essential to your own.

- 앞명사 + 관계절 속 **소유격** 관계사: 앞명사가 사람이면 **whose**, 사물이면 **whose[of which]**.
  앞명사 + **whose(사람/사물)/of which(사물)** + 명사 + (주어) + 동사 ~ the dog **whose** eyes are clear 눈이 맑은 개
- 앞명사 + **전치사**(in/for/by 등) + **whom/which** (× that) + 주어 + 동사 ~: 전치사를 관계절 동사 뒤에 둘 수 있음.
  the boy/girl **with whom** (× that) I fell in love = the boy/girl **(who(m)[that])** I fell in love **with**
- 앞명사 장소(place/point/system 등) + **(where[that])** + 주어 + 동사 ~: where[that]은 생략 가능.
- 앞명사 시간(time/day/age/stage 등) + **(when[that])** + 주어 + 동사 ~: when[that]은 생략 가능.
- 앞명사 이유(reason) + **(why[that])** + 주어 + 동사 ~: why[that]은 생략 가능.

Standard Sentences

01 Love is **the condition in which** the happiness of another person is essential to your own. *Robert Heinlein*
↳ 사랑은 다른 사람의 행복이 너 자신의 행복에 필수적인 상태야. *essential 필수적인

02 We cannot have **peace** among **men whose** hearts find delight in killing any living creature. *Rachel Carson*
↳ 우리는 그들의 마음이 어떤 살아 있는 생명체든 죽이는 것에서 기쁨을 찾는 사람들 속에서 **평화를** 가질 수 없어.

03 We live **in an age when** pizza gets to your home before the police. *Jeff Marder*
↳ 우리는 피자가 경찰보다 먼저 네 집에 도착하는 시대에 살고 있어.

A 톡톡 튀는 영어문장 우리말로 바꾸기.

Up! **04** Language is the blood of the soul into which thoughts run and out of which they grow. *Oliver Holmes*
→ 언어는 ______________________ 정신의 피야.

05 The right to vote is the one by which all of our rights are influenced, and without which none can be protected. *Benjamin Jealous*
→ 투표권은 ______________________.

06 The public is the only critic whose opinion is worth anything at all.
→ 대중은 ______________________.

07 A welfare state is a political system where the state assumes responsibility for the health, education, and welfare of society.
→ 복지 국가는 ______________________ 정치 체제야.

04
run 흐르다

05
influence 영향을 미치다
protect 보호하다

06
critic 비평가
anything (at all) 무엇이든

07
state 국가
assume 맡다
responsibility 책임

B 뜻 새겨보면서, 괄호 안 둘 중 하나 고르기.

08 Economic equilibrium occurs at the point (where / which) quantity demanded and quantity supplied are equal.

08
equilibrium 균형[평형]
quantity demanded 수요량
quantity supplied 공급량

09 As a teenager you are at the last stage in your life (when / which) you will be happy to hear that the phone is for you.

Up! **10** No society can surely be flourishing and happy, (which / of which) the far greater part of the members are poor and miserable. *Adam Smith*

10
flourish 번영[번창]하다
miserable 비참한

11 The reason (which / why) people give up so fast is that they tend to look at how far they still have to go, instead of how far they have come.

11
tend to-v v하는 경향이 있다

OPINION

"The public is the only critic whose opinion is worth anything at all."
Mark Twain

C 보기 딱 맞는 것 골라 멋진 문장 끝내주기.

보기

by which　　for which　　in which　　on which

12 Water and air ________ all life depends have become global garbage cans. 모든 생명체가 의존하는 물과 공기가 지구의 쓰레기통이 되어 버렸어.

12
garbage can 쓰레기통

13 Equal justice under law is one of the ends ________ our entire legal system exists. 법 아래 평등한 정의는 우리의 전체 법체계가 존재하는 목적 중 하나야.

13
end 목적[목표]
entire 전체의

14 We are still far from grasping the neuronal processes ________ a memory is formed, stored, and retrieved.
우리는 기억이 형성되고 저장되고 검색되는 뉴런의 과정을 아직도 전혀 파악하지 못하고 있어.

14
far from 전혀[결코] ~이 아닌
grasp 파악하다
neuronal 뉴런의
retrieve 검색하다

Up! **15** There are special circumstances ________ a gene can achieve its own selfish goals best by fostering a limited form of altruism.
유전자가 한정된 형태의 이타주의를 발전시켜 자신의 이기적인 목표를 가장 잘 달성할 수 있는 특수한 상황이 있어.

15
circumstance 상황[환경]
foster 조성하다[발전시키다]
altruism 이타주의

추가정보 관계절

Block Board

| ~, 관계사 + (주어) + 동사 |

주어	동사	보어	which	동사	목적어
Laws	are	like cobwebs,	which	may catch	small flies.

- **추가정보 관계절**: 앞명사를 수식[제한]하지 않고, 앞명사나 앞문장 전체/일부에 대해 보충 설명함.
  ▷ 관계절 앞(뒤)에 콤마(,)를 찍고, who/which는 생략할 수 없고, that/what은 쓸 수 없음.
- 주어, **관계사(who(se)/which/where) + (주어) + 동사** ~, 동사 ...: 관계절이 삽입절로 앞명사를 보충 설명함.
- 주어 + 동사 ~, **which/who + (주어) + 동사** ...: 관계절이 앞명사나 앞문장 전체/일부를 받아 보충 설명함.
  = 주어 + 동사 ~, **and that[they·them]** ...: **'~인데, 그것(들)은 ...'**
- 주어 + 동사 ~, **전치사**(in/to/of 등) + **whom/which + 주어 + 동사** ...: 전치사를 관계절 동사 뒤에 둘 수 있음.
- 주어 + 동사 ~, **all/each/most + of + whom/which + (주어) + 동사** ...
- 주어 + 동사 ~, **where/when + 주어 + 동사** ...: why/that은 쓸 수 없음.

Standard Sentences

01 Laws are like cobwebs, **which** may catch small flies but let wasps break through.
↳ 법들은 거미줄들과 같은데, 그것들은 작은 파리들은 잡을지 모르지만 말벌들은 뚫고 나가게 놔둬. *cobweb 거미줄 wasp 말벌 *Jonathan Swift*

02 Linus Pauling, **who** is the only person to win two unshared Nobel Prizes, was awarded the Chemistry Prize in 1954, and the Peace Prize in 1962.
↳ 라이너스 폴링은, 두 개의 공동 수상이 아닌 노벨상을 탄 유일한 사람인데, 1954년에 화학상을, 1962년에 평화상을 수상했어.

03 Status quo bias is a preference for the current state, **where** any change is perceived as a loss. 현상 유지 편향은 현 상태에 대한 선호인데, 거기선 어떤 변화도 손실로 여겨져. *perceive 인식하다[여기다]

A 톡톡 튀는 영어문장 우리말로 바꾸기.

04 Tropical forest ecosystems, which cover 7 percent of earth's surface, contain about 90 percent of the world's species.
→ 열대 우림 생태계는, ______________________, 세계 종의 약 90퍼센트를 포함해.

05 We live in a framework based on global economy, which causes people to compete with each other through trade. *John Sulston*
→ 우리는 세계 경제에 기반한 체제 속에 ______________________.

06 Social media users are able to select which photos and status updates to post, which can make other users feel inferior by comparison.
→ 소셜 미디어 이용자들은 ______________________.

07 This is an era of specialists, each of whom sees his own problem and is unaware of the larger frame into which it fits. *Rachel Carson*
→ 지금은 전문가들의 시대인데, ______________________.

04
tropical 열대의
ecosystem 생태계
cover (지역에) 걸치다

05
framework 틀[체제]
compete 경쟁하다
trade 거래[무역]

06
select 선택하다
status update 상태 업데이트
inferior 열등한
comparison 비교

07
era 시대
unaware 알지 못하는
fit into ~에 들어맞다[들어가다]

B 뜻 새겨보면서, 괄호 안 둘 중 하나 고르기.

08 The mind is like an iceberg, (that / which) floats with one-seventh of its bulk above water. *Sigmund Freud*

09 Mediocre journalists simply make headlines of their conclusions, (what / which) suddenly become generally accepted by the people.

10 The opposite of Murphy's law, Yhprum's law, (where / which) the name is spelled backwards, is "anything that can go right, will go right."

11 A narrative consists of a set of events told in a process of narration, (which / in which) the events are selected and arranged in a particular order.

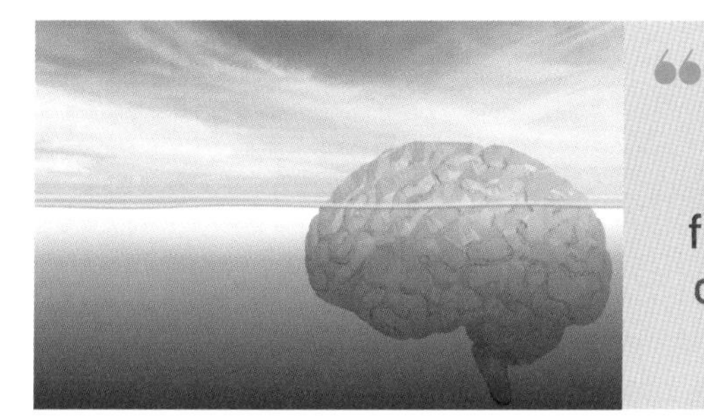

"The mind is like an iceberg, which floats with one-seventh of its bulk above water."
Sigmund Freud

08
iceberg 빙산
float 뜨다
bulk (큰) 규모[양]
09
mediocre 그리 좋지 않은
headline 기사 제목
conclusion 결론
10
opposite 반대(되는 것)
spell 철자하다
backwards 뒤로[거꾸로]
11
narrative 이야기[내러티브]
narration 서술
arrange 배열하다

C when/where/which로 빈칸 채워 멋진 문장 끝내주기.

12 Progress comes from people who make hypotheses, most of __________ turn out to be wrong, but all of __________ ultimately point to the right answer. 진보는 가설들을 세우는 사람들로부터 비롯되는데, 그것들 대부분이 잘못으로 드러나지만, 그것들 모두는 결국 올바른 답을 시사해.

Up! **13** Mathematics takes us into the region of absolute necessity, to __________ not only the actual word, but every possible word, must conform. *Bertrand Russell*

수학은 우리를 절대적 필연성의 영역으로 데려가는데, 거기에는 실제 언어뿐만 아니라 모든 가상 언어도 따라야 해.

14 The stranger is an archetype in epic poetry and novels, __________ the tension between alienation and assimilation has always been a basic theme. 이방인[낯선 사람]은 서사시와 소설에서의 전형인데, 거기서 소외와 동화 사이의 긴장이 늘 기본 주제가 되어 왔어.

15 Seventeen publishers rejected the manuscript, __________ I knew I had something pretty hot.

17개 출판사들이 원고를 거절했는데, 그때 난 내가 아주 강렬한 뭔가를 갖고 있다는 걸 알게 되었어.

12
progress 진보
hypothesis 가설
(복수형 hypotheses)
ultimately 결국
point to ~을 나타내다[시사하다]

13
region 영역
absolute 절대적인
necessity 필연[필요](성)
conform to ~에 따르다

14
archetype 전형
epic 서사시의
tension 긴장
alienation 소외
assimilation 동화

15
publisher 출판사[출판인]
manuscript 원고

Chapter 09 Review

A 오색빛깔 영어문장 우리말로 바꾸기.

01 Those who have no time for healthy eating will sooner or later have to find time for illness.

02 A successful man is one who can lay a firm foundation with the bricks that others have thrown at him.

03 Genetically modified foods are produced from organisms that have had changes introduced into their DNA.

04 Each BTS member sings about the life he wants to live in a way that is true to himself. *Moon Jae-in*

Up! 05 Dance is the only art of which we ourselves are the stuff of which it is made.

06 There may be times that we are powerless to prevent injustice, but there must never be a time that we fail to protest.

07 REM sleep, which is an acronym for rapid eye movement sleep, is responsible for the most intense and visually realistic dreaming.

B 뜻 새겨보면서, 괄호 안 둘 중 하나 고르기.

08 A “fact” merely marks the point (which / where) we have agreed to let investigation cease.

09 Using smartphones late at night can disturb sleep due to the blue light of the screen, (that / which) affects melatonin levels and sleep cycles.

10 We live in a society dependent on science and technology, (which / in which) hardly anyone knows anything about them. *Carl Sagan*

01
sooner or later 조만간[머잖아]
illness (질)병

02
lay 놓다
firm 단단한
foundation 토대[기초]

03
genetically modified foods 유전자 변형 식품
organism 유기체[생물]
introduce 소개[도입]하다

04
true 충실한

05
stuff 재료[물건]

06
powerless 힘없는[~할 수 없는]
injustice 불의
protest 항의하다

07
acronym 두문자어
responsible 원인이 되는
intense 강렬한
visually 시각적으로

08
merely 그저[단지]
mark 나타내다[표시하다]
cease 중단되다

09
disturb 방해하다
affect ~에 영향을 미치다
melatonin 멜라토닌

10
dependent 의존[의지]하는
hardly 거의 ~ 아닌

A Day Without Laughter is a Day Wasted.

웃지 않는 날은 허비되는 날이야. *Charlie Chaplin*

01 The most important thing we learn at school is the fact that the most important things can't be learned at school. *Haruki Murakami*
우리가 학교에서 배우는 가장 중요한 점은 가장 중요한 것은 학교에서 배워질 수 없다는 사실이야.

02 A conclusion is the place you get to when you're tired of thinking. *Jill Shalvis*
결론은 네가 생각하는 데 싫증 날 때 이르는 곳이야.

03 When a teacher calls a boy by his entire name, it means trouble. *Mark Twain*
선생님이 소년을 (성까지 포함한) 전체 이름으로 부를 때, 그건 문제가 있다는 걸 의미해.

04 As you get older, three things happen. The first is your memory goes, and I can't remember the other two. *Norman Wisdom*
네가 나이가 들면서 세 가지가 일어나. 첫째는 네 기억이 사라지는 것이고, 다른 두 가지는 내가 기억이 안 나.

05 Before you judge a man, walk a mile in his shoes. After that who cares? He's a mile away and you've got his shoes! *Billy Connolly*
네가 어떤 사람을 판단하기 전에, 그의 신발을 신고 1마일을 걸어 봐. 그 후엔 누가 상관이나 한대[알 게 뭐야]? 그는 1마일 떨어져 있고 넌 그의 신발을 가지고 있어!

유머 코드 "walk a mile in someone's shoes"(누군가의 입장이 되어 보다)라는 관용구에 대한 풍자.

06 The man who smiles when things go wrong has thought of someone to blame it on. *Robert Bloch*
일이 잘못될 때 웃는 사람은 그것에 대해 탓할 누군가를 생각해 온 거야.

07 A bank is a place that will lend you money if you can prove that you don't need it. *Bob Hope*
은행은 네가 돈이 필요 없다는 것을 입증할 수 있으면 네게 돈을 빌려줄 곳이야.

08 Q: What do you get when you mix sulfur, tungsten, and silver?
A: SWAG
Q: 황과 텅스텐과 은을 섞으면 넌 뭘 얻을까? A: SWAG

유머 코드 swag은 '훔친 물건' / '창문 장식용 천'이나, 요즘 '스왜그'는 '자신만의 여유와 멋'을 뜻하기도 함.

08
sulfur 황(원소 기호: S)
tungsten 텅스텐(원소 기호: W)
silver 은(원소 기호: Ag)

09 Student: Teacher, would you punish me for something I didn't do?
Teacher: Of course not. Student: Good, I didn't do my homework.
학생: 선생님, 제가 하지 않은 뭔가에 대해 제게 벌주실 건가요?
선생님: 물론 아니지. 학생: 좋아요. 제가 숙제를 하지 않았어요.

10 We are all a little weird and life's a little weird, and when we find someone whose weirdness is compatible with ours, we join up with them and fall in mutual weirdness and call it love. *Dr. Seuss*
우리는 모두 좀 기이하고 삶도 좀 기이하며, 우리가 우리의 기이함과 화합할 수 있는 기이함을 가진 누군가를 찾을 때 우리는 그들과 연합해서 서로의 기이함에 빠져 그것을 사랑이라 불러.

10
weird 기이한
weirdness 기이함
compatible 양립[화합]할 수 있는
join up with ~와 연합하다
mutual 서로의

이 게임은 영어문장 완전 정복을 위한 '단계적[나선형] 학습' 과정이 3단계로 이루어져,
게임자는 게임을 즐기는 사이 자연스레 영어문장의 전체 숲에서 세부 나무들로 나아가게 된다.

* 마지막 STAGE III에서는 먼저 STAGE I·II에서 이미 단계별로 습득한 영어문장을 종합해서 주성분(주어/보어/목적어)별로 나누어 총정리하게 된다.
* 이어 대등·상관접속사로 단어·구·절이 같은 꼴로 대등하게 연결되는 원리를 이해한다.
* 끝으로 영어문장을 길고 복잡하게 하는 다양한 부사절마저 잘 챙겨 영어문장 습득 게임에 실질적인 마침표를 찍는다.
* 아울러 좀 까다롭지만 오묘한 맛인 가정표현과, 기타 영어 특유의 구문들도 그 핵심을 뽑아내 뇌리에 새겨 둔다.
* Chapter 10에서 주어·보어·목적어의 총정리와 대등 연결과, Chapter 11에서 여러 부사절과, Chapter 12에서 가정표현과, Chapter 13에서 비교와 기타 구문과 게임을 벌이게 된다.
* 이로써 세계 최고의 명문장들이 최적의 프로그램으로 짜인 영어문장 습득 게임을 해피엔딩으로 마무리하며 뿌듯한 보람을 만끽하자!

Stage Ⅲ

모든 문장과 특수 구문

Block Board Overview

- 주어/목적어로는 (대)명사/v-ing/to-v/that절/whether절/what절/wh-절 등이 쓰인다.
- 보어로는 형용사(구)/(대)명사/v-ing/to-v/that절/whether절/what절/wh-절 등이 쓰인다.
- 주어/보어/목적어는 형용사(구)/v-ing/v-ed분사/to-v/전치사구/관계절(who/which[that]절) 등의 수식을 받는다.
- 목적보어로는 (대)명사/형용사/to-v/V/v-ing/v-ed분사 등이 쓰인다.

- 대등접속사(and/but/or/for)는 단어/구/절을 대등하게 연결한다.
- 상관접속사(both ~ and/either ~ or/neither ~ nor/not ~ but/not only ~ (but) also)는 단어/구/절을 대등하게 연결한다.
- 대등접속사와 상관접속사로 연결되는 것은 같은 꼴(명사/(조)동사/형용사/부사/v-ing/to-v[V]/전치사구/절)이어야 한다.

Unit 41 주어(구·절) 종합 | (대)명사 / 명사구 / 명사절 + 동사

wh-절	동사	목적어
How you gather, manage, and use information	will determine	whether you win or lose.

Unit 42 보어(구·절) 종합 | 주어 + be동사 + (대)명사 / 명사구 / 명사절 / 형용사(구)

주어	동사	v-ing
Success	is	walking from failure to failure without loss of enthusiasm.

Unit 43 목적어 / 목적보어(구·절) 종합 | 주어 + 동사 + (대)명사 / 명사구 / 명사절

동사	that절
Keep in mind	that the real courage is not in dying but in living for what you believe.

Unit 44 대등접속사 | and / but / or / for

동사	목적어,	and	주어	동사	부사어
Choose	a job you love,	and	you	will never have to work	a day in your life.

Unit 45 상관접속사 | both ~ and / either ~ or / neither ~ nor / not ~ but / not only ~ (but) also

주어	동사 + not	보어,	but	보어
Peace	is not	the absence of war,	but	the presence of justice.

unit 41

주어 (구·절) 종합

Block Board

| (대)명사 / 명사구 / 명사절 + 동사 |

wh-절	동사	목적어
How you gather, manage, and use information	will determine	whether you win or lose.

- 주어: (대)명사/명사구(v-ing/to-v)/명사절(that절/whether[if]절/what절/wh-절/wh-ever절)
  - ▹ v-ing/to-v + (보어/목적어/수식어)('v하는 것') + 동사 ~
  - ▹ that절/whether절(that/whether + 주어 + 동사 = '~ 것'/'~인지 (아닌지)') + 동사 ~
  - ▹ what절(what + (주어) + 동사 = '~인 것'/'무엇 ~인지') + 동사 ~
  - ▹ who/where/when/how/why절(wh- + (주어) + 동사 = '누구/어디/언제/어떻게·얼마나/왜 ~인지') + 동사 ~
  - ▹ whatever/whoever절(whatever/whoever + (주어) + 동사 = '~인 무엇이든지'/'~인 누구든지') + 동사 ~
- It(형식주어) + 동사 ~ + to-v/v-ing/that절/whether[if]절/wh-절(진주어)
- 주어: (대)명사 + 뒤수식어(형용사(구)/v-ing/v-ed분사/to-v/전치사구/관계절(who/which[that]절))

Standard Sentences

01 How you gather, manage, and use information will determine whether you win or lose. *Bill Gates*
↳ 네가 어떻게 정보를 수집하고 관리하고 사용하는지가 네가 이길지 질지 결정할 거야.

02 Destroying rainforest for economic gain is like burning a Renaissance painting to cook a meal. *E. O. Wilson* 경제적 이익을 위해 열대 우림을 파괴하는 것은 식사를 준비하기 위해 르네상스 그림을 태우는 것과 같아.

03 A journalist covering politics or the economy must be unbiased in their reporting. *Walter Cronkite*
↳ 정치나 경제를 다루는 기자는 자신의 보도에서 편파적이지 않아야 해. *unbiased 편파적이지 않은

A 톡톡 튀는 영어문장 우리말로 바꾸기.

04 It is foolish to be convinced without evidence, but it is equally foolish to refuse to be convinced by real evidence. *Upton Sinclair*

→ ______________ 어리석지만, ______________ 똑같이 어리석어.

05 To be yourself in a world that is constantly trying to make you something else is the greatest accomplishment. *Ralph Emerson*

→ ______________________________ 가장 위대한 성취야.

06 Your decision to be, have and do something out of the ordinary entails facing difficulties out of the ordinary as well. *Brian Tracy*

→ ______________________ 특이한 어려움에 직면하는 것도 수반해.

07 It doesn't matter how much you learn in school; it matters whether you learn how to go on doing things by yourself. *Noam Chomsky*

→ ______________ 중요하지 않고, ______________ 중요해.

04
convinced 확신[납득]하는
refuse 거부하다

05
constantly 끊임없이

06
out of ordinary 특이한(색나른)
entail 수반하다
as well ~도

07
go on v-ing 계속 v하다
by oneself 혼자 (힘으로)

B 뜻 새겨 보면서, 괄호 안 둘 중 하나 고르기.

Up! **08** The possibilities of billions of people (connected / connecting) by mobile devices with unprecedented processing power and storage capacity are unlimited.

09 (If / Whether) the events in our life are good or bad, greatly depends on the way we perceive them. *Montaigne*

10 In the long history of humankind, those (which / who) learned to collaborate and improvise most effectively have prevailed. *Charles Darwin*

11 Any religion or philosophy (which / who) is not based on a respect for life is not a true religion or philosophy. *Albert Schweitzer*

08
unprecedented 전례 없는
capacity 용량
unlimited 무한한

09
perceive 인지[감지]하다

10
collaborate 협력하다
improvise
임기응변하다[즉석에서 하다]
prevail 승리하다

“It is important that we understand the importance of the Arctic, stop the process of destruction, and protect it.”
Ludovico Einaudi

C 보기 딱 맞는 것 골라 멋진 문장 끝내주기.

보기
that what whoever why

12 It is important ________ we understand the importance of the Arctic, stop the process of destruction, and protect it.
우리가 북극의 중요성을 이해하고 파괴의 과정을 멈추고 그것을 보호하는 것이 중요해.

13 ________ degrades another degrades me, and whatever is done or said returns at last to me. *Walt Whitman*
다른 사람을 비하하는 누구든 저 자신을 비하하는 것이고, 행해지거나 말해지는 무엇이든 결국 저 자신에게로 돌아와.

14 ________ you are thinking, what shape your mind is in, makes the biggest difference of all.
네가 무엇을 생각하고 있는지, 즉 네 마음이 어떤 상태에 있는지가 모든 것 중에 가장 큰 차이를 만들어.

☺ **15** The reason ________ rivers and seas are able to be lords over a hundred mountain streams is that they know how to keep below them.
강들과 바다들이 백 개의 계곡물들을 다스리는 주인이 될 수 있는 이유는 강들과 바다들이 계곡물들 아래에 머무는 법을 알고 있기 때문이야.

12
the Arctic 북극

13
degrade 비하하다
at last 결국

14
shape 형태[상태]

15
lord 주인
mountain stream 계곡물

unit 42

보어 (구·절) 종합

Block Board

ㅣ 주어 + be동사 + (대)명사 / 명사구 / 명사절 / 형용사(구) ㅣ

주어	동사	v-ing
Success	is	walking from failure to failure without loss of enthusiasm.

- 보어: (대)명사/명사구(v-ing/to-v)/명사절(that절/whether[if]절/what절/wh-절/wh-ever절)/형용사(구)
  - ▷ 주어 + be동사 + v-ing/to-v + (보어/목적어/수식어)(v하는 것)
  - ▷ 주어 + be동사 + that절(~ 것)/whether절(~인지 (아닌지))
  - ▷ 주어 + be동사 + what절(~인 것/무엇 ~인지)/who/where/when/how/why절(누구/어디/언제/어떻게·얼마나/왜 ~인지)
  - ▷ 주어 + be동사 + whatever/whoever절(~인 무엇이든지/~인 누구이든지)
- 보어: (대)명사 + 뒤수식어(형용사(구)/v-ing/v-ed분사/to-v/전치사구/관계절(who/which[that]절))

Standard Sentences

01 Success is walking from failure to failure without loss of enthusiasm. *Winston Churchill*
↳ 성공은 열정을 잃지 않고 실패에서 실패로 걸어가는 거야.

02 Life is 10 percent what happens to me and 90 percent how I react to it. *Charles R. Swindoll*
↳ 삶은 10퍼센트의 내게 무엇이 일어나는지와 90퍼센트의 내가 그것에 어떻게 반응하는지야.

03 The vote is the most powerful instrument devised by man for breaking down injustice. *Lyndon Johnson*
↳ 투표는 불의를 깨부수기 위해 인간에 의해 고안된 가장 강력한 수단이야. *devise 창안[고안]하다

A 톡톡 튀는 영어문장 우리말로 바꾸기.

04 The interpretation of dreams is the royal road to a knowledge of the unconscious activities of the mind. *Sigmund Freud*
→ 꿈의 해석은 ______________________________.

05 Peace is a daily, a weekly, a monthly process gradually changing opinions, slowly eroding old barriers, quietly building new structures.
→ 평화는 ______________________________.

06 The way to get good ideas is to get lots of ideas and throw the bad ones away. *Linus Pauling*
→ 좋은 생각들을 얻는 방법은 ______________________________.

07 The question is not whether we are able to change but whether we are changing fast enough. *Angela Merkel*
→ 문제는 ______________________________.

04
interpretation 해석
royal 왕의
unconscious 무의식적인

05
gradually 차츰[서서히]
erode 침식시키다[무너뜨리다]
barrier 장벽[장애물]

06
throw away 버리다

B 뜻 새겨 보면서, 괄호 안 둘 중 하나 고르기.

Up! **08** The "paradox of water and diamonds" is the contradiction (that / which) water possesses a value far lower than diamonds, but water is far more vital to a human being.

08
paradox 역설
contradiction 모순
vital (생명 유지에) 필수적인

09 Honesty is the fastest way (prevent / to prevent) a mistake from turning into a failure.

09
prevent A from B
A가 B하는 것을 막다

10 Video game addiction is a compulsive disorder (who / that) can cause severe damage to the point of social isolation and abnormal human function.

10
addiction 중독
compulsive 강박적인
disorder 장애[질병]
severe 극심한

Up! **11** Irony is (what / when) something happens that is opposite from what is expected.

11
irony 아이러니[역설적인 것]

"Peace is a daily, a weekly,
a monthly process
gradually changing opinions,
slowly eroding old barriers,
quietly building new structures."
John F. Kennedy

C 보기 딱 맞는 것 골라 멋진 문장 끝내주기.

보기

that   to   whatever   where

12 Your best is __________ you can do comfortably without having a breakdown. 너의 최선은 네가 신경 쇠약에 걸리지 않고 편안하게 할 수 있는 무엇이든지야.

12
breakdown 신경 쇠약

13 The great pleasure of a dog is __________ you may make a fool of yourself with him, and not only will he not scold you, but he will make a fool of himself too. 개가 주는 큰 즐거움은 네가 개와 함께 너 자신을 바보로 만들어도, 개는 널 꾸짖지 않을 뿐만 아니라, 개도 자신을 바보로 만들 거라는 거야.

13
make a fool of
~을 놀리다[바보로 만들다]
scold 꾸짖다

14 The greatest weakness of most humans is their hesitancy __________ tell others how much they love them while they're alive.
대부분 인간들의 최대의 결점은 그들이 다른 사람들을 얼마나 사랑하는지를 그들이 살아 있는 동안 그들에게 말하기를 주저한다는 거야.

14
hesitancy 주저[망설임]

15 Augmented reality (AR) is an interactive experience of a real-world environment __________ real-world objects are enhanced by computer-generated perceptual data. 증강 현실은 실세계의 사물들이 컴퓨터로 만들어진 지각 데이터에 의해 강화되는 실세계 환경의 상호 작용하는 경험이야.

15
augment 증가시키다
enhance 강화하다
computer-generated
컴퓨터로 만들어진
perceptual 지각의

unit 43

목적어/목적보어 (구·절) 종합

Block Board

| 주어 + 동사 + (대)명사 / 명사구 / 명사절 |

동사	that절
Keep in mind	that the real courage is not in dying but in living for what you believe.

- 목적어: (대)명사/명사구(v-ing/to-v)/명사절(that절/whether[if]절/what절/wh-절/wh-ever절)
  - ▷ 주어 + 동사 + **v-ing/to-v** + (보어/목적어/수식어)(v하는 것)
  - ▷ 주어 + 동사 + **that절**(~것)/**whether절**(~인지 (아닌지))
  - ▷ 주어 + 동사 + **what절**(~인 것/무엇 ~인지)/**who/where/when/how/why절**(누구/어디/언제/어떻게·얼마나/왜 ~인지)
  - ▷ 주어 + 동사 + **whatever/whoever절**(~인 무엇이든지/~인 누구이든지)
- 목적어: (대)명사 + **뒤수식어(형용사(구)/v-ing/v-ed분사/to-v/전치사구/관계절**(who/which[that]절))
- 목적보어: (대)명사/형용사/to-v/V/v-ing/v-ed분사 ▷ 주어 + 동사 + 목적어 + **(대)명사/형용사/to-v/V/v-ing/v-ed분사**

Standard Sentences

01 Keep in mind that the real courage is not in dying but in living and suffering for what you believe. *Christopher Paolini* 진정한 용기는 죽는 데 있는 게 아니라 네가 믿는 것을 위해 살며 고통을 겪는 데 있다는 걸 명심해.

02 We have forgotten how to be good guests, how to walk lightly on the earth as its other creatures do. *Barbara Ward* 우리는 좋은 손님이 되는 법을, 지구의 다른 생물들이 하는 대로 지구 위를 가볍게 걷는 법을 잊어버렸어.

03 We must not allow other people's limited perceptions to define us. *Virginia Satir*
↳ 우리는 다른 사람들의 제한된 인식이 우리를 규정하도록 허용해서는 안 돼. *define 규정[정의]하다

A 톡톡 튀는 영어문장 우리말로 바꾸기.

04 Everyone has the right to take part in the government of his country, directly or through freely chosen representatives. *Declaration of Human Rights*
→ 모든 사람은 ______________________.

05 The term "global village" means different parts of the world that form one community that's linked by the Internet.
→ '지구촌'이라는 용어는 ______________________.

06 Do not do to others what you do not want others to do to you.
→ ______________________ 다른 사람들에게 하지 마.

Up! **07** WHO defined "infodemic" as an over-abundance of information that makes it hard for people to find reliable information and guidance.
→ 세계 보건 기구는 '정보유행병'을 ______________________.

04
take part in 참여하다
directly 직접
representative 대표

05
term 용어
form 형성하다
link 연결하다

07
infodemic = information(정보) + epidemic(유행병)
over-abundance 과잉[과다]
reliable 믿을 수 있는
guidance 지침

B 뜻 새겨 보면서, 괄호 안 둘 중 하나 고르기.

08 I love voting day; I love the sight of my fellow citizens (lined / lining) up to make their voices heard.

> 08
> sight 광경
> line up 줄을 서다

09 Never stop (to try / trying) to make your dreams come true.

> 09
> come true 이루다[실현하다]

10 Don't let regrets about the past or worries about the future (to rob / rob) you of your enjoyment of the present. *Nicky Gumbel*

> 10
> regret 후회
> rob 빼앗다[강탈하다]

11 Never regard your study as a duty, but as the opportunity (learning / to learn) the beauty of the intellect for your own joy and the profit of the community. *Albert Einstein*

> 11
> regard 여기다
> intellect 지성[지적 능력]
> profit 이익

"I love voting day; I love the sight of my fellow citizens lining up to make their voices heard."

Beth Broderick

C 보기 딱 맞는 것 골라 멋진 문장 끝내주기.

보기
how much　　that　　whether　　why

12 I believe ________ the only thing worth doing is to add to the sum of accurate information in the world. *Margaret Mead*

난 할 가치가 있는 유일한 일은 세상의 정확한 정보의 총합에 더 보태는 것임을 믿어.

> 12
> sum (총)합
> accurate 정확한

13 Experiments determine ________ observations agree with or conflict with the predictions derived from a hypothesis.

실험은 관찰이 가설에서 얻어진 예측과 일치하는지 또는 상충하는지 밝혀.

> 13
> determine 밝히다/결정하다
> agree 일치하다
> conflict 상충하다

14 Only a few know ________ one must know to know how little one knows. 몇몇 사람만이 자신이 얼마나 적게 아는지 알기 위해서 얼마나 많이 알아야 하는지를 알아.

15 I always wondered ________ somebody didn't do something about that; then I realized I was somebody.

난 늘 누군가가 왜 그것에 대해 뭔가를 하지 않는지 궁금했는데, 그러다 난 내가 바로 그 누군가라는 걸 깨달았어.

대등접속사

Block Board

| and / but / or / for |

동사	목적어,	and	주어	동사	부사어
Choose	a job you love,	and	you	will never have to work	a day in your life.

- **대등접속사**: A(단어/구/절) + **대등접속사** + B(단어/구/절) – A와 B를 대등하게 연결.
  (대등)

Tip A와 B는 같은 꼴(명사/(조)동사/형용사/부사/v-ing/to-v[V]/전치사구/절)이어야 함.

▹ A(, B,) **and** C: 부가(~와[그리고/~하고])/연속(~하고)/결과(~해서)/대조(~지만)/설명(~한데)

▹ A **but** B: 대조(~지만)

▹ A(, B,) **or** C: 둘 이상 중 하나 선택(~이나(또는)) ▹ **not[never] ~, (n)or** …: ~이 아니고 …도 (또한) 아니다

▹ **for**: 이유(왜냐면 ~) – 판단의 근거 추가 설명.(because와 달리 문장 앞에 쓸 수 없음.)

▹ **명령문, and** 주어 + 동사: ~하면, ... Work hard, **and** you'll succeed. = If you work hard, you'll succeed.

▹ **명령문, or** 주어 + 동사: ~하지 않으면, ... Work hard, **or** you'll fail. = If you don't work hard, you'll fail.

Standard Sentences

01 Choose a job you love, **and** you will never have to work a day in your life.
↳ 네가 정말 좋아하는 일을 선택하면, 넌 살면서 하루도 일할 필요가 결코 없을 거야.

02 Life is a tragedy when seen in close-up, **but** a comedy in long-shot. *Charlie Chaplin*
↳ 삶은 가까이서 보면 비극이지만, 멀리서 보면 희극이야.

03 Take care to get what you like, **or** you will be forced to like what you get. *Bernard Shaw*
↳ 네가 좋아하는 것을 얻도록 주의하지 않으면, 넌 네가 얻은 것을 좋아하도록 강요당할 거야. *take care 주의[조심]하다 force 강요하다

04 You cannot do a kindness too soon, **for** you never know how soon it will be too late. *Ralph Emerson*
↳ 넌 아무리 빨리 친절한 행동을 해도 지나치지 않은데, 왜냐면 넌 그것이 얼마나 빨리 너무 늦어질지 결코 알지 못하기 때문이야.

A 톡톡 튀는 영어문장 우리말로 바꾸기.

05 Students must learn to think and act for themselves, and be free to cultivate a spirit of inquiry and criticism.
→ 학생들은 ______________________.

06 You can fool all the people some of the time, and some of the people all the time, but you cannot fool all the people all the time.
→ 넌 ______________________.

07 Stand up and face your fears, or they will defeat you. *LL Cool J*
→ ______________________.

05
cultivate 경작하다[기르다]
spirit 정신
inquiry 탐구[문의]
criticism 비판

06
fool 속이다
all the time 내내

07
fear 두려움[공포]
defeat 패배시키다[물리치다]

B 뜻 새겨 보면서, 괄호 안 둘 중 하나 고르기.

08 In the arithmetic of love, one plus one equals everything, (and / for) two minus one equals nothing.

09 You can't go back and change the beginning, (but / for) you can start where you are and change the ending.

10 Tell me, and I will forget; show me, (and / or) I may remember; involve me, (and / for) I will understand. *Confucius(공자)*

11 Education is the passport to the future, (but / for) tomorrow belongs to those who prepare for it today.

08
arithmetic 산수[연산]
equal (수나 양이) 같다[~이다]

10
involve 참여[관련]시키다

11
passport 여권
belong to ~의 소유[것]이다

Life is a tragedy
when seen in close-up,
but a comedy
in long-shot.
Charlie Chaplin

C 보기 딱 맞는 접속사 골라 멋진 문장 끝내주기.

보기: but for nor or

12 Originality is the fine art of remembering what you hear ________ forgetting where you heard it.
독창성이란 네가 듣는 것은 기억하지만 그걸 어디서 들었는지는 잊어버리는 멋진 기술이야.

13 We must learn to live together as brothers ________ perish together as fools. *Martin Luther King*
우리는 형제들로 함께 살거나 아니면 바보들로 함께 죽어야 한다는 걸 깨달아야 해.

Up! **14** Mathematics may be defined as the subject in which we never know what we are talking about, ________ whether what we are saying is true. *Bertrand Russell* 수학은 우리가 무엇에 대해 말하고 있는지 결코 알지 못하고, 우리가 말하고 있는 게 사실인지 아닌지도 결코 알지 못하는 과목으로 정의될지도 몰라.

15 Whatever words we utter should be chosen with care, ________ people will hear them and be influenced by them for good or ill.
우리가 하는 어떤 말이든 조심해서 골라져야 하는데, 왜냐면 사람들이 그것들을 듣고 좋든 나쁘든 그것들에 의해 영향을 받을 것이기 때문이야.

12
originality 독창성

13
learn 깨닫다
perish 죽다

14
subject 과목

15
utter 말하다
with care 조심해서[주의 깊게]
for good or ill 좋든 나쁘든

상관접속사

Block Board

| both ~ and / either ~ or / neither ~ nor / not ~ but / not only ~ (but) also |

주어	동사 + not	보어,	but	보어
Peace	is not	the absence of war,	but	the presence of justice.

- **상관접속사: 상관접속사 + A(단어/구/절) + 상관접속사 + B(단어/구/절)** – A와 B를 대등하게 연결. (대등)

Tip A와 B는 같은 꼴(명사/(조)동사/형용사/부사/v-ing/to-v[V]/전치사구/절)이어야 함.

▹ **both A and B**: A와 B 둘 다 This book is **both** amusing **and** useful.
▹ **either A or B**: A와 B 둘 중 하나 **Either** you **or** I am[are] wrong.
▹ **neither A nor B**: A도 B도 아닌 (= not either A or B) **Neither** you **nor** I am[are] wrong.
▹ **not A but B**: A가 아니라 B ▹ **not only[merely] A but (also) B**: A뿐만 아니라 B도 (= both A and B/B as well as A)

Standard Sentences

01 Peace is **not** the absence of war, **but** the presence of justice. *Harrison Ford*
↳ 평화는 전쟁이 없는 게 아니라 정의가 있는 거야. *absence 부재[없음] presence 있음[존재]

02 We have an infinite amount to learn **both** from nature **and** from each other. *John Glenn*
↳ 우리는 자연에서와 서로에게서 배울 게 무한히 많아. *infinite 무한한

03 To accomplish great things, we must **not only** act, **but also** dream, **not only** plan, **but also** believe. *Anatole France* 위대한 일을 성취하기 위해, 우리는 행동할 뿐만 아니라 꿈꿔야 하고, 계획을 세울 뿐만 아니라 믿어야 해.

A 톡톡 튀는 영어문장 우리말로 바꾸기.

04 Both excessive and insufficient exercise destroy one's strength, and both eating too much and too little destroy health. *Aristotle*
→ ________________ 사람의 힘을 파괴하고, ________________ 건강을 파괴해.

05 (Up!) The poet's aim is either to please or to profit, or to blend in one the delightful and the useful. *Horace*
→ 시인의 목적은 ________________________________.

06 Where justice is denied and poverty is enforced, neither persons nor property will be safe. *Frederick Douglass*
→ 정의가 부정되고 가난이 강요되는 곳에선, ________________________.

07 In a democracy, the individual enjoys not only the ultimate power but carries the ultimate responsibility. *Norman Cousins*
→ 민주주의에서 개인은 ________________________________.

04
excessive 지나친[과도한]
insufficient 불충분한

05
please 기쁘게 하다
profit 이익을 얻다[주다]
blend 섞다[혼합하다]
delightful 즐거운

06
deny 부인[부정]하다
enforce 강요하다
property 재산

07
ultimate 궁극적인[최대의]
carry 짊어지다[떠맡다]
responsibility 책임

B 뜻 새겨 보면서, 괄호 안 둘 중 하나 고르기.

08 Both the optimist (and / or) the pessimist contribute to society; the optimist invents the aeroplane, and the pessimist the parachute.

09 All human beings search for (either / neither) reasons to be good, or excuses to be bad.

10 I am neither especially clever (or / nor) especially gifted; I am only very, very curious. *Albert Einstein*

11 Love does not consist in gazing at each other, (but / or) in looking outward together in the same direction. *Saint-Exupery*

08
optimist 낙관론자
pessimist 비관론자
contribute to ~에 기여하다
parachute 낙하산

09
reason 이유
excuse 변명[구실]

10
gifted 재능이 있는
curious 호기심이 많은[궁금한]

11
gaze 응시하다[바라보다]
outward 밖의[밖으로]

“Both the optimist and the pessimist contribute to society; the optimist invents the aeroplane, and the pessimist the parachute.”
Bernard Shaw

C 보기 딱 맞는 상관접속사 골라 멋진 문장 끝내주기.

보기
either – or　　neither – nor　　not – but　　not only – but

12 The most common reaction of the human mind to achievement is ________ satisfaction, ________ craving for more.
성취에 대한 인간 마음의 가장 흔한 반응은 만족이 아니라 더 많은 것에 대한 열망이야.

13 You can ________ waltz boldly onto the stage of life, ________ you can sit quietly into the shadows of fear and self-doubt. *Oprah Winfrey*
넌 삶의 무대 위로 대담하게 왈츠를 추거나, 두려움과 자기 회의의 어둠 속에 조용히 앉아 있거나 둘 중 하나를 할 수 있어.

14 History as well as life itself is complicated; ________ life ________ history is an enterprise for those who seek simplicity and consistency. *Jared Diamond*
삶 자체뿐만 아니라 역사도 복잡한데, 삶도 역사도 단순함과 일관성을 추구하는 사람들을 위한 사업은 아니야.

15 Learning another language is ________ learning different words for the same things, ________ learning another way to think about things. 다른 언어를 배우는 것은 같은 것에 대한 다른 단어를 배우는 것일 뿐만 아니라, 사물에 대해 생각하는 다른 방법을 배우는 거야.

12
craving 갈망[열망]

13
waltz 왈츠를 추다
boldly 대담하게
self-doubt 자기 회의

14
complicated 복잡한
enterprise (대규모) 사업
simplicity 간단[단순]함
consistency 한결같음[일관성]

Chapter 10 Review

A 오색빛깔 영어문장 우리말로 바꾸기.

01 What is considered "conservative" and what is considered "liberal" changes in any given era.

02 "Stream of consciousness" is a narrative mode that attempts to depict the multiple thoughts and feelings which pass through the mind of a narrator.

03 The moment we cry in a film is not when things are sad but when they turn out to be more beautiful than we expected them to be. *Alain de Botton*

04 I know that you believe that you understood what you think I said, but I am not sure you realize that what you heard is not what I meant.

05 Show me a person who has never made a mistake, and I'll show you someone who has never achieved much.

06 Love is the strongest of all passions, for it attacks simultaneously the head, the heart and the senses. *Lao Tzu(노자)*

Up! **07** Truth is found neither in the thesis nor the antithesis, but in an emergent synthesis which reconciles the two. *Hegel*

B 뜻 새겨 보면서, 괄호 안 둘 중 하나 고르기.

08 With the advent of genetic engineering, the time (required / requiring) for the evolution of new species may literally collapse.

09 Language's laws and principles are fixed, but the manner (which / in which) the principles of generation are used is free and infinitely varied. *Noam Chomsky*

10 Always recognize (that / what) human individuals are ends, and do not use them as means to your end. *Immanuel Kant*

01
conservative 보수적인
liberal 진보적인

02
consciousness 의식
narrative 서술의
mode 방식
depict 그리다(묘사하다)
multiple 복합적인

05
achieve 성취(달성)하다

06
passion 열정
simultaneously 동시에

07
thesis 테제(정립)
antithesis 안티테제(반정립)
emergent 신생의
synthesis 진테제(종합)
reconcile 조화시키다

08
advent 출현
literally 말 그대로(그야말로)
collapse 붕괴하다

09
generation 생성
varied 다양한

10
end 목적
means 수단

부사절

Block Board Overview

- 부사절은 접속사를 앞세워 주절을 수식하는 〈주어 + 동사〉를 갖춘 절이다.
- 시간 부사절은 접속사 when/while/as/before/after/until[till]/since 등이 이끈다.
- 이유[원인] 부사절은 접속사 because/since/as 등이 이끈다.
- 목적/결과 부사절은 접속사 so (that)/in order that/lest/so[such] ~ that 등이 이끈다.
- 대조[반전] 부사절은 접속사 whereas/while/although/(even) though[if] 등이 이끈다.
- 조건 부사절은 접속사 if/unless/once 등이 이끈다.
- v-ing 구문은 〈접속사 + 주어 + 동사〉에서 접속사와 주어를 생략하고 동사를 v-ing로 한 것이다.

Unit 46

시간 부사절 | 시간 부사절 + 주어 + 동사

주어	동사	시간 부사절		
The rights of every man	are diminished	when	the rights of one man	are threatened.

Unit 47

이유[원인] 부사절 | 이유[원인] 부사절 + 주어 + 동사

주어	동사	부사어	이유[원인] 부사절				
Someone	is sitting	in the shade today	because	someone	planted	a tree	a long time ago.

Unit 48

목적/결과/양상 부사절 | 목적/결과/양상 부사절 + 주어 + 동사

주어	동사	보어	목적 부사절			
Good teaching	must be	slow enough	so that	it	is not	confusing.

Unit 49

대조[반전] 부사절 | 대조[반전] 부사절 + 주어 + 동사

부사어	주어	동사	목적어	대조[반전] 부사절				
In archaeology	you	uncover	the unknown,	whereas	in diplomacy	you	cover	the known.

Unit 50

조건 부사절 | 조건 부사절 + 주어 + 동사

조건 부사절				주어	동사	목적어	목적보어
If	the only tool	is	a hammer,	you	see	every problem	as a nail.

Unit 51

v-ing 구문 | v-ing ~ + 주어 + 동사

주어	동사	목적어	부사어	v-ing
I	spent	15 minutes	searching for my phone,	using my phone as a flashlight.

시간 부사절

Block Board

I 시간 부사절 + 주어 + 동사 I

주어	동사	시간 부사절		
The rights of every man	are diminished	when	the rights of one man	are threatened.

- **부사절**: 접속사를 앞세워 주절을 수식. 주절(주어 + 동사 ~) + 부사절(접속사 + 주어 + 동사 ~) / 부사절 + 주절 (수식)
- **when**: ~할 때 (주절과 부사절의 시간은 한 쪽이 앞서거나 동시) • **while/as**: ~하는 동안[~하면서] (주절과 부사절의 시간이 동시)
- **as soon as**: ~하자마자/**no sooner ~ than** …: ~하자마자 …하다 (주절과 부사절의 동시성 강조)
  No sooner + had/have + 주어 + v-ed분사(앞선 시간/어순 주의) ~ than + 주어 + 과거/현재동사 ~
- **the moment/the minute/the instant**: ~하는 순간[~하자마자]
- **before**: ~하기 전에 • **after**: ~한 후에 • **until[till]**:~할 때까지 • **since**: ~한 이후로
- **whenever/every time/each time**: ~할 때마다 • **by the time**: ~할 때쯤에는

Standard Sentences

01 The rights of every man are diminished **when** the rights of one man are threatened. *John F. Kennedy*
↳ 모든 사람의 권리는 한 사람의 권리가 위협받을 때 약화돼. *diminish 줄어들다[약해지다] threaten 협박[위협]하다

02 A lie can travel halfway around the world **while** the truth is putting on its shoes. *Mark Twain*
↳ 거짓말은 진실이 신발을 신고 있는 동안 세계 반 바퀴를 돌 수 있어. *halfway 중간[가운데쯤]에

03 **Until** you make the unconscious conscious, it will direct your life and you will call it fate. *Carl Jung*
↳ 네가 무의식을 의식되도록 할 때까지, 무의식은 네 삶을 지배할거고 넌 그걸 운명이라 여길 거야. *the unconscious 무의식

A 톡톡 튀는 영어문장 우리말로 바꾸기.

04 Civilization will reach maturity only when it learns to value diversity of character and of ideas. *Arthur Clarke*
→ 문명은 ______________________ 성숙함에 이를 거야.

05 You never really understand a person until you consider things from his point of view. *Novel "To Kill a Mockingbird"*
→ ______________________.

06 The moment you recognize what is beautiful in this world, you stop being a slave. *Aravind Adiqa*
→ ______________________, 넌 노예 상태를 끝내게 돼.

07 The human brain is special; it starts working as soon as you get up, and it doesn't stop until you get to school. *Milton Berle*
→ 인간의 뇌는 특별한데, ______________________.

04
civilization 문명
maturity 성숙함[성숙한 상태]
character 개성

05
point of view 관점

06
recognize 알아보다[인식하다]
slave 노예

B 뜻 새겨 보면서, 괄호 안 둘 중 하나 고르기.

08 (As / On) we express our gratitude, we must never forget that the highest appreciation is not to utter words, but to live by them. *John F. Kennedy*

09 The learning process never ends even long (after / before) the days of school are over.

10 (Whenever / Whichever) you find yourself on the side of the majority, it is time to reform. *Mark Twain*

11 Life is choices. (As soon as / No sooner) have you made one choice than another is upon you.

"Life is choices.
No sooner have you made one choice than another is upon you."
Atul Gawande

08
gratitude 감사
appreciation 감사
utter 말하다

09
process 과정

10
majority 다수
reform 개혁하다

C 보기 딱 맞는 것 골라 멋진 문장 끝내주기.

보기			
before	by the time	every time	since

12 You sow in tears ____________ you reap joy. *Ralph Ransom*
넌 기쁨을 거두기 전에 눈물을 흘리며 씨를 뿌려.

13 ____________ we lose a species, we break a life chain which has evolved over 3.5 billion years.
우리가 한 종을 잃을 때마다, 우리는 35억 년 이상 진화해 온 생명 사슬을 끊는 거야.

14 The urge to explore has propelled evolution ____________ the first water creatures reached the land.
첫 수중 생물들이 육지에 닿은 이후 탐험하려는 욕구가 진화를 나아가게 해 왔어.

15 ____________ this concert ends this evening, 30,000 Africans will have died because of extreme poverty. *Brad Pitt*
오늘 저녁 이 콘서트가 끝날 때쯤에는, 3만 명의 아프리카인이 극심한 빈곤 때문에 죽게 되었을 거예요.

12
sow (씨를) 뿌리다
reap 거두다[수확하다]

13
evolve 진화하다

14
urge 욕구[충동]
explore 탐험하다
propel 나아가게 하다

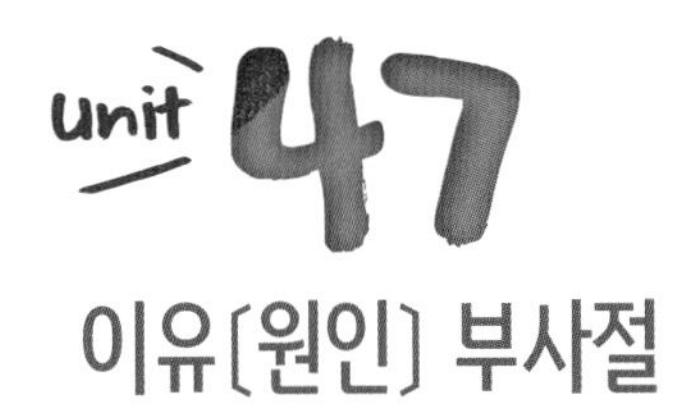

이유[원인] 부사절

Block Board

| 이유[원인] 부사절 + 주어 + 동사 |

주어	동사	부사어	이유[원인] 부사절				
Someone	is sitting	in the shade today	because	someone	planted	a tree	a long time ago.

- **because/since/as**: ~ 때문에
- **because** + 주어 + 동사 (비교) **because of** + 명사(구)
  I was late **because** the traffic was heavy. (비교) I was late **because of** the heavy traffic. 난 교통 체증 때문에 늦었다.
- **now (that)**: (이제) ~이므로
- **in that**: ~이므로[~라는 점에서]

Standard Sentences

01 Someone is sitting in the shade today **because** someone planted **a tree** a long time ago. *Warren Buffett*
↳ 누군가가 오래 전에 나무를 심었기 때문에 누군가가 오늘 그늘에 앉아 있어.

02 Robots are blamed for rising technological unemployment **as** they replace **workers** in increasing numbers of functions.
↳ 로봇은 점점 더 많은 기능에서 노동자를 대신하기 때문에 늘어나는 기술적 실업의 원인으로 여겨져. *blame ~ 때문으로 보다

03 **Since** corrupt people unite among themselves to constitute a force, honest people must do **the same**. 부패한 사람들이 힘을 이루기 위해 자기들끼리 뭉치기 때문에 정직한 사람들도 똑같이 해야 해. *constitute 구성하다[이루다]

A 톡톡 튀는 영어문장 우리말로 바꾸기.

04 Most people do not really want **freedom** because freedom involves responsibility. *Sigmund Freud*
→ 대부분의 사람들은 ____________________ 자유를 정말로 원치 않아.

05 Be who you are and say what you feel because those who mind don't matter and those who matter don't mind. *Dr. Seuss*
→ ____________________ 너 자신이 되고 네가 느끼는 것을 말해.

06 Humanity has advanced not because it has been sober and cautious, but because it has been playful and rebellious. *Tom Robbins*
→ 인류는 ____________________ 진보해 왔어.

07 No scientific theory can ever be considered final, since new problematic evidence might be discovered.
→ 어떤 과학 이론도 ____________________ 언제든 최종적인 것으로 여겨질 수 없어.

04
involve 수반[포함]하다
responsibility 책임

05
mind 상관하다

06
sober 진지한[냉철한]
cautious 조심스러운[신중한]
playful 놀기 좋아하는
rebellious 반항적인

07
problematic 문제가 있는

B 뜻 새겨 보면서, 괄호 안 둘 중 하나 고르기.

Up! **08** The seasons occur (because / because of) the axis on which Earth turns is tilted with respect to the plane of Earth's orbit around the Sun.

09 (As / For) media production has become more accessible to the public, large numbers of individuals are able to post text, photos and videos online.

10 Food memories are more sensory than other memories (in / in that) they involve really all five senses.

11 (That / Now that) I'm feeling the responsibilities of adulthood, the choices I make become an incredible weight.

08
axis 축
tilt 기울이다
with respect to ~에 대하여
plane 면
orbit 궤도

09
production 제작[생산]
accessible 접근[이용] 가능한
post 게시하다[올리다]

10
sensory 감각의

11
adulthood 성인
incredible 믿을 수 없는

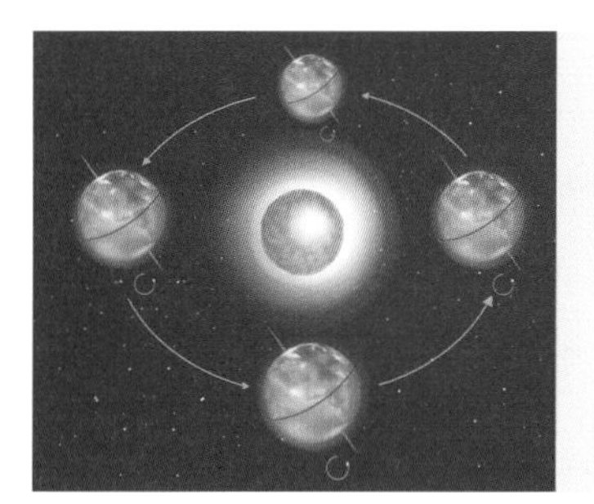

The seasons occur because the axis on which Earth turns is tilted with respect to the plane of Earth's orbit around the Sun.

C 뜻 새겨 보면서, 접속사 자리 찾아 멋진 문장 끝내주기.

12 Humor is everywhere there's irony in just about anything a human does. (in that)
인간이 하는 거의 무엇에든 다 아이러니가 있으므로, 유머는 어디에나 있어.

13 Information is suited to "a gift economy" information is a non-rival good and can be gifted at no cost. (as)
정보는 비경쟁적 재화[비경합재]이고 무료로 선물될 수 있기 때문에 '선물 경제'에 적합해.

14 We learn by example and by direct experience there are real limits to the adequacy of verbal instruction. (because)
우리는 구두 설명의 적절성에 현실적 한계가 있기 때문에 예시와 직접 경험에 의해 배워.

15 With the advent of globalization, a decline in cultural diversity is inevitable information sharing promotes homogeneity. (because)
세계화의 도래로, 정보 공유가 동질성을 촉진하기 때문에 문화 다양성의 감소는 불가피해.

12
just about 거의 (다)

13
suited 적합한[적당한]
non-rival good 비경쟁적 재화[비경합재]
at no cost 무료로

14
adequacy 적절성
verbal 말[구두]의
instruction 설명[지시]

15
advent 도래[출현]
inevitable 불가피한
promote 촉진하다
homogeneity 동질성

unit 48

목적/결과/양상 부사절

Block Board

| 목적/결과/양상 부사절 + 주어 + 동사 |

주어	동사	보어	목적 부사절			
Good teaching	must be	slow enough	so that	it	is not	confusing.

- 목적 부사절 접속사: • so (that) / in order that ~ (can/may): ~하기 위해[~하도록]
  • lest ~ (should): ~하지 않도록 (= so that ~ not)
  • (just) in case: 1. ~할 경우에 대비해 2. ~면(= if)
- 결과 부사절 접속사: • so + 형용사/부사 + (that) …: 너무 ~해서 …하다
  • such + (a(n)) (형용사) 명사 + that …: 너무 ~해서 …하다
  • so (that): 그래서[~해서]
- as: ~대로/~처럼[듯이] (= like)
- (just) as ~, so …: (꼭) ~인 것처럼 …하다
- as if[as though](= like): 마치 ~인 것처럼[~인 듯이](가정표현으로도 씀.) unit 54

Standard Sentences

01 Good teaching must be slow enough **so that** it is not confusing, and fast enough **so that** it is not boring. *Sydney Harris* 좋은 가르침은 혼란스럽지 않도록 충분히 느려야 하고, 지루하지 않도록 충분히 빨라야 해.

02 Everybody gets **so** much information all day long **that** they lose their common sense. *Gertrude Stein*
↳ 모두가 온종일 너무 많은 정보를 얻어서 자신들의 상식은 잃어버리게 돼.

03 **As** a well spent day brings happy sleep, **so** a life well spent brings happy death. *Leonardo da Vinci*
↳ 잘 보낸 하루가 행복한 잠을 가져오는 것처럼, 잘 보낸 삶은 행복한 죽음을 가져와.

A 톡톡 튀는 영어문장 우리말로 바꾸기.

Up! **04** Justice and power must be brought together so that whatever is just may be powerful, and whatever is powerful may be just. *Pascal*

→ ______________________ 정의와 힘은 결합되어야 해.

05 My neighbors loved the music so much when I turned it up that they invited the police to listen.

→ 내 이웃들은 ______________ 내가 소리를 높였을 때 경찰이 듣도록 초대했어.

06 There are two ways to live: you can live as if nothing is a miracle; you can live as if everything is a miracle. *Albert Einstein*

→ 살아가는 두 가지 방법이 있는데, ______________________.

07 Just as no one can be forced into belief, so no one can be forced into unbelief. *Sigmund Freud*

→ ______________________, 아무도 불신을 강요받을 수 없어.

04
bring together 모으다[결합하다]
just 정의로운

05
turn up (소리를) 높이다

06
miracle 기적

07
belief 믿음[신앙]
unbelief 불신(앙)

B 뜻 새겨 보면서, 괄호 안 둘 중 하나 고르기.

08 Have the courage to face a difficulty (lest / so that) it kick you harder than you bargain for.

09 The sky is blue and the sun is shining, (because / so) my tears are even more noticeable. *Song "I Need U" by BTS*

10 Schools should be (so / such) beautiful that the punishment should bar undutiful children from going to school the following day. *Oscar Wilde*

11 Love is (so / such) a priceless treasure that you can buy the whole world with it.

08
face 직면하다[맞서다]
bargain for ~을 예상하다

09
noticeable 뚜렷한

10
bar A from B
A에게 B를 금지하다
undutiful 불성실한

11
priceless
값을 매길 수 없는[귀중한]

"Everybody gets so much information all day long that they lose their common sense."

Gertrude Stein

C 보기 딱 맞는 것 골라 멋진 문장 끝내주기.

보기
as just in case in order that lest

Up! **12** We must not promise what we ought not ____________ we should be called on to perform what we cannot. *Abraham Lincoln*

우리는 우리가 행할 수 없는 것을 행하도록 요구받지 않도록 우리가 약속해선 안 되는 것을 약속해선 안 돼.

13 Parents should have good working conditions ____________ they may have the time and energy to look after their children.

부모는 아이들을 돌볼 시간과 에너지를 갖도록 좋은 근로 조건을 가져야 해.

14 Absence diminishes small loves and increases great ones, ______ the wind blows out the candle and fans the bonfire. *Rochefoucauld*

부재는, 바람이 촛불은 끄고 모닥불은 거세게 하듯이, 작은 사랑은 더 작게 하고 큰 사랑은 더 크게 해.

15 I have an underwater camera ____________ I crash my car into a river, and I see a photo opportunity of a fish that I have never seen.

난 내 차를 강 속으로 추락시켜 내가 한 번도 본 적 없는 물고기를 찍을 기회를 맞이할 경우에 대비해 수중 카메라를 갖고 있어.

12
call on 요구하다
perform 행하다

13
look after 돌보다

14
diminish 줄이다[약화시키다]
blow out (불어서) 끄다
fan (바람으로 불을) 거세게 하다
bonfire 모닥불

15
underwater 물속[수중]의
crash 충돌[추락]하다

대조(반전) 부사절

Block Board

| 대조[반전] 부사절 + 주어 + 동사 |

부사어	주어	동사	목적어	대조[반전] 부사절				
In archaeology	you	uncover	the unknown,	whereas	in diplomacy	you	cover	the known.

- 대조(반전) 부사절(접속사 + 주어 + 동사 ~) + 주절(주어 + 동사 ~) / 주절 + 대조(반전) 부사절
- while / whereas / when: ~지만(~ 데 반해)
- although / though: ~지만
- even though: 비록 ~지만(사실 전제.)
- (even) if: 비록 ~지라도(~더라도)(가정 가능.)
- 동사/명사/형용사/부사 + as + 주어 + (조)동사: ~지만(~해도) Try as I may(might) ~ 내가 노력해도 ~
- no matter what / who / where / when / how: 무엇(어떤)/누구/어디/언제/아무리 ~든지(~더라도)
  = whatever ➲ 비교 unit 31, 34 / whoever ➲ 비교 unit 32, 35 / wherever / whenever / however
- (no matter) whether (~) or not / A or B: ~이든 아니든 / A이든 B이든

Standard Sentences

01 In archaeology you uncover **the unknown, whereas** in diplomacy you cover **the known.**
↳ 고고학에서 넌 알려지지 않은 것을 알아내지만, 외교에선 넌 알려진 것을 덮어. *archaeology 고고학 uncover 알아내다 diplomacy 외교

02 When we're happy time seems to pass by fast, **while** when we're miserable it goes really slowly. *Lynsay Sands* 우리가 행복할 때는 시간이 빨리 지나가는 것 같은 데 반해, 우리가 우울할 때는 시간이 정말 느리게 가.

03 **Although** Nature needs millions of years to create a new species, man needs **only a few dozen years** to destroy one. *Victor Scheffer*
↳ 자연이 새로운 종을 창조하기 위해서 수백만 년이 필요하지만, 인간이 그것을 파괴하기 위해선 단 수십 년만 필요해. *dozen 십여 개

04 **Wherever** you go, **no matter what** the weather, always bring your own sunshine. *Anthony D'Angelo*
↳ 네가 어디에 가든지, 날씨가 어떻더라도, 늘 너 자신의 햇빛을 가져가.

A 톡톡 튀는 영어문장 우리말로 바꾸기.

05 Humanity is an ocean; if a few drops of the ocean are dirty, the ocean does not become dirty. *Mahatma Gandhi*

→ 인류는 대양이어서, ______________________, 대양은 더러워지지 않아.

06 However difficult life may seem, there is always something you can do and succeed at. *Stephen Hawking*

→ ______________________, 네가 해서 성공할 수 있는 뭔가는 늘 있어.

07 Right is right even if everyone is against it, and wrong is wrong even if everyone is for it. *William Penn*

→ ______________ 옳은 건 옳고, ______________ 그른 건 그른 거야.

05
drop 방울

B 뜻 새겨 보면서, 괄호 안 둘 중 하나 고르기.

08 (Though / Despite) the connections are not always obvious, personal change is inseparable from social and political change.

09 The man who has done his level best is a success, (even though / even) the world may write him down a failure.

10 Life is like riding in a taxi; (if / whether) you are going anywhere or not, the meter keeps ticking.

11 (While / Whether) classical physics describes the behavior of matter and energy, quantum mechanics describes the behavior of atoms and smaller particles.

08
connection 연관성
inseparable 분리할 수 없는

09
do one's level best
최선을 다하다

10
tick 째깍거리다

11
classical physics
고전 물리학
behavior 작용
quantum mechanics
양자 역학
atom 원자

Augmented reality alters the user's perception of a real-world environment, whereas virtual reality replaces the real-world environment with a simulated one.

C 보기 딱 맞는 것 골라 멋진 문장 끝내주기.

보기

as no matter how no matter what whereas

12 ______________ accomplishments you make, somebody helped you. 네가 어떤 업적을 이루더라도, 누군가가 널 도왔어.

13 ______________ much cats fight, there always seem to be plenty of kittens. *Abraham Lincoln* 고양이들은 아무리 많이 싸우더라도, 새끼 고양이들이 늘 많이 있는 것 같아.

14 Try ______________ we may for perfection, the net result of our labors is an amazing variety of imperfectness.
우리가 완벽을 위해 노력해도, 노고의 최종 결과는 놀라울 만큼 다양한 불완전함이야.

15 Augmented reality alters the user's perception of a real-world environment, ______________ virtual reality replaces the real-world environment with a simulated one. 증강 현실이 실세계 환경에 대한 사용자의 지각을 바꾸는 데 반해, 가상 현실은 실세계 환경을 모의 환경으로 대체해.

12
accomplishment 업적(성과)

14
net 최종적인
imperfectness 불완전함

15
augmented reality 증강 현실
alter 바꾸다
simulated 모의의

조건 부사절

Block Board

I 조건 부사절 + 주어 + 동사 I

조건 부사절				주어	동사	목적어	목적보어
If	the only tool	is	a hammer,	you	see	every problem	as a nail.

- **if**: ~면
- **if ~ not**: ~하지 않으면 (가정표현 가능.) ➔ Unit 52~54
- **unless**: ~하지 않는 한 (가정표현 불가.)
- **once**: 일단 ~하면
- **as[so] long as**: ~하기만 하면[~하는 한]
- **in case**: 1. ~면 2. ~할 경우에 대비해
- **provided that**: ~면
- **given that**: ~ 것을 고려하면
- 미래를 나타내는 조건·시간 부사절(if / unless / when ~)에 현재시제가 쓰임. ➔ Unit 08
  If / Unless / When + 주어 + V(-s) (× will V), 주어 + will V[be going to V]

Standard Sentences

01 If the only tool you have is a hammer, you tend to see every problem as a nail. *Abraham Maslow*
↳ 네가 가진 유일한 도구가 망치이면, 넌 모든 문제를 못으로 보는 경향이 있어.

02 Unless you try to do something beyond what you have already mastered, you will never grow. *Ronald Osborn* 네가 이미 숙달한 것 이상의 뭔가를 하려고 노력하지 않는 한, 넌 결코 성장하지 않을 거야. *master 숙달하다

03 Once you have read a book you care about, some part of it is always with you. *Louis L'Amour*
↳ 네가 일단 관심을 가진 책을 읽었으면, 그 일부는 늘 너와 함께 있게 돼. *care about 관심을 가지다

A 톡톡 튀는 영어문장 우리말로 바꾸기.

04 If you don't read the news, you're uninformed; if you read the news, you're misinformed. *Mark Twain*

→ ________________ 넌 정보가 없게 되고, ________________ 넌 잘못된 정보를 얻게 돼.

05 If toast always lands butter-side down, and cats always land on their feet, what happens if you strap toast on the back of a cat and drop it?

→ 토스트는 늘 버터 바른 면이 아래로 떨어지고 고양이는 늘 발로 착지한다면, ________________
________________?

06 You can't be happy unless you're unhappy sometimes. *Lauren Oliver*

→ 넌 ________________________________ 행복을 느낄 수 없어.

07 Do not allow yourselves to be disheartened by any failure as long as you have done your best. *Mother Teresa*

→ ________________________, 너희들 자신이 어떤 실패로 낙심하게 허락하지 마.

04
uninformed 지식[정보]가 없는
misinform
잘못된 정보를 주다

05
land 착륙하다[떨어지다]
strap 끈으로 묶다

07
dishearten 낙심하게 하다

B 뜻 새겨 보면서, 괄호 안 둘 중 하나 고르기.

08 (If / Unless) you want to know what a man's like, take a good look at how he treats his inferiors, not his equals. *J.K. Rowling*

09 Success in creating AI might be the last event in human history, (if / unless) we learn how to avoid the risks. *Stephen Hawking*

10 (As long as / As soon as) you can savor the humorous aspect of misery and misfortune, you can overcome anything.

11 (In case / In case of) you're worried about what's going to become of the younger generation, it's going to grow up and start worrying about the younger generation.

"Given that many animals have **senses, emotions and intelligence**, we should treat them with respect."
Jane Goodall

C 보기 딱 맞는 것 골라 멋진 문장 끝내주기.

보기

given that many animals have	if you stop and throw
once you overcome	provided that he can get

12 You will never reach your destination ________________ stones at every dog that barks. *Winston Churchill*
네가 짖는 모든 개에게 멈춰 서서 돌을 던지면, 넌 결코 목적지에 도착하지 못할 거야.

13 ________________ senses, emotions and intelligence, we should treat them with respect. *Jane Goodall*
많은 동물들이 감각과 감정과 지능을 갖고 있다는 걸 고려하면, 우리는 존중심을 갖고 그들을 대해야 해.

14 ________________ the one inch tall barrier of subtitles, you will be introduced to so many more amazing films. *Bong Joon Ho*
네가 일단 1인치 높이 자막의 장벽을 뛰어넘으면, 넌 훨씬 더 많은 놀라운 영화들을 접하게 될 거야.

15 The pleasure of work is open to anyone who can develop some specialized skill, ________________ satisfaction from the exercise of his skill. *Bertrand Russell*
일의 즐거움은 자신의 기술 발휘에서 만족을 얻을 수 있다면, 전문 기술을 발전시킬 수 있는 누구에게든 열려 있어.

08
inferior 아랫사람
equal 동등한(사람)

09
risk 위험

10
savor 음미하다
misery 고통
misfortune 불운[불행]

11
what becomes of
~이 어떻게 되다

12
destination 목적지[도착지]

13
intelligence 지능

14
barrier 장벽
subtitle 자막

15
specialized 전문적인
exercise 발휘

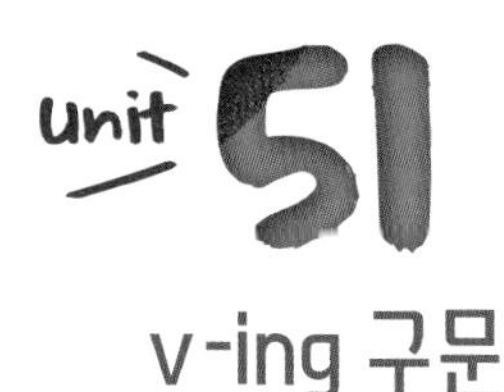

v-ing 구문

Block Board

| v-ing ~ + 주어 + 동사 |

주어	동사	목적어	부사어	v-ing
I	spent	15 minutes	searching for my phone,	using my phone as a flashlight.

- ⟨v-ing ~⟩ ↔ ⟨접속사(and / while / when / because 등) + 주어 + 동사 ~⟩
- 주어 + 동사 ~ + v-ing ~: 가장 흔한 형식으로, 주절과의 동시 / 연속/포함 동작[상태]를 나타냄.
- v-ing ~ + 주어 + 동사 ~: 문맥에 따라 때(when) / 이유(because) / 조건(if) 등을 나타냄.
- not v-ing ~ + 주어 + 동사 ~: v-ing 부정.
- (being) v-ed분사 ~ + 주어 + 동사 ~: 주절의 주어와 수동의 관계면 수동형으로 하되, being은 생략됨.
- having v-ed분사 ~ + 주어 + 동사 ~: 주절보다 앞선 시간을 분명히 할 때 완료형을 씀. (= after v-ing)
- 접속사 + v-ing ~ + 주어 + 동사 ~: 접속사 강조
- 주어 + v-ing ~ + 주어 + 동사 ~: 주절의 주어와 다를 경우.
- 주어 + 동사 ~ + with + 명사 + v-ing / v-ed분사: 명사와 능동의 관계이면 **v-ing**, 수동의 관계이면 **v-ed분사**.

Standard Sentences

01 I just **spent 15 minutes** searching for my phone in my room, **using** my phone as a flashlight.
↳ 난 방금 내 폰을 손전등으로 사용해 내 방에서 내 폰을 찾느라 15분을 보냈어. *flashlight 손전등

02 **Passed** from parents to offspring, DNA contains the specific instructions that make each type of living creature unique. 부모에서 자식으로 전해질 때, 디엔에이는 각종 생물을 독특하게 하는 특정 지시를 포함해.

03 **Once having tasted** flight, you will walk **the earth with** your eyes **turned** skywards. *Leonardo da Vinci*
↳ 일단 비행을 맛본 적이 있으면, 넌 네 눈을 하늘로 향한 채 땅을 걷게 될 거야. *once 일단 ~하면

A 톡톡 튀는 영어문장 우리말로 바꾸기.

04 Feeling confident I can always learn what I need to know, I never feel I am incapable of succeeding. *Susan Wiggs*

→ ______________________, 난 결코 내가 성공할 수 없다고 느끼지 않아.

05 Not knowing the process by which results are arrived at, we judge others according to results. *George Eliot*

→ ______________________, 우리는 다른 사람들을 결과에 따라 판단해.

06 The legal status of GM foods varies, with some nations banning or restricting them, and others permitting them.

→ 유전자 변형 식품들의 법적 지위는 다양한데, ______________________.

07 Earth could contain nearly 1 trillion species, with only one-thousandth of 1 percent now identified.

→ 지구는 거의 1조 개의 종들을 포함할 수도 있는데, ______________________.

04
confident 자신감 있는
incapable of ~을 할 수 없는

05
process 과정

06
GM(=genetically modified) foods 유전자 변형 식품
ban 금지하다
restrict 제한하다

07
trillion 1조
identify 확인하다[발견하다]

B 뜻 새겨 보면서, 괄호 안 둘 중 하나 고르기.

08 (Judge / Judging) by brain-to-body size, dolphins may be the second-most intelligent mammal after humans.

08
intelligent 지능이 높은[있는]
mammal 포유류

09 Not (affecting / affected) by foreign conquest, all political revolutions originate in moral revolutions. *John Stuart Mill*

09
conquest 정복
originate 비롯되다
moral 도덕상의[도덕적인]

10 The proportion of the food expenses, other things (are / being) equal, is the best measure of the material standard of living of a population. *Ernst Engel*

10
proportion 비율
expense 비용
measure 척도

11 Cultural meanings, values and tastes run the risk of becoming homogenized, with information being so easily (distributing / distributed) throughout the world.

11
run the risk of ~의 위험이 있다
homogenized 동질화된
distribute 분배[유통]하다

"Surrealist" artists created **strange creatures** from everyday objects, developing painting techniques that allowed the unconscious to express itself.

C 맨 뒤 (구)동사 알맞은 꼴로 바꿔 멋진 문장 끝내주기.

12 ______________ my fine command of the English language, I said nothing. (draw on) 나의 훌륭한 영어 구사력을 활용해서, 난 아무것도 말하지 않았어.

12
command 능력[구사력]
draw on 활용[의존]하다

Up! **13** ______________ you a moment, I can speak no more but my tongue falls silent, and with my eyes I see nothing. (look on)
널 잠깐 바라볼 때면, 난 혀가 침묵에 빠지는 것 말고는 더 이상 말할 수 없고 눈으로 난 아무것도 볼 수 없어.

13
but ~외에[~하지 않고]
fall silent 조용해지다

14 User-generated content (UGC) leads to the democratization of content production, ______________ traditional media hierarchies. (break down) 사용자 생성 콘텐츠는 콘텐츠 생산의 민주화에 이르러, 전통적 미디어 위계질서를 무너뜨려.

14
democratization 민주화
hierarchy 계급[위계]

15 "Surrealist" artists created strange creatures from everyday objects, ______________ painting techniques that allowed the unconscious to express itself. (develop) '초현실주의' 예술가들은 일상적 물건들로 이상한 창조물들을 창조해서, 무의식이 스스로 표현하도록 하는 미술 기법을 개발했어.

15
surrealist 초현실주의

Chapter 11 Review

A 오색빛깔 영어문장 우리말로 바꾸기.

01 When your children are teenagers, it's important to have a dog so that someone in the house is happy to see you. *Nora Ephron*

02 You know you're in love when you can't fall asleep because reality is finally better than your dreams. *Dr. Seuss*

03 Sometimes people don't want to hear the truth since they don't want their illusions destroyed. *Friderich Nietzsche*

03
illusion 환상

04 If you really think that the environment is less important than the economy, try holding your breath while you count your money.

Think **05** A meaningful life can be satisfying even in the midst of hardship, whereas a meaningless life is a terrible ordeal no matter how comfortable it is. *Yuval Harari*

05
midst 한가운데
hardship 어려움[곤란]
ordeal 시련

06 Once you eliminate the impossible, whatever remains, no matter how improbable, must be the truth. *Conan Doyle*

06
eliminate 없애다[제거하다]
improbable 사실 같지 않은

Up! **07** Hamlet contemplates death and suicide, complaining about the pain and unfairness of life but acknowledging that the alternative might be worse.

07
contemplate 고려[숙고]하다
suicide 자살
unfairness 부당성[불공평]
acknowledge 인정하다
alternative 대안

B 뜻 새겨 보면서, 괄호 안 둘 중 하나 고르기.

08 Please don't lie to me (if / unless) you're absolutely sure I'll never find out the truth.

09 Sometimes we fall (so that / lest) we can learn to pick ourselves back up. *Movie "Batman Begins"*

10 Communication is something (so / such) simple and difficult that we can never put it in simple words.

10
put ~ in words ~을 말로 하다

Chapter 12 가정표현

Block Board Overview

- 가정표현은 사실이 아닌 상황을 가정[상상]·소망하거나 완곡하게 나타내는 것이다.
- 가정표현은 현실과 떨어져 있다는 걸 나타내기 위해 실제보다 앞선 시간표현의 동사를 쓴다.
- 현재·미래에 대해 가정·소망할 때는 동사 과거형(v-ed)을, 과거에 대해 가정·소망할 때는 동사 과거완료형(had v-ed분사)을 쓴다.
- 여러 형태의 가정표현에서 '태도'조동사 would[could/might]가 가정을 나타내는 중요한 요소가 되는데, 현재·미래에 대해서는 〈would + 동사원형〉으로, 과거에 대해서는 〈would + have v-ed분사〉로 나타낸다.
- 당위('해야 한다')를 나타내는 가정표현으로, 제안·요구·주장·필요의 동사·형용사와 함께 that절에 동사원형을 쓴다.

Unit 52

가정표현 1 | If + 주어 + v-ed, 주어 + 과거조동사 + V

If + 주어 + v-ed ~				주어	would V	목적어	목적보어
If	you	knew	how much work went into it,	you	wouldn't call	it	genius.

Unit 53

가정표현 2 | If + 주어 + had v-ed분사, 주어 + 과거조동사 + have v-ed분사 / 혼합 가정표현

주어	would have v-ed분사	목적어	if + 주어 + had v-ed분사			
Man	would not have attained	the possible	if	he	had not reached out	for the impossible.

Unit 54

가정표현 3 | were to[should] / wish / as if[though] / It's time

If + 주어 + were to V			주어	would V	부사어
If	insects	were to vanish,	the environment	would collapse	into chaos.

Unit 55

가정표현 4 |
주어 + 제안/요구 동사 + (that) + 주어 + 동사원형
It + be동사 + 필요 형용사 + that + 주어 + 동사원형

주어	동사	(that) + 주어 + V			
They	proposed	that	the UN	establish	an emergency center for climate change.

Unit 52

가정표현 1

Block Board

I If + 주어 + v-ed, 주어 + 과거조동사 + V I

If + 주어 + v-ed ~				주어	would V	목적어	목적보어
If	you	knew	how much work went into it,	you	wouldn't call	it	genius.

- **가정표현**: 사실이 아닌 상황을 가정·상상하거나 완곡하게 나타내는 것으로, 실제보다 앞선 시제를 씀.
- **가정조건절**(If + 주어 + v-ed ~), **주절**(주어 + 과거조동사 + V ...): 사실이 아닌 현재·미래 상황 가정·상상.
  - ▷ If + 주어 + v-ed ~(만약 ~다면): 동사 과거형이지만, 현재·미래에 대한 가정·상상.
    - be동사: were/was(둘 다 가능.) • could + V도 가능(× would V는 불가).
  - ▷ 주어 + would / could / might + V ... (…할 텐데[거야]): 과거조동사로 현재·미래에 대한 가정을 나타냄.
- If + 주어 + were ~ → Were + 주어 ~
- suppose[supposing] (that) = if
- if it were not for ~ / without[but for] ~: 만약 ~이 없다면
- otherwise: 만약 그렇지 않다면(= if ~ not)
- (even) if + 주어 + v-ed ~: 만약 ~더라도[~지라도] (대조[반전])

Standard Sentences

01 If you **knew** how much work went into it, you **wouldn't call** it genius. *Michelangelo*

↳ 만약 네가 얼마나 많은 노력이 그것에 들어가는지 안다면, 넌 그것을 천재성이라 부르지 않을 거야.

02 If life **were** predictable, it **would cease** to be life, and **be** without flavor. *Eleanor Roosevelt*

↳ 만약 삶이 예측할 수 있다면, 그건 삶인 걸 그치고 맛이 없어질 거야. *cease 중단하다[그치다] flavor 맛[풍미]

03 **Without** art, the crudeness of reality **would make** the world unbearable. *Bernard Shaw*

↳ 만약 예술이 없다면, 현실의 조야함이 세상을 견딜 수 없게 할 거야. *crudeness 조야함 unbearable 참을[견딜] 수 없는

A 톡톡 튀는 영어문장 우리말로 바꾸기.

04 There's so much pollution in the air now that if it weren't for our lungs there would be no place to put it all. *Robert Orben*

→ 지금 대기 중에 너무 많은 오염 물질이 있어서 ______________________.

05 But for words and writing, there would be no history and there could be no concept of humanity. *Hermann Hesse*

→ 만약 말과 글쓰기가 없다면, ______________________.

06 We face many challenges and have to fight like a warrior; otherwise, life would be boring.

→ 우리는 많은 도전에 직면해 있고 전사처럼 싸워야 해. ______________________.

07 Beyond some point, further doses of antibiotics would kill no bacteria at all, and might even become harmful to the body.

→ 어느 단계를 넘어선다면, 더 이상의 항생제 투여는 ______________________.

05
concept 개념
humanity 인간성

06
warrior 전사

07
further 더 이상의
dose 복용량[투여량]
antibiotic 항생제

B 뜻 새겨 보면서, 괄호 안 둘 중 하나 고르기.

08 If today (is / were) the last day of my life, would I want to do what I am about to do today? *Steve Jobs*

08
be about to 막 ~하려고 하다

09 Life (will / would) be infinitely happier if we could only be born at the age of eighty and gradually approach eighteen. *Mark Twain*

09
infinitely 무한히[대단히]
gradually 점점
approach 다가가다

10 If a lion (can / could) talk, we could not understand him. *Ludwig Wittgenstein*

10
if 만약 ~더라도[~지라도]

Think **11** (There were / Were there) none who were discontented with what they have, the world would never reach anything better.

11
discontented 불만족한

"If a lion could talk, we could not understand him."
Ludwig Wittgenstein

C 맨 뒤 (조)동사 알맞은 꼴로 바꿔 멋진 가정표현 문장 끝내주기.

12 Even if I ______________ the world would end tomorrow, I would continue to plant my apple trees. (know)
난 비록 세상이 내일 끝날 거라는 걸 알더라도, 계속 나의 사과나무들을 심을 거야.

Up! **13** If there ______________ any need for you in all your uniqueness to be on this earth, you wouldn't be here in the first place. (be not)
만약 완전히 유일한 네가 이 세상에 있을 필요가 없다면, 넌 우선 여기에 있지 않을 거야.

13
in the first place 우선[먼저]

14 A computer would deserve to be called intelligent if it ______________ a human into believing that it was human. (can deceive)
만약 컴퓨터가 사람을 속여 컴퓨터가 인간이라고 믿게 할 수 있다면 컴퓨터는 지능적이라고 불릴 자격이 있을 거야.

14
deserve
받을 만하다[자격이 있다]
deceive ~ into v-ing
~을 속여 v하게 하다

15 Suppose we were able to share meanings freely without distortion and self-deception, this ______________ a real revolution in culture. (will constitute) 만약 우리가 왜곡과 자기기만 없이 자유롭게 의미들을 나눌 수 있다고 한다면, 이것이야말로 진정한 문화의 혁명이 될 거야.

15
distortion 왜곡
self-deception 자기기만
constitute
~이 되다[구성하다]

unit 53

가정표현 2

Block Board

I If + 주어 + had v-ed분사, 주어 + 과거조동사 + have v-ed분사 / 혼합 가정표현 I

주어	would have v-ed분사	목적어	if + 주어 + had v-ed분사			
Man	would not have attained	the possible	if	he	had not reached out	for the impossible.

- If + 주어 + had v-ed분사 ~, 주어 + 과거조동사 + have v-ed분사 ...: 사실이 아닌 과거 상황 가정·상상.
  - ▷ If + 주어 + had v-ed분사 ~ (만약 ~했더라면): 동사 과거완료형이지만 과거에 대한 가정·상상.
  - ▷ 주어 + would / could / might + have v-ed분사 ...(…했을 텐데[거야]): 과거에 대한 가정을 나타냄.
- If + 주어 + had v-ed분사 ~ → Had + 주어 + v-ed분사 ~
- if it had not been for ~ / without ~: 만약 ~이 없었더라면 • otherwise: 만약 그렇지 않(았)다면 (= if ~ not)
- 혼합 가정표현 ▷ If + 주어 + had v-ed분사 ~, 주어 + 과거조동사 + V ...: 만약 ~했더라면(과거 가정), …할 텐데(현재 가정)
  - ▷ If + 주어 + v-ed ~, 주어 + 과거조동사 + have v-ed분사 ...: 만약 ~다면(현재 가정), …했을 텐데(과거 가정)

Standard Sentences

01 Man **would not have attained** the possible **if** he **had not reached out** for the impossible.
↳ 만약 인간이 불가능한 것을 잡으려고 손을 뻗지 않았더라면 인간은 가능한 것에 이르지 못했을 거야. *attain 이루다[이르다]

02 **Had** Cleopatra's nose **been** shorter, the whole face of the world **would have been changed.** *Pascal* 만약 클레오파트라의 코가 좀 더 낮았더라면, 세계의 전체 모습이 바뀌었을 거야.

03 If you **had seen** one day of war, you **would pray** to God that you would never see another. *Duke of Wellington* 만약 네가 전쟁의 하루를 보았더라면, 넌 신에게 네가 절대 또 다른 하루를 보지 않기를 기도할 거야.

A 톡톡 튀는 영어문장 우리말로 바꾸기.

04 Many of the good things would never have happened if the bad events hadn't happened first. *Suze Orman*

→ ______________________ 많은 좋은 일들도 결코 생기지 않았을 거야.

05 If Van Gogh had taken medication for his mental illness, would the world have been deprived of a great artist? *Peter Kramer*

→ 만약 반 고흐가 ______________________?

06 Without quantum theory, scientists could not have developed nuclear energy or the electric circuits that provide the basis for computers.

→ 만약 양자론이 없었더라면, 과학자들은 ______________________.

Up! **07** Beauty is a manifestation of secret natural laws, which otherwise would have been hidden from us forever. *Goethe*

→ 아름다움은 은밀한 자연법칙의 현현[나타남]인데, ______________________.

05
medication 약[약물] (치료)
mental illness 정신 질환
deprive A of B
A에게서 B를 빼앗다

06
quantum 양자
theory 이론
electric 전기의
circuit 회로

07
manifestation 나타남[현현]

B 뜻 새겨 보면서, 괄호 안 둘 중 하나 고르기.

08 If I (have / had had) me for a student, I would have thrown me out of class immediately.

09 (It had not / Had it not) been for you, I would have remained what I was when we first met.

10 If the Romans had been obliged to learn Latin, they would never (find / have found) time to conquer the world.

11 If I had no sense of humor, I would (commit / have committed) suicide long ago. *Mahatma Gandhi*

> Beauty is a manifestation of secret natural laws, which otherwise would have been hidden from us forever.
>
> *Goethe*

08
immediately 즉시

10
be obliged to-v (의무적으로) v해야 한다
conquer 정복하다

11
commit suicide 자살하다

C 맨 뒤 동사 <had v-ed분사>꼴로 바꿔 멋진 가정표현 문장 끝내주기.

12 We owe a lot to Thomas Edison; if it ____________ for him, we would be watching television by candlelight. (not be)
우리는 많은 걸 토머스 에디슨에 빚지고 있는데, 만약 그가 없었더라면 우리는 촛불로 텔레비전을 보고 있을 거야.

13 If it ____________ for the discontent of a few fellows who had not been satisfied with their conditions, you would still be living in caves. (not be)
만약 환경에 만족하지 않았던 소수의 동료 인간들의 불만이 없었더라면, 넌 여전히 동굴에서 살고 있을 거야.

14 I would be astounded if all the stuff we are pumping into the atmosphere ____________ the climate. (not change)
만약 우리가 대기로 퍼붓고 있는 모든 것들이 기후를 변화시키지 않았더라면 난 경악할 거야.

15 If the tongue ____________ for articulation, man would still be a beast in the forest. (not be framed)
혀가 말을 발음할 수 있도록 만들어지지 않았더라면, 인간은 아직 숲속의 야수인 채로 있을 거야.

12
owe 빚지다
candlelight 촛불

13
discontent 불만
cave 동굴

14
astound 경악시키다
pump 퍼 올리다[퍼붓다]
atmosphere 대기

15
articulation 발화[발음]
frame (틀에 따라) 만들다

가정표현 3

Block Board

were to[should] / wish / as if[though] / It's time

If + 주어 + were to V			주어	would V	부사어
If	insects	were to vanish,	the environment	would collapse	into chaos.

- If + 주어 + were to + V ~, 주어 + would / could / might + V ...
  If + 주어 + should + V ~, 주어 + would(will) / could(can) + V ...] 미래 가능성 적은 가정이나 완곡한 표현.
- 주어 + wish(ed) + 주어 + v-ed ~(**~다면** 좋(았)을 텐데(**~하길** 바라(바랐어))): 이룰 수 **없는** 소망.
  주어 + wish(ed) + 주어 + had v-ed분사 ~(**~했다면** 좋(았)을 텐데(**~했길** 바라(바랐어))): 이룰 수 **없었던** 소망.
  ※ 가정표현은 주절의 시제(현재/과거)에 영향을 받지 않음. ➲ unit 60
- 주어 + 동사 + as if(though) + 주어 + v-ed ~(마치 **~인** 것처럼): 주절과 **같은** 때에 대한 가정.
  주어 + 동사 + as if(though) + 주어 + had v-ed분사 ~(마치 **~였던** 것처럼): 주절보다 **앞선** 때에 대한 가정.
- It's (about(high)) time + 주어 + v-ed ~(~해야 할 때다): 동사 과거형이지만 현재·미래에 대한 불만·촉구.

Standard Sentences

01 If insects **were to vanish**, the environment **would collapse** into chaos. *E. O. Wilson*
↳ 만약 곤충들이 사라진다면, 환경은 혼돈 상태로 붕괴될 거야. *vanish 사라지다 collapse 붕괴되다 chaos 카오스(혼돈)

02 I **wish** money **grew** on trees, but it takes hard work to make money. *Jim Cramer*
↳ 돈이 나무에서 자란다면 좋을 테지만, 돈을 버는 데는 힘든 일이 필요해.

03 We **are living** on this planet **as if** we **had** another one to go to. *Terri Swearingen*
↳ 우리는 마치 우리가 갈 수 있는 또 다른 행성이 있는 것처럼 이 지구에서 살고 있어.

04 **It's time** you **realized** that you have something in you more powerful than the things that affect you. *Marcus Aurelius* 네가 네게 영향을 미치는 것들보다 더 강력한 뭔가를 네 안에 갖고 있음을 깨달아야 할 때야.

A 톡톡 튀는 영어문장 우리말로 바꾸기.

05 If you should leave me, my heart will turn to water and flood away.
→ 만약 네가 날 떠난다면, ______________________.

06 If people should ever start to do only what is necessary, millions would die of hunger. *Georg Lichtenberg*
→ ______________________, 수많은 사람들이 굶어 죽을 거야.

07 Live as if you were to die tomorrow; learn as if you were to live forever. *Mahatma Gandhi*
→ ______________________.

05
turn to ~로 변하다
flood 넘치다(범람하다)

B 뜻 새겨 보면서, 괄호 안 둘 중 하나 고르기.

08 I wish they (will / would) only take me as I am. *Vincent Van Gogh*

09 I wish I (know / had known) that what seemed to be the end of the world often turned out to be a positive experience.

10 Students should not feel as if they (miss / had missed) the boat if they failed exams.

11 No one on their deathbeds wished they (spent / had spent) more time at the office — or watching TV.

10 miss 놓치다

11 deathbed 임종(의 자리)

“I wish they would only take me as I am.”
Vincent Van Gogh

C 맨 뒤 (조)동사 알맞은 꼴로 바꿔 멋진 가정표현 문장 끝내주기.

12 What ________________ if you were to travel back in time and kill your grandfather when he was still a child? (will happen)
만약 네가 시간을 거꾸로 여행해 할아버지가 아직 아이였을 때 그를 돌아가시게 한다면 무슨 일이 일어날까?

13 Haven't you ever wished that you ________________ back just a few hours of your past? (can steal)
넌 과거의 단지 몇 시간만이라도 도로 훔칠 수 있기를 바랐던 적이 없니?

14 It takes great courage to look at something as though we ________________ it before. (never see)
우리가 뭔가를 마치 전에 한 번도 본 적이 없었던 것처럼 바라보는 데는 큰 용기가 필요해.

15 It's about time law enforcement ________________ as organized as organized crime. (get)
법 집행이 조직화된 범죄만큼 조직화되어야 할 때야.

13 steal 훔치다

15 enforcement 집행[시행]
organized 조직화된

unit 55

가정표현 4

Block Board

주어 + 제안/요구 동사 + (that) + 주어 + 동사원형 / It + be동사 + 필요 형용사 + that + 주어 + 동사원형

주어	동사	(that) + 주어 + V			
They	proposed	that	the UN	establish	an emergency center for climate change.

- **당위('~해야 한다') 가정표현**: 제안·권고·요구·주장·명령·필요의 동사·형용사·명사와 함께 동사원형을 씀.
- 주어 + 제안·권고·요구·주장·명령 동사 + (that) 주어 + (should) + **동사원형**
  - 제안(suggest/propose) • 권고(advise/recommend) • 요구(ask/demand/require/request) • 주장(insist) • 명령(order/command)

Plus that절이 '해야 한다'는 의미가 아니라 그냥 사실을 나타내면, 가정표현이 아닌 일반 표현을 써야 함.
She suggested/insisted that he **not smoke.** 비교 He insisted that he **didn't smoke.**
그녀는 그가 담배를 피우지 말 것을 제안/주장했다. 그는 자신이 담배를 피우지 않는다고 주장했다.

- It + be동사 + 필요 형용사(necessary/essential/vital/imperative/important/desirable/urgent) + that + 주어 + **동사원형**

Standard Sentences

01 They **proposed** that the UN **establish** an emergency center for climate change.
↳ 그들은 유엔이 기후 변화에 대한 비상 센터를 설립할 것을 제의했어.

02 Descartes **recommended** that we **distrust** the senses and **rely on** the use of our intellect. *Allen Wood*
↳ 데카르트는 우리가 감각을 믿지 말고 지성의 사용에 의지할 것을 권고했어. *distrust 불신[의심] 하다

03 It is **imperative** that a suitable education **be provided** for all citizens. *Thomas Jefferson*
↳ 적절한 교육이 모든 시민들에게 제공되는 것이 긴요해. *imperative 긴요한[꼭 해야 하는] suitable 적합한[적절한]

A 톡톡 튀는 영어문장 우리말로 바꾸기.

04 Justice demands that the good and hard-working be rewarded and the evil and the lazy be punished. *Evan Sayet*
→ 정의는 ______________________ 요구해.

05 If you are a dog and your owner suggests that you wear a sweater, suggest that he wear a tail. *Fran Lebowitz*
→ 네가 개이고 네 주인이 ______________________.

06 My mother insisted that I find joy in small moments and take in the beauty of an ordinary day. *Jennifer Garner*
→ 내 어머니는 ______________________ 주장했어.

07 It's important that the media provide us with diverse and opposing views, so we can choose the best available options. *James Winter*
→ 미디어는 우리가 최선의 가능한 선택을 할 수 있도록 ______________________.

04
hard-working 근면한
reward 보상하다
punish 처벌하다

05
suggest 제안하다
tail 꼬리

06
take in 취하다[이해하다]
ordinary 보통의[일상적인]

07
diverse 다양한
opposing 대립되는
view 견해[관점]

B 뜻 새겨 보면서, 괄호 안 둘 중 하나 고르기.

08 Democracy requires that the public (be / are) able to address common problems outside of their own self-interest.

08
require 요구[필요]하다
address 다루다
outside (of) ~ 외에
self-interest 사리사욕

09 I never insisted that I (be / was) a good student.

10 Copernicus proposed that the sun (be / was) the center of the universe and that the planets revolved around it.

10
propose 제시하다
revolve 돌다[회전하다]

Up! **11** Chaos theory suggests that what appears as chaos (be / is) not really chaotic, but a series of different types of orders.

11
chaos 카오스[혼돈]
suggest 시사[암시]하다
chaotic 혼돈 상태인

"Justice demands that the good and hard-working be rewarded and the evil and the lazy be punished."

Evan Sayet

C 어법에 안 맞는 동사 찾아내 올바른 꼴로 고치기.

12 It is necessary to the happiness of man that he is mentally faithful to himself. *Thomas Paine*

인간이 자신에게 정신적으로 충실한 것이 자신의 행복에 필수적이야.

12
mentally 정신적으로
faithful 충실한

13 It is vital that our relationship with nature and the environment is included in our education systems.

자연과 환경과 우리의 관계가 우리 교육 체계에 포함되는 것은 절대 필요해.

13
vital 절대 필요한[필수적인]

14 To achieve something great, it is essential that a man uses time responsibly and timely.

큰일을 이루기 위해선, 인간이 시간을 책임 있고 시의적절하게 사용하는 것이 필수적이야.

14
essential 필수적인
responsibly 책임 있게
timely 시의적절하게[적시에]

Up! **15** It is not only desirable but necessary that there is legislation which carefully shields the interests of wage workers. *Theodore Roosevelt*

임금 노동자의 이익을 주의 깊게 보호하는 법률 제정이 있는 것은 바람직할 뿐만 아니라 필수적이야.

15
desirable 바람직한
legislation 법률 제정
shield 보호하다
wage worker 임금 노동자

Chapter 12
Review

A 오색빛깔 영어문장 우리말로 바꾸기.

01 This world would be melancholy without children, and inhuman without the aged.

02 Nothing would be more tiresome than eating and drinking if God had not made them a pleasure as well as a necessity. *Voltaire*

03 If somebody had found an exploding black hole, I would have won a Nobel prize. *Stephen Hawking*

04 I wish I could buy you for what you are really worth and sell you for what you think you're worth.

05 Use your eyes as if tomorrow you would be stricken blind; listen to music as if you could never hear again. *Helen Keller*

06 Tradition demands that we not speak ill of the dead.

07 Experts advise that each person drink the right amount of water for their body weight, level of physical activity and the climate.

01
melancholy 우울한
inhuman
비인간적인[인간미 없는]

02
tiresome 귀찮은
as well as ~뿐만 아니라

03
explode 폭발하다
black hole 블랙홀

05
stricken (병에) 걸린

06
speak ill of
~에 대해 나쁘게 말하다

07
expert 전문가
advise 조언하다

B 뜻 새겨 보면서, 괄호 안 둘 중 하나 고르기.

08 You probably wouldn't worry about what people think of you if you (can / could) know how seldom they do. *Olin Miller*

09 If all mankind were to disappear, the world (will / would) regenerate back to the rich state of equilibrium that existed ten thousand years ago.

10 History suggests that capitalism (be / is) a necessary condition for political freedom, not a sufficient condition.

08
seldom 좀처럼[거의] ~ 않는

09
regenerate 재생되다
equilibrium 평형[균형]

10
suggest 시사[암시]하다
capitalism 자본주의
condition 조건
sufficient 충분한

Chapter 13 비교/기타 구문

Block Board Overview

- 형용사·부사의 꼴을 바꾸어 성질·상태·수량의 정도 차이를 나타내는 것을 비교라 하는데, 비교에는 동등비교(as ~ as ~)와 우월비교(비교급 + than ~)와 최상급비교(the + 최상급)가 있다.
- 〈It + be동사 + 강조 초점 + that ~〉은 문장의 일부를 강조하는 대표적 형식이다.
- 부정에는 전체 부정(no / nobody / nothing)과 부분 부정(not + all[every] / always)이 있다.
- 부정어/부사어 등이 문장 첫머리에 오면, 〈주어 + (조)동사〉가 〈(조)동사 + 주어〉로 도치될 수 있다.
- 동사는 주어의 수(단수/복수)·인칭과 일치시켜야 한다.

Unit 56 동등비교 / 우월비교 | as + 형용사[부사] + as ~ / 형용사[부사] 비교급 + than ~

주어	동사	as + 형용사 + as ~
Cultural diversity	is	as necessary for humankind as biodiversity is for nature.

Unit 57 최상급 표현 | the + 형용사[부사] 최상급 / 최상급 표현

주어	동사	최상급
An imbalance between rich and poor	is	the oldest and most fatal ailment of all republics.

Unit 58 강조 구문 | It + be동사 ~ that + (주어) + 동사

It is	부사어	that	주어	동사	부사어
It is	during our darkest moments	that	we	must focus	to see the light.

Unit 59 부정 / 도치 구문 | 부정어 + (조)동사 + 주어

주어	동사
Not everything that can be counted	counts.

Unit 60 수 일치 & 시제 조정 | 단수/복수 주어 + 단수형/복수형 동사

주어	동사	보어
Every species	is	a masterpiece adapted to the particular environment.

(Every species – is: 수일치)

동등비교 / 우월비교

Block Board

as + 형용사[부사] + as ~ / 형용사[부사] 비교급 + than ~

주어	동사	as + 형용사 + as ~
Cultural diversity	is	as necessary for humankind as biodiversity is for nature.

- as 형용사[부사] as ~: ~만큼 …한[하게]
- not as[so] 형용사[부사] as ~: ~만큼 …하지 않은[않게]
- as many[much] as ~: 무려 ~나 되는
- not so much A as B: A라기보다는 B
- 형용사[부사]-er/more 형용사[부사] + than ~: ~보다 더 …한[하게]
- 비교급 강조: much/a lot/(by) far/even/still + 비교급
- less 형용사[부사] than ~: ~보다 덜 …한[하게]
- no[nothing] more than ~: ~에 지나지 않는[겨우 ~인](= only)
- A no more ~ than B …: A가 ~ 아닌 것은 B가 … 아닌 것과 같다 (A와 B 둘 다 부정.)
- A no less ~ than B: A는 B 못지않게[만큼] ~하다 (A와 B 둘 다 긍정.)
- twice / ~ times as 형용사[부사] as ~: ~의 두 배/~배 …한[하게]
- ~ times 비교급 than ~: ~보다 ~배 …한

Standard Sentences

01 Cultural diversity is **as necessary** for humankind **as** biodiversity is for nature. *UNESCO*
↳ 문화의 다양성은 생물의 다양성이 자연에 필요한 만큼 인간에게 필요해. *biodiversity 생물의 다양성

02 The total number of stars in the universe is **larger than** all the grains of sand on all the beaches of the planet Earth. *Carl Sagan* 우주에 있는 별들의 총수는 지구의 모든 해변에 있는 모든 모래 알갱이보다 더 커.

03 We have two ears and one mouth so that we can listen **twice as much as** we speak. *Epictetus*
↳ 우리는 우리가 말하는 것의 두 배로 많이 들을 수 있도록 두 개의 귀와 한 개의 입을 가지고 있어.

A 톡톡 튀는 영어문장 우리말로 바꾸기.

04 The important thing in science is not so much to obtain new facts as to discover new ways of thinking about them. *William Bragg*
→ 과학에서 중요한 것은 ______________________.

Up! 05 The farmer and manufacturer can no more live without profit than the laborer without wages. *David Ricardo*
→ 농부와 제조자가 ______________________.

06 Language is a part of our organism and no less complicated than it.
→ 언어는 우리 유기적 조직체[사회]의 일부인데 ______________________.

07 Laziness is nothing more than the habit of resting before you get tired.
→ 게으름은 ______________________.

04
obtain 얻다

05
profit 수익
laborer 노동자
wage 임금

06
organism 유기적 조직체[사회]
complicated 복잡한

07
nothing more than ~에 불과한
habit 버릇

B 뜻 새겨 보면서, 괄호 안 둘 중 하나 고르기.

08 A blue whale's tongue alone can weigh as (many / much) as an elephant and its heart as (many / much) as an automobile.

09 Each year the US population spends (much / more) money on diets than the amount needed to feed all the hungry people in the rest of the world.

10 Curiosity will conquer fear (even / very) more easily than bravery will.

11 Depression is about ten times more common now (as / than) it was fifty years ago.

Curiosity will conquer fear even more easily than bravery will.
James Stephens

08
blue whale 흰긴수염고래

09
rest 나머지

10
conquer 정복하다[이기다]
bravery 용기

11
depression 우울증
common 흔한

C [보기] 딱 맞는 것 골라 멋진 문장 끝내주기.

보기
convincing dangerous important much

12 Several excuses are always less ________ than one.
여러 변명들은 늘 하나의 변명보다 덜 설득력 있어.

13 What happens is not as ________ as how you react to what happens. 무슨 일이 일어나는지는 네가 일어나는 일에 어떻게 반응하는지만큼 중요하지 않아.

14 The tyranny of a king in a monarchy is not so ________ to the public welfare as the apathy of a citizen in a democracy.
군주제에서의 왕의 폭정은 민주주의에서의 시민의 무관심만큼 공공복지에 위험하지 않아.

15 The art of government consists in taking as ________ money as possible from one party of the citizens to give to the other.
정치의 기술은 다른 편의 시민들에게 주기 위해 한 편의 시민들에게 가능한 한 많은 돈을 받는 데 있어.

convincing 설득력 있는

13
react 반응하다

14
tyranny 압제[폭정]
monarchy 군주제
apathy 무관심

15
consist in ~에 있다
as ~ as possible 가능한 한 ~한
party 단체

최상급 표현

Block Board

the + 형용사[부사] 최상급 / 최상급 표현

주어	동사	최상급
An imbalance between rich and poor	is	the oldest and most fatal ailment of all republics.

- the 형용사[부사]-est/the most 형용사[부사] + (in 단수명사 / of 복수명사): (~ (중)에서) 가장 …한[하게]
- the 최상급 + (that) 주어 + have ever v-ed분사: 이제껏 ~한 것 중에 가장 …한
- 최상급 강조: much / by far / the very + 최상급
- one of the 최상급 + 복수명사: 가장 ~한 것들 중 하나
- 최상급 표현
  - ▷ nothing[no ~] … as[so] 형용사[부사] as ~: 아무것도 ~만큼 …하지 않은[않게] (가장 …한[하게])
  - ▷ nothing[no ~] … 비교급 than ~: 아무것도 ~보다 더 …하지 않은[않게] (가장 …한[하게])
  - ▷ 비교급 than any (other) 단수명사: 어떤 것보다도 더 ~한[하게] (가장 ~한[하게])
- the 비교급 ~, the 비교급 …: 더 ~할수록 더 …하다

Standard Sentences

01 An imbalance between rich and poor is **the oldest and most fatal** ailment of all republics. *Plutarch*
↳ 빈부 간의 불균형은 모든 공화국들의 가장 오래되고 가장 치명적인 질병이야. *fatal 치명적인 ailment 질병

02 **Nothing** is **more beautiful than** the loveliness of the woods before sunrise. *George Carver*
↳ 아무것도 해뜨기 전 숲의 사랑스러움보다 더 아름답지 않아. *sunrise 해돋이

03 **The more** I learn, **the more** I realize how much I don't know. *Albert Einstein*
↳ 내가 더 많이 배울수록, 난 내가 얼마나 많이 모르는지 더 많이 깨달아.

A 톡톡 튀는 영어문장 우리말로 바꾸기.

04 The sun is the nearest to the earth and the most extensively studied of all the stars in the universe.
→ 태양은 ______________________.

05 Aggressive fighting for the right is the noblest sport the world affords.
→ 옳은 것을 위한 적극적인 투쟁은 ______________________.

06 Nothing is so firmly believed as what we least know. *Montaigne*
→ 아무것도 ______________________.

Up! **07** There is no witness so terrible and no accuser so powerful as conscience which dwells within us. *Sophocles*
→ 우리 안에 사는 양심만큼 ______________________.

04
extensively 널리[광범위하게]
star 별[항성]

05
aggressive 공격적인[적극적인]
noble 고귀한
afford 제공하다

06
firmly 확고히
least 가장 적게[덜]

07
witness 증인[목격자]
accuser 고소인[고발인]
conscience 양심
dwell 살다[거주하다]

B 뜻 새겨 보면서, 괄호 안 둘 중 하나 고르기.

08 Q: What's the (longer / longest) word in the world?
A: "Smiles." There's a mile between the first and last letter.

09 The practice of peace and reconciliation is one of (more / the most) vital and artistic of human actions. *Thich Nhat Hanh*

10 There is no scientific study more vital to man (as / than) the study of his own brain.

11 The greater the obstacle, the (more / much) glory in overcoming it.

09
practice 실행[실천]
reconciliation 화해

11
obstacle 장애(물)
glory 영광[영예]

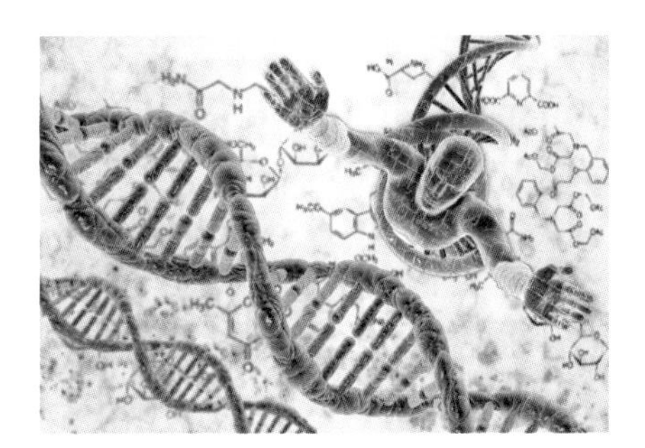

"Human DNA is like a computer program, but far more advanced than any software we've ever created."
Bill Gates

C [보기] 형용사/부사 골라 비교급으로 멋진 문장 끝내주기.

보기

advanced　clearly　embarrassing　necessary

12 To an adolescent, there is nothing in the world ____________ than a parent. 청소년에게 부모보다 더 난처한 존재는 세상에 아무것도 없어.

13 People show their character in nothing ____________ than by what they think laughable.
사람들은 아무것에서도 그들이 웃긴다고 생각하는 것으로보다 더 분명히 자신들의 성격을 보여 주지 않아.

14 Human DNA is like a computer program, but far ____________ than any software we've ever created.
인간의 디엔에이는 컴퓨터 프로그램 같지만, 우리가 이제껏 만든 어떤 소프트웨어보다도 훨씬 더 진보된 거야.

Up! **15** The more restricted our society and work become, the ____________ ____________ it will be to find some outlet for the craving for freedom.
우리 사회와 일이 제약을 더 받게 될수록, 자유에의 갈망을 위한 배출구를 찾는 게 더 필요해질 거야.

embarrassing
난처한[쑥스러운]

12
adolescent 청소년

13
laughable 웃기는

14
far (비교급 강조) 훨씬
ever (비교급 강조) 이제껏

15
restricted 제한된[제약을 받는]
outlet 배출구
craving 갈망[열망]

강조 구문

Block Board

It + be동사 ~ that + (주어) + 동사

It is	부사어	that	주어	동사	부사어
It is	during our darkest moments	that	we	must focus	to see the light.

- **It + be동사 + 강조 초점 + (that) ~**: "~하는 것은 바로 〈강조 초점〉이다." (that 생략 가능.)
  ↳ 주어/목적어/부사어/(일부) 보어
- **It + be동사 + 강조 초점 + who/which ~**: 강조 초점이 사람/사물이면 who/which도 쓸 수 있음.
- **의문사 강조: Wh- + be동사 + it + that ~?** How is it that you live? 넌 도대체 어떻게 사니?
- **문장 강조: do/does/did(강조 조동사) + 동사원형**(동사만이 아니라 앞 내용에 반하는 사실을 강조함.)
- 감탄문: What + (a(n)) + (형용사) + 명사 + 주어 + 동사 ~! How + 형용사/부사 + (a(n)) + (명사) + 주어 + 동사 ~!
- none other than ~: 다름 아닌 바로 ~인

Standard Sentences

01 **It is** during our darkest moments **that** we must focus to see the light. *Aristotle*
↳ 우리가 빛을 보기 위해 집중해야 하는 때는 바로 우리의 가장 어두운 시기 동안이야.

02 Everyone can do simple things to make a difference, and every little bit really **does** count. *Stella McCartney*
↳ 모든 사람이 영향을 미칠 수 있는 간단한 일들을 할 수 있고, 모든 작은 부분도 정말로 중요해.

03 **What a strange illusion it is** to suppose that beauty is goodness! *Tolstoy*
↳ 아름다움(美)이 선함(善)이라 생각하는 건 얼마나 이상한 환상인가!

A 톡톡 튀는 영어문장 우리말로 바꾸기.

04 **It is** the historian **who** decides to which facts to give the floor, and in what order or context. *E. H. Carr*
→ 어떤 사실에 어떤 순서나 맥락으로 ______________________.

05 **It is** not the things I've done but those I did not do **that** I regret.
→ ______________________.

06 **It is** the passion that is in a kiss **that** gives to it its sweetness; **it is** the affection in a kiss **that** sanctifies it. *Christian Bovee*
→ 키스에 달콤함을 주는 것은 ______________________.

Up! **07** **It was** not until the late 20th century **that** intellectual property became commonplace in the world's legal systems.
→ 지적 재산은 ______________________.

04
historian 역사가
give the floor 발언권을 주다
order 순서
context 맥락

06
passion 격정[열정]
affection 애정[사랑]
sanctify 신성하게 하다

07
intellectual property 지적 재산
commonplace 흔한

B 뜻 새겨 보면서, 괄호 안 둘 중 하나 고르기.

08 It is not because things are difficult (that / who) we do not dare; it is because we do not dare (that / who) things are difficult. *Seneca*

> 08
> dare 용기를 내다

Up! **09** It is only the farmer who faithfully plants seeds in the spring, (which / who) reaps a harvest in the autumn.

> 09
> faithfully 충실히
> reap 거두다[수확하다]
> harvest 수확(물)

10 It is books, poems and paintings (which / who) often give us the confidence to take seriously feelings in ourselves.

11 (How / What) a wonderful thought it is that some of the best days of our lives haven't even happened yet! *Anne Frank*

"It is books, poems and paintings which often give us the confidence to take seriously feelings in ourselves."
Alain de Botton

C 보기 딱 맞는 것 골라 밑줄 친 부분 강조 문장 끝내주기.

보기: did / is it that / it's / none other than

> none other than 다름 아닌 바로 ~인

12 The DNA in my blood vessels tells me that ________ <u>you</u> I was looking all over for. *Song "DNA" by BTS*
내 혈관 속 디엔에이가 내게 말해 줘 내가 곳곳을 찾아 헤매던 건 바로 너라는 걸.

> 12
> blood vessel 혈관
> all over 곳곳에

13 <u>**How**</u> ________ you live, and <u>**what**</u> ________ you do?
넌 사는 것은 도대체 어떻고, 네가 하는 것은 도대체 뭐니?

14 I was angry with my friend; I told my wrath, <u>**my wrath**</u> ________ <u>end</u>. I was angry with my foe; I told it not, <u>**my wrath**</u> ________ <u>grow</u>. 난 내 친구에게 화가 났는데, 난 노여움을 말했더니 내 노여움은 진짜 끝이 났어. 난 적에게 화가 났는데, 난 분노를 말하지 않았더니 내 분노는 진짜 자라났어.

> 14
> wrath 분노[노여움]
> foe 적

15 The history of the world is ________ <u>**the progress of the consciousness of freedom**</u>. 세계 역사는 다름 아닌 바로 자유 의식의 진보야.

> 15
> progress 진보
> consciousness 의식

부정/도치 구문

Block Board

| 부정어 + (조)동사 + 주어 |

주어	동사
Not everything that can be counted	counts.

- **부정어**: no/not/never/nobody[no one]/none/nothing/neither/nor
  few[little] 거의 없는 rarely[seldom] 좀처럼 ~ 않다 hardly[scarcely] 거의 ~ 아니다 without ~ 없이
- **부분 부정**(일부 부정, 일부 긍정): not + all[every] / both / always / necessarily / entirely / completely ...
  모두 / 둘 다 / 항상 / 반드시 / 전부 / 완전히 ~한 것은 아니다
- **도치**: 〈주어 + (조)동사〉 → 〈(조)동사 + 주어〉
  ▷ 부정어(Never / Not / Not only / Only / Rarely[Seldom] / Little) + (조)동사 + 주어
  ▷ 장소[방향] 부사어 + (조)동사 + 주어 ▷ 보어 + (조)동사 + 주어
  ▷ 주어 + 동사 ~, and so / neither[nor] + do(es)[did]/(조)동사/be동사 + 주어: ~도 그렇다/그렇지 않다

Standard Sentences

01 **Not everything** that can be counted counts, and **not everything** that counts can be counted. *William Cameron* 셀 수 있는 모든 것이 다 중요한 건 아니고, 중요한 모든 것이 다 셀 수 있는 건 아니야. *count 세다/중요하다

02 **Never was** a story of more woe than this of Juliet and her Romeo. *Shakespeare*
↳ 줄리엣과 그녀의 로미오의 이 이야기보다 더 비통한 이야기는 결코 없었어. *woe 비통

03 Time doesn't take away from friendship, **nor does** separation. *Tennessee Williams*
↳ 시간은 우정을 깎아내리지 않고, 헤어짐도 그래. *take away from 깎아내리다[폄하하다] separation 헤어짐[분리]

A 톡톡 튀는 영어문장 우리말로 바꾸기.

04 A thing is not necessarily true because a man dies for it. *Oscar Wilde*
→ 어떤 것이 ______________________________.

05 Economics does not necessarily have to be a zero-sum game; it can be a win-win proposition for everyone. *Ron Kind*
→ 경제학은 ______________________________.

Think **06** You can't live a perfect day without doing something for someone who will never be able to repay you. *John Wooden*
→ 넌 ______________________________.

Up! **07** Blessed are you who are hungry now, for you will be filled; blessed are you who weep now, for you will laugh. *Jesus*
→ ______________________________.

05
zero-sum game 제로섬 게임
win-win
윈윈의[모두에게 유리한]
proposition 제의

06
repay 갚다[보답하다]

07
blessed 복 받은
weep 울다

B 뜻 새겨 보면서, 괄호 안 둘 중 하나 고르기.

08 Not only (does God play / God plays) dice, but he sometimes throws them where they cannot be seen. *Stephen Hawking*

09 Only through experience of trial and suffering (can the soul / the soul can) be strengthened, ambition inspired, and success achieved. *Helen Keller*

10 Somewhere inside of all of us (the power to change the world is / is the power to change the world).

11 Confidence is contagious, and so (is lack of confidence / lack of confidence is).

Only through experience of trial and suffering can the soul be strengthened, ambition inspired, and success achieved.

Helen Keller

C 보기 부정어 골라 멋진 문장 끝내주기.

보기

neither   no   nothing   rarely

12 ________ is impossible: the word itself says "I'm possible"!

아무것도 불가능하지 않아. 그 단어(impossible) 자체가 '난 가능해(I'm possible)'라고 말하잖아!

13 ________ industry or country can reach its full potential until women reach their full potential.

어떤 산업이나 국가도 여성들이 자신들의 최대 잠재력에 이를 때까지는 그것의 최대 잠재력에 이를 수 없어.

14 Changes and progress very ________ are gifts from above; they come out of struggles from below.

변화와 진보는 아주 드물게 위로부터의 선물이고, 그것들은 아래로부터의 투쟁에서 생겨나.

15 Rome was not built in a day, and ________ will peace and democratic development be achieved in a short period of time.

로마는 하루 만에 건설되지 않았고, 평화와 민주주의의 발전도 단기간에 이루어지지 않을 거야.

08
dice 주사위

09
trial 시련
strengthen 강화하다
ambition 야망
inspire 불어넣다

11
contagious 전염성의

rarely 드물게

13
potential 잠재력

14
struggle 투쟁

수 일치 & 시제 조정

Block Board

| 단수/복수 주어 + 단수형/복수형 동사 |

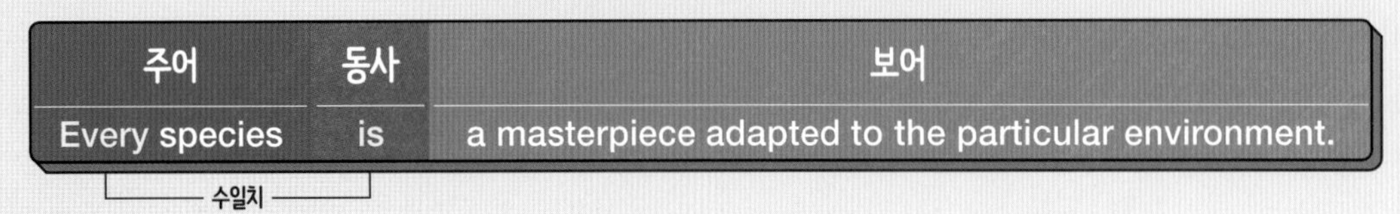

주어	동사	보어
Every species	is	a masterpiece adapted to the particular environment.

수일치

- **수 일치**: 단수 주어 + 단수형 동사 / 복수 주어 + 복수형 동사
  - ▷ every ~ / each (~) / -body[-one] / -thing / no one / none + 단수형 동사
  - ▷ A as well as B / Not only B but (also) A / Not B but A + A와 일치 동사
  - ▷ either / neither A or / nor B + B와 일치 동사/복수형 동사 둘 다 가능.
  - ▷ 학문 이름(mathematics, statistics 통계학, linguistics 언어학, ethics 윤리학 ...) / news + 단수형 동사
  - ▷ a number of(여러) + **복수명사** + 복수형 동사 [비교] the number(수) of ~ + 단수형 동사
  - ▷ many a/an + **단수명사** + 단수형 동사 ▷ most / half / part / 분수 of + 명사 + 명사와 일치 동사
- **시제 조정**: 주절 동사 과거(완료) + 종속절 동사(현재 → 과거 / 과거 → 과거완료 / 현재완료 → 과거완료)
- **가정표현**은 주절의 시제에 영향을 받지 않음.

Standard Sentences

01 **Every** species **is** a masterpiece adapted to the particular environment in which it has survived. *E. O. Wilson* 모든 종은 그것이 살아남은 특정 환경에 적응된 걸작이야. *adapt to ~에 적응하다

02 Even though **a number of** people **have** tried, no one has yet solved the problem.
↳ 비록 여러 사람들이 시도했지만, 아무도 그 문제를 아직 풀지 못했어.

03 When Adam said a good thing, he **knew** nobody **had said** it before. *Mark Twain*
↳ 아담이 좋은 생각을 말했을 때, 그는 아무도 전에 그것을 말한 적이 없었다는 걸 알았어.

A 톡톡 튀는 영어문장 우리말로 바꾸기.

04 Neither you nor the world knows what you can do until you have tried.
→ 너도 세상도 ________________.

05 I believed that I was on the right track, but that did not mean that I would necessarily reach my goal. *Andrew Wiles*
→ 난 ________________.

06 Louise Erdrich said that Columbus didn't discover America, but only discovered that he was in some new place.
→ 루이스 어드리크는 ________________.

07 One third of the world's population consumes two thirds of the world's resources.
→ ________________ 소비해.

04 neither A nor B A도 B도 아닌

05 on the right track 올바른 방향으로 나아가는

06 discover 발견하다/알게 되다

07 resources 자원

B 뜻 새겨 보면서, 괄호 안 둘 중 하나 고르기.

08 In civilized communities, property as well as personal rights (are / is) an essential object of the laws.

08
civilized 문명화된
property 재산

Up! **09** The hottest places in hell (is / are) reserved for those who, in times of great moral crisis, (maintain / maintains) their neutrality. *John F. Kennedy*

09
reserve 예약하다
moral 도덕의
neutrality 중립

10 Many a man (curse / curses) the rain that (fall / falls) upon his head, and (know / knows) not that it brings abundance to drive away the hunger.

10
curse 욕하다
abundance 풍부[풍요]
drive away 몰아내다

11 People thought that if matter disappeared from the universe, space and time (would / will) remain; relativity declares that space and time would disappear with matter. *Albert Einstein*

11
relativity 상대성 이론
declare 선언하다

"Many a man curses the rain that falls upon his head, and knows not that it brings abundance to drive away the hunger."
Saint Basil

C 빈칸에 딱 맞는 be동사 꼴 채워 멋진 문장 끝내주기.

12 Statistics ________ the only science that enables different experts using the same figures to draw different conclusions.
통계학은 같은 수치를 사용하는 다른 전문가들이 다른 결론을 낼 수 있게 하는 유일한 과학이야.

12
statistics 통계(학)
expert 전문가
figure 수치
draw a conclusion 결론을 내다

13 Most of past climate changes ________ attributed to very small variations in Earth's orbit that change the amount of solar energy our planet receives.
대부분의 과거 기후 변화는 지구가 받는 태양 에너지의 양을 변화시키는 지구 궤도의 매우 작은 변화들의 결과로 봐.

13
attribute 결과로 보다
variation 변화
orbit 궤도

14 I thought that the most powerful weapon in the world ________ the bomb, but I've learned that it ________ not the bomb but the truth.
난 세상에서 가장 강력한 무기가 핵폭탄이라고 생각했지만, 그것은 핵폭탄이 아니라 진실이라는 걸 알게 되었어.

14
weapon 무기
bomb (핵)폭탄

15 The great extinction that wiped out all of the dinosaurs ________ one of the outstanding events in the history of life on Earth.
모든 공룡을 완전히 없애 버린 거대한 멸종은 지구 생명체의 역사에서 가장 두드러진 사건들 중 하나였어.

15
extinction 멸종
wipe out 완전히 없애 버리다
outstanding 두드러진

Chapter 13
Review

A 오색빛깔 영어문장 우리말로 바꾸기.

01 I care not so much what I am to others as what I am to myself. *Montaigne*

Up! **02** Nature's imagination is so much greater than man's that she's never going to let us relax.

03 Nothing is so embarrassing as watching someone do something that you said couldn't be done.

04 The more we understand life and nature, the less we look for supernatural causes. *Jawaharlal Nehru*

05 It is not the biggest, the brightest or the best that will survive, but those who adapt the quickest. *Charles Darwin*

06 You cannot get through a single day without having an impact on the world around you. *Jane Goodall*

07 Neither you nor I nor Einstein is brilliant enough to reach an intelligent decision on any problem without first getting the facts.

01
care 관심을 가지다
not so much A as B
A라기보다는 B

03
embarrassing
쑥스러운[창피한]

04
supernatural 초자연적인
cause 원인

05
bright 똑똑한
adapt 적응하다

06
get through 살아 나가다
have an impact on
~에 영향을 주다

07
brilliant 뛰어난
intelligent 총명한[현명한]

B 뜻 새겨 보면서, 괄호 안 둘 중 하나 고르기.

08 It is neither wealth nor splendor, but tranquility and occupation (which / who) give happiness. *Thomas Jefferson*

09 I found that almost everyone (have / had) something interesting to contribute to my education.

10 People who think they know everything (is / are) a great annoyance to those of us who do. *Isaac Asimov*

08
splendor 화려함[장관]
tranquility 평온
occupation 직업[일]

09
contribute to ~에 기여하다

10
annoyance 짜증

Special Stage

수능 기출 문장 100선

* 최근 10년 간 수능에 출제된 기출 문장 100개를 선정하였음.
* 문장에 포함된 구문 정보는 관련 Unit 링크를 참고할 것.

수능 기출 문장 100선

001 Hundreds of fish tails were flashing and catching light from the sun, moving upstream.
↳ 수백 개의 물고기 꼬리들이 번쩍거리고, 태양으로부터 빛을 받으며, 상류로 이동하고 있었어.

Unit Link
➲ Unit 08 진행
Unit 51 v-ing 구문

002 The role of science can sometimes be overstated, with its advocates slipping into scientism.
↳ 과학의 역할은 때때로 과장될 수 있고, 그 지지자들은 과학만능주의에 빠져들어.

➲ Unit 15 조동사 수동태
Unit 51 with + 명사 + v-ing

003 The colors of the trees looked like they were on fire, the reds and oranges competing with the yellows and golds.
↳ 나무들의 색깔이 불타는 듯이 보였으며, 빨간색과 오렌지색이 노란색과 황금색과 경쟁하고 있었어.

➲ Unit 48 양상 부사절
Unit 51 v-ing 구문

004 Although commonsense knowledge may have merit, it also has weaknesses, not the least of which is that it often contradicts itself.
↳ 상식적인 지식은 장점을 가질 수도 있지만, 그것은 또한 약점을 가지고 있는데, 그 중 가장 중요한 것은 그것이 종종 모순된다는 것이야.

➲ Unit 49 대조[반전] 부사절
Unit 40 추가정보 관계절
Unit 30 보어 that절

005 Our view of what students need to build their knowledge and theories about the natural world extends far beyond a "hands-on activity."
↳ 자연 세계에 대한 지식과 이론을 구축하기 위해 학생들이 필요로 하는 것에 대한 우리의 견해는 '직접 해 보는 활동'을 훨씬 넘어서.

➲ Unit 34 목적어 what절
Unit 20 to-v(부사어)

006 The philosophy of science seeks to avoid crude scientism and get a balanced view on what the scientific method can and cannot achieve.
↳ 과학 철학은 투박한 과학만능주의를 피하고 과학적 방법이 성취할 수 있는 것과 성취할 수 없는 것에 대한 균형 잡힌 시각을 가지려고 노력해.

➲ Unit 25 목적어 to-v
Unit 34 목적어 what절
Unit 10 조동사 can

007 The future of our high-tech goods may lie not in the limitations of our minds, but in our ability to secure the ingredients to produce them.
↳ 첨단 기술 제품의 미래는 우리 생각의 한계점에 있는 것이 아니라, 그것을 생산하기 위한 재료를 확보할 수 있는 우리의 능력에 있을지도 몰라.

➲ Unit 11 조동사 may
Unit 19 전치사구
Unit 45 not A but B
Unit 18 명사 + to-v

008 Before admitting that the remaining explanation is the correct one, consider whether other plausible options are being ignored or overlooked.
↳ 남아 있는 설명이 옳은 것이라는 것을 인정하기 전에, 타당해 보이는 다른 선택 사항들이 무시되거나 간과되고 있는지 고려해.

➲ Unit 29 전치사 + v-ing
Unit 33 목적어 whether절
Unit 14 진행 수동태

01 flash 반짝이다 upstream 상류로 02 overstate 과장하다 advocate 옹호자[지지자] slip into ~으로 빠져들다 scientism 과학만능주의 04 commonsense 상식적인 not the least of which is ~ 그 중 가장 중요한 것은 ~이다 contradict 모순되다 05 extend 넘어서다[확장되다] hands-on 직접 해 보는 06 crude 투박한 07 high-tech 첨단 기술의[최첨단의] 08 plausible 타당한 것 같은[그럴듯한] overlook 간과하다

009 While it is important for students to use and interact with materials in science class, the learning comes from the sense-making of students' "hands-on" experiences.

↳ 과학 수업에서 학생들이 재료들을 사용하고 그것들과 상호 작용하는 것이 중요하지만, 학습은 학생들이 '직접 해 보는' 경험에 대한 의미 부여에서 나와.

➲ unit 49 대조[반전] 부사절
unit 22 주어 to-v

010 Heritage is as much about forgetting as remembering the past.

↳ 유산은 과거를 기억하는 것만큼 (과거를) 잊는 것에 관한 것이야.

➲ unit 56 동등비교

011 It is the presence of the enemy that gives meaning and justification to war.

↳ 전쟁에 의미와 정당화를 제공하는 것은 바로 적의 존재야.

➲ unit 58 강조 구문

012 Information has become a recognized entity to be measured, evaluated, and priced.

↳ 정보는 측정되고, 평가되고, 값이 매겨지는 인정받는 실재가 되었어.

➲ unit 02 영어문장 2형
unit 09 현재완료
unit 18 명사 + to-v

013 The more an event is socially shared, the more it will be fixed in people's minds.

↳ 하나의 사건이 사회적으로 더 많이 공유될수록, 그것은 사람들의 마음에 더 많이 고착화 될 거야.

➲ unit 57
the 비교급, the 비교급

014 Without the influence of minorities, we would have no innovation, no social change.

↳ 만약 소수 집단의 영향이 없다면, 우리는 어떤 혁신, 어떤 사회 변화도 가질 수 없을 거야.

➲ unit 52 가정표현

015 Industrial capitalism not only created work, it also created 'leisure' in the modern sense of the term.

↳ 산업 자본주의는 일자리를 만들어 냈을 뿐만 아니라 그 말의 현대적 의미의 '여가'도 만들어냈어.

➲ unit 45
not only A but also B

016 Great scientists, the pioneers that we admire, are not concerned with results but with the next questions.

↳ 위대한 과학자들, 즉 우리가 존경하는 선구자들은 결과가 아니라 다음 문제에 관심이 있어.

➲ unit 38
목적어 관계사 관계절
unit 45 not A but B

017 Simply knowing they are being observed may cause people to behave differently (such as more politely!).

↳ 단지 자신들이 관찰되고 있다는 것을 아는 것은 사람들이 (더욱 공손하게 하는 것처럼!) 다르게 행동하는 것을 유발할 지도 몰라.

➲ unit 21 주어 v-ing
unit 14 진행 수동태
unit 11 조동사 may
unit 27 목적보어 to-v

---

09 sense-making 의미 부여 10 heritage 유산 11 presence 존재(있음) justification 정당화 12 entity 실재(물) price 값을 매기다 14 minority 소수 (집단) innovation 혁신 15 capitalism 자본주의 modern 현대적인 sense 의미(뜻) term 말(용어) 16 pioneer 선구자 admire 존경하다 be concerned with ~에 관심이 있다 17 observe 관찰하다

018 Those people, organizations, and countries that possess the highest-quality information are likely to prosper economically, socially, and politically.

↳ 가장 고품질의 정보를 소유한 그러한 사람들, 조직들, 그리고 국가들이 경제적으로, 사회적으로, 그리고 정치적으로 번창할 것 같아.

Unit Link
➲ unit 37 주어 관계사 관계절

019 A round hill rising above a plain would appear on the map as a set of concentric circles, the largest at the base and the smallest near the top.

↳ 평야 위로 솟은 둥그런 산은 가장 큰 동심원이 맨 아랫부분에 그리고 가장 작은 동심원은 꼭대기 근처에 있는 일련의 동심원으로 지도에 나타날 거야.

➲ unit 16 명사 + v-ing
unit 01 영어문장 1형

020 A printing press could copy **information** thousands of times faster, allowing knowledge to spread far more quickly, with full fidelity, than ever before.

↳ 인쇄기는 **정보를** 수천 배 더 빠르게 복사할 수 있었는데, 그것은 지식이 전보다 훨씬 더 빠르고 최대한 정확하게 퍼져 나갈 수 있게 했어.

➲ unit 51 v-ing 구문
unit 27 목적보어 to-v
unit 56 우월비교

021 We argue that the ethical principles of justice provide an essential foundation for policies to protect unborn generations and the poorest countries from climate change.

↳ 우리는 정의의 윤리적 원칙들이 아직 태어나지 않은 세대들과 가장 가난한 나라들을 기후 변화로부터 보호하기 위한 정책에 필수적인 토대를 제공할 것을 주장해.

➲ unit 55 가정 표현
unit 33 목적어 that절
unit 07 구동사
unit 18 명사 + to-v
unit 19 전치사구

022 Many of what we now regard as 'major' social movements (e.g. Christianity, trade unionism or feminism) were originally due to the influence of an outspoken minority.

↳ 우리가 현재 '주요' 사회 운동(예를 들어 기독교 사상, 노동조합 운동 또는 페미니즘)으로 여기는 많은 것이 본래 거침없이 말하는 소수 집단의 영향력 때문이었어.

➲ unit 34 목적어 what절
unit 60 수 일치

023 With the industrial society evolving into an information-based society, the concept of information as a product, a commodity with its own value, has emerged.

↳ 산업 사회가 정보에 기반한 사회로 진화해가면서 하나의 상품, 그 나름의 가치를 지닌 하나의 제품으로서의 정보의 개념이 등장했어.

➲ unit 51
with + 명사 + v-ing
unit 09 현재완료

024 To become a better leader, you have to step out of your comfort zone.

↳ 더 훌륭한 지도자가 되기 위해 너는 너의 안락 지대로부터 벗어나야 해.

➲ unit 20 to-v(부사어)
unit 10 조동사 have to

18 prosper 번창하다 19 plain 평야 a set of 일련의 concentric 동심원의[중심이 같은] base 맨 아랫부분 20 printing press 인쇄기 fidelity 정확도 21 ethical 윤리적인 unborn 미래의[태어나지 않은] 22 Christianity 기독교 trade unionism 노동조합 운동 feminism 페미니즘 outspoken 거리낌 없는[솔직한] 23 commodity 상품[제품] emerge 나타나다[등장하다] 24 step out of ~로부터 벗어나다 comfort zone 안락 지대

025 Growth is always at the edges, just outside the boundaries of where you are right now.

↳ 성장은 항상 가장자리에, 즉 네가 바로 지금 있는 곳의 한계 바로 바깥에 있어.

➲ unit 35 목적어 wh-절

026 You have to venture beyond the boundaries of your current experience **and explore new territory.**

↳ 너는 너의 현재 경험의 한계를 넘어서 위험을 무릅쓰고 **새로운 영역을 탐험해야 해.**

➲ unit 10 조동사 have to
unit 19 전치사구

027 Both humans and rats have evolved **taste preferences for** *sweet* **foods**, which provide **rich sources of calories.**

↳ 사람과 쥐 모두 '단' **음식에 대한 맛의 선호를** 진화시켜 왔는데, 이것(단 음식)들은 **풍부한 열량의 원천을** 제공해.

➲ unit 45 both A and B
unit 09 현재완료
unit 40 추가정보 관계절

028 As we invent **more species of AI, we will be forced to surrender more of what is supposedly unique about humans.**

↳ 우리가 더 **많은 종류의 인공 지능을** 발명하면서 **우리는** 아마도 **인류에게 유일한 것들 중 더 많은 것을 내주도록** 강요당할 거야.

➲ unit 46 시간 부사절
unit 34 목적어 what절

029 Time spent on on-line interaction with members of one's own, preselected community leaves **less time available for actual encounters with a wide variety of people.**

↳ 자신의 미리 정해진 공동체의 구성원들과 온라인 상호작용을 하는 데 소비되는 시간은 **폭넓은 다양한 사람들과의 실제 만남을 위해 쓸 수 있는 시간을 더 줄어들게** 해.

➲ unit 17 명사 + v-ed분사
unit 19 전치사구
unit 18 명사 + 형용사구

030 Few places are more conducive to internal conversations than a moving plane, ship, or train.

↳ 움직이는 비행기, 배 혹은 기차 보다 내면의 대화에 더 도움이 되는 장소는 거의 없어.

➲ unit 56 우월비교

031 In the less developed world, the percentage of the population involved in agriculture is declining, **but** those remaining in agriculture are not benefiting from technological advances.

↳ 저개발 세계에서 농업에 종사하는 인구 비율은 감소하고 있지만, 계속 농업에 종사하는 사람들은 기술 발전의 혜택을 받지 못하고 있어.

➲ unit 17 명사 + v-ed분사
unit 08 현재 진행
unit 44 대등접속사 but
unit 16 명사 + v-ing

032 One reason most dogs are much happier than most people is that dogs aren't affected by external circumstances the way we are.

↳ 대부분의 개들이 대부분의 사람들보다 훨씬 더 행복한 한 가지 이유는 개는 우리 식으로 외부 환경에 영향을 받지 않는다는 거야.

➲ unit 39 기타 관계사 관계절
unit 56 우월비교
unit 30 보어 that절
unit 13 수동태

25 edge 가장자리 boundary 한계 26 venture 위험을 무릅쓰다 territory 영역 27 preference 선호(기호) 28 be forced to ~하도록 강요당하다 surrender 포기하다(내주다) supposedly 아마도 29 preselected 미리 정해진 encounter 만남 30 conducive to ~에 도움이 되는 internal 내면의(내부의) 31 involve in ~에 종사하다(관여하다) decline 줄어들다(감소하다) benefit 혜택을 받다 32 external 외부의

033 Evolution works to maximize the number of descendants that an animal leaves behind.
↳ 진화는 동물이 뒤에 남기는 후손들의 수를 최대화하기 위해 작용해.

Unit Link
➲ unit 20 to-v(부사어)
unit 38 목적어 관계사 관계절

034 We define cognitive intrigue as the wonder that stimulates and intrinsically motivates an individual to voluntarily engage in an activity.
↳ 우리는 인지적 호기심을 한 개인이 자발적으로 어떤 활동에 참여하도록 자극하고 본질적으로 동기를 부여하는 경이감으로 정의해.

➲ unit 37 주어 관계사 관계절
unit 27 목적보어 to-v

035 It is the inherent ambiguity and adaptability of language as a meaning-making system that makes the relationship between language and thinking so special.
↳ 언어와 사고의 관계를 매우 특수하게 만드는 것은 바로 의미를 만들어내는 체계로서의 언어의 고유한 모호성과 적응성이야.

➲ unit 58 강조 구문
unit 05 영어문장 5형

036 A pet's continuing affection becomes crucially important for those enduring hardship because it reassures them that their core essence has not been damaged.
↳ 애완동물의 지속적인 애정은 고난을 견디고 있는 사람들에게 그들의 핵심적인 본질이 손상되지 않았다고 그들을 안심시켜 주기 때문에 매우 중요해져.

➲ unit 16 명사+v-ing
unit 47 이유[원인] 부사절
unit 14 완료 수동태

037 The desire for written records has always accompanied economic activity, since transactions are meaningless unless you can clearly keep track of who owns what.
↳ 네가 누가 무엇을 소유하는지 명확하게 기록을 남길 수 없는 한 거래는 무의미하기 때문에 문자 기록에 대한 욕구는 항상 경제 활동을 수반해 왔어.

➲ unit 09 현재완료
unit 47 이유[원인] 부사절
unit 50 조건 부사절
unit 35 목적어 wh-절

038 Because the meanings of words are not invariable and because understanding always involves interpretation, the act of communicating is always a joint, creative effort.
↳ 단어들의 의미가 불변하지 않고 이해는 언제나 해석을 포함하기 때문에 의사소통 행위는 항상 공동의 창의적인 노력이야.

➲ unit 47 이유[원인] 부사절
unit 44 대등접속사 and

039 Science tells us where we are and what we are.
↳ 과학은 우리에게 우리가 어디에 있고 우리가 어떤 사람인지 말해 줘.

➲ unit 04 영어문장 4형
unit 35 목적어 wh-절
unit 34 목적어 what절

040 That day was unusually foggy as if something mysterious were ahead.
↳ 그 날은 마치 불가사의한 뭔가가 앞에 있는 것처럼 평소와 달리 안개가 자욱했어.

➲ unit 54 가정표현 as if

33 descendant 후손　leave behind 뒤에 남기다　34 cognitive 인지적인　intrigue 호기심　stimulate 자극하다　intrinsically 본질적으로　voluntarily 자발적으로　engage 참여[관여]하다　35 inherent 고유한[내재적]　ambiguity 모호성　adaptability 적응성　36 reassure 안심시키다　core 핵심(적인)　37 accompany 수반하다　transaction 거래　keep track of ~을 기록하다　38 invariable 불변의[변함없는]　joint 공동의

041 Words can carry meanings beyond those consciously intended by speakers or writers because listeners or readers bring their own perspectives to the language they encounter.

↳ 청자나 독자들이 그들이 접하는 언어에 자신만의 시각을 가져오기 때문에 단어는 화자나 필자에 의해 의식적으로 의도된 의미를 넘어서서 의미를 전달할 수 있어.

➲ Unit 17 명사 + v-ed분사
Unit 47 이유[원인] 부사절
Unit 38
목적어 관계사 관계절

042 Ethnocentrism is the belief that your culture is the best of all possible cultures.

↳ 자기 민족 중심주의는 너의 문화가 있을 수 있는 모든 문화 중에 가장 좋다는 믿음이야.

➲ Unit 36 명사동격 that절
Unit 57 최상급 표현

043 Material wealth in and of itself does not necessarily generate meaning or lead to emotional wealth.

↳ 물질적 부가 본질적으로 그리고 그 자체로서 의미를 만들거나 감정적인 풍요로움을 반드시 가져오는 것은 아니야.

➲ Unit 59 부분 부정
Unit 44 대등접속사 or

044 In performance evaluation, we should consider contextual factors affecting the individual's performance.

↳ 수행 평가에서 우리는 개인의 수행에 영향을 미치는 상황적 요인들을 고려해야 해.

➲ Unit 10 조동사 should
Unit 16 명사 + v-ing

045 Money—beyond the bare minimum necessary for food and shelter—is nothing more than a means to an end.

↳ 음식과 주거에 필요한 가장 기본적인 최소한도를 넘어서는 돈은 목적에 대한 수단에 불과해.

➲ Unit 56
nothing more than

046 Persons who are daring in taking a wholehearted stand for truth often achieve results that surpass their expectations.

↳ 진리에 전폭적인 태도를 취하는 것에 대담한 사람들은 종종 그들의 기대를 능가하는 결과를 성취해.

➲ Unit 37 주어 관계사 관계절
Unit 29 전치사 + v-ing

047 As we learn more about how nature works, we learn more about what our existence in this universe means for us.

↳ 우리가 자연이 어떻게 기능하는지에 대해 더 많이 배울수록 우리는 이 우주에서 우리의 존재가 우리에게 어떤 의미인지에 관해 더 많이 알게 돼.

➲ Unit 35 목적어 wh-절
Unit 34 목적어 what절

048 She recalled the first day of school when she had stood in that same place, in the middle of many anxious freshmen, some of whom had become her closest friends.

↳ 그녀는 불안해하는 많은 신입생들 사이의 같은 장소에 그녀가 서 있었던 학교에서의 첫날을 기억해 냈는데, 그들 중 몇 명은 그녀의 가장 친한 친구들이 되었어.

➲ Unit 39 기타 관계사 관계절
Unit 09 과거완료
Unit 40 추가정보 관계절

41 intend 의도하다 perspective 시각 encounter 접하다[마주치다] 42 ethnocentrism 자기 민족 중심주의 43 in itself 그 자체로 44 contextual 맥락과 관련된[상황적인] 45 bare 가장 기본적인 minimum 최소한도 46 daring 대담한 take a stand 태도를 취하다 wholehearted 전폭적인[전적인] surpass 능가하다[뛰어넘다] 48 recall 기억해 내다 in the middle of ~의 가운데[중앙]에 anxious 불안한

Unit Link

049 One difference between winners and losers is how they handle losing.
↘ 승자와 패자 사이의 한 가지 차이는 그들이 어떻게 패배를 다루는지야.

➲ Unit 32 보어 wh-절

050 A key factor in high achievement is bouncing back from the low points.
↘ 큰 성취에서 중요한 요인은 최악의 상태에서 다시 회복하는 거야.

➲ Unit 23 보어 v-ing

051 Logic must be learned through the use of examples and actual problem solving.
↘ 논리는 예시의 사용과 실제적 문제 해결을 통해서 학습되어야 해.

➲ Unit 15 조동사 수동태
Unit 19 전치사구

052 The growth in the size and complexity of human populations was the driving force in the evolution of science.
↘ 인구의 규모와 복잡성의 증가가 과학 발전의 추진력이었어.

➲ Unit 19 전치사구

053 Most people sometimes think about what principles people should have or which moral standards can be best justified.
↘ 대부분의 사람들은 때때로 사람들이 무슨 원칙을 가져야 하는지 또는 어떤 도덕적인 기준이 가장 잘 정당화될 수 있는지에 대해 생각해.

➲ Unit 34 목적어 what절
Unit 35 목적어 wh-절

054 There is evidence that larger groups (five or six members) are more productive than smaller groups (two or three members).
↘ (다섯 명에서 여섯 명의 구성원으로 이루어진) 더 큰 집단이 (두 명에서 세 명의 구성원으로 이루어진) 더 작은 집단보다 더 생산적이라는 증거가 있어.

➲ Unit 36 명사동격 that절
Unit 56 우월비교

055 The early nurturing and later flowering of science required **a large and loosely structured, competitive community to support original thought and freewheeling incentive.**
↘ 과학을 초기에 육성하고 나중에 꽃피우는 것은 **독창적인 생각과 자유분방한 동기를 지지하는 크고, 느슨하게 조직되며, 경쟁에 기반한 공동체가** 필요했어.

➲ Unit 03 영어문장 3형
Unit 18 명사 + to-v

056 Science is universal in principle **but** in practice it speaks to very few.
↘ 과학은 원리에 있어서는 보편적이지**만** 실제에 있어서는 극히 소수의 사람들에게 전달돼.

➲ Unit 44 대등접속사 but

057 Confirmation bias is a term for the way the mind systematically avoids confronting contradiction.
↘ 확증 편향은 정신이 모순에 직면하는 것을 조직적으로 회피하는 방식에 관한 용어야.

➲ Unit 24 목적어 v-ing

50 key 중요한 bounce back 다시 회복하다 low point 최악의 상태 52 driving force 추진력 53 justify 정당화하다 54 productive 생산적인 55 nurture 육성하다 loosely 느슨하게 original 독창적인 freewheeling 자유분방한 incentive 자극[동기] 56 universal 보편적인 57 confirmation bias 확증 편향(자신의 신념과 일치하는 정보는 받아들이고 일치하지 않는 정보는 무시하는 경향) systematically 조직적으로 confront 직면하다 contradiction 모순

058 The more we surround ourselves with people who are the same as we are, the greater the likelihood that we will shrink as human beings rather than grow.

↳ 우리가 우리와 같은 사람들만 항상 우리 주변에 두면 둘수록, 우리는 인간으로서 성장하기보다는 위축될 가능성이 더 커져.

➲ **Unit 57** the 비교급, the 비교급
Unit 37 주어 관계사 관계절

059 To overcome disadvantages of their size, small animals have developed useful weapons such as poison to protect themselves in the wild.

↳ 크기의 불리함을 극복하기 위해 작은 동물들은 야생에서 자신을 보호하기 위한 독과 같은 유용한 무기들을 개발했어.

➲ **Unit 20** to-v(부사어)
Unit 18 명사 + to-v

060 The ultimate life force lies in tiny cellular factories of energy, called mitochondria, that burn nearly all the oxygen we breathe in.

↳ 궁극적인 생명력은 우리가 들이쉬는 거의 모든 산소를 태우는, 미토콘드리아라고 불리는 아주 작은 에너지 세포 공장에 있어.

➲ **Unit 37** 주어 관계사 관계절
Unit 38 목적어 관계사 관계절

061 Not all children of successful people become successful themselves.

↳ 성공한 사람들의 모든 자녀들이 스스로 성공하게 되는 건 아니야.

➲ **Unit 59** 부분 부정

062 In many countries, the habit of reading newspapers has been on the decline.

↳ 많은 나라에서 신문을 읽는 습관이 감소해 왔어.

➲ **Unit 29** 전치사 + v-ing
Unit 09 현재완료

063 Some of the dollars previously spent on newspaper advertising have migrated to the Internet.

↳ 이전에 신문 광고에 쓰였던 달러(돈)의 일부가 인터넷으로 이동해 왔어.

➲ **Unit 17** 명사 + v-ed분사
Unit 09 현재완료

064 The more prone to anxieties a person is, the poorer his or her academic performance is.

↳ 어떤 사람이 걱정에 빠지기 더 쉬울수록, 그의 학업 성과는 더 나빠져.

➲ **Unit 57** the 비교급, the 비교급

065 One reason apologies fail is that the "offender" and the "victim" usually see the event differently.

↳ 사과가 실패하는 한 가지 이유는 '나쁜 짓 한 자'와 '피해자'가 대개 사건을 다르게 본다는 거야.

➲ **Unit 39** 기타 관계사 관계절
Unit 30 보어 that절

066 To apologize sincerely we must first listen attentively to how the other person really feels about what happened.

↳ 진심으로 사과하기 위해 우리는 일어난 일에 대해서 상대방이 정말로 어떻게 느끼는지 먼저 주의 깊게 들어야 해.

➲ **Unit 20** to-v(부사어)
Unit 35 목적어 wh-절
Unit 34 목적어 what절

58 surround oneself with ~을 항상 자기 주변에 두다 likelihood 가능성 shrink 줄어들다[위축되다] 60 life force 생명력 cellular 세포의 63 migrate 이동하다 64 prone ~하기 쉬운 anxiety 불안[걱정] 65 offender 범죄자[나쁜 짓 한 자] victim 피해자 66 sincerely 진심으로 attentively 조심스럽게[주의 깊게]

067 The number of unsuccessful people who come from successful parents is proof that genes have nothing to do with success.
↳ 성공한 부모에게서 태어나는 성공하지 못한 사람들의 숫자는 유전자가 성공과 관련이 없다는 증거야.

068 Many good friends have little in common except a warm loving feeling of respect.
↳ 많은 좋은 친구들은 따뜻하고 애정 어린 존중의 감정 외에는 공통적인 것이 거의 없어.

069 In addition to protecting the rights of authors so as to encourage the publication of new creative works, copyright is also supposed to place reasonable time limits on the rights of authors so that outdated works may be incorporated into new creative efforts.
↳ 새로운 창의적인 작품의 출판을 장려하기 위해 작가의 권리를 보호하는 것 외에 저작권은 또한 지나간 작품이 새로운 창의적인 노력 속에 편입되도록 작가들의 권리에 합당한 기한을 두어야 해.

070 The Internet is the greatest tool we have not only for making people smarter quicker, but also for making people dumber faster.
↳ 인터넷은 사람들을 더 빨리 더 똑똑하게 만들기 위한 것뿐만 아니라 사람들을 더 빨리 더 멍청하게 만들기 위한 우리가 가진 가장 좋은 도구야.

071 When sincere apologies are offered in an ordinary human relationship, they are readily accepted by the victims and reconciliations ensue.
↳ 진심 어린 사과들이 보통의 인간관계에서 행해질 때, 그것들은 피해자들(상처 입은 사람들)에게 손쉽게 받아들여지고 화해가 이어져.

072 Newton imagined that masses affect each other by exerting a force, while in Einstein's theory the effects occur through a bending of space and time.
↳ 뉴턴은 질량이 힘을 발휘함으로써 서로 영향을 미친다고 생각한 데 반해, 아인슈타인의 이론에서는 그 결과가 공간과 시간의 구부러짐을 통해 일어나.

073 What you eat is what you are!
↳ 네가 먹는 것이 네가 어떤 사람인지야!

074 The people who are most different from us probably have the most to teach us.
↳ 우리와 가장 많이 다른 사람들이 아마도 우리에게 가르칠 것을 가장 많이 갖고 있을 거야.

075 Television focuses on news that makes the world seem like a more dangerous place than it actually is.
↳ 텔레비전은 세상을 실제보다 더 위험한 장소처럼 보이게 만드는 뉴스에 집중해.

Unit Link

067: Unit 37 주어 관계사 관계절 / Unit 60 수 일치 / Unit 36 명사동격 that절

068: Unit 59 부정

069: Unit 20 so as to-v / Unit 12 be supposed to / Unit 48 목적 부사절 / Unit 15 조동사 수동태

070: Unit 38 목적어 관계사 관계절 / Unit 45 not only A but also B

071: Unit 46 시간 부사절 / Unit 13 수동태

072: Unit 29 전치사 + v-ing / Unit 49 대조(반전) 부사절

073: Unit 31 주어/보어 what절

074: Unit 37 주어 관계사 관계절 / Unit 18 명사 + to-v

075: Unit 37 주어 관계사 관계절 / Unit 28 목적보어 V / Unit 56 우월비교

67 gene 유전자 have nothing to do with ~와 관련이 없다 68 have in common 공통적으로 갖고 있다 except ~을 제외하고 69 publication 출판(물)[발행] copyright 저작권 reasonable 합당한 outdated 구식의 incorporate 포함하다[편입하다] 70 dumb 멍청한 71 readily 손쉽게[순조롭게] reconciliation 화해 ensue 뒤따르다 72 mass 질량 exert (힘을) 행사하다[발휘하다] effect 결과[영향] bend 굽히다[구부러지다]

076 Testing allows us not merely to confirm our theories but to weed out those that do not fit the evidence.
↳ 검증은 우리가 우리의 이론을 증명할 뿐 아니라 그 증거와 일치하지 않는 것들을 제거하도록 해 줘.

Unit 27 목적보어 to-v
Unit 45 not merely A but (also) B
Unit 37 주어 관계사 관계절

077 Marking the Nepal-Tibet border, Everest looms as a three-sided pyramid of gleaming ice and dark rock.
↳ 네팔과 티베트의 경계를 표시하며 에베레스트는 빛나는 얼음과 짙은 색의 바위로 이루어진 세 개의 면을 가진 피라미드로 모습을 드러내.

Unit 51 v-ing 구문

078 Giving people the latitude and flexibility to use their judgment and apply their talents rapidly accelerates progress.
↳ 사람들에게 그들의 판단력을 사용하고 그들의 재능을 적용할 수 있는 자유와 융통성을 주는 것은 발달을 빠르게 가속화시켜.

Unit 21 주어 v-ing
Unit 18 명사 + to-v

079 The deeper cause of Rome's collapse lies in the declining fertility of its soil and the decrease in agricultural yields.
↳ 로마 붕괴의 더 깊은 원인은 토양의 비옥함이 줄어들고 농작물의 산출이 감소한 데 있어.

Unit 01 영어문장 1형
Unit 19 전치사구

080 In this modern world, people are not used to living with discomfort.
↳ 이 현대 세계에서 사람들은 불편하게 사는 것에 익숙하지 않아.

Unit 29 전치사 + v-ing

081 All of us use the cultural knowledge we acquire as members of our own society to organize our perception and behavior.
↳ 우리 모두는 우리의 인식과 행동을 체계화하기 위해 우리만의 사회 구성원으로서 우리가 획득하는 문화적 지식을 사용해.

Unit 38 목적어 관계사 관계절
Unit 20 to-v(부사어)

082 Dreams have been regarded as prophetic communications which, when properly decoded, would enable us to foretell the future.
↳ 꿈은 적절하게 해석될 때 우리가 미래를 예언할 수 있게 해주는 예언적인 소통으로 간주되어 왔어.

Unit 14 완료 수동태
Unit 37 주어 관계사 관계절
Unit 27 목적보어 to-v

083 In this digital age, images are essential units of information, and knowing how to use photography effectively is more important than ever.
↳ 이러한 디지털 시대에 이미지는 정보의 필수적인 단위이고, 사진술을 효과적으로 활용하는 방법을 아는 것은 어느 때보다 더 중요해.

Unit 21 주어 v-ing
Unit 25 wh- + to-v(목적어)
Unit 56 우월비교

084 The best moments usually occur when a person's body or mind is stretched to its limits in a voluntary effort to accomplish something difficult and worthwhile.
↳ 최고의 순간들은 보통 한 개인의 신체나 정신이 어렵고 가치 있는 무언가를 성취하기 위한 자발적인 노력 속에 그 한계까지 최대한 발휘될 때 일어나.

Unit 46 시간 부사절
Unit 18 명사 + to-v

76 confirm (사실임을) 확인하다[증명하다] weed out 제거하다 77 loom 거대한 모습을 드러내다 gleam 빛나다 78 latitude (선택·행동 방식의) 자유 flexibility 융통성 accelerate 가속화시키다 79 fertility 비옥함 yield 산출[수확량] 80 be used to v-ing v하는 데 익숙하다 discomfort 불편 82 prophetic 예언적인 properly 적절하게 decode 해독[해석]하다 foretell 예언하다 84 stretch 늘이다[최대한 발휘하다] voluntary 자발적인

Unit Link

085 Individuals who are concerned about a traumatic event, such as the threat of the loss of a loved one who is sick, will dream about that loved one more than would otherwise be the case.

↳ 병을 앓고 있는 사랑하는 사람을 잃게 될지도 모를 위협과 같은 매우 충격적인 사건에 대해 염려하는 사람들은 그렇지 않을 경우보다 더 많이 그 사랑하는 사람에 대한 꿈을 꾸게 될 거야.

➲ Unit 37 주어 관계사 관계절

086 Remember that life is a game where there are multiple winners.

↳ 인생은 다수의 승리자들이 있는 게임이라는 것을 기억해.

➲ Unit 33 목적어 that절
Unit 39 기타 관계사 관계절

087 To be courageous under all circumstances requires strong determination.

↳ 모든 상황에서 용감하다는 것은 강한 결단력을 필요로 해.

➲ Unit 22 주어 to-v
Unit 03 영어문장 3형

088 Sometimes, the best way to resolve a dilemma – whether it's a writing dilemma or a thinking dilemma – is simply to start writing.

↳ 때때로 글쓰기의 딜레마이든 또는 사고의 딜레마이든 딜레마를 해결하는 가장 좋은 방법은 그저 집필을 시작하는 거야.

➲ Unit 18 명사 + to-v
Unit 49 대조(반전) 부사절
Unit 23 보어 to-v

089 It is not easy to show moral courage in the face of either indifference or opposition.

↳ 무관심이나 반대에 직면하여 도덕적 용기를 보여주는 것은 쉽지 않아.

➲ Unit 22 주어 to-v
Unit 45 either A or B

090 Examine your thoughts, and you will find them wholly occupied with the past or the future.

↳ 너의 생각을 점검하면, 너는 그것들이 과거나 미래에 완전히 사로잡혀 있다는 것을 알게 될 거야.

➲ Unit 44 명령문, and 주어 + 동사
Unit 28 목적보어 v-ed분사

091 Raising awareness of children from a very early age about the particular characteristics of SNS and the potential long-term impact of a seemingly trivial act is crucial.

↳ 에스엔에스 특유의 특성들과 겉보기엔 사소한 행동의 잠재적인 장기적 영향에 대한 아이들의 의식을 아주 어린 나이부터 높이는 것이 필수적이야.

➲ Unit 21 주어 v-ing
Unit 19 전치사구

092 We anticipate the future as if we found it too slow in coming and we were trying to hurry it up.

↳ 우리는 마치 미래가 너무 느리게 오고 있다는 걸 알고 그것을 서둘러 오게 하려고 하는 것처럼 미래를 고대해.

➲ Unit 54 가정표현 as if

85 traumatic 매우 충격적인 otherwise 그렇지 않으면 86 multiple 많은(다수의) 87 courageous 용감한 circumstance 상황 determination 투지(결단력) 89 indifference 무관심 opposition 반대 90 examine 조사(검사)하다 wholly 완전히 occupy 차지하다(점령하다) 91 seemingly 겉보기에 trivial 사소한 crucial 필수적인(매우 중요한) 92 anticipate 고대하다

093 By the time the canal was finished, the railroad had been established as the fittest technology for transportation.
↳ 운하가 완성되었을 때쯤에, 철도는 운송에 가장 적합한 기술로 자리를 잡았었어.

➲ Unit 46 시간 부사절
Unit 13 수동태
Unit 14 과거완료 수동태

094 So imprudent are we that we wander about in times that are not ours and do not think of the one that belongs to us.
↳ 우리는 너무나 경솔해서 우리의 것이 아닌 시간 속에서 방황하고 우리에게 속한 것에 대해 생각하지 않아.

➲ Unit 59 도치 구문
Unit 48 결과 부사절
Unit 37 주어 관계사 관계절

095 Many people believe that it is critical to share similar beliefs and values with someone with whom they have a relationship.
↳ 많은 사람들은 그들이 관계를 맺고 있는 사람과 비슷한 신념과 가치관을 공유하는 것이 매우 중요하다고 믿어.

➲ Unit 33 목적어 that절
Unit 22 주어 to-v
Unit 39 기타 관계사 관계절

096 Children must be taught to perform good deeds for their own sake, not in order to receive stickers, stars, and candy bars.
↳ 아이들은 스티커, 별, 그리고 캔디 바를 받기 위해서가 아니라 좋은 행동 그 자체를 위해 좋은 행동을 하도록 가르침을 받아야 해.

➲ Unit 15 조동사 수동태
Unit 20 in order to-v

097 There is an almost peculiar correlation between what is in front of our eyes and the thoughts we are able to have in our heads.
↳ 우리 눈앞에 있는 것과 우리가 머릿속에서 생각할 수 있는 사고 사이에는 대개 특이한 상관관계가 있어.

➲ Unit 34 목적어 what절
Unit 38 목적어 관계사 관계절

098 Innovation requires noticing signals outside the company itself: signals in the community, the environment, and the world at large.
↳ 혁신은 회사의 밖에서 들려오는 신호들, 즉 공동체, 주변 환경, 그리고 사회 전반에 있는 신호들을 알아차릴 것을 요구해.

➲ Unit 24 목적어 v-ing

099 Whenever a geneticist unlocks new secrets of the DNA molecule, it adds to our knowledge base and enables us to better the human condition.
↳ 유전학자가 디엔에이 분자의 새로운 비밀을 알아낼 때마다 그것은 우리의 지식 기반에 더해져서 우리가 인간 상황을 더 나아지게 할 수 있어.

➲ Unit 46 시간 부사절
Unit 28 목적보어 to-v

100 Every person we meet has a story that can, in some way, inform us and help us as we live the story of our own lives.
↳ 우리가 만나는 모든 사람은 우리가 우리 자신의 삶의 이야기를 살아가는 동안 어떤 면에서건 우리에게 정보를 주고 우리를 도와줄 수 있는 이야기를 갖고 있어.

➲ Unit 38 목적어 관계사 관계절
Unit 37 주어 관계사 관계절
Unit 46 시간 부사절

93 canal 운하 establish (지위를) 확고히 하다 94 imprudent 경솔한 wander (about) 돌아다니다[배회하다] 95 critical 매우 중요한[중대한] values 가치관 96 deed 행위[행동] 97 peculiar 독특한[특이한] correlation 상관관계 98 innovation 혁신 the world at large 사회 전반 99 geneticist 유전학자 unlock (새로운 사실을) 알아내다 molecule 분자

Answer Key

각 Unit의 정답만 빠르게 확인해 보세요.

▶ 정답을 확인하세요.

STAGE Ⅰ 영어문장 구조와 동사

Chpater 01 영어문장 기본형

Unit 01 영어문장 1형 pp.26~27

A 04 마침내 승리해 05 거인들의 어깨 위에 서 있어
06 가장 낮은 곳에 있어
07 정보에 빠져 죽으면서도, 지식에 굶주려 있어
B 08 comes from 09 exists 10 lies
11 there remains
C 12 arrive at the various stages of life quite as beginners
13 Circumstances don't matter / only my state of being matters
14 A nation's culture resides in the hearts and in the soul of its people
15 drink from the fountain of knowledge / others just gargle

Unit 02 영어문장 2형 pp.28~29

A 04 증오가 아니라 무관심이야 05 대체로 여전히 미스터리야
06 어린 시절의 추억과 가족의 사랑으로 다정해져
07 우연히 나아지는 게 아니라, 변화로 나아져
B 08 is 09 come 10 strong / positive
11 crazy and stupid
C 12 essential for the proper functioning of a republic
13 the sea turns pink
14 could run short of water by 2050
15 Sunshine on the water looks so lovely

Unit 03 영어문장 3형 pp.30~31

A 04 네 심장을 따라가더라도, 네 뇌도 함께 데려가
05 모두의 안전을 해쳐
06 난 널 더 좋게 대할게 / 날 나쁘게 대하면, 난 널 더 나쁘게 대할게
07 자신의 폰으로 영화를 찍고, 컴퓨터로 영상을 편집하고 음향을 만들고 최종 컷을 믹스할 수 있어
B 08 inhabit 09 resembles / resemble
10 discuss / discuss / discuss 11 need / means
C 12 Live your own life / follow your own star
13 An investment in knowledge always pays the best interest
14 Global warming affects world food supply
15 grows it under his feet

Unit 04 영어문장 4형 pp.32~33

A 04 네게 두 번째 기회를 제공해
05 행복할 때가 아니라 어려울 때 네게 사랑을 보여 줘
06 내게 어떤 문제라도 가져와
07 네게 사랑을 사 줄 수는 없지만, 그것은 네게 진짜 좋은 초콜릿 비스킷은 사 줄 수 있어
B 08 me flowers 09 you 10 you happiness 11 you
C 12 gives people a different way of looking at their surroundings
13 me your friends / you who you are
14 owe my parents a debt of gratitude
15 Lend yourself to others / give yourself to yourself

Unit 05 영어문장 5형 pp.34~35

A 04 너희 삶을 비범하게 만들어 05 유명해져 있었어
06 용감한 사람을 무모하다고 하고 / 용감한 사람을 겁쟁이라고 불러
07 그들이 자신들 속에서 그것을 발견하도록 도울 수 있을 뿐이야
B 08 guilty / innocent 09 speechless 10 sing
11 to evolve / to improve / to hope
C 12 named our group "True Justice"
13 consider climate change the most important crisis
14 enables us to find ourselves and lose ourselves
15 Keep your head up

Unit 06 구동사 1 pp.36~37

A 04 좋은 걸 알고 좋은 걸 바라고 좋은 걸 하는 것으로 이루어져
05 사회 비판, 청춘 문제, 그리고 자신에 대한 사랑으로 가는 여정에 집중하고 있어
06 실 같은 분자인 디엔에이로 구성되어 있어
07 대중의 비판에 지배당해
B 08 at 09 to / to 10 of 11 with
C 12 rely on 13 refers to 14 deals with
15 are independent of

Unit 07 구동사 2 pp.38~39

A 04 너 자신을 다른 사람들과 비교하지 마. 너 자신을 어제의 너와 비교해
05 식사를 잔치로, 집을 가정으로 바꿀 수 있어
06 새로운 유대감을 우정에 더해 줘
07 감사를 자산으로, 감사의 결여를 대인 관계에서의 중대한 결함으로 여겨
B 08 to 09 with 10 of / of 11 from / from
C 12 substitute / for 13 provides / with
14 accuse / of 15 owes / to / confines / to

Chapter 01 Review p.40

A 01 힘은 다름에 있지, 닮음에 있지 않아.
02 난 신께 자전거를 부탁했지만, 신께선 그런 식으로 일하시지 않아. 그래서 난 자전거를 훔치고 나서 용서를 구했어.
03 과거에 살지 말고, 미래를 꿈꾸지 말고, 현재의 순간에 마음을 집중해.
04 하루하루를 세지 말고, 하루하루를 중요하게 만들어.
05 시대가 너무 빨리 변해. 우리는 계속 목표가 미래에 집중되도록 해야 해.
06 비관주의자는 바람에 대해 불평하고, 낙관주의자는 바람이 바뀌길 기대하고, 현실주의자는 돛을 조정해.
07 때로는 넌 옳은 결정을 하고, 때로는 넌 결정을 옳게 만드는 거야.
B 08 good 09 every bird its food
10 nothing impossible

Chpater 02 시간표현 & 조동사

Unit 08 시간표현 1: 현재 / 과거 / 미래 / 진행 pp.42~43

A 05 중력의 법칙과 그것과 자연의 다른 힘들과의 관계를 설명해
06 세계의 일자리 40%를 대체하게 될 거야
07 내게 막 생기려고 해 / 난 누군가를 막 사랑하려고 해
B 08 identified 09 are 10 don't leave 11 won't
C 12 is thinking 13 were sleeping
14 was / wearing 15 be living / be working

Unit 09 시간표현 2: 현재완료 / 과거완료 / 미래완료 pp.44~45

A 05 벌의 노동의 결실[꿀]을 즐겨오고 있어
06 나무에서 떠나는 걸 본 적이 있거나, 동트기 직전의 고요를 들어 본 적이 있니
07 어른들 말을 듣는 걸 그리 잘한 적은 결코 없지만, 그들을 모방하지 않은 적도 결코 없어[어김없이 그들을 모방해 왔어]
B 08 has 09 had 10 will have done 11 had / had
C 12 have / discovered 13 has declined
14 has consisted of 15 have brought

Unit 10 조동사 1: 능력[가능] / 의무[권고] pp.46~47

A 05 영감을 기다릴 수 없으니, 곤봉을 들고 그것을 뒤쫓아야 해
06 테니스 선수들과 절대 데이트해선 안 될까
07 언제나 편을 들어야 해
B 08 can 9 will be able to 10 must not 11 had better
C 12 can 13 don't have to 14 ought to
15 had better not

Unit 11 조동사 2: 추측[가능성] / 후회 pp.48~49

A 04 겉으로는 멋져 보일지도 모르지만 / 문제들을 가지고 있을지도 몰라
05 틀림없이 결국 자신을 위해 존재할 건데
06 배고플 리가 없어
07 매우 긍정적인 단계가 될 수도 있어
B 08 be 9 have said 10 could not have known
11 can't
C 12 should have been 13 might have turned out
14 could have gone / could have gone
15 ought to have disappeared

Unit 12 조동사 3: 기타 조동사 / 준조동사 pp.50~51

A 04 "awesome(아주 멋진)"이 "me(나)"로 끝나고 "ugly(추한)"는 "(yo)u(너)"로 시작된다는 걸 알아차리지 않을 수 없었어
05 아무리 강하게 공격해도 지나치지 않아
06 난 꼭 성공할 것 같지는 않지만, 내가 가진 빛에 따라 살아야 해
07 언제나 기꺼이 작아져[자신을 낮춰]
B 08 would 9 may as well 10 would rather
11 are obliged to
C 12 is supposed to 13 might well
14 might as well 15 is more likely to

Chapter 02 Review p.52

A 01 사람들이 내게 "넌 아침에 그것을 후회할 거야."라고 말하면, 난 정오까지 잠을 자.
02 우리 전화기와 컴퓨터는 우리의 인격과 흥미, 그리고 정체성의 반영물이 되었어.
03 과거가 아프게 할 수 있는데 넌 그것으로부터 달아나거나, 그것으로부터 배울 수 있어.
04 위대한 민주주의는 진보적이어야 하는데, 그렇지 않으면 그것은 곧 위대한 민주주의이길 멈출 거야.
05 우리는 슬픔을 느껴야 하지만, 그것의 압박감에 빠져서는 안 돼.
06 난 완전히 탈진했는데, 난 휴식을 취했어야 했고, 그렇게 오래 밀어붙이지 말았어야 했어.
07 우리 모두는 함께 살아야 하니, 행복하게 함께 사는 편이 나아.
B 08 overcomes 9 had 10 would rather

Chpater 03 수동태

Unit 13 기본 수동태 pp.54~55

A 04 냄새로 그의 개에게 알려지고, 미소로 그의 친구에게 알려져
05 과거, 특히 '좋았던 옛날'이나 '따뜻한 어린 시절'에 대한 동경과 연관돼
06 붕괴하는 별들의 내부에서 만들어졌으니, 우리는 별의 물질로 만들어져 있는 거야
07 존중, 그리고 전문성을 포함한 매우 강한 직업 윤리를 배웠어
B 08 is found 9 was caused 10 is marked
11 was considered
C 12 was told 13 is / accompanied
14 is awarded 15 are recognized

Unit 14 진행 / 완료 / 미래 수동태 pp.56~57

A 04 기후 변화, 특히 기온 상승에 영향을 받고 있어
05 광고되지 않고 있어
06 물려받게 되지 않고, 가장 잘 변화할 수 있는 것들이 물려받게 될 거야
07 인공 지능 비서의 도움으로 혁신될 거야
B 08 was being shed 9 are being infected
10 will not be sent 11 have been completed
C 12 has been interpreted 13 have been / modified
14 has been driven 15 has been recognized

Unit 15 조동사 수동태 & 기타 수동태 pp.58~59

A 05 공부로 되돌려질 수 있을지 모르지만, 잃어버린 시간은 영원히 사라져
06 다루어져 이겨 낼 수 있지만 07 일어나게 만들어져
B 08 being made use of
09 should be tasted / devoured
10 to blend 11 is said to
C 12 can be treated 13 may be considered
14 must be sought out 15 must be pulled

Chapter 03 Review p.60

A 01 '입체파' 예술 작품에서 물체는 추상화된 형태로 분석되고 분해되고 재조립돼.
02 색은 나른 싱싱의 세계로 항한 힝으로 여겨져 왔이.
03 어떤 결정들이 되고 있고, 어떤 잘못들이 도중에 생길 건데, 우리는 그 잘못들을 발견하고 그것들을 고칠 거야.
04 어떤 과학 이론이든 사실에 대한 합리적인 검토에 바탕을 두어야 해.
05 수천 개의 초들이 단 하나의 초로 불이 켜질 수 있는데, 그 초의 수명은 짧아지지 않을 거야.
06 발견은 준비된 마음을 만나는 우연이라고 말해져.

07 사람들은 다른 사람들과 맞서기보다 함께 일하는 결과로 더 많은 걸 성취한다고 알려져 왔어.

B 08 transmitted 09 been created 10 must be felt

Chpater 04 명사수식어 & to-v

Unit 16 명사 + v-ing(명사수식어) pp.62~63

A 04 그 예술가 세계의 감각과 감정을 반영하는 그 자체로 하나의 세계야
05 새로운 주제에 접근하는 / 자기 분야의 최첨단에서 작업하는
06 우리 삶에 영향을 미치는 사회적 주제들과 일들에 대해 이야기하고 있어
07 스마트폰을 사용하면서 주의하지 않고 사고의 위험을 무릅쓰며 걸어가는 사람이야

B 08 coexisting / having 09 falling 10 requiring 11 covering

C 12 emphasizing 13 orbiting 14 waiting for 15 passing

Unit 17 명사 + v-ed분사(명사수식어) pp.64~65

A 04 단지 학교에서만 교육받은 아이는
05 열여덟 살 때까지 습득된 편견들의 집합체야
06 복잡한 체계 속에 배열된 수많은 각기 다른 물질들을 포함하고 있어
07 한 개인에 집중된 우주의 움직임이야

B 08 found 09 affected 10 played 11 transmitted

C 12 found 13 produced 14 imposed 15 connected

Unit 18 명사 + 형용사구 / to-v(명사수식어) pp.66~67

A 04 이야기하고 울고 험담하고 수업에서 빠져나오는
05 인간이 환경과 자신을 이해하고 그들에 작용하는
06 인간이 이용할 수 있는 가장 강력한 / 돕고 치유하고 아프게 하고 해치는 에너지를
07 다양한 디지털 플랫폼에서 정보를 찾고 평가하고 만드는 개인의 능력을

B 08 full 09 similar 10 be experienced 11 to be inspired

C 12 to remember / to solve 13 to stop or slow down 14 to maximize 15 to take

Unit 19 전치사구(명사수식어 / 부사어) pp.68~69

A 04 사상, 양심, 종교의 자유에 대한 권리와, 의견과 표현의 자유에 대한 권리가 있어
05 사물 인터넷의 사생활과 보안 부문에서의 위험에 대한
06 우주 진화와 우주에서의 지구의 위치에 대한 우리의 이해에 기여하여 상을 받았어
07 매우 평범한 별의 작은 행성에 사는 단지 진화된 원숭이 종일뿐이지만

B 08 without / with 09 against 10 including 11 through

C 08 except 09 because of 10 According to 11 Despite

Unit 20 to-v(부사어 / 형용사·부사수식어) pp.70~71

A 04 균형을 유지하기 위해 넌 계속 움직여야 해
05 깨어나서 매트리스가 반쯤 없어진 걸 알게 되었어
06 어떤 질문이든 자유롭게 묻고, 어떤 주장이든 자유롭게 의심하고, 어떤 증거든 자유롭게 찾고, 어떤 오류든 자유롭게 바로잡아야 해
07 무엇이든 성취하기 위해 / 실패할 만큼 충분히 용감해야 해

B 08 to discover 9 big enough 10 well enough 11 too

C 12 so as to damage 13 To write 14 only to find 15 as to be

Chapter 04 Review p.72

A 01 기쁨과 고통, 행복과 불행을 느끼는 능력에서 인간과 동물들 간의 근본적인 차이가 없어.
02 자신들의 역사와 문화에 대한 지식이 없는 민족은 뿌리 없는 나무와 같아.
03 정보화 시대는 전통 산업에서 정보 기술에 기반을 둔 경제로의 변화로 특징지어지는 시기야.
04 대부분의 사람들은 이기려는 의지가 있지만, 이기려고 준비하는 의지를 가진 사람은 거의 없어.
05 두려움은 새로운 상황에서 네가 최선을 다할 수 있게 하는 '준비 에너지'야.
06 나라들은 모든 사람들을 위한 더 나은 세상을 만들기 위해 함께 일하고 서로 배워야 해.
07 등대가 되기 위해, 넌 모든 폭풍우와 외로움을 견딜 만큼 충분히 강해야 하고, 넌 네 안에 빛을 가져야 해!

B 8 using 9 made 10 disrupting

STAGE Ⅲ 주어/보어/목적어구·절 & 관계절

Chpater 05 주어구 / 보어구

Unit 21 주어 v-ing pp.78~79

A 04 담배를 끊는 건 쉬워서
05 이 도전적인 중간 지점을 통과해 나가는 게
06 어떤 걸 본 적이 있는 건 / 그걸 아는 건
07 모든 위험을 무릅쓰는 건 가치가 있어

B 08 Singing 09 not doing 10 Being deeply loved 11 It

C 12 Raising 13 Understanding 14 Walking 15 Using

Unit 22 주어 to-v pp.80~81

A 04 잘못을 찾는 건 / 더 잘하는 건
05 공부하면서 생각하지 않는 건 / 생각하면서 공부하지 않는 건
06 모방에 성공하는 것보다 독창성에 실패하는 게
07 그들을 위해 그렇게 하는 게

B 08 Not to know / not to wish 09 for 10 of 11 of

C 12 to dwell 13 to show 14 To regard 15 To enable

Unit 23 보어 v-ing / to-v pp.82~83

A 04 시력은 있는데 전망이 없는 거야
05 돈이 없다는 거고 / 돈이 없는 걸 신경 쓰지 않는다는 거야
06 이야기를 그만하고 하기 시작하는 거야
07 지식의 양을 늘리는 것이 아니라 아이가 발명하고 발견할 기회를 만들어 주는 거야

B 08 looking 09 to encourage 10 being 11 not being

C 12 moving 13 becoming 14 to be prepared 15 to give

Chapter 05 Review p.84

A 01 이 순간 최선을 다하는 것이 다음 순간을 위한 최선의 자리에 널 있게 해 줘.

02 사람의 유일한 실패는 자기 자신의 가능성에 부응하지 못하는 거야.
03 산다는 건 고통받는 거고, 살아간다는 건 고통 속에서 어떤 의미를 찾는 거야.
04 유창하게 말하는 건 훌륭한 기술이지만, 똑같이 훌륭한 건 멈춰야 할 알맞은 때를 아는 거야.
05 우리 적들에 맞서는 데는 많은 용기가 필요하지만, 우리 친구들에 맞서는 데도 꼭 그만큼 필요해.
06 인류학의 목적은 세상을 인간의 다름에 대해 안전하게 하려는 거야.
07 '초현실주의'의 목적은 꿈과 현실의 모순을 절대적 현실인 초현실 속에서 해결하려는 거야.

B 08 Not having　09 speaking　10 for

Chpater 06 목적어구

Unit 24 목적어 v-ing pp.86~87

Ⓐ 04 열망하고 소망하는 것을 절대 포기할 수 없어
05 네가 누구인지 찾는 걸 절대 꺼리지 마[기꺼이 네가 누구인지 찾으려 해]
06 '매우'라는 말은 성의가 부족하기 때문에 그것을 쓰는 걸 피해
07 가설들을 세우고, 그것들에서 예측들을 끌어내고, 실험들을 수행하는 것을 포함해

Ⓑ 08 limiting　09 quitting　10 attempting　11 reaching

Ⓒ 12 eating　13 being　14 writing　15 saving

Unit 25 목적어 to-v pp.88~89

Ⓐ 04 네가 계획하는 걸 실패하면, 넌 실패할 걸 계획하고 있는 거야
05 비범하게 되려고 결심하지는 않고, 비범한 것들을 성취하기로 결정해
06 무엇을 생각해야 할지를 말해 주지 않고, 우리에게 무엇에 대해 생각해야 할지를 말해 줘
07 선수들에게 어떻게 목표를 위해 분투하고 실수를 처리해야 하는지 가르쳐 줘

Ⓑ 08 to hear　09 to be graded　10 to express / to be
11 how

Ⓒ 12 to grow　13 to rearrange　14 to provide　15 to look

Unit 26 목적어 v-ing / to-v pp.90~91

Ⓐ 04 너 자신의 약점을 받아들이기 시작하면
05 색다른 뭔가를 매일 해 봐
06 매일 너 자신에게 긍정적인 말들을 할 걸 잊지 마
07 모두에게 똑같은 방식으로 책임지게 하는 걸 수반해

Ⓑ 08 being taught　09 to start　10 to inform　11 fighting

Ⓒ 12 reading　13 to choose[choosing]
14 to use　15 to expand

Unit 27 목적보어 to-v pp.92~93

Ⓐ 04 어떤 사람들은 깨지게 하고, 다른 사람들은 기록을 깨게 해
05 네 얼굴을 보라고 설득할 수는 있지만, 그들에게 그 안의 아름다움을 보라고 설득할 수는 없어
06 더 낫기를 기대하면, 그건 그들이 더 낫게 되도록 도와줘
07 정치적 경제적 지리적 경계를 넘어 사람들을 연결하는 것을 가능하게 해

Ⓑ 08 to be　09 to be　10 to make　11 to understand

Ⓒ 12 to do　13 to access　14 to confront　15 to stay

Unit 28 목적보어 V / v-ing / v-ed분사 pp.94~95

Ⓐ 04 내가 깊은 슬픔의 바다에 빠져 죽어 가지 않게 해 줘
05 말이 그(조련사)에게 말하는 걸 들을 수 있고 / 그(말)가 속삭이는 걸 들을 수 있어
06 수 마일에 걸쳐 흐르고 있는 것과 / 여러 국경들을 따라 이어지는 걸 보았어
07 하루에 한 번 마음이 완전 뽕가게 되어야 해

Ⓑ 08 changed　09 melt　10 fill　11 tuned

Ⓒ 12 laugh　13 water　14 rob　15 motivated

Unit 29 전치사목적어 v-ing pp.96~97

Ⓐ 04 트럭에 치이지만 치명상은 입지 않는 것과 같아
05 지시를 따르지 않고, 큰길에서 벗어나서, 시도해 보지 않은 것을 시도함으로써 이루어져
06 너 자신을 발견하는 것에 관한 게 아니라, 너 자신을 창조하는 것에 관한 거야[창조하는 걸 목적으로 하는 거야]
07 무엇을 배우는 것보다 (틀리지 않고) 맞는 것을, 영향을 미치는 것보다 시험에 합격하는 걸 더 좋아하도록

Ⓑ 08 having　09 making / making
10 understanding / improving　11 be / losing

Ⓒ 12 abusing　13 comparing　14 handling
15 getting

Chapter 06 Review p.98

A 01 난 집중하려고 노력하고 있지만, 내 마음은 계속 방황하고 있어.
02 지식을 생산적이 되게 하기 위해, 우리는 숲과 나무 둘 다 보는 것과 연결하는 것을 배워야 할 거야.
03 개와 함께 사는 걸 선택하는 것은 긴 해석의 과정에 참여하는 것에 동의하는 거야.
04 언제 가야 할지와 언제 더 가까이 와야 할지 아는 게 어떤 지속적인 관계에 대해서든 열쇠야.
05 모든 사람은 누군가를 행복하게 하는 능력이 있는데, 어떤 사람들은 방에 들어감으로써, 다른 사람들은 방을 떠남으로써 그렇게 해.
06 비디오 게임 중독자는 일상의 책임을 다하는 것이나 다른 관심사를 추구하는 것을 희생하고 게임 활동에 참여해.
07 경험은 네게 무엇을 해야 할지 말해 주고, 자신감은 네가 그것을 할 수 있게 해 줘.

B 08 reading　09 to　10 think / feel / feel

Chpater 07 주어절 / 보어절

Unit 30 주어 / 보어 that절 / whether절 pp.100~101

Ⓐ 04 인간에 의해 고안된 모든 기계들 중 단 하나도 상상력을 대신할 수 없다는 것이
05 그가 믿어지지 않는 것이 아니라, 그가 다른 아무도 믿을 수 없는 거야
06 바보들과 광적인 사람들은 늘 자신들을 너무 확신하고 / 늘 의심으로 너무 가득 차 있다는 거야
07 우리가 부자들의 풍요에 더 많은 것을 더하는지가 아니라, 우리가 가난한 사람들에게 필요한 만큼 제공하는지 아닌지야

Ⓑ 08 that　09 that　10 Whether　11 whether

Ⓒ 12 that truth is stranger
13 that social concerns and trends are reflected
14 that science gathers knowledge
15 that the majority may not sufficiently respect the rights of the minority

Unit 31 주어 / 보어 what절 pp.102~103

Ⓐ 04 우리가 마음속으로 이루는 것은
05 아이들이 (미래) 사회에 하게 될 것이야
06 비도덕적인 것은 네가 (그것을 한) 후에 기분 나쁜 것이야
07 과거 네게 일어났던 무엇이든 삶은 지금이기 때문에

Ⓑ 08 What　09 what　10 what　11 whatever
Ⓒ 12 What we owe our parents
13 What hurts the victim
14 what survives / what has been learned
15 what we pretend to be

Unit 32 주어 / 보어 wh-절 pp.104~105

Ⓐ 04 사람이 어떻게 소셜 네트워킹을 사용하는지가
05 생각이 얼마나 새로운지는 / 그것이 얼마나 새롭게 되는지야
06 네가 나이기를 바라는 사람도 아니라
07 단지 그것이 어떻게 보이고 느껴지는지뿐만 아니라, 그것이 어떻게 기능하는지야
Ⓑ 08 where　09 why　10 how　11 Whoever
Ⓒ 12 whoever　13 How far　14 why　15 when

Chapter 07 Review p.106

A 01 인류가 알아야 할 것은 인간은 어머니인 지구 없이는 살 수 없지만, 지구는 인간 없이도 살 수 있다는 거야.
02 문제는 특정 유전자의 작용이 행동의 어떤 흥미로운 양상에 영향을 미치는지 아닌지가 아니라, 어떻게 영향을 미치는지야.
03 삶의 가장 큰 후회 중 하나는 너 자신이 되기보다 다른 사람들이 네가 되길 원하는 것이 되는 거야.
04 괴물들과 싸우는 누구든 반드시 그 과정에서 자신도 괴물이 되지 않도록 확인해야 해.
05 삶의 유일한 수수께끼는 가미카제 조종사들이 왜 헬멧을 썼는지야.
06 네가 어떻게 세상에 태어났는지는 중요하지 않고, 중요한 것은 네가 여기에 있다는 거야.
07 탐구와 학습은 기적의 과정 모두가 시작되는 곳이야.
B 08 what　09 why　10 Whatever

Chpater 08 목적어절 & 동격절

Unit 33 목적어 that절 / whether(if)절 pp.108~109

Ⓐ 05 작은 집단의 사려 깊고 헌신적이고 조직된 시민들이 세계를 바꿀 수 있다는 것을
06 그가 영리한지 알 수 있고, 넌 어떤 사람의 질문으로 그가 현명한지 알 수 있어
07 자신이 창조적인 이타주의의 빛 속을 걸을지 또는 파괴적인 이기주의의 어둠 속을 걸을지
Ⓑ 08 that　09 if　10 except that　11 that
Ⓒ 12 that　13 that　14 that / that　5 whether / whether

Unit 34 목적어 what절 pp.110~111

Ⓐ 04 나라가 너를 위해 무엇을 할 수 있는지 / 네가 나라를 위해 무엇을 할 수 있는지
05 네가 보는 것을 / 무엇이 우주를 존재하게 하는지
06 우리 뒤에 있는 것과 우리 앞에 있는 것은 우리 안에 있는 것과 비교해서
07 법이 허용하는 무엇이든 할 수 있는 권리야
Ⓑ 08 what　9 what　10 what　11 What
Ⓒ 12 what people say you cannot do
13 what happened yesterday
14 whatever is dictated to it
15 what his previous visual-conceptual experience has taught him to see

Unit 35 목적어 wh-절 pp.112~113

Ⓐ 04 그 혹은 그녀가 누구인지 규정해
05 사람들이 어떻게 살고, 무엇을 생각하고, 무엇을 생산하고, 어떻게 환경과 상호 작용하는지
06 정보가 뇌에서 어떻게 어디서 암호화되는지 이해하는 것이었어
07 네가 하고 있는 무엇에든 네가 함께 있는 누구에게든
Ⓑ 08 which　09 how　10 when　11 how
Ⓒ 12 who / who　13 why　14 where　15 how

Unit 36 명사동격 that절 pp.114~115

Ⓐ 04 아무것도 진공 상태에서 빛의 속도보다 더 빨리 이동할 수 없다는 아인슈타인의 이론은
05 무죄로 간주된다는 법적 원칙이야
06 오직 하나의 진리만 있고, 자기 자신이 그것을 소유하고 있다는 믿음은
07 지구는 끊임없는 회복 상태에 있다는 생태계의 근거 없는 믿음이야
Ⓑ 08 that　09 that　10 that　11 that
Ⓒ 12 viewpoint that　13 conviction that
14 proposition that　15 question whether

Chapter 08 Review p.116

A 01 알프레트 아들러는 개인의 무의식적 자아가 성격의 발달 과정에서 열등감을 완성 상태로 전환시키기 위해 작용한다고 주장했어.
02 과학자들은 빛이 때로는 입자처럼 다른 땐 파동처럼 작용한다는 걸 알게 되었어.
03 한계 효용 체감의 법칙은 첫 번째 단위를 소비하는 것이 모든 다른 단위보다 더 높은 효용을 갖는다는 걸 의미해.
04 사람들은 자신들이 무엇을 하는지 알고, 흔히 자신들이 하는 일을 왜 하는지 알지만, 그들이 모르는 것은 자신들이 하는 일이 무엇을 하는지야.
05 내가 있는 곳에 이르는 게 얼마나 힘들었는지 봐. 그걸 포기하는 건 말이 안 돼.
06 사이버 폭력의 피해자들은 누가 자신들을 괴롭히고 있는지, 또는 괴롭히는 자가 왜 자신들을 표적으로 삼고 있는지 알지 못할 수도 있어.
07 컴퓨터가 생각할 수 있는지 아닌지의 문제가 흥미롭지 않은 것은 잠수함이 헤엄칠 수 있는지 아닌지가 흥미롭지 않은 것과 같아.
B 08 that　09 what　10 how

Chpater 09 관계절(명사수식어)

Unit 37 주어 관계사 관계절 pp.118~119

Ⓐ 04 춤추는 사람들은 음악을 들을 수 없는 사람들에겐
05 학식 있는 유일한 사람은 학습하고 변화하는 법을 배운 사람이야
06 쉽게 정의될 수 없는 정보를 분석하기 위해 애매한 논리를 사용하는
07 매우 좁은 분야에서 행해질 수 있는 모든 잘못을 해 본 사람이야
Ⓑ 08 who　09 who　10 that　11 as
Ⓒ 12 who(that)　13 that(which) / that(which)
14 that(which)　15 as

Unit 38 목적어 관계사 관계절 pp.120~121

Ⓐ 04 내가 좋아하고 존경하는 사람들 간에는 / 내가 사랑하는 사람들 간에는
05 내가 가까운 친구라 여기는 내 삶의 사람들 모두는
06 네게 감사하게 될 무언가를
07 사람들에게 필요 없는 것에 그들이 없는 돈을 쓰도록 확신시키는
Ⓑ 08 whom　09 you don't know

10 you had to overcome 11 you gave
C 12 I kill 13 I could have said 14 they deserve
15 I've learned about life

Unit 39 기타 관계사 관계절 pp.122~123

A 04 생각이 거기로 흘러 들어가고 생각이 거기서 자라는
05 우리의 모든 권리가 그것에 영향을 받는 것이고, 그것 없이는 하나도 보호받을 수 없는 것이야
06 그들의 의견이 무엇이라도 가치가 있는 유일한 비평가야
07 국가가 건강, 교육, 그리고 사회 복지에 대한 책임을 지는
B 08 where 09 when 10 of which 11 why
C 12 on which 13 for which 14 by which 15 in which

Unit 40 추가정보 관계절 pp.124~125

A 04 지표면의 7퍼센트에 걸쳐 있는데
05 사는데, 그것은 사람들이 무역을 통해 서로 경쟁하게 해
06 어떤 사진들과 상태 업데이트들을 게시할지 선택할 수 있는데, 그것들은 다른 이용자들이 비교로 인한 열등감을 느끼게 할 수 있어
07 그들 각자는 자기 자신의 문제는 보면서 그것이 들어가는 더 큰 틀은 알지 못해
B 08 which 09 which 10 where 11 in which
C 12 which / which 13 which 14 where
15 when

Chapter 09 Review p.126

A 01 건강하게 먹을 시간이 없는 사람들은 조만간 병에 걸릴 시간을 찾아야 할 거야.
02 성공하는 사람은 다른 사람들이 자신에게 던진 벽돌로 단단한 토대를 놓을 수 있는 사람이야.
03 유전자 변형 식품은 디엔에이에 변형을 도입시킨 유기체들로부터 생산돼.
04 각 BTS 구성원은 자신에게 충실한 방식으로 자신이 살고 싶어 하는 삶에 대해 노래해.
05 춤은 우리 자신이 예술이 창조되는 재료인 유일한 예술이야.
06 우리가 불의를 막을 힘이 없을 때가 있을지 몰라도, 우리가 항의하지 못할 때는 절대 없을 거야.
07 렘수면은, 빠른 안구 운동 수면의 두문자어인데, 가장 강렬하고 시각적으로 사실적인 꿈의 원인이 돼.
B 08 where 09 which 10 in which

STAGE Ⅲ 모든 문장과 특수 구문

Chpater 10 문장성분 & 연결

Unit 41 주어(구·절) 종합 pp.132~133

A 04 증거 없이 확신하는 것은 / 실제 증거에도 납득하기를 거부하는 것도
05 끊임없이 널 (너 아닌) 다른 뭔가가 되게 하려고 하는 세상에서 너 자신이 된다는 건
06 특이한 뭔가가 되고 뭔가를 갖고 뭔가를 하겠다는 네 결정은
07 네가 학교에서 얼마나 많이 배우는지는 / 네가 혼자 힘으로 일들을 계속해 나가는 법을 배우는지가
B 08 connected 09 Whether 10 who 11 which
C 12 that 13 Whoever 14 What 15 why

Unit 42 보어(구·절) 종합 pp.134~135

A 04 미움의 무의식적 활동에 대한 지식으로 가는 왕도야
05 차츰 여론을 바꾸고, 천천히 낡은 장벽을 무너뜨리고, 조용히 새로운 구조를 만들어 내는 매일 매주 매달의 과정이야
06 많은 생각들을 얻어서 나쁜 생각들을 버리는 거야
07 우리가 변화할 수 있는지가 아니라 우리가 충분히 빨리 변화하고 있는지 아닌지야
B 08 that 09 to prevent 10 that 11 when
C 12 whatever 13 that 14 to 15 where

Unit 43 목적어 / 목적보어(구·절) 종합 pp.136~137

A 04 직접 또는 자유롭게 선출된 대표들을 통해 자기 나라의 정부에 참여할 권리가 있어
05 인터넷으로 연결된 하나의 공동체를 형성하는 세계의 각각 다른 지역들을 의미해
06 네가 다른 사람들이 네게 하길 바라지 않는 것을
07 사람들이 믿을 수 있는 정보와 지침을 찾기 어렵게 하는 정보의 과잉이라고 정의했어
B 08 lining 09 trying 10 rob 11 to learn
C 12 that 13 whether 14 how much 15 why

Unit 44 대등접속사 pp.138~139

A 05 스스로 생각하고 행동하는 것을 배워야 하고, 자유롭게 탐구심과 비판 의식을 길러야 해
06 모든 사람들을 얼마 동안 속일 수 있고, 일부 사람들을 내내 속일 수 있지만, 모든 사람들을 내내 속일 순 없어
07 일어서서 두려움에 맞서지 않으면, 그것들(두려움)이 널 패배시킬 거야
B 08 and 09 but 10 and / and 11 for
C 12 but 13 or 14 nor 15 for

Unit 55 상관접속사 pp.140~141

A 04 과도한 운동과 불충분한 운동 둘 다 / 너무 많이 먹는 것과 너무 적게 먹는 것 둘 다
05 기쁨을 주는 것이거나 이익을 주는 것이거나, 또는 즐거운 것과 유용한 것을 하나로 섞는 것이야
06 사람도 재산도 안전하지 못할 거야
07 최대의 힘을 누릴 뿐만 아니라 최대의 책임도 떠맡아
B 08 and 09 either 10 nor 11 but
C 12 not / but 13 either / or 14 neither / nor
15 not only / but

Chapter 10 Review p.142

A 01 '보수적'이라고 여겨지는 것과 '진보적'이라고 여겨지는 것은 어떤 주어진 시대에서든 달라져.
02 '의식의 흐름'은 서술자의 마음을 스쳐 지나가는 복합적인 생각과 감정을 묘사하려고 시도하는 서술 방식이야.
03 우리가 영화에서 우는 순간은 상황이 슬플 때가 아니라 상황이 우리가 그러리라 예상했던 것보다 더 아름다운 것으로 드러날 때야.
04 난 내가 말했다고 네가 생각하는 걸 네가 이해했다고 네가 믿는다는 건 알겠지만, 난 네가 들은 게 내가 의미한 것이 아니라는 걸 네가 아는지는 확신할 수 없어.
05 내게 한 번도 실수한 적이 없는 사람을 보여 주면, 난 네게 한 번도 많은 걸 성취한 적이 없는 사람을 보여 줄게.
06 사랑은 모든 열정들 중 가장 강한 것인데, 왜냐면 그것은 머리와 심장과 감각들을 동시에 공격하기 때문이야.
07 진리는 테제[정립]에서나 안티테제[반정립]에서가 아니라, 그 둘을 조화시키는 새로운 진테제[종합]에서 발견되는 거야.
B 08 required 09 in which 10 that

Chpater 11 부사절

Unit 46 시간 부사절 pp.144~145

Ⓐ 04 개성과 생각의 다양성을 소중하게 여기는 걸 배울 때만
05 넌 어떤 사람의 관점에서 상황을 고려할 때까지, 그를 절대 진짜 이해하지 못해[넌 어떤 사람의 관점에서 상황을 고려하고 나서야 비로소 그를 진짜 이해하게 돼]
06 네가 이 세상에서 무엇이 아름다운지 인식하는 순간
07 그건 네가 일어나자마자 활동하기 시작해서, 네가 학교에 도착할 때까지는 멈추지 않아[학교에 도착하고 나면 멈춰]
Ⓑ 08 As 09 after 10 Whenever 11 No sooner
Ⓒ 12 before 13 Every time 14 since 15 By the time

Unit 47 이유[원인] 부사절 pp.146~147

Ⓐ 04 자유가 책임을 수반하기 때문에
05 상관하는 사람들은 중요하지 않고 중요한 사람들은 상관하지 않기 때문에
06 진지하고 신중했기 때문이 아니라 놀기 좋아하고 반항적이었기 때문에
07 문제가 있다는 새로운 증거가 발견될지도 모르기 때문에
Ⓑ 08 because 09 As 10 in that 11 Now that
Ⓒ 12 Humor is everywhere in that there's irony in just about anything a human does.
13 Information is suited to "a gift economy" as information is a non-rival good and can be gifted at no cost.
14 We learn by example and by direct experience because there are real limits to the adequacy of verbal instruction.
15 With the advent of globalization, a decline in cultural diversity is inevitable because information sharing promotes homogeneity.

Unit 48 목적/결과/양상 부사절 pp.148~149

Ⓐ 04 정의로운 무엇이든 힘 있고 힘 있는 무엇이든 정의롭도록
05 음악을 너무 많이 사랑해서
06 넌 마치 아무것도 기적이 아닌 것처럼 살 수도 있고, 마치 모든 게 기적인 것처럼 살 수도 있어
07 아무도 믿음을 강요받을 수 없는 것처럼
Ⓑ 08 lest 09 so 10 so 11 such
Ⓒ 12 lest 13 in order that 14 as 15 just in case

Unit 49 대조[반전] 부사절 pp.150~151

Ⓐ 05 대양의 몇 방울이 더러울지라도
06 삶이 아무리 힘들어 보일지라도
07 비록 모두가 그것에 반대할지라도 / 비록 모두가 그것에 찬성할지라도
Ⓑ 08 Though 09 even though 10 whether 11 While
Ⓒ 12 No matter what 13 No matter how 14 as
15 whereas

Unit 50 조건 부사절 pp.152~153

Ⓐ 04 네가 뉴스를 읽지 않으면 / 네가 뉴스를 읽으면
05 네가 토스트를 고양이 등 위에 끈으로 묶어 떨어뜨리면 무슨 일이 일어날까
06 때로 불행을 느끼지 않는 한
07 너희들이 최선을 다했기만 하면
Ⓑ 08 If 09 unless 10 As long as 11 In case
Ⓒ 12 if you stop and throw
13 Given that many animals have
14 Once you overcome
15 provided that he can get

Unit 51 v-ing 구문 pp.154~155

Ⓐ 04 난 알아야 하는 것을 항상 배울 수 있다는 자신감을 느끼기 때문에
05 결과가 거쳐 도달되는 과정을 모르기 때문에
06 어떤 나라들은 그것들을 금지하거나 제한하고 다른 나라들은 그것들을 허용해
07 그 중 1퍼센트의 1000분의 1만 현재 발견되어 있어
Ⓑ 08 Judging 09 affected 10 being 11 distributed
Ⓒ 12 Drawing on 13 Looking on
14 breaking down 15 developing

Chapter 11 Review p.156

A 01 당신 아이들이 십대일 때, 집 안의 누군가가 당신을 보고 기뻐하도록 개를 기르는 게 중요해.
02 넌 현실이 마침내 네 꿈보다 더 좋기 때문에 네가 잠들 수 없을 때 네가 사랑에 빠진 걸 알게 돼.
03 때로 사람들은 자신들의 환상이 깨지는 걸 원치 않기 때문에 진실을 듣기를 원치 않아.
04 네가 환경이 경제보다 덜 중요하다고 진짜 생각한다면, 네가 돈을 세는 동안 숨을 참아 봐.
05 의미 있는 삶이 어려움의 한가운데서조차 만족스러울 수 있지만, 의미 없는 삶은 아무리 편안하더라도 끔찍한 시련이야.
06 일단 네가 불가능한 것을 제거하면 무엇이든 남은 것이, 그게 아무리 사실 같지 않더라도, 사실임에 틀림없어.
07 햄릿은 죽음과 자살을 숙고하면서, 삶의 고통과 불공평에 대해 불평하지만 대안이 더 나쁠지도 모른다는 걸 인정해.
B 08 unless 09 so that 10 so

Chpater 12 가정표현

Unit 52 가정표현 1 pp.158~159

Ⓐ 04 만약 우리 폐들이 없다면 그것 모두를 둘 곳도 없을 거야
05 역사도 없을 것이고 인간성의 개념도 있을 수 없을 거야
06 만약 그렇지 않다면 삶은 지루할 거야
07 박테리아를 전혀 죽이지 못하고, 심지어 인체에 해롭게 될지도 몰라
Ⓑ 08 were 09 would 10 could 11 Were there
Ⓒ 12 knew 13 weren't[wasn't] 14 could deceive
15 would constitute

Unit 53 가정표현 2 pp.160~161

Ⓐ 04 만약 나쁜 사건들이 먼저 일어나지 않았더라면
05 정신 질환에 대한 약물 치료를 받았더라면, 세계는 위대한 예술가를 빼앗겼을까
06 해에너지나 컴퓨터에 기반을 제공하는 전자 회로를 개발할 수 없었을 거야
07 만약 그렇지 않으면 그것(자연법칙)은 영원히 우리에게 숨겨져 있었을 거야
Ⓑ 08 had had 09 Had it not 10 have found
11 have committed
Ⓒ 12 had not been 13 had not been
14 hadn't changed 15 had not been framed

Unit 54 가정표현 3 pp.162~163

A 05 내 가슴은 물로 변해 넘쳐 떠내려 갈 거야
06 만약 사람들이 언제든 단지 필요한 일만 하기 시작한다면
07 마치 네가 내일 죽을 것처럼 살고, 마치 네가 영원히 살 것처럼 배워
B 08 would 09 had known 10 had missed
11 had spent
C 12 would happen 13 could steal
14 had never seen 15 got

Unit 55 가정표현 4 pp.164~165

A 04 선량하고 근면한 사람들은 보상받고 악하고 게으른 사람들은 처벌받을 것을
05 네가 스웨터를 입을 것을 제안하면, 그가 꼬리를 달 것을 제안해
06 내가 작은 순간들에서 기쁨을 찾고 일상적인 날의 아름다움을 취해야 한다고
07 우리에게 다양하고 대립되는 견해를 제공하는 것이 중요해
B 08 be 09 was 10 was 11 is
C 12 It is necessary to the happiness of man that he be(× is) mentally faithful to himself.
13 It is vital that our relationship with nature and the environment be(× is) included in our education systems.
14 To achieve something great, it is essential that a man use(× uses) time responsibly and timely.
15 It is not only desirable but necessary that there be(× is) legislation which carefully shields the interests of wage workers.

Chapter 12 Review p.166

A 01 이 세상은 만약 아이들이 없다면 우울할 거고, 만약 노인들이 없다면 인간미가 없을 거야.
02 만약 신이 먹고 마시는 걸 필수뿐만 아니라 즐거움이 되게 하지 않았더라면 아무것도 먹고 마시는 것보다 더 귀찮지 않을 거야.
03 만약 누군가가 폭발하는 블랙홀을 발견했더라면, 난 노벨상을 받았을 텐데.
04 난 널 너의 진짜 가치만큼 주고 사서 네가 생각하는 너의 가치만큼 받고 팔 수 있으면 좋을 텐데.
05 마치 내일 네가 눈이 멀 것처럼 네 눈을 쓰고, 다시는 결코 들을 수 없을 것처럼 음악을 들어.
06 전통은 우리가 죽은 사람들에 대해 나쁘게 말하지 말 것을 요구해.
07 전문가들은 각자가 자신의 체중과 신체 활동 수준과 기후에 알맞은 양의 물을 마실 것을 조언해.
B 08 could 09 would 10 is

Chpater 13 비교/기타 구문

Unit 56 동등비교/우월비교 pp.168~169

A 04 새로운 사실들을 얻는 거라기보다는 그것들에 대해 생각하는 새로운 방식들을 발견하는 거야
05 수익 없이 살 수 없는 것은 노동자가 임금 없이 살 수 없는 것과 같아
06 유기적 조직체[사회] 못지않게 복잡해
07 피곤해지기 전에 쉬는 버릇에 불과해
B 08 much / much 09 more 10 even 11 than
C 12 convincing 13 important 14 dangerous 15 much

Unit 57 최상급 표현 pp.170~171

A 04 우주의 모든 항성들 중에서 지구에 가장 가깝고 가장 광범위하게 연구돼
05 세상이 제공하는 가장 고귀한 운동이야
06 우리가 가장 적게 아는 것만큼 확고히 믿어지지 않아
07 지독한 증인과 강력한 고발인은 없어
B 08 longest 09 the most 10 than 11 more
C 12 more embarrassing 13 more clearly
14 more advanced 15 more necessary

Unit 58 강조 구문 pp.172~173

A 04 발언권을 줄지 결정하는 사람은 바로 역사가야
05 내가 후회하는 것은 내가 한 일들이 아니라 바로 내가 하지 않은 일들이야
06 바로 그 속에 있는 걱정이고, 키스를 신성하게 하는 것은 바로 그 속에 있는 사랑이야
07 세계 법체계에서 20세기 말까지는 흔하게 되지 않았어[세계 법체계에서 20세기 말에야 비로소 흔하게 되었어]
B 08 that / that 09 who 10 which 11 What
C 12 it's 13 is it that / is it that 14 did / did
15 none other than

Unit 59 부정/도치 구문 pp.174~175

A 04 어떤 사람이 그걸 위해 죽는다고 해서 반드시 진리인 건 아니야
05 반드시 제로섬 게임일 필요는 없고, 그것은 모두에게 유리한 제의가 될 수도 있어
06 네게 결코 보답할 수 없을 누군가를 위해 뭔가를 하지 않고는 온전한 하루를 살 수가 없어
07 지금 배고픈 넌 복 받은 건데, 왜냐면 넌 배가 채워질 것이기 때문이고, 지금 우는 넌 복 받은 건데, 왜냐면 넌 웃을 것이기 때문이야
B 08 does God play 09 can the soul
10 is the power to change the world
11 is lack of confidence
C 12 Nothing 13 No 14 rarely 15 neither

Unit 60 수 일치 & 시제 조정 pp.176~177

A 04 네가 시도했을 때까지는 네가 무엇을 할 수 있는지 알지 못해[네가 시도했어야 비로소 네가 무엇을 할 수 있는지 알아]
05 내가 올바른 방향으로 나아가고 있다고 믿었지만, 그것이 내가 반드시 목표에 도달할 거라는 걸 의미하지는 않았어
06 콜럼버스가 아메리카를 발견한 게 아니라, 그저 자신이 어떤 새로운 곳에 있다는 걸 알게 되었을 뿐이라고 말했어
07 세계 인구의 3분의 1이 세계 자원의 3분의 2를
B 08 is 09 are / maintain 10 curses / falls / knows
11 would
C 12 is 13 are 14 was / is 15 was

Chapter 13 Review p.178

A 01 난 내가 다른 사람들에게 무엇인지보다는 나 자신에게 무엇인지에 관심을 가져.
02 자연의 상상력은 인간의 상상력보다 너무 훨씬 더 커서 자연은 결코 우리를 편히 쉬게 하지 않을 거야.
03 아무것도 누군가가 네가 될 수 없다고 말한 뭔가를 하는 걸 보는 것만큼 창피한 건 없어.
04 우리가 삶과 자연을 더 많이 이해할수록, 우리는 초자연적인 원인을 덜 찾게 돼.
05 살아남게 될 이들은 가장 크거나 가장 똑똑하거나 가장 훌륭한 이들이 아니라, 바로 가장 빨리 적응하는 사람들이야.
06 넌 네 주위 세상에 영향을 주지 않고는 단 하루도 살아 나갈 수 없어.
07 너도 나도 아인슈타인도 우선 사실들을 얻지 않고는 어떤 문제에 대해서도 현명한 결정을 내릴 만큼 뛰어나진 않아.
B 08 which 09 had 10 are

마법같은 블록구문

삶을 바꿀 영어 학습의 혁명!
컬러 과학과 의미 기억의 힘!

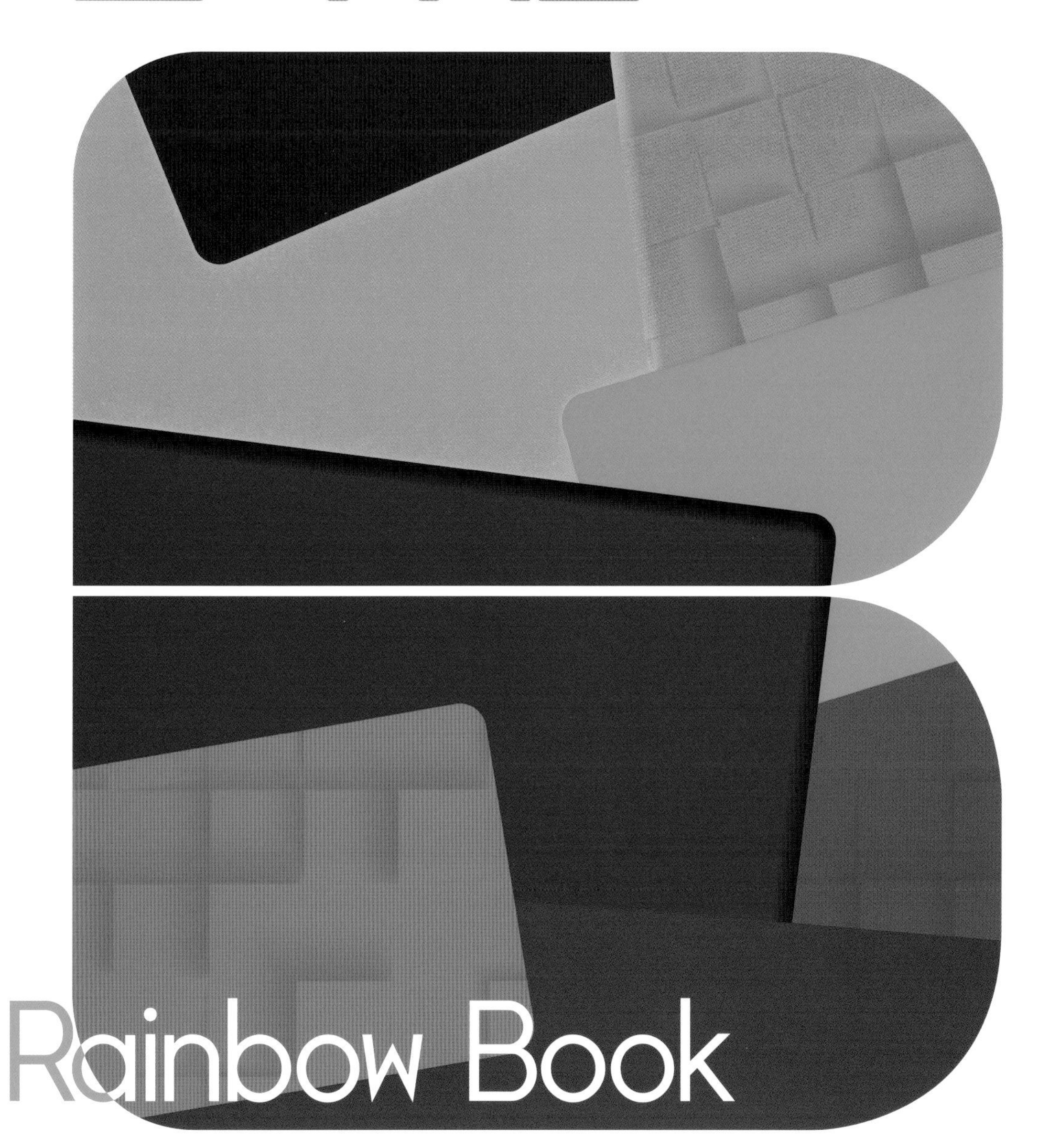

Rainbow Book

김승영 고지영

문장성분별 완전 **컬러화 해설서**
무지개 속 박혀 있는 보석 같은 문장

필수편

ABOVE IMAGINATION

우리는 남다른 상상과 혁신으로
교육 문화의 새로운 전형을 만들어
모든 이의 행복한 경험과 성장에 기여한다

Stage I

영어문장 구조와 동사

Stage I

Contents of Stage

영어문장 기본형

Unit Words

■ 본격적인 구문 학습에 앞서, 각 유닛별 주요 단어를 확인하세요.

Unit 01 영어문장 1형

- ☐ absolute 절대적인
- ☐ drown 물에 빠져 죽다
- ☐ circumstance 상황
- ☐ corrupt 부패하다[타락시키다]
- ☐ starve 굶주리다
- ☐ reside 살다[거주하다]
- ☐ permanent 영원한[영구적인]
- ☐ in relation to ~에 관(련)하여
- ☐ gargle 양치질하다

Unit 02 영어문장 2형

- ☐ determination 투지
- ☐ noble 고귀한
- ☐ constancy 지조[절개]
- ☐ prejudice 편견
- ☐ attribute 자질
- ☐ turn out 되다[드러나다]
- ☐ rational 합리적인
- ☐ confidence 자신감
- ☐ run short of ~이 부족해지다

Unit 03 영어문장 3형

- ☐ impair 해치다
- ☐ characterize 특징짓다
- ☐ malnutrition 영양불량
- ☐ shoot 찍다[촬영하다]
- ☐ diversity 다양성
- ☐ investment 투자
- ☐ inhabit ~에 살다[거주하다]
- ☐ definition 정의
- ☐ affect ~에 영향을 미치다

Unit 04 영어문장 4형

- ☐ fidelity 충실함
- ☐ do good 도움이 되다
- ☐ surroundings 환경
- ☐ perseverance 인내
- ☐ grant 허락[승인]하다
- ☐ owe 빚[신세]를 지다
- ☐ offer 제공하다
- ☐ cost 비용이 들다
- ☐ gratitude 감사

Unit 05 영어문장 5형

- ☐ extraordinary 비범한
- ☐ innocent 무죄의
- ☐ evolve 발전[진화]시키다
- ☐ coward 겁쟁이
- ☐ guilty 유죄의
- ☐ justice 정의
- ☐ reckless 무모한
- ☐ optimism 낙관주의
- ☐ crisis 위기

Unit 06 구동사 1

- ☐ vitality 활력
- ☐ commentary 비판
- ☐ purification 정화
- ☐ biotechnology 생명공학
- ☐ authorities 당국
- ☐ psychology 심리학
- ☐ organism 유기체[생물]
- ☐ defend 옹호하다
- ☐ self actualize 자아 실현하다

Unit 07 구동사 2

- ☐ preoccupation 집착
- ☐ asset 자산
- ☐ sensible 분별 있는
- ☐ liberate 해방시키다
- ☐ take credit for ~의 공을 차지하다
- ☐ substitute 대신[대체]하다
- ☐ illusion 환상
- ☐ liberty 자유
- ☐ confine 한정하다[가두다]

본책 26~27쪽을 함께 펴놓고 보세요!

unit 01

영어문장 1형

주어	자동사	부사어
Absolute power	corrupts	absolutely.

Standard Sentences

01 Absolute power corrupts absolutely. *John Acton*
절대 권력은 절대 부패해.
- absolute: 명사수식어/absolutely: 부사어(동사수식어)

Know More 〈숨은 의미〉 영국 역사가가 한 너무나도 유명한 말로, 인간의 권력이 커질수록 도덕성이 떨어짐을 경계하는 것.

01
absolute 절대적인
power 권력(힘)
corrupt 부패하다(타락시키다)

02 Love does not appear with any warning signs. *Jackie Collins*
사랑은 경고 표시를 하고 나타나지 않아.

02
appear 나타나다
warning 경고
sign 표시

03 There is nothing permanent except change. *Heraclitus*
변화 외에 영원한 건 아무것도 없어.
- nothing + permanent: 형용사가 -thing을 뒤에서 수식(뒤수식).

03
permanent 영원한(영구적인)
except ~ 외에는

A **04** Democracy always wins in the end. *Marjorie Kelly*
민주주의는 늘 마침내 승리해.

Know More 〈숨은 의미〉 소수의 압제자에 의해 일시적으로 주권 재민이 짓밟힐지라도 결국은 각성된 대다수의 국민에 의해 민주주의가 승리를 쟁취하게 된다는 역사적 교훈.

04
democracy 민주주의
in the end 마침내

Think **05** I stand on the shoulders of giants. *Isaac Newton*
나는 거인들의 어깨 위에 서 있어.

Know More 〈배경 지식〉 뉴턴의 말로, 자신이 좀 더 멀리 본 건 뛰어난 선배들의 업적을 바탕으로 하기 때문이라는 것.

05
shoulder 어깨
giant 거인

06 In human society, the warmth is mainly at the bottom. *Noel Counihan*
인간 사회에서 따뜻함은 주로 가장 낮은 곳에 있어.
- 부사어(in human society)가 문장 맨 앞에 왔음.
- be동사(is) + 장소 부사어(at the bottom): ~에 있다

Know More 〈숨은 의미〉 어려움을 서로 나누는 따뜻한 인정은 상류층보다 오히려 기층 민중들 속에 살아 있다는 것.

06
society 사회
warmth 따뜻함
mainly 주로
bottom 맨 아래

07 We are drowning in information, but starved for knowledge. *John Naisbitt*
우리는 정보에 빠져 죽으면서도, 지식에 굶주려 있어.

Know More 〈숨은 의미〉 정보의 홍수 속에 살아가면서도, 막상 진짜 필요하고 올바른 정보를 가려서 얻기란 힘들다는 것.

07
drown 물에 빠져 죽다
information 정보
starve(be straved/be starving) 굶주리다

B **08** True enjoyment comes from activity of the mind and exercise of the body.
진정한 즐거움은 정신 활동과 신체 운동에서 나와. *Wilhelm Humboldt*

- 자동사(come) + 부사어(from activity ~): ~에서 나오다
- A(activity of the mind) and B(exercise of the body): A와 B 대등 관계.

08
enjoyment 즐거움
activity 활동
exercise 운동

09 Nothing exists for itself alone, but only in relation to other forms of life.
아무것도 스스로 혼자 존재하는 게 아니라, 다른 종류의 생명체들과 관련해서만 존재해. *Charles Darwin*

- nothing A but B: not A but B(A가 아니라 B)의 변형으로, A는 부정되고 B가 긍정됨.
- exist(존재하다): 진행형 불가 동사. (×) Nothing is existing ~.

09
exist 존재하다
for itself 스스로
in relation to ~에 관(련)하여

10 The excellence of a gift lies in its appropriateness rather than in its value.
선물의 뛰어남은 가격에 있기보다는 적절성에 있어. *Charles Warner*

- lie - lay - lain(~에 있다: 자동사) + 장소 부사어 〈비교〉 lay - laid - laid(놓다: 타동사) + 목적어
- A(in its appropriateness) rather than B(in its value): B보다는 A

10
excellence 뛰어남
gift 선물
lie 있다
appropriateness 적절성

11 Under the beautiful moonlight, there remains no ugly reality. *Mehmet Ildan*
아름다운 달빛 아래, 추한 현실은 남지 않아.

- 부사어(under the beautiful moonlight)가 문두로 나왔음.
- there + remain + 명사(주어): ~이 남아 있다

11
remain 남다
ugly 추한
reality 현실

C **12** We arrive at the various stages of life quite as beginners. *Rochefoucauld*
우리는 완전 초보자로 삶의 여러 단계[시기]에 이르러.

- arrive at[in]: ~에 도착하다[이르다]

12
various 여러 가지의
stage 단계[시기]
as ~로(서)(자격)
beginner 초보자

13 Circumstances don't matter; only my state of being matters. *Bashar al-Assad*
상황은 중요하지 않아. 오직 나의 존재 상태만 중요할 뿐이야.

13
circumstance 상황
matter 중요하다
state 상태
being 존재

14 A nation's culture resides in the hearts and in the soul of its people.
한 나라의 문화는 민족의 마음과 영혼 속에 살아 있어. *Mahatma Gandhi*

- reside + 장소 부사어: ~에 살다[거주하다]

14
reside 살다[거주하다]
soul 영혼

☺ **15** Some people drink from the fountain of knowledge; others just gargle.
어떤 사람들은 지식의 샘에서 마시는데, 다른 이들은 그저 양치질해. *Robert Anthony*

- some ~, others …: 어떤 것[사람]들은 ~, 다른 것[사람]들은 …

Know More 〈숨은 의미〉 같은 지식이라도 어떤 사람은 잘 습득해 자신의 피와 살이 되게 하는 데 반해, 다른 사람은 잠시 머금었다 뱉어 버릴 뿐이라는 것.

15
fountain 샘[분수]
knowledge 지식
gargle 양치질하다

본책 28~29쪽을 함께 펴놓고 보세요!

Unit 02 영어문장 2형

주어	연결동사	보어
Language	is	a process of free creation.

Standard Sentences

01 Language is a process of free creation. *Noam Chomsky*
언어는 자유로운 창조 과정이야.
Know More 〈배경 지식〉 '(변형) 생성 문법' 이론을 창시한 현대 언어학의 아버지라 불리는 노엄 촘스키의 말로, 언어는 인간의 타고난 언어 능력에 의한 자연스럽고 자유로운 생성 과정이라는 것.

01
language 언어
process 과정
creation 창조

02 A dream becomes reality through determination and hard work.
꿈은 투지와 노력을 통해 현실이 돼.

02
reality 현실
determination 투지
hard work 노력

03 Our own prejudice and bias always seem so rational to us. *T. S. Eliot*
우리 자신의 편견과 편향이 우리에게는 늘 너무나 합리적으로 보여.
- seem + 형용사(rational): ~인 것처럼 보이다[~인 것 같다] (부사(rationally)는 올 수 없음.)

Know More 〈숨은 의미〉 자신의 한쪽으로 치우친 생각이 스스로에게는 인식되지 못한다는 것.

03
prejudice 편견
bias 편향
rational 합리적인

A

04 The opposite of love is not hate, but indifference. *Elie Wiesel*
사랑의 반대는 증오가 아니라 무관심이야.
- not A(hate) but B(indifference): A가 아니라 B (A는 부정되고 B가 긍정됨.)

04
opposite 반대
hate 증오
indifference 무관심

05 The basis of memory in the brain remains largely mysterious.
뇌에 있는 기억의 기반은 대체로 여전히 미스터리야.
- remain + 형용사(mysterious): 계속[여전히] ~이다

05
basis 기반[기초]
remain 계속[여전히] ~이다
largely 대체로
mysterious 불가사의한

06 Our hearts grow tender with childhood memories and family love. *Laura Wilder*
우리 마음은 어린 시절의 추억과 가족의 사랑으로 다정해져.
- grow + 형용사(tender): ~해지다

06
grow ~해지다
tender 다정한
memory 추억[기억]

07 Your life does not get better by chance; it gets better by change. *Jim Rohn*
네 삶은 우연히 나아지는 게 아니라, 변화로 나아져.
- get + 형용사(better): ~해지다

Know More 〈숨은 의미〉 수동적인 우연(by chance)과 능동적인 변화(by change)의 절묘한 대구.

07
get 되다
by chance 우연히

B 08 The love for all living creatures is the most noble attribute of man.
모든 살아 있는 생명체에 대한 사랑은 인간의 가장 고귀한 자질이야. *Charles Darwin*

- 명사(the love) + 전치사구(for all living creatures): 전치사구가 앞 명사를 뒤에서 수식. ➲ Unit 19
- 주어(the love: 단수 주어) + 동사(is: 단수형 동사) 수 일치 ➲ Unit 60

08
creature 생명체
noble 고귀한
attribute 자질

09 Your dreams can come true through four C's: Curiosity, Courage, Confidence and Constancy. *Walt Disney*
네 꿈은 네 가지 "C"(호기심, 용기, 자신감 그리고 지조)를 통해 이루어질 수 있어.

- come + 형용사(true): ~되다 • come true: 이루어지다

Know More <배경 지식> 수많은 꿈들을 실현시킨 월트 디즈니의 말.

09
curiosity 호기심
courage 용기
confidence 자신감
constancy 지조[절개]

10 Stay strong and positive, and never give up. *Roy T. Bennett*
강인하고 긍정적인 태도를 유지하고, 절대 포기하지 마.

- stay + 형용사(strong and positive): ~한 상태를 유지하다(strongly and positively는 틀림.)

10
stay 유지하다
positive 긍정적인
give up 포기하다

11 Most new ideas sound crazy and stupid, and then they turn out right.
대부분의 새로운 발상은 말도 안 되고 어리석게 들리다가 옳은 것이 돼. *Reed Hastings*

- sound + 형용사(crazy and stupid): ~하게 들리다[~인 것 같다](crazily and stupidly는 틀림.)
- turn out + 형용사(right): ~되다[드러나다]

11
sound 들리다
crazy 미친[말도 안 되는]
stupid 어리석은
turn out 되다[드러나다]

C 12 Enlightened citizens are essential for the proper functioning of a republic.
깨우친 시민들은 공화국의 적절한 기능을 위해 필수적이야. *Thomas Jefferson*

- 형용사(essential) + 전치사구(for the proper functioning ~): 형용사가 전치사구를 따르게 함.

12
enlightened 깨우친
essential 필수적인
proper 적절한
function 기능하다
republic 공화국

13 At sunset, the sea turns pink, and the sky red.
해질녘에 바다는 분홍으로, 하늘은 빨갛게 변해.

- turn + 형용사(pink): ~하게 변하다
- the sky (turns) red: 반복을 피하기 위한 생략.

13
sunset 해질녘
turn 변하다

14 Rainy Britain could run short of water by 2050.
비가 많이 오는 영국인데도 2050년쯤에는 물이 부족해질 수 있어.

- could run: 불확실한 추측 ➲ Unit 11
- run + 형용사(short): (좋지 않게) ~되다

14
rainy 비가 많이 오는
run short of ~이 부족해지다

15 Sunshine on the water looks so lovely. *Song "Sunshine On My Shoulder" by John Denver*
물 위 햇빛이 너무나 아름답게 보여.

- look + 형용사(lovely): ~하게 보이다

15
sunshine 햇빛
look 보이다
lovely 아름다운[사랑스러운]

본책 30~31쪽을 함께 펴놓고 보세요!

unit 03

영어문장 3형

주어	타동사	목적어
Peace	means	respect for the rights of others.

Standard Sentences

01 Between individuals, as between nations, peace means respect for the rights of others. *Benito Juárez*

국가 간처럼 개인 간에도, 평화는 다른 이들의 권리에 대한 존중을 의미해.

- 부사어(between individuals ~)가 문두로 나왔음.
- 명사(respect) + 전치사구(for the rights of others): 전치사구가 앞 명사를 뒤에서 수식. ➲ unit 19

01
individual 개인
as ~처럼
nation 국가
mean 의미하다
respect 존중
right 권리

02 Have no fear of perfection; you'll never reach it. *Salvador Dalí*

완벽에 대한 두려움을 갖지 마. 넌 절대 거기에 이르지 못할 거야.

- 타동사(reach) + 목적어(it): reach 뒤에 전치사를 붙일 수 없음. (×) reach ~~to~~ 〈비교〉 arrive at it

Know More 〈유머 코드〉 초현실주의 화가 살바도르 달리의 말로, 어차피 완벽할 순 없으니 완벽하지 못할까 봐 두려워할 필요도 없다는 것.

02
fear 두려움
perfection 완벽
reach ~에 이르다

03 People do not lack strength; they lack will. *Victor Hugo*

사람들은 힘이 부족한 게 아니라, 그들은 의지가 부족해.

- 타동사(lack) + 목적어(strength / will): lack(타동사) 뒤에 전치사를 붙일 수 없음. (×) lack ~~in~~

03
lack ~이 부족하다
strength 힘
will 의지

A 04 Follow your heart, but take your brain with you. *Alfred Adler*

네 심장을 따라가더라도, 네 뇌도 함께 데려가.

- 타동사(take) + 목적어(your brain) + 부사어(with you): with you(너와 함께)는 일종의 강조 표현.

Know More 〈배경 지식〉 '개인심리학'의 창시자 알프레트 아들러의 말로, 감정에 따르면서도 뚜렷한 목적의식과 노력으로 자신을 변화시킬 수 있는 이성과도 함께할 것을 강조한 것.

04
follow 따라가다
take 데려가다

05 The ignorance of one voter in a democracy impairs the security of all.

민주주의에서 한 투표자의 무지는 모두의 안전을 해쳐. *John F. Kennedy*

Know More 〈숨은 의미〉 미국 대통령 케네디의 말로, 누구나 동등한 한 표를 행사하는 민주주의에서 잘못된 한 표 한 표가 모여 전체 결정을 그르칠 수 있다는 것.

05
ignorance 무지
voter 투표자
democracy 민주주의
impair 해치다
security 안전

06 Treat me well, and I'll treat you better; treat me badly, and I'll treat you worse. *Sonny Barger*

날 좋게 대하면, 난 널 더 좋게 대할게. 날 나쁘게 대하면, 난 널 더 나쁘게 대할게.

- 타동사(treat) + 목적어(me) + 부사어(well): 이런 의미의 treat는 반드시 부사어가 필요함.
- 명령문(Treat / treat ~), and ...: ~하면, ... ➲ unit 44

06
treat 대하다
badly 나쁘게

07 Anyone can shoot a film on their phone, edit the film, create the sound, and mix the final cut on a computer.

누구나 자신의 폰으로 영화를 찍고, 컴퓨터로 영상을 편집하고 음향을 만들고 최종 컷을 믹스할 수 있어.

07
shoot 찍다[촬영하다]
edit 편집하다
create 창조[창작]하다

B **08** **We inhabit a universe characterized by diversity.** *Desmond Tutu*
우리는 다양성으로 특징지어지는 우주에 살고 있어.

- 타동사(inhabit) + 목적어: inhabit 뒤에 전치사를 붙일 수 없음. (×) inhabit ~~in~~ 〈비교〉 live in a universe
- 명사(a universe) + v-ed분사(characterized by ~): v-ed분사가 뒤에서 명사 수식. ➲ Unit 17

08
inhabit ~에 살다[거주하다]
universe 우주
characterize 특징짓다
diversity 다양성

09 **Life resembles a novel more often than novels resemble life.** *George Sand*
인생은 소설이 인생을 닮는 것보다 더 흔히 소설을 닮아.

- 타동사(resemble) + 목적어: resemble 뒤에 전치사를 붙일 수 없음. (×) resemble ~~with~~ 〈비교〉 look like
- 비교급(more often) + than + 주어 + 동사: 주어가 동사하는 것보다 더 ~하게 ➲ Unit 56

Know More 〈숨은 의미〉 유럽 여성 문학의 창시자로 꼽히는 소설가·회고록 작가 조르주 상드의 말로, 어떤 소설보다 다채로운 삶을 산 그녀가 소설이 극적으로 그리는 인생보다 실제 인생이 더 극적일 수 있다는 역설을 간파한 것.

09
resemble 닮다
novel 소설

10 **Great minds discuss ideas; average minds discuss events; small minds discuss people.** *Eleanor Roosevelt*
큰 마음 사람들은 생각들에 대해 논하고, 보통 마음 사람들은 사건들에 대해 논하고, 작은 마음 사람들은 사람들에 대해 논해.

- 타동사(discuss) + 목적어(ideas/events/people): discuss 뒤에 전치사를 붙일 수 없음.
  (×) discuss ~~about~~ 〈비교〉 talk about

Know More 〈숨은 의미〉 대인배는 가십거리나 뒷담화는 피하고 깊은 생각들에 대해 얘기한다는 것.

10
discuss (~에 대해) (의)논하다
average 평균[보통]의
event 사건

11 **We need a new definition of malnutrition. Malnutrition means under-and over-nutrition.** *Catherine Bertini*
우리는 영양불량의 새로운 정의가 필요해. 영양불량은 영양부족과 영양과잉 둘 다를 의미해.

- need(필요하다) / mean(의미하다): 진행형 불가. (×) We are needing a new definition ~.

11
definition 정의
malnutrition 영양불량
nutrition 영양

C **12** **Live your own life; follow your own star.** *Wilferd Peterson*
너 자신의 삶을 살아가고, 너 자신의 별을 따라가.

- 타동사(live) + 동족목적어(your own life): 타동사와 비슷한 꼴과 뜻의 목적어. ('삶'을 '살다')

13 **An investment in knowledge always pays the best interest.** *Benjamin Franklin*
지식에 대한 투자는 늘 최고의 이자를 지불해.

13
investment 투자
pay 지불하다
interest 이자

14 **Global warming affects world food supply, and changes sea level.**
지구 온난화는 세계 식량 공급에 영향을 미치고, 해수면을 변하게 해.

- 타동사(affect) + 목적어: affect 뒤에 전치사를 붙일 수 없음. (×) affect ~~on~~ 〈비교〉 have an effect on

14
global warming 지구 온난화
affect ~에 영향을 미치다
supply 공급

15 **The foolish man seeks happiness in the distance; the wise grows it under his feet.** *James Oppenheim*
어리석은 자는 행복을 멀리서 찾고, 지혜로운 이는 행복을 자기 발아래에 길러.

- 타동사(grow) + 목적어(it = happiness): ~을 기르다 〈비교〉 자동사(grow 자라다) Happiness grows ~.

15
seek 찾다
in the distance 저 멀리
grow 기르다

본책 32~33쪽을 함께 펴놓고 보세요!

unit 04
영어문장 4형

주어	(주는)동사	(에게)목적어	(을)목적어
Work	gives	you	the meaning and purpose of life.

Standard Sentences

01 Work gives you **the meaning and purpose of life.** *Stephen Hawking*
일은 네게 **삶의 의미와 목적을 줘.**
- (주는)동사(give) + (에게)목적어(you) + (을)목적어(the meaning ~): ~에게 …을 주다

01
meaning 의미
purpose 목적

02 A dog teaches you **fidelity and perseverance.** *Robert Benchley*
개는 네게 **충실함과 인내를 가르쳐 줘.**
- A dog teaches you fidelity. ➜ A dog teaches fidelity to you.

02
fidelity 충실함
perseverance 인내

03 All the money in the world can't buy you **good health.** *Reba McEntire*
세상의 모든 돈으로도 네게 **좋은 건강을 사 줄 수 없어.**
- The money can't buy you good health. ➜ The money can't buy good health for you.

A **04** Life always offers you **a second chance.** It's called tomorrow.
삶은 늘 네게 **두 번째 기회를** 제공해. 그건 내일이라고 불려.
- (주는)동사(offer) + (에게)목적어(you) + (을)목적어(a second chance): ~에게 …을 제공하다
- 주어(It = a second chance) + be동사 v-ed분사(is called) + 보어(tomorrow): ~라고 불리다(수동태) ➲ unit 13

04
offer 제공하다
chance 기회

05 True friends show you **their love** in times of trouble, not happiness. *Euripides*
진짜 친구들은 행복할 때가 아니라 어려울 때 네게 **사랑을** 보여 줘.
- (주는)동사(show) + (에게)목적어(you) + (을)목적어(their love): ~에게 …을 보여 주다

05
trouble 곤란[어려움]
B, not A A가 아닌 B

06 Bring me **any problem;** problems are the price of progress. *Charles Kettering*
내게 어떤 **문제라도** 가져와. 문제들은 진보의 대가야.
- (주는)동사(bring) + (에게)목적어(me) + (을)목적어(any problem): ~에게 …을 가져오다

Know More 〈숨은 의미〉 문제를 회피하지 않고 적극적으로 떠안아 풂으로써 진보가 이루어진다는 것.

06
price 대가[가격]
progress 진보[진전]

07 Money can't buy you **love,** but it can get you **some really good chocolate biscuits.** *Dylan Moran*
돈으로 네게 **사랑을** 사 줄 수는 없지만, 그것은 네게 **진짜 좋은 초콜릿 비스킷은** 사 줄 수 있어.
- (주는)동사(buy / get) + (에게)목적어(you) + (을)목적어(love / some ~ biscuits): ~에게 …을 사 주다

Know More 〈유머 코드〉 돈은 사랑을 얻게 해 주지는 못하지만 맛있는 건 먹게 해 줄 수 있다는 것.(돈의 한계와 효능!)

B **08** Send me **flowers** while I'm alive; they won't do me **good** after I'm dead. *Joan Crawford*
내가 살아 있는 동안 내게 **꽃들을** 보내 줘. 꽃들은 내가 죽은 후에는 내게 **도움이** 되지 않을 거야.

- send + (에게)목적어 + (을)목적어: ~에게 …을 보내다
- while(~하는 동안) I'm alive / after(~한 후에) I'm dead: 시간 부사절 Unit 46
- do + (에게)목적어 + good: ~에게 도움이 되다

Know More <유머 코드> 장례식에 보낼 꽃이 있으면 살아 있을 때 달라는 것.

08
alive 살아 있는
do good 도움이 되다

09 Friends ask you **questions**; enemies question **you**. *Criss Jami*
친구들은 네게 **질문을** 하고, 적들은 **너를** 심문[의심]해.

- ask + (에게)목적어 + (을)목적어: ~에게 …을 묻다
- question + 사람 + (about …): 누구를 (…에 관해) 심문하다

Know More <숨은 의미> ask와 question 둘 다 '묻다'는 뜻이지만 그 쓰임새가 다른 것으로, question은 공식적으로 특히 범죄 혐의 등에 대해 묻는 것을 의미함.

09
question
질문[심문/의심](하다)
enemy 적

10 No one can grant you **happiness**; it is your own choice. *Dean Koontz*
아무도 네게 **행복을** 허락해 줄 수 없어. 그것은 너 자신의 선택이야.

- grant + (에게)목적어(you) + (을)목적어(happiness): ~에게 …을 허락해 주다

10
grant 허락[승인]하다
choice 선택

Up! **11** Kind words cost you **nothing**, **but** are sometimes worth more than a million dollars. *Omar Suleiman*
친절한 말은 네게 **아무** 비용도 들지 **않지만**, 때때로 백만 불보다 더한 가치가 있어.

- cost + 사람 + 값[비용]: 누구에게 비용을 들이게 하다 (×) <cost + 비용 + (전치사) + 사람>으로 못 바꿈.
- be동사 + worth + (more than ~): (~보다 더 많은) 가치가 있다

11
cost 비용이 들다
worth 가치가 있는

C **12** Art gives people **a different way of looking at their surroundings**. *Maya Lin*
예술은 사람들에게 **주위 환경을 보는 다른 방식을** 제공해 줘.

- 명사(a different way) + 전치사구(of looking at ~): 명사를 뒤에서 수식하는 전치사구(전치사(of) + v-ing ~).

12
surroundings 환경

13 Show me **your friends**, **and** I will tell you **who you are**. *Proverb*
내게 **네 친구들을 보여 주면**, 내가 네게 **네가 어떤 사람인지** 말해 줄게.

- show / tell + (에게)목적어 + (을)목적어: ~에게 …을 보여 주다/말해 주다
- 명령문(Show me ~), and ...: ~하면, ... Unit 44
- who you are(네가 누구인지): wh- 절(명사절)이 목적어로 쓰이고 있음. Unit 35

14 I owe my parents **a debt of gratitude** for their support.
난 부모님께 지원에 대해 **감사의 빚을** 지고 있어[감사해야 해].

- owe + A((에게)목적어) + B((을)목적어): A에게 B를 빚지고 있다(= owe + B + to A)

14
owe 빚[신세]를 지다
debt 빚
gratitude 감사
support 지원[지지]

Think **15** **Lend yourself** to others, **but** give **yourself** to yourself. *Montaigne*
너 자신을 다른 사람들에게 빌려줘. **그러나 너 자신을** 너 자신에게만 줘.

- lend / give + A((에게)목적어) + B((을)목적어) = lend / give + B + to A: A에게 B를 빌려주다/주다

Know More <숨은 의미> 모럴리스트(인간 연구가)의 시조 프랑스 철학자 몽테뉴의 말로, 일시적으로 빌려주는 lend와 통째로 주는 give를 대조시켜, 타인에게 도움은 주되 자신의 정체성은 잃지 말라는 것.

15
lend 빌려주다

본책 34~35쪽을 함께 펴놓고 보세요!

unit 05

영어문장 5형

주어	타동사	목적어	목적보어
Global warming	makes	weather	more extreme.

Standard Sentences

01 Global warming makes weather more extreme.
지구 온난화가 날씨를 더욱 극단적으로 만들어.
● 타동사(make) + 목적어(weather) + 목적보어[형용사](more extreme): Weather is more extreme.

01
global warming 지구 온난화
extreme 극단적인

02 I see the sun shining on the patch of white clouds in the blue sky.
난 태양이 푸른 하늘의 흰 조각구름 위에 빛나고 있는 걸 봐.
● 타동사(see) + 목적어(the sun) + 목적보어[v-ing](shining ~): The sun is shining ~.

02
shine 빛나다
patch 조각[부분]

03 Don't let anyone limit your dreams. *Donovan Bailey*
누구도 네 꿈을 제한하게 하지 마.
● 타동사(let) + 목적어(anyone) + 목적보어[V](limit ~): Anyone limits your dreams.

03
let ~하게 하다[허락하다]
limit 제한하다

A **04** Seize the day; make your lives extraordinary. *Movie "Dead Poets Society"*
오늘을 잡아. 너희 삶을 비범하게 만들어.
● 타동사(make) + 목적어(your lives) + 목적보어[형용사](extraordinary): Your lives are extraordinary.

04
seize 잡다
extraordinary 비범한

05 I awoke one morning, and found myself famous. *Lord Byron*
난 어느 날 아침 깨어나 보니, 유명해져 있었어.
● 타동사(find) + 목적어(myself) + 목적보어[형용사](famous): I am famous.

Know More <배경 지식> 영국 낭만주의 대표적 시인 바이런의 말로, 유럽 여행 후 쓴 기행 장시 《차일드 해럴드의 순례》가 뜻밖의 대성공을 거두면서 일약 유명인이 되었다는 것.

05
awake 깨다(-awoke-awoken)
find 알게 되다

06 The coward calls the brave man reckless; the reckless man calls him a coward. *Aristotle*
겁쟁이는 용감한 사람을 무모하다고 하고, 무모한 사람은 용감한 사람을 겁쟁이라고 불러.
● 타동사(call) + 목적어(the brave man/him) + 형용사/명사(reckless/a coward): The brave man is reckless. / He is a coward.

Know More <배경 지식> 이성을 통해 중용의 덕을 가진 행동을 하는 것을 삶의 목표로 본 아리스토텔레스의 말로, 양 극단에 치우치면 최고의 미덕인 용기마저 밉보이게 된다는 것.

06
coward 겁쟁이
reckless 무모한

07 You cannot teach a person anything; you can only help them find it within themselves. *Galileo Galilei*
넌 어떤 사람에게 아무것도 가르쳐 줄 수 없어. 넌 그들이 자신들 속에서 그것을 발견하도록 도울 수 있을 뿐이야.
● (주는)동사(teach) + (에게)목적어(a person) + (을)목적어(anything): ~에게 …을 가르쳐 주다
● 타동사(help) + 목적어(them) + 목적보어[V/to-v](find/to find 둘 다 가능.): They find it.

07
within 속[안]에

B **08** The media makes the innocent guilty, and the guilty innocent. *Malcolm X*
대중 매체는 죄 없는 사람들도 죄인으로 만들고, 죄 있는 사람들도 무죄로 만들어.

- 타동사(make) + 목적어(the innocent / the guilty) + 목적보어[형용사](guilty / innocent)

08
media 대중 매체
innocent 무죄의
guilty 유죄의

09 Traveling leaves you speechless, then turns you into a storyteller. *Ibn Battuta*
여행은 널 말문이 막히게 한 다음, 널 이야기꾼이 되게 해.

- 타동사(leave) + 목적어(you) + 목적보어[형용사](speechless): You are speechless.

Know More <숨은 의미> 여행의 경이로운 경험은 당시엔 말문을 막지만 그 후 사람들에게 그 경험담을 얘기하게 한다는 것.

09
leave 그대로 두다
speechless 말문이 막힌
turn A into B A를 B로 바꾸다
storyteller 이야기꾼

10 All music is folk music. I have never heard a horse sing a song. *Louis Armstrong*
모든 음악은 민속[사람들] 음악이야. 난 말이 노래를 부르는 걸 들은 적이 없어.

- 타동사(hear) + 목적어(a horse) + 목적보어[V](sing): A horse sings a song.

Know More **<유머 코드>** 전설적인 미국의 재즈 음악가 루이 암스트롱의 말로, 'folk'의 두 가지 의미(사람들/민속 음악)를 이용해 음악에서의 장르 구분의 무의미함을 풍자한 것.

10
folk 사람들
folk music 민속 음악[민요]

11 Optimism allows us to evolve our ideas, to improve our situation, and to hope for a better tomorrow. *Seth Godin*
낙관주의는 우리가 생각을 발전시키고, 상황을 개선하고, 더 나은 내일을 희망하게 해.

- 타동사(allow) + 목적어(us) + 목적보어[to-v](to evolve / to improve / to hope): We evolve our ideas.
- A(to evolve ~), B(to improve ~), and C(to hope ~): A, B, and C 대등(같은 꼴) 연결. ➲ Unit 44

11
optimism 낙관주의
allow ~하게 하다[허락하다]
evolve 발전[진화]시키다
improve 개선하다

C **12** We named our group "True Justice."
우리는 우리 그룹의 이름을 '진짜 정의'라고 지었어.

- 타동사(name) + 목적어(our group) + 목적보어[명사]("True Justice"): Our group is "True Justice."

12
name 이름을 짓다
justice 정의

13 A lot of people consider climate change the most important crisis facing the world today.
많은 사람들이 기후 변화를 오늘날 세계가 직면한 가장 중요한 위기라고 여겨.

- 타동사(consider) + 목적어(climate change) + 목적보어[명사](the most important crisis ~)
- 명사(the most important crisis) + v-ing(facing ~): v-ing가 뒤에서 앞 명사 수식. ➲ Unit 16

13
consider 여기다
climate 기후
crisis 위기
face 직면하다

14 Art enables us to find ourselves and lose ourselves at the same time.
예술은 우리가 자신을 찾는 동시에 자신을 잃어버릴 수 있게 해. *Thomas Merton*

- 타동사(enable) + 목적어(us) + 목적보어[to-v](to find ~ and lose ~): We find ourselves and lose ~.
- A(to find ourselves) and B((to) lose ourselves): A와 B 대등(같은 꼴) 연결.(뒤의 to 생략 가능.)

Know More <숨은 의미> 예술을 통해 우리 정신의 활력을 찾을 수 있을 뿐만 아니라 자아를 초월한 정신세계로까지 고양될 수 있다는 것.

14
enable 할 수 있게 하다
at the same time 동시에

15 Keep your head up in failure, and your head down in success. *Jerry Seinfeld*
실패했을 때 네 고개를 들고 있고, 성공했을 때 네 고개를 숙이고 있어.

- 타동사(keep) + 목적어(your head) + 목적보어[부사](up / down): 목적보어로 부사도 올 수 있음.

15
keep 유지하다
failure 실패
success 성공

본책 36~37쪽을 함께 펴놓고 보세요!

구동사 1

주어	동사 + 전치사	목적어
Our health	relies on	the vitality of our fellow species on Earth.

Standard Sentences

01 Our health relies entirely on the vitality of our fellow species on Earth.
우리의 건강은 전적으로 지구상의 동료 종들의 활력에 의존해. *Harrison Ford*

- 동사(rely) + 부사(entirely) + 전치사(on) + 목적어(the vitality ~): entirely가 동사와 전치사 사이에 올 수 있음.

01
rely on ~에 의존[의지]하다
entirely 전적으로
vitality 활력
fellow 동료의
species 종

02 Cloning in biotechnology refers to the process of creating clones of organisms or copies of cells or DNA fragments.
생명공학에서의 클로닝은 생물체의 클론 또는 세포나 디엔에이 조각의 복제체를 만드는 과정을 가리켜.

- 명사(the process) + 전치사구(of creating ~): 명사를 뒤에서 수식하는 전치사구(전치사(of) + v-ing ~). ➲ Unit 29
- A(clones of organisms) or B(copies of ~)/A(cells) or B(DNA fragments): A와 B 대등 연결.

02
biotechnology 생명공학
refer to 가리키다[나타내다]
process 과정
organism 유기체[생물]
fragment 조각

03 Great art is subject to time, but victorious over it. *Andre Malraux*
위대한 예술은 시간에 지배당하지만 시간에 승리해.

- A(subject), but B(victorious): A와 B 대등 연결.

Know More 〈숨은 의미〉 프랑스 작가 앙드레 말로의 말로, 예술은 역사와 인간의 운명의 반영이면서도 그 역사와 운명을 초월하는 수단이라고 본 것.

03
be subject to ~에 지배당하다
victorious 승리하는

A

04 Good character consists of knowing the good, desiring the good, and doing the good. *Thomas Lickona*
좋은 성격은 좋은 걸 알고 좋은 걸 바라고 좋은 걸 하는 것으로 이루어져.

- A(knowing the good), B(desiring ~), and C(doing ~): A와 B와 C 대등(같은 꼴) 연결.

Know More 〈숨은 의미〉 도덕적 성격은 도덕적 지식과 도덕적 감성과 도덕적 행동의 습관화로 형성된다는 것.

04
character 성격
consist of ~로 이루어지다
desire 바라다

05 BTS' lyrics focus on social commentary, troubles of youth, and the journey towards loving oneself.
방탄소년단의 노랫말은 사회 비판, 청춘 문제, 그리고 자신에 대한 사랑으로 가는 여정에 집중하고 있어.

- 명사(the journey) + 전치사구(towards loving oneself): 명사 뒤수식 전치사구(전치사(towards) + v-ing ~).

05
lyric 가사
focus on ~에 집중하다
commentary 비판
youth 젊음[청춘]
journey 여행[여정]
toward(s) 향해[~에 대해]

06 Genes are composed of DNA, thread-like molecules.
유전자는 실 같은 분자인 디엔에이로 구성되어 있어.

- DNA, thread-like molecules: 동격 (DNA = thread-like molecules)

06
gene 유전자
be composed of ~로 구성되다
thread 실
molecule 분자

07 In a democratic age, the behavior of the authorities is subject to public criticism. *Anthony Daniels*
민주주의 시대엔 당국의 활동이 대중의 비판에 지배당해.

Know More 〈숨은 의미〉 국가의 주권이 국민에게 있고 모든 권력이 국민으로부터 나오는 제도인 민주주의에서, 국민으로부터 권한을 위임받은 당국은 국민에게 비판받을 의무가 있다는 것.

07
democratic 민주주의의
age 시대
behavior 행동[활동]
authorities 당국
be subject to ~에 지배당하다
criticism 비판

B **08** Always aim at **complete harmony of thought, word and deed.** *Mahatma Gandhi*
언제나 생각과 말과 행동의 완벽한 조화를 목표로 해.

08
aim at 목표하다
complete 완벽한
harmony 조화
deed 행동[행위]

09 I do not object to the phenomena, but I do object to the parrot. *Stella Gibbons*
난 어떤 현상에는 반대하지 않지만, 앵무새(처럼 흉내내는 것)에는 정말로 반대해.

- do(강조 조동사) + V(object to) ~: 문장(I object to the parrot) 강조.(동사만이 아니라 앞 내용에 반하는 사실을 강조함.) Unit 58

Know More <숨은 의미> 갖가지 사회·문화 현상에 굳이 반대하지는 않겠지만, 앵무새처럼 무작정 따르지는 않겠다는 것.

09
object to ~에 반대하다
phenomenon 현상
(복수형 phenomena)
parrot 앵무새

10 I disapprove of what you say, but I will defend to the death your right to say it. *Evelyn Hall*
난 네가 말하는 것에 동의하지 않지만, 네가 그걸 말할 수 있는 권리는 죽을 때까지 옹호할 거야.

- 구동사(disapprove of) + 목적어(what you say 네가 말하는 것): what절이 목적어. Unit 34
- 명사(your right) + to-v(to say it): to-v가 뒤에서 앞 명사를 수식. Unit 18

Know More <배경 지식> 계몽주의 사상가 볼테르의 전기 작가 이블린 홀이 볼테르의 신념을 묘사한 말로, 한 철학자가 저서 때문에 박해를 당하자 볼테르가 그 책의 내용에는 동의하지 않았지만 그 표현의 자유는 결사적으로 옹호했다는 것.

10
disapprove of
~에 동의하지 않다
defend 옹호하다
to the death 죽을 때까지

11 I am fed up with this world; I will have a chance to change it.
난 이 세상에 질렸어. 난 그걸 바꿀 수 있는 기회를 가질 거야.

- 명사(a chance) + to-v(to change it): to-v가 뒤에서 앞 명사를 수식. Unit 18

11
be fed up with ~에 질리다

C **12** A mouse does not rely on just one hole. *Plautus*
쥐는 단지 한 구멍에만 의존하지 않아.

Know More <숨은 의미> 불확실한 세상에서 외곬으로만 살지 말고 여러 가지 살길과 생존 수단을 확보할 필요가 있다는 것.

12
mouse 쥐
rely on ~에 의존하다
hole 구멍

13 Catharsis refers to **the purification of emotions, particularly pity and fear, through tragedy.**
카타르시스는 비극을 통한 감정 특히 연민과 공포의 정화를 가리켜.

- ⟨particularly pity and fear⟩가 emotions를 특별히 한정함.

13
refer to 가리키다[나타내다]
purification 정화
pity 연민[동정]
fear 공포
tragedy 비극

14 Social psychology deals with **various phases of social experience** from the psychological standpoint of individual experience. *George Mead*
사회심리학은 개인적 경험에 대한 심리학적 관점에서 사회적 경험의 다양한 국면을 다루어.

14
psychology 심리학
deal with 다루다
phase 국면[단계]
psychological 심리(학)적인
standpoint 관점[견지]

15 Self-actualized people are independent of the good opinion of others. *Wayne Dyer*
자아 실현된 사람들은 다른 이들의 호평으로부터 독립돼 있어.

15
self-actualize 자아 실현하다
be independent of
~에서 독립되다

본책 38~39쪽을 함께 펴놓고 보세요!

unit 07

구동사 2

주어	동사	목적어	전치사	목적어
Preoccupation with possessions	prevents	us	from	living freely and nobly.

(prevents ~ from: 구동사)

Standard Sentences

01 Preoccupation with possessions prevents us from living freely and nobly. *Bertrand Russell*
소유에 대한 집착은 우리가 자유롭고 고귀하게 사는 것을 막아.
- prevent A(us) from v-ing(living ~): A가 v하는 것을 막다

01
preoccupation 집착
possession 소유
nobly 고귀하게

02 Good books remind you of your highest self, and liberate you from false beliefs and illusions.
좋은 책은 네게 최고의 네 모습을 생각나게 하고, 널 잘못된 신념과 환상으로부터 해방시켜 줘.
- remind A(you) of B(your highest self): A에게 B를 생각나게 하다
- liberate A(you) from B(false beliefs ~): A를 B로부터 해방시키다

02
liberate 해방시키다
belief 신념
illusion 환상

03 You can't blame gravity for falling in love. *Albert Einstein*
넌 사랑에 빠진 것에 대해 중력을 탓할 수 없어.
- blame A(gravity) for B(falling ~): A를 B에 대해 탓하다
- 전치사(for)+v-ing(falling ~): 전치사 뒤에 동사가 올 경우 v-ing. ➲ Unit 29

Know More 〈유머 코드〉 만물은 중력 때문에 떨어지지만(fall), 중력 때문에 사랑에 빠진다(fall in love)고는 못하는 법.

03
gravity 중력
fall in love 사랑에 빠지다

A

04 Don't compare yourself with other people; compare yourself with who you were yesterday. *Jordan Peterson*
너 자신을 다른 사람들과 비교하지 마. 너 자신을 어제의 너와 비교해.
- compare A(yourself) with[to] B(other people/who you were ~): A를 B와 비교하다
- who you were yesterday: 명사절 wh-절이 전치사(with)의 목적어(어제의 너). ➲ Unit 35

05 Gratitude can turn a meal into a feast, and a house into a home. *Melody Beattie*
감사는 식사를 잔치로, 집을 가정으로 바꿀 수 있어.
- turn A(a meal/a house) into B(a feast/a home): A를 B로 바꾸다

Know More 〈숨은 의미〉 감사하는 마음을 가지면 소박한 식사도 잔치가 되고, 그냥 집도 따뜻한 가정이 된다는 것.

05
gratitude 감사
feast 잔치

06 A quarrel between friends, when made up, adds a new tie to friendship. *Francis Sales*
친구 간의 다툼은 화해되었을 때 새로운 유대감을 우정에 더해 줘.
- 주어(a quarrel ~), 삽입절(when made up), 동사(adds ~): 주어와 동사 사이에 〈when (it is) made up〉가 삽입.
- add A(a new tie) to B(friendship): A를 B에 더하다

Know More 〈숨은 의미〉 비 온 뒤에 땅이 굳어진다는 것.

06
quarrel 다툼
make up 화해하다
tie 유대

07 I regard gratitude as an asset, and its absence as a major interpersonal flaw. *Marshall Goldsmith*
난 감사를 자산으로, 감사의 결여를 대인 관계에서의 중대한 결함으로 여겨.
- regard A(gratitude/its absence) as B(an asset/a ~ flaw): A를 B로 여기다

07
asset 자산
absence 없음[결여]
interpersonal 대인관계의
flaw 결함

B **08** **People always take credit for the good, and attribute the bad to fortune.**
사람들은 늘 좋은 일의 공은 차지하고, 나쁜 일은 운의 결과로 봐. *Charles Kuralt*

- attribute A(the bad) to B(fortune): A를 B의 결과로 보다

08
take credit for ~의 공을 차지하다
fortune 운

09 **Ethnocentrism combines a positive attitude toward one's own cultural group with a negative attitude toward the other cultural group.**
자기 민족 중심주의는 자신의 문화 집단에 대한 긍정적 태도를 다른 문화 집단에 대한 부정적 태도와 결합해.

- combine A(a positive attitude ~) with B(a negative attitude ~): A를 B와 결합하다

09
ethnocentrism 자기 민족 중심주의
positive 긍정적인
attitude 태도
negative 부정적인

10 **Men may deprive you of your liberty, but no man can deprive you of the control of your imagination.** *Jesse Jackson*
사람들이 네게서 자유를 빼앗을지도 모르지만, 아무도 네게서 네 상상력에 대한 지배권을 박탈할 수는 없어.

- deprive A(you) of B(your liberty/the control ~): A에게서 B를 빼앗다[박탈하다]

10
liberty 자유
imagination 상상력

Think **11** **Intellect distinguishes the possible from the impossible; reason distinguishes the sensible from the senseless.** *Max Born*
지능은 가능한 것을 불가능한 것과 구별하고, 이성은 분별 있는 것을 분별없는 것과 구별해.

- distinguish A(the possible/the sensible) from B(the impossible/the senseless): A를 B와 구별하다

Know More 〈숨은 의미〉 지능은 논리적 사고력과 이해력이고, 이성은 진위와 선악에 대한 분별력과 판단력이라는 것.

11
intellect 지능[지적 능력]
reason 이성
sensible 분별 있는
senseless 분별없는

C **12** **I don't substitute anybody else's judgment for my own.** *Phil McGraw*
난 다른 누구의 판단도 나 자신의 판단 대신 쓰지 않아.

- substitute A(anybody else's judgment) for B(my own (judgment)): A를 B 대신 쓰다

12
substitute 대신[대체]하다
judgment 판단

13 **Social Security provides people with health care, unemployment benefit, pensions, and public housing.**
사회 보장 제도는 사람들에게 의료 서비스, 실업 수당, 연금 그리고 공공 주택을 제공해.

- provide A(people) with B(health care ~): A에게 B를 제공하다(= provide B(health care ~) for A(people))

13
Social Security 사회 보장 제도
health care 의료 서비스
unemployment benefit 실업 수당
pension 연금
public housing 공공 주택

14 **Some people accuse other generations of being ignorant of their own generation.**
어떤 사람들은 다른 세대를 자신의 세대에 대해 무지하다고 비난해.

- accuse A(other generations) of B(being ignorant ~): A를 B에 대해 비난하다
- 전치사(of) + v-ing(being ignorant ~): 전치사 뒤에 동사가 올 경우 v-ing. ➲ Unit 29

Know More 〈숨은 의미〉 세대 차이는 있을 수밖에 없으니 서로 비난하기보다는 이해하도록 노력하자!

14
generation 세대
ignorant (of[about]) (~에 대해) 무지한

15 **The world owes its progress to nervous men; the happy man confines himself to old limits.** *Nathaniel Hawthorne*
세상은 진보를 불편해하는 사람들에게 빚지고 있어. 행복한 사람은 자신을 옛 한계에 가둬.

- owe A(its progress) to B(nervous men): A를 B에 빚지다[A는 B 덕분이다]
- confine A(himself) to B(old limits): A를 B에 한정하다[가두다]

Know More 〈숨은 의미〉 행복한 사람은 과거의 한계 속에 안주하는 반면에, 현실에 불만족하고 불안해하는 사람이 이를 개선시키고자 세상의 진보를 이끈다는 것.

15
progress 진보
confine 한정하다[가두다]
limit 한계

A

01 Strength lies in differences, not in similarities. *Stephen Covey*
힘은 다름에 있지, 닮음에 있지 않아.
- 자동사(lie) + 장소 부사구(in differences / in similarities): ~에 있다

Know More 〈숨은 의미〉 힘은 비슷한 것들끼리 모여 생겨나는 게 아니라, 각기 다른 다양한 것들이 어울려 생겨난다는 것.

01
strength 힘
lie 있다
difference 다름
similarity 닮음

02 I asked God for a bike, but God doesn't work that way. So I stole a bike and asked for forgiveness. *Emo Philips*
난 신께 자전거를 부탁했지만, 신께선 그런 식으로 일하시지 않아. 그래서 난 자전거를 훔치고 나서 용서를 구했어.
- ask + (사람(God)) + for 사물(a bike / forgiveness): (~에게) (…을) 부탁하다[요청하다]

Know More 〈유머 코드〉 현실적인 소원을 들어주는 게 아니라 사후 용서를 주로 하는 종교의 신을 풍자한 것.

02
steal 훔치다(-stole-stolen)
forgiveness 용서

03 Do not live in the past; do not dream of the future; concentrate the mind on the present moment. *Buddha(석가모니)*
과거에 살지 말고, 미래를 꿈꾸지 말고, 현재의 순간에 마음을 집중해.
- concentrate A(the mind) on B(the present moment): A를 B에 집중하다

03
past 과거
dream of ~을 꿈꾸다
concentrate 집중하다
moment 순간

04 Don't count the days; make the days count. *Muhammad Ali*
하루하루를 세지 말고, 하루하루를 중요하게 만들어.
- 타동사(count) + 목적어(the days): 날들을 세다
- 타동사(make) + 목적어(the days) + 목적보어[V](count): 날들을 중요하게 만들다 The days count.

Know More 〈유머 코드〉 count의 두 가지 의미(세다/중요하다)를 이용한 절묘한 유머.

04
count 세다/중요하다

05 Times change so rapidly; we must keep our aim focused on the future. *Walt Disney*
시대가 너무 빨리 변해. 우리는 계속 목표가 미래에 집중되도록 해야 해.
- 타동사(keep) + 목적어(our aim) + 목적보어[v-ed분사](focused ~): Our aim is focused ~.(수동) ➲ Unit 28

05
rapidly 빨리
keep 계속 있게 하다
aim 목표
focus (on) (~에) 집중하다

06 The pessimist complains about the wind; the optimist expects it to change; the realist adjusts the sails. *William Arthur Ward*
비관주의자는 바람에 대해 불평하고, 낙관주의자는 바람이 바뀌길 기대하고, 현실주의자는 돛을 조정해.
- 타동사(expect) + 목적어(it) + 목적보어[to-v](to change): It(The wind) changes.

06
pessimist 비관주의자
complain (about[of]) (~에 대해) 불평하다
optimist 낙관주의자
realist 현실주의자
adjust 조정하다
sail 돛

07 Sometimes you make the right decision; sometimes you make the decision right. *Phil McGraw*
때로는 넌 옳은 결정을 하고, 때로는 넌 결정을 옳게 만드는 거야.
- 타동사(make) + 목적어(the right decision): 옳은 결정을 하다
- 타동사(make) + 목적어(the decision) + 목적보어[형용사](right): 결정을 옳게 만들다 The decision is right.

Know More 〈숨은 의미〉 옳은 결정을 하는 것도 중요하지만, 일단 내린 결정을 좋은 결과로 만들어 나가는 것도 중요하다는 것.

07
right 옳은
decision 결정

B

08 Success without honor is an unseasoned dish; it will satisfy your hunger, but it won't taste good. *Joe Paterno*
명예 없는 성공은 양념 없는 요리야. 그게 네 허기는 채워 주겠지만, 맛은 좋지 않을 거야.
- taste + 형용사(good): 맛이 ~하다

08
honor 명예
unseasoned 양념하지 않은
satisfy 충족시키다[채우다]
hunger 배고픔

09 God gives every bird its food, but does not throw it into the nest. *Josiah Gilbert Holland*
신은 모든 새에게 먹을 것을 주지만, 그걸 둥지 속에 던져 주진 않아.
- give + (에게)목적어(every bird) + (을)목적어(its food): ~에게 …을 주다

09
nest 둥지

10 Consider nothing impossible; then treat possibilities as probabilities. *Charles Dickens*
아무것도 불가능하다고 여기지 말고, 가능성을 (실현성 높은) 개연성으로 여겨.
- 타동사(consider) + 목적어(nothing) + 목적보어[형용사](impossible): Nothing is impossible.
- 타동사(treat) + 목적어(possibilities) + 목적보어(as probabilities): Possibilities are probabilities.

10
treat A as B A를 B로 여기다
possibility 가능성
probability 개연성

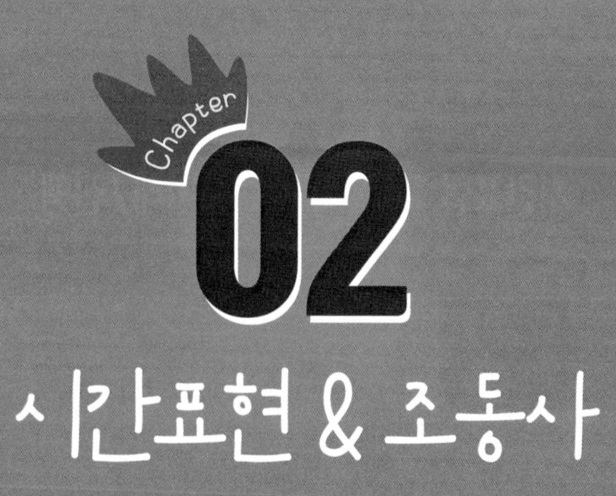

시간표현 & 조동사

Unit Words

Unit 08 시간표현 1: 현재 / 과거 / 미래 / 진행

- infinite 무한한
- pandemic 전 세계적인 유행병
- ground 지면(기반)
- ethical 윤리적인
- relativity 상대성 (이론)
- gravitation 중력(만유인력)
- displace 대체하다
- be about to 막 ~하려고 하다
- identify 밝히다(발견하다)
- chromosomal 염색체의
- estimate 추산하다
- pimple 여드름
- rent 집세(방세)
- grab 붙잡다
- biologist 생물학자

Unit 09 시간표현 2: 현재완료 / 과거완료 / 미래완료

- extinct 멸종된(사라진)
- elders 어른들
- never fail to-v 어김없이 v하다
- imitate 모방하다
- cosmic 우주의
- explosion 폭발
- billion 10억
- expand 팽창(확대)하다
- role 역할(배역)
- produce 생산하다(만들어 내다)
- die out 멸종하다(자취를 감추다)
- specialist 전문가
- evolve 발달(진화)하다
- solar 태양의
- the Milky Way 은하(계)
- Social Security 사회 보장 제도
- unequal 불공평한
- conflict 갈등

Unit 10 조동사 1: 능력[가능] / 의무[권고]

- perseverance 인내(심)
- above all 무엇보다도
- defeat 패배시키다(이기다)
- sustainable 지속 가능한
- inspiration 영감
- neutrality 중립
- oppressor 압제자(억압하는 사람)
- victim 피해자
- recognize 알아보다
- genetic engineering 유전 공학
- complexity 복잡성
- poverty 가난(빈곤)
- bar 장해(물)
- escape 탈출
- drive out 몰아내다

Unit 11 조동사 2: 추측[가능성] / 후회

- security 보안(안전)
- in the long run 결국에는
- mild 온화한
- arrogant 오만한
- regular 보통 크기의
- participation 참여
- benefit 유익하다
- slip 삐져나가다(미끄러지다)
- specific 구체적인(명확한)
- regret 후회
- evolution 진화
- accumulate 축적하다(모으다)

Unit 12 조동사 3: 기타 조동사 / 준조동사

- attack 공격하다
- superstition 미신
- live up to ~에 따라 살다
- reveal 드러내다
- bond 유대
- union 통합
- fellowship 동료애
- parasite 기생충
- humble 겸손한

본책 42~43쪽을 함께 펴놓고 보세요!

시간표현 1: 현재/과거/미래/진행

주어	동사	목적어	부사어
Nature	is painting	pictures of infinite beauty	every day.

Standard Sentences

01 Nature is painting pictures of infinite beauty for us every day. *John Ruskin*

자연은 날마다 우리를 위해 무한히 아름다운 그림들을 그리고 있어.

- 현재진행: be v-ing(is painting)

01
infinite 무한한
beauty 아름다움

02 One pandemic of Spanish flu took about 30 million lives worldwide from 1918 to 1920.

스페인 독감이라는 전 세계적인 유행병은 1918년에서 1920년까지 전 세계적으로 약 3천만 명의 목숨을 앗아갔어.

- 역사적 사실: 과거시제(took)

02
pandemic 전 세계적인 유행병
flu 독감
take 가져[앗아]가다
worldwide 전 세계적으로

03 The development of biology is going to destroy our traditional grounds for ethical belief. *Francis Crick*

생물학의 발달은 윤리적 신념에 대한 우리의 전통적 기반을 파괴할 거야.

- 미래표현: be going to V(is going to destroy)

Know More <배경 지식> 제임스 왓슨과 함께 DNA의 이중 나선 구조를 밝힌 프랜시스 크릭의 말로, 유전자 조작 등으로 야기될 윤리적 문제를 예견한 것.

03
development 발전
biology 생물학
destroy 파괴하다
traditional 전통적인
ground 지면[기반]
ethical 윤리적인

04 When your future arrives, will you blame your past? *Robert Half*

네 미래가 왔을 때, 넌 네 과거를 탓할 거니?

- when + 주어 + 동사: ~할 때(시간 부사절) ➲ Unit 46
- 미래 시간 부사절(when ~)에 현재시제가 쓰임. When + 주어 + V(-s)(arrives), will + 주어 + V(blame) ~?

04
blame 탓하다
past 과거

A

05 General relativity explains the law of gravitation and its relation to other forces of nature.

일반 상대성 이론은 중력의 법칙과 그것과 자연의 다른 힘들과의 관계를 설명해.

- A(the law of gravitation) and B(its relation to ~): A와 B 대등 연결. ➲ Unit 44

Know More <배경 지식> 일반 상대성 이론은 아인슈타인이 1915년에 발표한 물리 이론으로, 중력(의 영향)을 시공간의 휘어짐으로 설명함.

05
relativity 상대성(이론)
gravitation 중력[만유인력]
relation 관계

06 AI is going to displace 40 percent of world's jobs within 15 years. *Kai-Fu Lee*

인공 지능이 15년 내에 세계의 일자리 40%를 대체하게 될 거야.

- 미래표현: be going to V(is going to displace)

06
AI(=artificial intelligence) 인공 지능
displace 대체하다

07 Something great is about to happen to me: I'm about to love somebody.

멋진 일이 내게 막 생기려고 해. 난 누군가를 막 사랑하려고 해. *Jack Kerouac*

- be about to V(is about to happen/am about to love): 막 ~하려고 하다

B **08** The Human Genome Project identified the chromosomal locations and structure of the estimated 25,000 genes in human cells in 2003.
인간 게놈 프로젝트가 2003년에 25,000개로 추산되는 인간 세포 유전자의 염색체 위치와 구조를 밝혔어.

- 역사적 사실: 과거시제(identified)
- 명사(the chromosomal locations and structure) + 전치사구(of the estimated ~ cells): 전치사구의 명사 뒤 수식.

08
identify 밝히다[발견하다]
chromosomal 염색체의
location 위치
estimate 추산하다
cell 세포

09 If you are prepared, you will be confident and will do the job. *Tom Landry*
네가 준비되어 있으면, 넌 자신감을 갖고 일을 하게 될 거야.

- if + 주어 + 동사: ~면(조건 부사절) Unit 50
- 미래 조건 부사절(if ~)에 현재시제가 쓰임. If + 주어 + V(-s)(are) ~, 주어 + will V(be) ~.

09
prepared 준비된
confident 자신감 있는

10 Dear pimples, if you don't leave my face, you will have to pay some rent.
여드름들에게, 너희가 내 얼굴을 떠나지 않으면, 너희는 방세를 내야 할 거야.

- if + 주어 + 동사: ~면(조건 부사절) Unit 50
- 미래 조건 부사절(if ~)에 현재시제가 쓰임. If + 주어 + V(-s)(don't leave) ~, 주어 + will have to V ~

10
pimple 여드름
rent 집세[방세]

11 Grab a chance, and you won't be sorry for a might-have-been. *Arthur Ransome*
기회를 잡으면, 넌 있었을지도 모르는 일에 대해 후회하지 않을 거야.

- 명령문(Grab a chance), and ...: ~하면, ... Unit 44

Know More <숨은 의미> 현재 기회를 잡아야, 미래에 현재의 기회를 놓쳐서 없지만 기회를 잡았다면 있었을지도 모르는 일에 대해 후회하지 않을 거라는 것(현재 기회를 놓치면 미래에 후회할 거라는 것).

11
grab 붙잡다
sorry 후회하는
might-have-been
있었을지도 모르는 일

C **12** No one is thinking about you; they're thinking about themselves, just like you. *Helen Fielding*
아무도 너에 대해 생각하고 있지 않아. 그들도 꼭 너처럼 자신들에 대해 생각하고 있어.

- 현재진행: be v-ing(is/are thinking)

Know More <숨은 의미> 각자 자신에 대해 생각하기도 바쁘니, 너무 남들을 의식하지 말고 자신에 충실하라는 것.

13 You were sleeping soundly, so I didn't wake you up.
네가 곤히 잠자고 있어서, 난 널 깨우지 않았어.

- 과거진행: was[were] v-ing(were sleeping)

13
soundly 깊이[곤히]
wake up 깨우다[깨다]

14 Q: What was the biologist wearing on his first date? A: Designer jeans.
Q: 생물학자가 첫 데이트 때 무엇을 입고 있었을까? A: 유명 브랜드 진바지.

- 과거진행: was[were] v-ing(was wearing)

Know More <유머 코드> jeans(진바지)가 genes(유전자들)와 같은 발음인 것을 이용한 유머.

14
biologist 생물학자
designer jeans
유명 디자이너 진바지

15 In the next 50 years, people will be living to be 130; they'll be working until they're 100. *Willard Scott*
앞으로 50년 후에는, 사람들이 130살까지 살고 있을 거고, 100살까지 일하고 있을 거야.

- 미래진행: will be v-ing(will be living/working)
- until + 주어 + 동사: ~할 때까지(시간 부사절) Unit 46

본책 44~45쪽을 함께 펴놓고 보세요!

시간표현 2: 현재완료/과거완료/미래완료

주어	동사	목적어
I	have just found	10,000 ways that won't work.

Standard Sentences

01 I have not failed; I've just found 10,000 ways that won't work. *Thomas Edison*

난 실패하지 않았고, 효과가 없을 10,000가지 방법을 막 발견했을 뿐이야.

- 현재완료: have v-ed분사(have (not) failed / have (just) found)
- 명사(10,000 ways) + 관계절(that won't work): 관계절(관계사(that) + 동사)이 뒤에서 앞명사 수식. Unit 37

Know More <배경 지식> 학문적 이론보다 호기심과 수많은 실험을 통해 가장 많은 발명(1,093개의 특허)을 남긴 에디슨의 말로, 실패조차 하나의 발견으로 본 것.

01
fail 실패하다
work 효과가 있다

02 I have been reading science fiction since I was a little kid.

난 어린아이였을 때부터 공상과학 소설을 읽어 오고 있어.

- 현재완료진행: have been v-ing(have been reading)
- since + 주어 + 동사: ~한 이후로(시간 부사절) Unit 46

02
science fiction
공상과학 소설

03 When God had completed his work on the seventh day, he rested from all his work. *The Bible*

신이 7일째 그의 일을 끝마쳤을 때, 그는 모든 일에서 벗어나 쉬었어.

- when + 주어 + 동사: ~할 때(시간 부사절) Unit 46
- 과거완료 had v-ed분사(had completed): 과거 어느 시점(he rested ~) 이전 일.

03
complete 끝마치다

04 By the year 2100, between 50% and 90% of the languages currently spoken in the world will have gone extinct.

2100년쯤에는 세계에서 현재 말해지는 언어들 중 50퍼센트에서 90퍼센트 사이가 사라지게 될 거야.

- 명사(the languages) + v-ed분사((currently) spoken ~): v-ed분사가 뒤에서 앞 명사 수식. Unit 17
- 미래완료: will have v-ed분사(will have gone)
- 연결동사(go) + 형용사(extinct): 멸종되다[사라지다]

Know More <배경 지식> 세계화에 따른 유력 언어 사용의 확산 등으로 현재 6,000여 종의 언어 중 소수 민족 언어를 포함한 50-90%가 멸종 위기에 처해 있다는 것.

04
currently 현재[지금]
extinct 멸종된[사라진]

A

05 Humans have been enjoying the fruits of bee labor for 9,000 years.

인간은 9,000년 동안 벌의 노동의 결실[꿀]을 즐겨오고 있어.

- 현재완료진행: have been v-ing(have been enjoying)

Know More <숨은 의미> 최근 고고학의 발견으로 인간이 신석기 시대부터 벌꿀을 이용해 왔다는 흔적이 확인되었다는 것.

05
bee 벌
labor 노동

06 Have you ever watched a leaf leave a tree, or heard the silence just before the dawn?

넌 나뭇잎이 나무에서 떠나는 걸 본 적이 있거나, 동트기 직전의 고요를 들어 본 적이 있니?

- 현재완료: have v-ed분사(have (ever) watched / heard)
- 타동사(watch) + 목적어(a leaf) + 목적보어[V](leave ~)

06
silence 고요[침묵]
dawn 새벽

07 Children have never been very good at listening to their elders, but they have never failed to imitate them. *James Baldwin*

아이들은 어른들 말을 듣는 걸 그리 잘한 적은 결코 없지만, 그들을 모방하지 않은 적도 결코 없어[어김없이 그들을 모방해 왔어].

- 현재완료: have v-ed분사(have (never) been / failed)
- be (very) good at + v-ing(listening): ~하는 것을 잘하다(전치사(at) 뒤에 동사가 올 경우 v-ing.) Unit 29
- never fail to-v: 어김없이 v하다

07
elders 어른들
fail 실패하다[~하지 않다]
imitate 모방하다

B **08** A cosmic explosion called the big bang occurred about 13.7 billion years ago, and the universe has since been expanding and cooling.
빅뱅이라 불리는 우주의 폭발이 약 137억 년 전에 일어났고, 우주는 그 이후로 팽창하고 냉각되어 왔어.

- 명사(a cosmic explosion) + v-ed분사(called ~): v-ed분사가 뒤에서 앞 명사 수식. ➲Unit 17
- 현재완료진행: have[has] been v-ing(has (since) been expanding and cooling)

08
cosmic 우주의
explosion 폭발
occur 일어나다[발생하다]
billion 10억
universe 우주
expand 팽창[확대]하다

09 Many movie stars had been playing several small roles before they got big ones.
많은 유명 영화배우들이 큰 배역들을 얻기 전에 몇몇 작은 배역들을 연기해 오고 있었어.

- 과거완료진행: had been v-ing(had been playing): 과거 어느 시점(they got ~) 이전 일의 계속을 나타냄.
- before + 주어 + 동사: ~하기 전에(시간 부사절) ➲Unit 46

09
movie star 유명 영화배우
role 역할[배역]

10 If you produce one book, you will have done something wonderful in your life. *Jackie Kennedy*
네가 책 한 권을 만들어 낸다면, 넌 살면서 멋진 무언가를 하게 된 걸 거야.

- if + 주어 + 동사: ~면(조건 부사절) ➲Unit 50 *미래 조건 부사절에 현재시제(produce)가 쓰임.
- 미래완료: will have v-ed분사(will have done)

10
produce 생산하다[만들어 내다]

11 The wide knowledge had already died out by the close of the 18th century; and by the end of the 19th century the specialist had evolved. *Dietrich Bonhoeffer*
폭넓은 지식은 이미 18세기 말쯤 자취를 감추었고, 19세기 말쯤에는 전문가가 발달했어.

- 과거완료: had v-ed분사(had (already) died out / had evolved)
- by + 시간: (늦어도) ~까지는[쯤에는]

Know More <배경 지식> 모든 분야에서 전근대적인 어둠에 이성의 빛을 비춘 유럽의 계몽주의는 다방면에 걸쳐 폭넓은 지식을 갖춘 지식인들을 배출했는데, 그 이후 세분화된 집중적인 교육을 통해 전문화되어 갔다는 것.

11
die out
멸종하다[자취를 감추다]
close 끝
specialist 전문가
evolve 발달[진화]하다

C **12** We have already discovered more than 4,000 planets outside the solar system in the Milky Way.
우리는 이미 은하계의 태양계 밖에 있는 4,000개 넘는 행성을 발견했어.

- 현재완료: have v-ed분사(have (already) discovered)

12
discover 발견하다
planet 행성
solar 태양의
the Milky Way 은하(계)

13 Poverty among seniors has declined since Social Security started.
어르신 빈곤이 사회 보장 제도가 시작된 이후로 감소해 왔어.

- since + 주어 + 동사: ~한 이후로(시간 부사절) ➲Unit 46

13
poverty 가난[빈곤]
senior (= senior citizen) 어르신
decline 감소하다
Social Security 사회 보장 제도

14 Much of human history has consisted of unequal conflicts between the haves and the have-nots. *Jared Diamond*
인간 역사의 대부분이 가진 자들과 못 가진 자들 사이의 불평등한 갈등으로 이루어져 왔어.

- 명사(unequal conflicts) + 전치사구(between the haves and ~): 전치사구가 뒤에서 명사 수식.

Know More <배경 지식> 재러드 다이아몬드의 《총, 균, 쇠》에 나오는 말로, 서로 다른 대륙과 지역 간의 환경적 요인으로 인해 식량 생산과 사회 발전의 차이가 있어 왔다는 것.

14
consist of ~로 이루어지다
unequal 불공평한
conflict 갈등
the haves and the have-nots 가진 자들과 못 가진 자들

15 Technology and social media have brought power back to the people. *Mark McKinnon*
과학 기술과 소셜 미디어는 권력을 (특권 계층이 아닌) 보통 사람들에게 돌려주었어.

Know More <배경 지식> 특권층에 장악된 TV, 신문 등 전통 매체가 누렸던 정보 권력이, 통신 기술과 소셜 미디어에 의해 민주화·개방화되어 보통 사람들 모두가 콘텐츠의 생산자이자 소비자로서 정보를 공유하게 되었다는 것.

15
bring back 돌려주다
the people (특권 계층이 아닌) 보통 사람들

본책 46~47쪽을 함께 펴놓고 보세요!

조동사 1: 능력(가능)/의무(권고)

주어	조동사 + V	목적어	부사어
Nobody	can hurt	me	without my permission.

Standard Sentences

01 Nobody can hurt me without my permission. *Mahatma Gandhi*
아무도 내 허락 없이 날 아프게 할 수 없어.
- can: ~할 수 있다(가능)

Know More 〈숨은 의미〉 마하트마 간디의 말로, 남들의 말과 행동에 휘둘려 상처 입지 않겠다는 것과 오직 자신만이 주체적으로 자신의 고통을 감당하겠다는 것.

01
permission 허락

02 We must have perseverance and above all confidence in ourselves. *Marie Curie*
우리는 인내심과 무엇보다 자신에 대한 신뢰를 가져야 해.
- must: ~해야 한다(강한 의무·권고)
- A(perseverance) and B((above all) confidence in ourselves): A와 B 대등 연결.

02
perseverance 인내(심)
above all 무엇보다도
confidence 신뢰(자신감)

03 We should not give up; we should not allow the problem to defeat us. *Abdul Kalam*
우리는 포기해선 안 돼. 우리는 문제가 우리를 이기도록 허용해선 안 돼.
- should not: ~해서는 안 된다(안 하는 게 좋다)(약한 의무·권고)
- 타동사(allow) + 목적어(the problem) + 목적보어(to-v)(to defeat ~): ~가 v하도록 허락(허용)하다

03
give up 포기하다
allow 허락(허용)하다
defeat 패배시키다(이기다)

04 We have to transform our energy system from fossil fuels to sustainable energy.
우리는 화석 연료에서 지속 가능한 에너지로 우리의 에너지 체계를 완전히 바꿔야 해.
- from A(fossil fuels) to B(sustainable energy): A에서 B로

04
transform 완전히 바꾸다
fossil fuel 화석 연료
sustainable 지속 가능한

A **05** You can't wait for inspiration; you have to go after it with a club. *Jack London*
넌 영감을 기다릴 수 없으니, 곤봉을 들고 그것을 뒤쫓아야 해.
- can't: ~할 수 없다(불가능)
- have to: ~해야 한다(강한 권고)

Know More 〈숨은 의미〉 미국 소설가 잭 런던의 말로, 영감을 수동적으로 기다릴 게 아니라 적극적으로 추구해야 한다는 것.

05
inspiration 영감
go after ~을 뒤쫓다(따라가다)
club 곤봉

06 Q: Why should you never date tennis players?
A: Love means nothing to them.
Q: 넌 왜 테니스 선수들과 절대 데이트해선 안 될까? A: 러브는 그들에게 아무것도 아닌 걸 의미하니깐.

Know More 〈유머 코드〉 테니스에서 0점(무득점)을 "love"라 하니 테니스 선수에게 '러브'는 무의미할 것이므로 사귀지 말라는 것.

07 We must always take sides: neutrality helps the oppressor, never the victim. *Elie Wiesel*
우리는 언제나 편을 들어야 해. 중립은 압제자를 돕지, 절대 피해자를 돕지 않아.
- never (helps) the victim: 생략

Know More 〈배경 지식〉 나치 독일의 아우슈비츠 수용소에 수감되어 가족 모두를 살해당하고 홀로 살아남아 코스트 회고록 《밤》을 쓴 엘리 위젤의 너무나도 유명하고 통렬한 1986년 노벨 평화상 수상 연설.

07
take sides 편을 들다
neutrality 중립
oppressor 압제자(억압하는 사람)
victim 피해자

B **08** Humans, chimpanzees, elephants and dolphins can recognize **themselves in a mirror.**
인간, 침팬지, 코끼리 그리고 돌고래는 **거울 속의 자신들을** 알아볼 수 있어.

08
recognize 알아보다
mirror 거울

09 With genetic engineering, we will be able to increase **the complexity of our DNA, and improve the human race.** *Stephen Hawking*
유전 공학으로 우리는 **디엔에이의 복잡성을** 증가시키고, **인종을** 개선할 수 있을 거야.

- will be able to: ~할 수 있을 것이다(미래 가능)
- be able to A(increase ~) and B(improve ~): A와 B 대등 연결.

Know More <숨은 의미> 이론 물리학자 스티븐 호킹이 한 말로, 인간의 지능이 인공 지능에 추월당하지 않으려면 획기적인 유전 공학의 발전이 있어야 한다는 것.

09
genetic engineering 유전 공학
increase 증가시키다
complexity 복잡성
race 인종

10 Poverty must not be a bar to learning; learning must offer **an escape from poverty.** *Lyndon Johnson*
가난이 배움의 걸림돌이 되어선 안 되고, 배움은 **가난으로부터의 탈출구를** 제공해야 해.

- must not: ~해서는 안 된다(금지)
- must: ~해야 한다(강한 의무·권고)

10
poverty 가난[빈곤]
bar 장애(물)
offer 제공하다
escape 탈출

11 If you want **something,** you had better make **some noise.** *Malcolm X*
네가 **뭔가를** 원하면, 넌 **큰 소리를** 내는 게 좋을 걸.

- if + 주어 + 동사: ~면(조건 부사절) ➲ Unit 50
- had better: ~하는 게 좋을 걸(강한 권고[경고])

Know More <숨은 의미> 미국 흑인 인권 운동가 맬컴 엑스의 말로, 요구가 있으면 큰 소리로 해야 받아들여질 가능성도 커진다는 것.(우는 아이 젖 준다[보채는 아이 밥 한술 더 준다].)

C **12** Darkness cannot drive out **darkness;** only light can do **that.** *Martin Luther King*
어둠은 **어둠을** 몰아낼 수 없고, 오직 빛만이 **그렇게** 할 수 있어.

- do that = drive out darkness

12
darkness 어둠
drive out 몰아내다

13 You don't have to see **the whole staircase;** just take **the first step.** *Martin Luther King*
넌 **계단 전체를** 볼 필요가 없고, 그저 **첫걸음만** 내디뎌.

- don't have to: ~할 필요가 없다(불필요)

13
staircase 계단

14 Courage ought to have **eyes as well as arms.** *Henry Bohn*
용기는 **(행동하는) 팔뿐만 아니라 (분별하는) 눈도** 있어야 해.

- ought to: ~해야 한다(약한 의무·권고)
- A as well as B: B뿐만 아니라 A도

14
courage 용기

15 One had better not rush; otherwise dung comes out rather than creative work. *Anton Chekhov*
우리는 서두르지 않는 게 좋을 걸. 그렇지 않으면 창조적인 작품보다는 똥이 나와.

- had better not: ~하지 않는 게 좋을 걸(강한 권고[경고])
- A(dung) ~ rather than B(creative work): B보다는 A

15
rush 서두르다
otherwise 그렇지 않으면
dung 똥
rather than ~보다는[대신에]
creative 창조적인

본책 48~49쪽을 함께 펴놓고 보세요!

조동사 2: 추측(가능성) / 후회

주어	조동사 + V	목적어
Cybercrime	may threaten	a person or a nation's security.

Standard Sentences

01 Cybercrime may threaten a person or a nation's security and financial health.
사이버범죄는 사람이나 국가의 안전과 재정 건전성을 위협할지 몰라.
- may[might] V(threaten): ~일지도 모른다(불확실한 추측)

01
threaten 위협하다(위태롭게 하다)
security 보안(안전)
financial 재정(금융)의
health 건강(건전)성

02 I must have been an unsatisfactory child for grownups to deal with.
난 틀림없이 어른들이 다루기에 만족스럽지 못한 아이였을 거야. *William Golding*
- must have v-ed분사(been): 틀림없이 ~였을 것이다(과거에 대한 확실한 추측)
- 명사(an unsatisfactory child) + 의미상 주어(for grownups) + to-v(to deal with): to-v가 뒤에서 앞 명사를 수식. (〈for ~〉는 to-v의 의미상 주어.)

02
unsatisfactory 만족스럽지 못한
grownup 어른(성인)
deal with 다루다(대하다)

03 I should have judged her according to her actions, not her words.
난 그녀를 말이 아니라 행동으로 판단했어야 했어. *The Little Prince*
- should have v-ed분사(judged): ~했어야 했는데 (하지 않았다) (과거에 대한 후회·유감)

03
judge 판단하다
according to ~에 따라
action 행동

A

04 People might look great on the outside, but they may have problems.
사람들은 겉으로는 멋져 보일지도 모르지만, 그들은 문제들을 가지고 있을지도 몰라. *Sara Shepard*
- may[might] V(look / have): ~일지도 모른다(불확실한 추측)

04
on the outside 겉으로는

05 We must be for ourselves in the long run; the mild and generous are only more justly selfish than the arrogant. *Emily Bronte*
우리는 틀림없이 결국 자신을 위해 존재할 건데, 온화하고 너그러운 사람들은 오만한 사람들보다 단지 더 정당하게 이기적일 뿐이야.
- must V(be): 틀림없이 ~일 것이다(확실한 추측)
- the + 형용사(mild / generous / arrogant) = 형용사(mild / generous / arrogant) + people

Know More 〈숨은 의미〉 영국 소설가 에밀리 브론테의 《폭풍의 언덕》(Wuthering Heights)에 나오는 말로, 이기성과 사회성은 서로 모순되지 않고, 남들에 대한 배려심도 결국 정당한 이기심의 발로라는 것.

05
in the long run 결국에는
mild 온화한
generous 너그러운
justly 정당하게
selfish 이기적인
arrogant 오만한

06 You just had two regular pizzas; you can't be hungry.
넌 방금 보통 크기 피자 두 개를 먹었으니, 배고플 리가 없어.
- can't V(be): ~일 리가 없다(가능성 부정)

06
regular 보통 크기의

07 The Internet could be a very positive step towards education and participation in a meaningful society. *Noam Chomsky*
인터넷은 교육과 의미 있는 사회 참여를 위한 매우 긍정적인 단계가 될 수도 있어.
- could V(be): ~일 수도 있다(불확실한 추측)
- 명사(a very positive step) + 전치사구(towards ~): 전치사구가 뒤에서 앞 명사 수식.
- A(education) and B(participation ~ society): A와 B 대등 연결.

07
positive 긍정적인
step 단계
education 교육
participation 참여
meaningful 의미 있는

B **08** The good man ought to be a lover of self; he will benefit both himself and his neighbors by acting nobly. *Aristotle*
선한 사람은 틀림없이 자신을 사랑하는 사람일 거고, 그는 고귀하게 행동함으로써 자기 자신과 이웃들 둘 다에게 유익할 거야.

- ought to V(be): 틀림없이 ~일 것이다(확실한 추측)
- both A(himself) and B(his neighbors): A와 B 둘 다 ➔ Unit 45
- 전치사(by) + v-ing(acting ~): 전치사 뒤에 동사가 올 경우 v-ing.

08
benefit 유익하다
neighbor 이웃
nobly 고귀하게

09 I shouldn't have said it, but the word slipped out of my mouth as easily as air. *Obert Skye*
난 그 말을 하지 말았어야 했지만, 그 말은 공기처럼 쉽게 내 입 밖으로 빠져나갔어.

- shouldn't have v-ed분사(said): ~하지 말았어야 했는데 (했다)(과거에 대한 후회·유감)
- as + 부사(easily) + as ~(air): ~처럼 …하게 ➔ Unit 56

09
slip 빠져나가다[미끄러지다]

10 George Washington could not have known Abraham Lincoln; they lived at different times.
조지 워싱턴이 에이브러햄 링컨을 알았을 리가 없었는데, 그들은 다른 시대에 살았어.

- could not have v-ed분사(known): ~였을 리가 없었다(과거 사실에 대한 강한 부정)

11 Millions of flies can't be wrong, but we can't eat waste like them.
수많은 파리들이 다 잘못할 리가 없지만, 우리가 그들처럼 쓰레기를 먹을 수는 없어.

- can't V(be/eat): ~일 리가 없다/~할 수 없다

Know More 〈유머 코드〉 can't의 두 가지 의미를 이용한 유머로, 다수가 틀릴 가능성은 낮겠지만 그렇다고 항상 옳다고 여기며 맹목적으로 추종할 수만은 없다는 신랄한 풍자.

11
millions of 수많은
fly 파리
waste 쓰레기

C **12** I always wanted to be somebody, but I should have been more specific.
난 언제나 대단한 사람이 되기를 원했지만, 난 더 구체적이었어야 했어. *Lily Tomlin*

- want(타동사) + 목적어[to-v](to be somebody): want는 to-v를 목적어로 하는 동사. ➔ Unit 25
- should have v-ed분사(been): ~했어야 했는데 (하지 않았다) (과거에 대한 후회·유감)

12
somebody 중요한[대단한] 사람
specific 구체적인[명확한]

13 History is one long regret; everything might have turned out so different.
역사는 하나의 긴 후회인데, 모든 게 아주 달라졌을지도 몰라. *Charles Warner*

- may[might] have v-ed분사(turned): ~였을지도 모른다(과거에 대한 불확실한 추측)
- 연결동사(turn out) + 형용사(so different): ~되다

Know More 〈숨은 의미〉 역사는 가정이 아니라 사실이고 후회는 부질없는 짓이지만, 역사에는 사소한 잘못으로 안타까운 결과가 초래된 경우도 많다는 것.

13
regret 후회
turn out 되다

14 Our evolution could have gone in different directions a lot of times; we could have gone extinct at some points. *Sam Kean*
우리의 진화는 여러 번 다른 방향으로 갔을 수도 있었고, 우리는 어느 시점에서 멸종되었을 수도 있었어.

- could have v-ed분사(gone): ~였을 수도 있었다(과거에 대한 불확실한 추측)

14
evolution 진화
direction 방향
extinct 멸종된

15 Many traditional religious attitudes ought to have disappeared as biological understanding accumulated over the last century. *George C. Williams*
많은 전통적인 종교적 사고방식은 생물학적 이해가 지난 세기 동안 축적되면서 없어졌어야 했어.

- ought to have v-ed분사(disappeared): ~했어야 했는데 (하지 않았다) (과거에 대한 후회·유감)
- as + 주어 + 동사: ~하면서[~하는 동안] (시간 부사절) ➔ Unit 46

15
traditional 전통의
religious 종교적인
attitude 태도[사고방식]
biological 생물학적인
accumulate 축적하다[모으다]

본책 50~51쪽을 함께 펴놓고 보세요!

unit 12

조동사 3: 기타 조동사/준조동사

주어	조동사 + V	보어
I	used to be	ashamed.

Standard Sentences

01 I used to be ashamed; now I am proud. I used to walk head bent; now I stand up tall. *Judith McNaught*

난 부끄러워하곤 했었지만, 지금은 자랑스러워. 난 고개를 숙이고 걷곤 했었지만, 지금은 꼿꼿이 서 있어.

- used to V(be/walk): ~하곤 했다(과거 오랫동안 반복된 동작[습관])
- 주어 + 자동사(walk/stand up) + 형용사(head bent/tall): 형용사가 주어의 상태를 추가 설명.

01
ashamed 부끄러운
bend 굽히다[숙이다] (-bent-bent)

02 We cannot help but smile at babies and watch them smile back. *Madeleine Kunin*

우리는 아기들에게 미소 짓지 않을 수 없고 그들이 되받아 미소 지어 주는 걸 보지 않을 수 없어.

- cannot (help) but V(smile): ~하지 않을 수 없다
- 타동사(watch) + 목적어(them) + 목적보어[V](smile back): ~가 v하는 것을 보다

03 We are not supposed to be all equal; we are supposed to have equal rights under law. *Ben Stein*

우리는 모두 동등해야 하는 게 아니라, 법 아래 평등한 권리를 가져야 해.

- be supposed to V(be/have): ~하기로 되어 있다[해야 한다]

Know More <숨은 의미> '법 앞의 평등'(equality before the law)은 각 시민이 평등과 정의의 법에 의해 차별받지 않을 것을 국가에 요구할 수 있는 권리이자 원칙임.

03
equal 동등한[평등한]
right 권리
law 법

A

04 Dear haters, I couldn't help but notice "awesome" ends with "me" and "ugly" starts with "(yo)u."

혐오자들에게, 난 "awesome(아주 멋진)"이 "me(나)"로 끝나고 "ugly(추한)"는 "(yo)u(너)"로 시작된다는 걸 알아차리지 않을 수 없었어.

- couldn't (help) but V(notice): ~하지 않을 수 없었다
- notice + that절((that 생략) 주어("awesome") + 동사(ends) ~): that절(~ 것)이 목적어(~ 것을 알아차리다). unit 33

Know More <유머 코드> 악플러 등 부당한 적대감을 드러내는 이들에게 대조적인 형용사 스펠링을 이용해 한 방 먹이는 것.

04
hater 혐오자
notice 알아차리다
awesome 아주 멋진
ugly 추한

05 We cannot too strongly attack all kinds of superstitions or social evils. *Rousseau*

우리는 모든 종류의 미신이나 사회악을 아무리 강하게 공격해도 지나치지 않아.

- cannot … too ~: 아무리 ~해도 지나치지 않다

05
attack 공격하다
superstition 미신
evil 악

Up!

06 I am not bound to win, but I am bound to be true; I am not bound to succeed, but I am bound to live up to the light I have. *Abraham Lincoln*

난 꼭 이길 것 같지는 않지만, 진실해야 해. 난 꼭 성공할 것 같지는 않지만, 내가 가진 빛에 따라 살아야 해.

- be (not) bound to V(win/succeed): 꼭 ~할 것 같다(같지 않다)
- be bound to V(be/live): ~해야 한다
- 명사(the light) + 관계절(I have): 관계사 which[that]이 생략된 관계절이 뒤에서 명사 수식. unit 38

06
live up to ~에 따라 살다

07 A great man is always willing to be little. *Ralph Emerson*

위대한 사람은 언제나 기꺼이 작아져[자신을 낮춰].

- be willing to V(be): 기꺼이 ~하다

B **08** When I was little, my mom would read me **bedtime stories** every night.
내가 어렸을 때, 우리 엄마는 매일 밤 **잠잘 때** 내게 **동화책들**을 읽어 주시곤 했어.

- when + 주어 + 동사: ~할 때(시간 부사절) ➲ Unit 46
- would: ~하곤 했다(과거 얼마동안 반복된 동작[습관])
- read + (에게)목적어(me) + (을)목적어(bedtime stories): ~에게 …을 읽어 주다

08
bedtime story 잠잘 때의 동화

09 You may as well not know a thing at all as know it **imperfectly**.
넌 어떤 걸 **불완전하게** 아는 것보다는 차라리 그걸 전혀 알지 못하는 편이 나아.

- may[might] as well A(not know ~) as B(know ~): B보다는 차라리 A하는 편이 낫다

09
imperfectly 불완전하게

10 **Teenagers** would rather **text** than talk; they feel calls would **reveal** too much. *Sherry Turkle*
십대들은 말하기보다는 차라리 **문자를 보내고** 싶어 하는데, 그들은 전화가 너무 많이 **드러낼** 거라고 생각해.

- would rather A(text) than B(talk): B보다는 차라리 A하고 싶다
- feel + (that) + 주어(calls) + 동사(would reveal) ~: ~라고 생각하다(that절이 feel의 목적어절.) ➲ Unit 33

10
teenager 십대
text 문자를 보내다
reveal 드러내다

11 We are obliged to respect and **defend** the **common bonds** of **union** and **fellowship** of the human race. *Cicero*
우리는 인류의 **통합**과 **동료애**의 **공동 연대**를 존중하고 **수호**해야 해.

- be obliged to V(respect and defend): (의무적으로) ~해야 한다

11
defend 방어[수호]하다
common 공동의
bond 유대
union 통합
fellowship 동료애

C **12** "**Parasite**" is supposed to be one of the greatest movies in the world.
'**기생충**'은 세계적으로 가장 훌륭한 영화들 중 하나로 여겨져.

- be supposed to V(be): ~인 것으로 여겨진다[~라고 한다]
- one of the 최상급(greatest) + 복수명사(movies): 가장 ~한 것들 중 하나 ➲ Unit 57

12
parasite 기생충

13 You might well remember that nothing can bring you **success but** yourself. *Napoleon Hill*
넌 너 자신 **외에는** 아무것도 너에게 **성공**을 가져다줄 수 없다는 것을 마땅히 기억해야 해.

- might well V(remember): ~하는 것도 당연하다[마땅히 ~하여야 한다]
- remember + that절(that + 주어(nothing) + 동사(can bring) ~): that절(~ 것)이 목적어(~것을 기억하다). ➲ Unit 33

13
success 성공
but ~ 외에

14 You only get one life; you might as well feel all the feelings. *Greta Gerwig*
넌 오직 한 번의 삶만 있으니, 모든 감정들을 느끼는 편이 나아.

- might as well V(feel): ~하는 편이 낫다

15 A **humble** person is more likely to be **self-confident**. *Cornelius Plantinga*
겸손한 사람이 더 **자신감이 높은** 것 같아.

- be likely to V(be): ~할 것 같다

Know More <숨은 의미> 열등감이 잘못되면 과장이나 거만함으로 나타나는 반면, 자신감 있는 사람이 오히려 더 겸손하다는 것.

15
humble 겸손한
self-confident 자신감 있는

본책 • p.52

A

01 When people tell me, "You're going to regret that in the morning," I sleep until noon.
사람들이 내게 "넌 아침에 그것을 후회할 거야."라고 말하면, 난 정오까지 잠을 자.
- when + 주어 + 동사: ~할 때[~하면] (시간 부사절) Unit 46

01
regret 후회하다

02 Our phones and computers have become reflections of our personalities, our interests, and our identities. *James Comey*
우리 전화기와 컴퓨터는 우리의 인격과 흥미, 그리고 정체성의 반영물이 되었어.

02
reflection 반영
personality 인격
identity 정체성

03 The past can hurt; you can either run from it, or learn from it. *Movie "The Lion King"*
과거가 아프게 할 수 있는데, 넌 그것으로부터 달아나거나, 그것으로부터 배울 수 있어.
- either A(run ~) or B(learn ~): A와 B 둘 중 하나

Know More 〈유머 코드〉 run과 learn의 발음의 유사성을 이용한 절묘한 대구법.

04 A great democracy must be progressive, or it will soon cease to be a great democracy. *Theodore Roosevelt*
위대한 민주주의는 진보적이어야 하는데, 그렇지 않으면 그것은 곧 위대한 민주주의이길 멈출 거야.
- cease + to-v(to be ~): ~이기를 중단하다

04
progressive 진보적인
cease 중단하다

05 We should feel sorrow, but should not sink under its oppression. *Confucius(공자)*
우리는 슬픔을 느껴야 하지만, 그것의 압박감에 빠져서는 안 돼.

Know More 〈숨은 의미〉 살다 보면 누구나 불행한 일을 겪게 되어 슬퍼하는 건 당연하지만, 그것에 압도되어 삶의 중심마저 잃지는 말라는 것.

05
sink 빠지다
oppression 압박(감)

06 I'm totally exhausted; I should have taken a break, and not done such a long push.
난 완전히 탈진했는데, 난 휴식을 취했어야 했고, 그렇게 오래 밀어붙이지 말았어야 했어.
- should have v-ed분사(taken): ~했어야 했는데 (하지 않았다) (과거에 대한 후회·유감)
- (should) not (have) v-ed분사(done): ~하지 말았어야 했는데 (했다)

06
exhausted 탈진한
break 휴식
push 밀기

07 We all have to live together; we might as well live together happily. *Dalai Lama*
우리 모두는 함께 살아야 하니, 행복하게 함께 사는 편이 나아.
- may[might] as well V(live): ~하는 편이 낫다

B

08 When the power of love overcomes the love of power, the world will know peace. *Jimi Hendrix*
사랑의 힘이 힘에 대한 사랑을 이길 때, 세상은 평화를 알게 될 거야.
- when + 주어 + 동사: ~할 때(시간 부사절) Unit 46

08
overcome 극복하다[이기다]

09 I had just come home from school when I received your message.
난 네 메시지를 받았을 때 막 학교에서 집에 왔었어.
- had (just) v-ed분사(come): 과거 어느 시점(when ~) 이전 일의 완료·결과를 나타냄.
- when + 주어 + 동사: ~할 때(시간 부사절) Unit 46

Up! **10** I would rather be a superb meteor, every atom of me in magnificent glow, than a sleepy and permanent planet. *Jack London*
난 생기 없이 영속하는 행성이기보다는 차라리 나의 모든 원소가 아름다운 불빛으로 빛나는 최고의 유성이고 싶어.
- would rather be A than B: B이기보다는 차라리 A이고 싶다

10
superb 최고의
meteor 유성
atom 원자
magnificent 아름다운
glow 불빛
sleepy 졸리는[생기 없는]
permanent 영구[영속]적인
planet 행성

수동태

Unit Words

■ 본격적인 구문 학습에 앞서, 각 유닛별 주요 단어를 확인하세요.

Unit 13 기본 수동태

- ☐ nostalgia 향수
- ☐ associate 연상하다[연관 짓다]
- ☐ yearning 갈망[동경]
- ☐ collapse 붕괴하다
- ☐ ethic 윤리
- ☐ punctuality 시간 엄수
- ☐ reliability 신뢰성
- ☐ professionalism 전문성
- ☐ narrative 내러티브[이야기]
- ☐ entertainment 오락
- ☐ regulation 규제
- ☐ mark 특징짓다
- ☐ robotics 로봇 공학
- ☐ autonomous 자율적인
- ☐ evil (사)악한
- ☐ accompany 동반하다
- ☐ work overtime 시간 외 근무를 하다
- ☐ depression 우울증
- ☐ appetite 식욕
- ☐ physics 물리학
- ☐ physiology 생리학
- ☐ practice 관행
- ☐ polygamy 일부다처제
- ☐ sacrifice 희생[제물]

Unit 14 진행 / 완료 / 미래 수동태

- ☐ biodiversity 생물 다양성
- ☐ extent 정도
- ☐ contribution 공헌[기여]
- ☐ advertise 광고하다
- ☐ inherit 물려받다
- ☐ revolutionize 혁신하다
- ☐ assistant 비서[조수]
- ☐ certain 확실한
- ☐ shed (피·눈물 등을) 흘리다
- ☐ infect 감염시키다
- ☐ interpret 해석하다
- ☐ genetically 유전적으로
- ☐ modify 수정[변형]하다
- ☐ microorganism 미생물
- ☐ carbon dioxide 이산화탄소
- ☐ emission 배기가스
- ☐ adolescence 청소년기
- ☐ medieval 중세의

Unit 15 조동사 수동태 & 기타 수동태

- ☐ attain 이루다[획득하다]
- ☐ vanish 사라지다[없어지다]
- ☐ industry 근면
- ☐ triumph over 승리를 거두다[이기다]
- ☐ make use of ~을 이용하다
- ☐ devour 게걸스럽게 먹다
- ☐ digest 소화하다
- ☐ thoroughly 완전히
- ☐ blend 섞다
- ☐ disinfectant 소독약[살균제]
- ☐ efficient 유능한[효율적인]
- ☐ medication 약(물)
- ☐ psychotherapy 심리 치료
- ☐ trustworthy 믿을 수 있는
- ☐ investigate 조사[연구]하다
- ☐ by chance 우연히
- ☐ attend to 처리하다[돌보다]
- ☐ diligence 근면[성실]

본책 54~55쪽을 함께 펴놓고 보세요!

기본 수동태

주어	be동사 + v-ed분사	by 명사	부사어
General relativity	was developed	by Einstein	between 1907 and 1915.

Standard Sentences

01 General relativity was developed by Einstein between 1907 and 1915.
일반 상대성 이론은 1907년에서 1915년 사이에 아인슈타인에 의해 전개되었어.
- (능동태) 주어(Einstein) + 타동사(developed) + 목적어(general relativity) ~
  → (수동태) General relativity **was developed** by Einstein ~

01
general relativity 일반 상대성 이론
develop 개발[전개]하다

02 Freedom is never given us for free; it is won. *Philip Randolph*
자유는 우리에게 절대 공짜로 주어지지 않고, 그것은 쟁취되는 거야.
- (능동태) 주어 + (주는)동사(never give) + (에게)목적어(us) + (을)목적어(freedom)
  → (수동태1) Freedom **is never given** (to) us ~ (수동태2) We **are never given** freedom ~

02
for free 공짜로
win 쟁취하다[획득하다] (-won-won)

03 Teenagers are treated like children but expected to act like adults.
십대들은 아이처럼 취급되지만 어른처럼 행동하도록 기대돼.
- (능동태) 주어 + 타동사(treat) + 목적어(teenagers) + 목적보어(like children)
  → (수동태) Teenagers **are treated** like children.
- (능동태) 주어 + 타동사(expect) + 목적어(teenagers) + 목적보어(to act like adults)
  → (수동태) Teenagers **are expected** to act like adults.

03
teenager 십대
treat 대하다[취급하다]
expect 기대하다
adult 어른

A

04 A man is known to his dog by the smell, to his friend by the smile. *John Ruskin*
사람은 냄새로 그의 개에게 알려지고, 미소로 그의 친구에게 알려져.
- be known to ~: ~에(게) 알려지다

04
smell 냄새

05 Nostalgia is associated with a yearning for the past, especially the "good old days" or a "warm childhood."
향수는 과거, 특히 '좋았던 옛날'이나 '따뜻한 어린 시절'에 대한 동경과 연관돼.
- be associated with ~: ~와 연관되다
- A(the past), B((especially) the "good old days" or a "warm childhood"): A와 B는 동격(A⊃B).

05
nostalgia 향수
associate 연상하다[연관 짓다]
yearning 갈망[동경]
especially 특히

06 The calcium in our teeth and the iron in our blood were made in the interiors of collapsing stars; we are made of star stuff. *Carl Sagan*
치아 속의 칼슘과 혈액 속의 철분이 붕괴하는 별들의 내부에서 만들어졌으니, 우리는 별의 물질로 만들어져 있는 거야.
- A(the calcium ~) and B(the iron ~): A와 B 대등 연결.
- be made in/of ~: ~에서/~로 만들어지다

Know More **<배경 지식>**《코스모스》《콘택트》 등을 통해 우주 과학의 대중화에 힘쓴 칼 세이건의 유명한 말로, 우리 몸을 구성하는 원소들이 별의 진화 과정인 별의 붕괴를 통해 만들어졌으므로 우리는 결국 별의 일부라는 것.

06
calcium 칼슘
iron 철
blood 피[혈액]
interior 내부
collapse 붕괴하다
stuff 물질[물건]

07 I was taught a very strong work ethic including punctuality, reliability, cooperation, respect, and professionalism. *Nicole Kidman*
난 시간 엄수, 신뢰성, 협력, 존중, 그리고 전문성을 포함한 매우 강한 직업 윤리를 배웠어.
- 명사(a very strong work ethic) + 전치사구(including + punctuality ~): 전치사구가 뒤에서 앞 명사 수식.

07
ethic 윤리
including ~을 포함해
punctuality 시간 엄수
reliability 신뢰성
cooperation 협력[협동]
professionalism 전문성

B **08** **Narrative is found in all forms of human creativity, art, and entertainment.**
내러티브[이야기]는 모든 형태의 인간의 창의성, 예술, 그리고 오락에서 발견돼.

09 **The financial crisis was caused by bad government policy and the total failure of regulation.**
금융 위기는 잘못된 정부 정책과 규제의 총체적 실패로 초래되었어.

- be caused by ~: ~로 초래되다

Know More **〈배경 지식〉** 2008년 미국 금융 시장에서 비롯된 세계 금융 위기나 1997년 정경 유착·관치 금융으로 인한 한국의 IMF 구제 금융 사태 등 금융 위기는 자본주의의 탐욕과 이를 통제해야 할 정부 무능의 합작품이란 것.

10 **The Fourth Industrial Revolution is marked by AI, robotics, the Internet of Things, autonomous vehicles, 3-D printing, and nanotechnology.**
4차 산업 혁명은 인공 지능, 로봇 공학, 사물 인터넷, 자율 주행차, 3차원 인쇄, 그리고 나노 기술로 특징지어져.

- be marked by ~: ~로 특징지어지다

11 **Electricity was considered an evil thing when it was first discovered and utilized.** *Zeena Schreck*
전기는 처음 발견되어 이용되었을 때 악한 것으로 여겨졌어.

- when + 주어 + 동사: ~할 때(시간 부사절) ➲ unit 46

Know More **〈배경 지식〉** 고대에 광물 호박을 문지를 때 일어나는 정전기 현상에서 발견된 전기는, 당시 호박 속에 악마가 숨어 있다고 멀리한 경우도 있었고 처음 이용되었을 당시에도 대중의 거부감이 있었다는 것.

C **12** **Q: Why did the man sit on a clock?**
A: Because he was told to work overtime.
Q: 그 남자는 왜 시계 위에 앉았을까? A: 그는 오버타임[시간 외 근무]를 하라는 말을 들었기 때문에.

- (능동태) 주어 + 동사(told) + (에게)목적어(him) + (을)목적어(to work overtime)
  → (수동태) he **was told** to work overtime

Know More **〈유머 코드〉** 시간 외 근무(overtime = over(위에) + time(시간))를 하라니 시계 위에 앉았다는 것으로, 다소 썰렁하게 들리겠지만 영어에선 단어(의미와 소리)를 이용한 유머가 많음.

13 **Depression is often accompanied by poor appetite, sleeplessness, lack of energy, and low self-esteem.**
우울증은 흔히 식욕 부진, 불면증, 원기 부족, 그리고 낮은 자존감이 동반돼.

- be accompanied by ~: ~이 동반되다

14 **The Nobel Prize is awarded in six categories: Physics, Chemistry, Physiology or Medicine, Literature, Peace, and Economics.**
노벨상은 물리학, 화학, 생리 의학, 문학, 평화, 그리고 경제학의 6가지 범주에서 수여돼.

- (능동태) 주어 + (주는)동사(award) + (에게)목적어(사람) + (을)목적어(the Nobel Prize): ~에게 …을 수여하다
  → (수동태1) The Nobel Prize **is awarded** (to ~) (수동태2) 사람 + **be awarded** + the Nobel Prize
- A(six categories): B(Physics ~): A와 B는 동격(A=B).

Up! **15** **Particular religious practices are recognized by the UN as unethical, including polygamy, child brides, and human sacrifice.**
일부다처제, 어린이 신부, 그리고 인간 제물을 포함한 특정한 종교적 관행들은 유엔에 의해 비윤리적인 것으로 인정돼.

- 명사(particular religious practices) (~) 전치사구(including polygamy ~): 전치사구가 뒤에서 앞 명사 수식.
- (능동태) 주어(The UN) + recognizes + 목적어(particular ~ practices) + 목적보어(as unethical)
  → (수동태) Particular religious practices **are recognized** by the UN as unethical

08
narrative 내러티브[이야기]
creativity 창의성
entertainment 오락

09
financial 금융[재정]의
crisis 위기
cause 초래하다
policy 정책
regulation 규제

10
mark 특징짓다
AI 인공 지능
(= artificial intelligence)
robotics 로봇 공학
autonomous 자율적인

11
electricity 전기
evil (사)악한
utilize 이용[활용]하다

12
work overtime
시간 외 근무를 하다

13
depression 우울증
accompany 동반하다
appetite 식욕
sleeplessness 불면(증)
lack 부족[결여]
self-esteem 자부심[자존감]

14
award 수여하다
category 범주
physics 물리학
chemistry 화학
physiology 생리학
literature 문학
economics 경제학

15
particular 특정한
practice 관행
recognize 인정하다
unethical 비윤리적인
polygamy 일부다처제
bride 신부
sacrifice 희생[제물]

본책 56~57쪽을 함께 펴놓고 보세요!

unit 14

진행/완료/미래 수동태

주어	be동사 + being + v-ed분사	by 명사
Biodiversity	is being destroyed	by human activities.

Standard Sentences

01 Biodiversity is being destroyed by human activities.
생물 다양성이 인간의 활동들로 파괴되고 있어.
- 진행 수동태 be being v-ed분사(destroyed): ~되고 있다

01
biodiversity 생물 다양성
destroy 파괴하다

02 Nothing great in the world has ever been accomplished without passion. *Hegel*
세상의 위대한 어떤 것도 열정 없이 성취된 적이 없어.
- 완료 수동태 have[has] (ever) been v-ed분사(accomplished): ~된 적이 있다

02
accomplish 성취하다
passion 열정

03 Your rewards will be determined by the extent of your contribution, that is your service to others. *Earl Nightingale*
네 보상은 네 공헌, 즉 다른 사람들에 대한 네 봉사의 정도에 의해 결정될 거야.
- 미래 수동태 will be v-ed분사(determined): ~될 것이다
- A(your contribution), B((that is) your service to others): A와 B는 동격(A=B).

03
reward 보상
determine 결정하다
extent 정도
contribution 공헌[기여]
that is 즉[말하자면]

A **04** Many natural systems are being affected by climate changes, particularly temperature increases.
많은 자연계가 기후 변화, 특히 기온 상승에 영향을 받고 있어.
- 진행 수동태 be being v-ed분사(affected): ~되고 있다
- A(climate changes), B((particularly) temperature increases): A와 B는 동격(A⊃B).

04
affect ~에 영향을 미치다
particularly 특히
temperature 기온
increase 증가

05 The real food is not being advertised. *Michael Pollan*
진짜 음식은 광고되지 않고 있어.
- 진행 수동태 be not being v-ed분사(advertised): ~되지 않고 있다

Know More 〈숨은 의미〉 건강에 좋은 신선 식품 생산자는 광고할 돈이 없고, 광고되는 가공식품은 건강에 안 좋으니 사지 말라는 것.

05
advertise 광고하다

Think **06** The world will not be inherited by the strongest; it will be inherited by those most able to change. *Charles Darwin*
세상은 가장 강한 것들이 물려받게 되지 않고, 가장 잘 변화할 수 있는 것들이 물려받게 될 거야.
- 미래 수동태 will (not) be v-ed분사(inherited): ~될 것이다/되지 않을 것이다
- 대명사(those) + 형용사구(most able to change): 형용사구가 뒤에서 앞 대명사 수식. ➲ unit 18

Know More 〈배경 지식〉 《종의 기원》으로 진화론을 확립한 찰스 다윈의 말로, 자연 선택(natural selection)을 통해 환경에 적응하기 유리한 유전자가 다음 세대에 전달될 확률이 높다는 것.

06
inherit 물려받다
able 할 수 있는

07 Science is going to be revolutionized by AI assistants. *Oren Etzioni*
과학은 인공 지능 비서의 도움으로 혁신될 거야.
- 미래 수동태 be going to be v-ed분사(revolutionized): ~될 것이다

Know More 〈배경 지식〉 '가상 비서'(intelligent virtual assistant)라고도 하는 것으로, 인공 지능 엔진과 음성 인식을 기반으로 사용자에게 맞춤 서비스를 제공하는 현재의 기능을 뛰어넘는 수준의 지능으로 과학 발전에도 이바지할 거라는 것.

07
revolutionize 혁신하다
AI 인공 지능
(= artificial intelligence)
assistant 비서[조수]

B **08** During the war, certain blood was being shed for uncertain reasons.
전쟁 중에 확실한 피가 불확실한 이유로 흐르고 있었어. *Tim O'Brien*

- 과거 진행 수동태 was being v-ed분사(shed): ~되고 있었다

Know More <배경 지식> 베트남 전쟁의 체험을 쓴 팀 오브라이언의 소설 중 일부로, 냉전 시대 대리전쟁이라는 불확실한 명분으로 무고한 확실한 생명들이 희생되고 있었다는 것.

08
certain 확실한
blood 피
shed (피·눈물 등을) 흘리다 (-shed-shed)
uncertain 불확실한

09 Millions of people are being infected by various viruses around the world.
수많은 사람들이 전 세계의 다양한 바이러스에 감염되고 있어.

- 진행 수동태 be being v-ed분사(infected): ~되고 있다

09
millions of 수많은
infect 감염시키다
virus 바이러스

10 The prize will not be sent you; you have to win it. *Ralph Emerson*
상은 네게 보내지지 않을 것이니, 넌 그것을 획득해야 해.

- 미래 수동태 will not be v-ed분사(sent): ~되지 않을 것이다

10
prize 상
win 획득하다[얻다]

11 The project will have been completed before the deadline.
그 프로젝트는 기한 내에 완료되어 있을 거야.

- 미래 완료 수동태 will have been v-ed분사(completed): ~되어 있을 것이다

11
complete 완료하다
deadline 기한[마감]

C **12** BTS' "Spring Day" has been interpreted by fans as remembrance of the victims of the Sewol Ferry tragedy.
방탄소년단의 '봄날'은 팬들에 의해 세월호 비극의 희생자들에 대한 추모로 해석되어 왔어.

- 완료 수동태 have[has] been v-ed분사(interpreted): ~되어 왔다

12
interpret 해석하다
remembrance 추모[추억]
victim 피해자[희생자]
tragedy 비극

13 A wide variety of organisms have been genetically modified, from animals to plants and microorganisms.
동물에서 식물과 미생물까지 매우 다양한 유기체들이 유전적으로 변형되어 왔어.

- 명사(a wide variety of organisms) (~) 전치사구(from animals to ~): 전치사구가 뒤에서 명사 수식.
- 완료 수동태 have been v-ed분사(modified): ~되어 왔다

13
organism 유기체[생물]
genetically 유전적으로
modify 수정[변형]하다
microorganism 미생물

14 Climate change has been driven largely by increased carbon dioxide and other man-made emissions into the atmosphere.
기후 변화는 주로 대기 속의 증가된 이산화탄소와 인간이 생성한 다른 배기가스에 의해 몰아쳐져 왔어.

- 완료 수동태 have[has] been v-ed분사(driven): ~되어 왔다

14
drive 몰아가다
largely 주로
carbon dioxide 이산화탄소
emission 배기가스
atmosphere 대기

15 Adolescence has been recognized as a stage of human development since medieval times. *Terri Apter*
청소년기는 중세부터 인간 발달의 한 단계로 인식되어 왔어.

- 완료 수동태 have[has] been v-ed분사(recognized): ~되어 왔다

Know More <배경 지식> 청소년기가 이미 중세부터 성적·사회적 성숙의 결합에 집중하는 하나의 독립된 발달 단계로 간주되었다는 것.

15
adolescence 청소년기
recognize 인정[인식]하다
medieval 중세의

본책 58~59쪽을 함께 펴놓고 보세요!

조동사 수동태 & 기타 수동태

주어	조동사 + be + v-ed분사	부사어
Peace	cannot be achieved	through violence.

Standard Sentences

01 Peace cannot be achieved through violence; it can only be attained through understanding. *Ralph Emerson*
평화는 폭력을 통해 성취될 수 없고, 그것은 오직 이해로만 이루어질 수 있어.
- 조동사(cannot/can) be v-ed분사(achieved/attained): ~될 수 없다/있다

01
achieve 달성[성취]하다
violence 폭력
attain 이루다[획득하다]

02 Knowledge has to be improved, challenged, and increased constantly, or it vanishes. *Peter Drucker*
지식은 끊임없이 향상되고 도전받고 증가되어야 해. 그렇지 않으면 그것은 사라져.
- have[has] to be v-ed분사(improved/challenged/increased): ~되어야 한다

02
challenge 도전하다
constantly 끊임없이
vanish 사라지다[없어지다]

03 The brain is believed to consume about 20 percent of the body's energy.
뇌는 신체 에너지의 약 20퍼센트를 소비한다고 여겨져.
- = It is believed that the brain consumes about 20 percent of the body's energy.

03
consume 소비하다

04 It is well known that frustration, depression, and despair produce negative biochemical changes in the body. *Norman Cousins*
좌절감과 우울과 절망은 신체에 부정적인 생화학적 변화를 초래한다고 잘 알려져 있어.
- = Frustration, depression, and despair are well known to produce negative biochemical changes ~

04
frustration 좌절감
despair 절망
negative 부정적인
biochemical 생화학의

A

05 Lost wealth may be replaced by industry, lost knowledge by study, but lost time is gone forever. *Samuel Smiles*
잃어버린 재산은 근면으로, 잃어버린 지식은 공부로 되돌려질 수 있을지 모르지만, 잃어버린 시간은 영원히 사라져.
- 조동사(may) be v-ed분사(replaced): ~될지도 모른다
- lost knowledge (may be replaced) by study: 반복 어구 생략.

05
wealth 부[재산]
replace 되돌리다[대신하다]
industry 근면

06 Hard truths can be dealt with and triumphed over, but lies will destroy your soul. *Patricia Briggs*
냉엄한 진실은 다루어져 이겨 낼 수 있지만, 거짓말은 네 정신을 파괴할 거야.
- 조동사(can) be v-ed분사(dealt with/triumphed over): ~될 수 있다

Know More 〈숨은 의미〉 냉엄한 진실을 회피하기 위해 자신이나 남들을 속이면 당장은 편할지 모르지만 결국 참된 자아를 잃게 되니, 힘들더라도 진실과 미주해 극복하는 편이 낫다는 것

06
deal with 다루다
triumph over 승리를 거두다[이기다]
destroy 파괴하다

07 Things do not happen; things are made to happen. *John F. Kennedy*
일들은 일어나는 게 아니라, 일들은 일어나게 만들어져.
- (능동태) 주어(we) + make(~하게 하다) + 목적어(things) + V(happen)
→ (수동태) things are made to happen

Know More 〈숨은 의미〉 일들은 저절로 일어나는 게 아니라 인간에 의해 일어나도록 만들어진다는 것(인간이 일을 일어나게 하는 주체라는 것). things를 주어로 하는 수동태 문장이 인간의 능동성을 강조함.

B **08** Artificial intelligence is being made use of for a variety of health care purposes.
인공 지능은 다양한 의료 목적으로 이용되고 있어.

- 구동사(make use of) 진행 수동태 be being v-ed분사(made use of): 이용되고 있다

08
make use of ~을 이용하다
a variety of 다양한
health care 의료 서비스

09 Some books should be tasted, some devoured, but only a few should be chewed and digested thoroughly. *Francis Bacon*
어떤 책은 맛만 보아져야 하고, 어떤 책은 게걸스럽게 먹어져야 하지만, 오직 몇 안 되는 책만 완전히 씹혀 소화되어야 해.

- 조동사(should) be v-ed분사(tasted/devoured/chewed/digested): ~되어야 한다
- some (books should be) devoured: 반복 어구 생략.

09
taste 맛보다
devour 게걸스럽게 먹다
chew 씹다
digest 소화하다
thoroughly 완전히

10 A mockingbird was heard to blend the songs of 32 different kinds of birds into a 10 minute performance. *Tom Robbins*
흉내지빠귀가 32개 다른 종류의 새들의 노래를 섞어 10분 간 공연하는 소리가 들렸어.

- (능동태) 주어 + heard + 목적어(a mockingbird) + V(blend)
→ (수동태) A mockingbird **was heard** to blend

10
mockingbird 흉내지빠귀
blend 섞다
performance 공연

11 Sunlight is said to be the best of disinfectants; electric light the most efficient policeman. *Louis D. Brandeis*
햇빛은 살균제 중 최고라고 말해지고, 전등빛은 가장 유능한 경찰이라고 말해져.

- = It is said that sunlight is the best of disinfectants
- electric light (is said to be) the most efficient policeman: 반복 어구 생략.

11
disinfectant 소독약[살균제]
efficient 유능한[효율적인]

C **12** Most people with depression can be treated with medication, psychotherapy, or both.
우울증을 가진 대부분의 사람들은 약물, 심리 치료, 또는 둘 다로 치료될 수 있어.

- 조동사(can) be v-ed분사(treated): ~될 수 있다

12
depression 우울증
medication 약(물)
psychotherapy 심리 치료

13 The study of dreams may be considered the most trustworthy method of investigating deep mental processes. *Sigmund Freud*
꿈에 대한 연구는 깊은 정신 과정을 연구하는 가장 믿을 수 있는 방법으로 여겨질지도 몰라.

- 조동사(may) be v-ed분사(considered): ~될지도 모른다
- 명사(the most trustworthy method) + 전치사(of) + v-ing(investigating ~): 전치사구가 뒤에서 명사 수식. (전치사 뒤에 동사가 오면 v-ing.)

13
consider 여기다
trustworthy 믿을 수 있는
method 방법
investigate 조사[연구]하다
mental 정신의

14 Learning is not attained by chance; it must be sought out with passion and attended to with diligence. *Abigail Adams*
배움은 우연히 얻어지지 않아. 그것은 열정적으로 추구되어야 하고 성실하게 처리되어야 해.

- 조동사(must) be v-ed분사(sought out/attended to): ~되어야 한다

14
by chance 우연히
seek out (추)구하다
passion 열정
attend to 처리하다[돌보다]
diligence 근면[성실]

15 We must be pulled by our dreams, rather than pushed by our memories.
우리는 우리의 추억에 떠밀리기보다는 우리의 꿈에 이끌려야 해. *Jesse Jackson*

- A(pulled ~) rather than B(pushed ~): B보다는 A

A

01 **In "Cubist" artwork, objects are analyzed, broken up and reassembled in an abstracted form.**
'입체파' 예술 작품에서 물체는 추상화된 형태로 분석되고 분해되고 재조립돼.

- 수동태 be A(analyzed), B(broken up) and C(reassembled): A와 B와 C 대등 연결.

Know More <배경 지식> 입체파(큐비즘 Cubism ← cube 입방체)는 20세기 초 브라크와 피카소가 중심이 된 혁신적 미술 표현 양식으로, 대상을 여러 시점에서 바라본 입체적인 형태로 분해해서 하나의 화폭에 재구성한 것.

01
Cubist 입체파의
artwork 예술 작품
object 물체
analyze 분석[분해]하다
break up 부수다
reassemble 재조립하다
abstract 추출[추상화]하다

02 **Books have been thought of as windows to another world of imagination.** *Stephenie Meyer*
책은 다른 상상의 세계로 향한 창으로 여겨져 왔어.

- 완료 수동태 have been v-ed분사(thought of): ~되어 왔다
- think of A as B: A를 B로 여기다[생각하다]

02
imagination 상상(력)

03 **Some decisions are being made, and some mistakes will be made along the way; we'll find the mistakes and fix them.** *Steve Jobs*
어떤 결정들이 되고 있고, 어떤 잘못들이 도중에 생길 건데, 우리는 그 잘못들을 발견하고 그것들을 고칠 거야.

- 진행 수동태 be being v-ed분사(made): ~되고 있다
- 미래 수동태 will be v-ed분사(made): ~될 것이다

03
decision 결정
mistake 잘못
along the way 도중에

04 **Any scientific theory must be based on a rational examination of the facts.**
어떤 과학 이론이든 사실에 대한 합리적인 검토에 바탕을 두어야 해.

- 조동사(must) be based on ~: ~에 바탕[기반]을 두어야 한다

04
theory 이론
rational 합리적인
examination 검토[조사]

Think **05** **Thousands of candles can be lit from a single candle, and the life of the candle will not be shortened.** *Budda(석가모니)*
수천 개의 초들이 단 하나의 초로 불이 켜질 수 있는데, 그 초의 수명은 짧아지지 않을 거야.

- 조동사(can) be v-ed분사(lit): ~될 수 있다
- 미래 수동태 will not be v-ed분사(shortened): ~되지 않을 것이다

Know More <숨은 의미> 진리[진실]을 밝히는 빛은 촛불처럼 단 하나로도 무한히 전파 확산될 수 있으며, 그 빛은 함께 나눈다고 그 생명력이 줄어들지 않을 거란 것.

05
light 불을 켜다(-lit-lit)
shorten 짧게 하다

06 **A discovery is said to be an accident meeting a prepared mind.** *Albert Szent-Gyorgyi*
발견은 준비된 마음을 만나는 우연이라고 말해져.

- = It is said that a discovery is an accident meeting a prepared mind.
- 명사(an accident) + v-ing(meeting ~): v-ing가 뒤에서 앞 명사 수식. ➲ Unit 16

06
discovery 발견
accident 우연
prepared 준비된

07 **People have been known to achieve more as a result of working with others than against them.** *Allan Fromme*
사람들은 다른 사람들과 맞서기보다 함께 일하는 결과로 더 많은 걸 성취한다고 알려져 왔어.

- = It has been known that people achieve more ~
- as a result of v-ing(working ~): v하는 결과로

07
achieve 성취하다

B

08 **The virus is transmitted mainly via small respiratory droplets and aerosols through sneezing, coughing, talking, or breathing.**
그 바이러스는 주로 재채기나 기침이나 말이나 호흡을 할 때 나오는 호흡기의 작은 물방울(비말)과 에어로졸을 통해 전염돼.

- 명사(small respiratory droplets ~) + 전치사구(through sneezing ~): 전치사구가 뒤에서 앞 명사 수식.

08
transmit 전염시키다
via 통하여
respiratory 호흡(기)의
droplet 작은 물방울
aerosol
에어로졸(공기 중 미세한 입자)
sneeze 재채기하다

09 **No human masterpiece has ever been created without great labor.** *Andre Gide*
어떤 인간의 걸작도 엄청난 노동 없이 창조된 적이 없어.

- 완료 수동태 have[has] (ever) been v-ed분사(created): ~된 적이 있다

09
masterpiece 걸작[명작]
labor 노동

10 **The best and most beautiful things in the world cannot be seen or even touched; they must be felt with the heart.** *Helen Keller*
세상에서 가장 좋고 가장 아름다운 것들은 보이거나 만져질 수도 없고, 그것들은 마음으로 느껴져야 해.

- 조동사(cannot/must) be v-ed분사(seen/touched/felt): ~될 수 없다/~되어야 한다

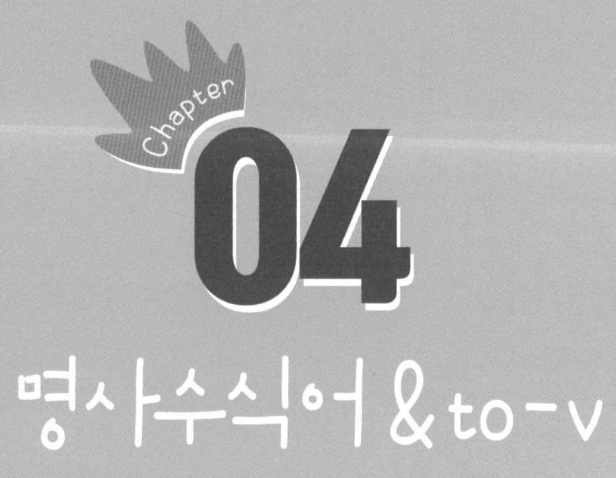

명사수식어 & to-v

Unit Words

■ 본격적인 구문 학습에 앞서, 각 유닛별 주요 단어를 확인하세요.

Unit 16 명사 + v-ing(명사수식어)

- in itself 그 자체가
- reflect 반영하다
- operate 작업하다
- leading edge 최첨단
- parallel 평행한
- similarity 유사점
- villain 악당
- conflict 갈등
- speculation 투기
- manipulation 조작
- impressionism 인상주의
- depiction 묘사
- extrasolar 외계의
- evoker 환기시키는 것
- stimulus 자극

Unit 17 명사 + v-ed분사(명사수식어)

- spontaneous 자연스러운
- tranquility 평온
- deliberate 고의의[의도적인]
- substance 물질
- arrange 배열하다
- heredity 유전
- corruption 부패[타락]
- in accordance with ~에 따라
- internal 내부의
- betray 배신[배반]하다
- impose 부과하다
- disrupt 방해하다
- by means of ~을 써서
- phishing 피싱 사기
- malicious 악의적인

Unit 18 명사 + 형용사구 / to-v(명사수식어)

- grief 비탄[비통]
- craving 갈망[욕구]
- struggle 투쟁
- available 이용할[구할] 수 있는
- literacy 글을 읽고 쓸 수 있는 능력
- refer to 가리키다[나타내다]
- evaluate 평가하다
- disorder 무질서
- virtual reality 가상 현실
- inspire 영감을 주다
- contagious 전염의
- maximize 최대화하다

Unit 19 전치사구 (명사수식어 / 부사어)

- conscience 양심
- laureate 수상자
- cosmos 우주
- breed (품)종
- bloodshed 유혈 사태
- bully 약자를 괴롭히다
- mass 질량
- distortion 휘어짐[왜곡]
- compose 작곡하다

Unit 20 to-v (부사어 / 형용사·부사수식어)

- optimally 최적으로
- pillow 베개
- assertion 주장
- relieved 다행으로 여기는[안도하는]
- lose sight of ~이 더 이상 안 보이게 되다
- unintelligible 이해할 수 없는
- set a goal 목표를 세우다
- suspension 유보
- disbelief 불신
- acceptance 수락[수용]
- likely to-v v할 가능성이 있는

본책 62~63쪽을 함께 펴놓고 보세요!

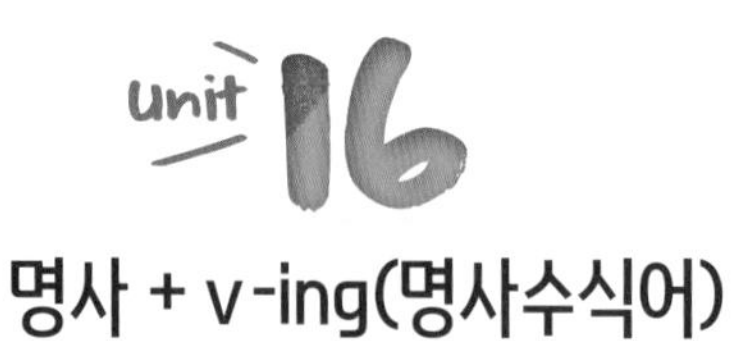

명사 + v-ing(명사수식어)

주어	동사	명사 + v-ing	
Love	is composed of	a single soul	inhabiting two bodies.

Standard Sentences

01 Love is composed of a single soul **inhabiting** two bodies. *Aristotle*
사랑은 두 몸에 사는 한 영혼으로 이루어져.

- 명사(a single soul) + v-ing(inhabiting ~): v-ing가 뒤에서 앞 명사 수식(뒤수식).
  a single soul - inhabits two bodies: 능동 관계(~하는) ➜ inhabiting ~

Know More <배경 지식> 고대 그리스 철학자 아리스토텔레스의 말로, 인간은 원래 한 몸의 반은 남성 반은 여성인 존재였는데 둘로 나뉜 후 평생 자신의 다른 반쪽(soul mate)을 찾는다는 스승 플라톤이 전한 신화를 바탕으로 한 것.

01
be composed of ~로 구성되다[이루어지다]
inhabit ~에 살다[거주하다]

02 The most important single factor **influencing** learning is learners' prior knowledge. *David Ausubel*
학습에 영향을 미치는 가장 중요한 단일 요인은 학습자의 사전 지식이야.

- 명사(the most important single factor) + v-ing(influencing ~): v-ing가 뒤에서 앞 명사 수식.
  the most important single factor - influences learning: 능동 관계(~하는) ➜ influencing ~

02
single 단일의
factor 요인
influence 영향을 미치다
prior 사전의

03 A true community consists of individuals **respecting** each other's individuality and privacy. *Valerie Solanas*
진정한 공동체는 서로의 개성과 사생활을 존중해 주는 개인들로 이루어져.

- 명사(individuals) + v-ing(respecting ~): v-ing가 뒤에서 앞 명사 수식.
  individuals - respect each other's individuality and privacy: 능동 관계(~하는) ➜ respecting ~

03
community 공동체
consist of ~로 이루어지다
individual 개인
individuality 개성
privacy 사생활

A

04 A work of art is a world in itself **reflecting** senses and emotions of the artist's world. *Hans Hofmann*
예술 작품은 그 예술가 세계의 감각과 감정을 반영하는 그 자체로 하나의 세계야.

- 명사(a world in itself) + v-ing(reflecting ~): v-ing가 뒤에서 앞 명사 수식.
  a world in itself - reflects senses and emotions of the artist's world: 능동 관계(~하는) ➜ reflecting ~

04
in itself 그 자체가
reflect 반영하다
sense 감각
emotion 감정

05 The child **approaching** a new subject is like the scientist **operating** at the leading edge of his field. *Jerome Bruner*
새로운 주제에 접근하는 아이는 자기 분야의 최첨단에서 작업하는 과학자와 같아.

- 명사(the child) + v-ing(approaching ~): v-ing가 뒤에서 앞 명사 수식.
- 명사(the scientist) + v-ing(operating ~): v-ing가 뒤에서 앞 명사 수식.

05
approach 접근하다
subject 주제
operate 작업하다
leading edge 최첨단
(edge 끝[가장자리])

06 All comedy is talking about social issues and things **affecting** our lives.
모든 코미디는 우리 삶에 영향을 미치는 사회적 주제들과 일들에 대해 이야기하고 있어. *Tom Green*

- 명사(social issues and things) + v-ing(affecting ~): v-ing가 뒤에서 앞 명사 수식(능동 관계).

06
affect ~에 영향을 미치다

07 A smartphone zombie or "smombie" is a walking person **using** a smartphone, not **paying** attention, and **risking** an accident.
스마트폰 좀비 또는 '스몸비'는 스마트폰을 사용하면서 주의하지 않고 사고의 위험을 무릅쓰며 걸어가는 사람이야.

- A(a smartphone zombie) or B("smombie"): A와 B는 동격(A=B).
- 명사(a walking person) + v-ing(using ~ / not paying ~ / risking ~): v-ing가 뒤에서 앞 명사 수식.

07
pay attention 주의하다
risk ~의 위험을 무릅쓰다

B **08** A parallel universe in fantasy or science fiction is a world **coexisting** with and **having** certain similarities to the known world.
판타지 소설[영화]이나 공상 과학 소설[영화] 속의 평행 우주는 알려진 세계와 공존하고 그것과 어떤 유사점들을 가진 세계야.

- 명사(a world) + v-ing(coexisting ~ / having ~): v-ing가 뒤에서 앞 명사 수식.
- A(coexisting with) and B(having certain similarities to) + the known world: the known world가 A와 B 공통으로 받음.

08
parallel 평행한
fantasy 판타지 소설[영화]
science fiction 공상 과학 소설[영화]
coexist 공존하다
similarity 유사점

09 Autumn leaves **falling down** like pieces into place can be pictured after all these days. *Taylor Swift*
제자리로 조각조각 떨어지는 가을 나뭇잎들은 이 모든 날들이 지난 후 마음속에 그려질 수 있어.

- 명사(autumn leaves) + v-ing(falling down ~): v-ing가 뒤에서 앞 명사 수식.
- 조동사(can) be v-ed분사(pictured): ~될 수 있다

09
autumn 가을(= fall)
fall down 떨어지다
picture 상상하다[마음속에 그리다]

10 We love a tale of heroes and villains, and conflicts **requiring** a neat resolution. *Barry Ritholtz*
우리는 영웅과 악당, 그리고 깔끔한 해결이 필요한 갈등의 이야기를 아주 좋아해.

- 명사(a tale) + 전치사구(of A(heroes and villains) and B(conflicts ~)): 전치사구가 뒤에서 앞 명사 수식.
- 명사(conflicts) + v-ing(requiring ~): v-ing가 뒤에서 앞 명사 수식.
  conflicts - require a neat resolution: 능동 관계(~하는) ➜ requiring ~

10
tale 이야기
villain 악당
conflict 갈등
neat 깔끔한
resolution 해결

11 Speculation is only a word **covering** the making of money out of the manipulation of prices, instead of supplying goods and services. *Henry Ford*
투기는 상품과 서비스를 제공하는 대신에 가격 조작으로 돈을 버는 것을 다루는 단어일 뿐이야.

- 명사(only a word) + v-ing(covering ~): v-ing가 뒤에서 앞 명사 수식(능동 관계).
- 전치사(instead of) + v-ing(supplying ~): 전치사 뒤에 동사가 올 경우 v-ing. ➲ Unit 29

11
speculation 투기
cover 다루다
manipulation 조작
supply 공급[제공]하다

C **12** Impressionism **emphasizing** accurate depiction of light in its changing qualities was a 19th-century art movement.
변화하는 특성을 가진 빛의 정확한 묘사를 강조하는 인상주의는 19세기 미술 운동이었어.

- 명사(impressionism) + v-ing(emphasizing ~): v-ing가 뒤에서 앞 명사 수식.
  impressionism - emphasizes accurate depiction of light ~: 능동 관계(~하는) ➜ emphasizing ~

12
impressionism 인상주의
emphasize 강조하다
accurate 정확한
depiction 묘사
quality 질[특성]

13 An exoplanet (extrasolar planet) is a planet **orbiting** a solar-type star outside the solar system.
외계 행성은 태양계 밖에서 태양 타입 항성의 궤도를 도는 행성이야.

- 명사(a planet) + v-ing(orbiting ~): v-ing가 뒤에서 앞 명사 수식.

13
exoplanet 외계 행성(태양계 밖 행성)
extrasolar 외계의
orbit 궤도를 돌다
solar 태양의

14 The world is full of magical things patiently **waiting for** our wits to grow sharper. *Eden Phillpotts*
세상은 우리의 지능이 더 예리해지기를 참을성 있게 기다리는 마법 같은 것들로 가득 차 있어.

- 명사(magical things) + v-ing((patiently) waiting for ~): v-ing가 뒤에서 앞 명사 수식.
- wait for + 명사(our wits) + to-v(to grow ~): ~가 v하는 것을 기다리다

Know More 〈붉은 의미〉 확대경의 빌명과 이용으로 사언의 아름나움을 너 잘 볼 수 있었듯이 세상엔 미래에 우리의 시직 능력이 더 발달하면 드러날 신비한 것들로 가득하다는 것.

14
magical 마법의
patiently 끈기 있게[참을성 있게]
wit 기지[지능]

15 Smell is a strong evoker of memory due to the processing of stimuli **passing** through the emotional seat of the brain.
냄새는 뇌의 감정 부위를 통과하는 자극의 처리 과정 때문에 기억을 강하게 환기시키는 것이야.

- 명사(stimuli) + v-ing(passing ~): v-ing가 뒤에서 앞 명사 수식.

15
evoker 환기시키는 것
(evoke 환기시키다)
due to ~ 때문에
process 처리하다
stimulus 자극
(복수형 stimuli)
seat 자리[부위]

본책 64~65쪽을 함께 펴놓고 보세요!

Unit 17 명사 + v-ed분사(명사수식어)

명사 + v-ed분사		동사	보어
The fruit	derived from labor	is	the sweetest of pleasures.

Standard Sentences

01 The fruit **derived** from labor is the sweetest of pleasures. *Luc de Clapiers*
노동에서 얻어지는 열매는 기쁨들 중에서 가장 달콤해.

- 명사(the fruit) + v-ed분사(derived ~): v-ed분사가 뒤에서 앞 명사 수식(뒤수식).
  the fruit - (is) derived from labor: 수동 관계(~되는) ➜ derived ~

02 Poetry is the spontaneous overflow of powerful feelings **recollected** in tranquility. *William Wordsworth*
시는 평온함 속에서 회상되는 강렬한 감정의 자연스러운 넘쳐흐름이야.

- 명사(powerful feelings) + v-ed분사(recollected ~): v-ed분사가 뒤에서 앞 명사 수식(뒤수식).
  powerful feelings - (are) recollected in tranquility: 수동 관계(~되는) ➜ recollected ~

Know More <배경 지식> 민중의 일상생활을 일상 언어인 구어로 표현한 시를 써 영국 낭만주의의 혁명적 세계를 연 윌리엄 워즈워스가 시집 《서정 가요집》(Lyrical Ballads)에서 시작법의 원리로 든 너무도 유명한 말로, 시란 억지로 짜내는 것이 아니라, 평소 자연 속 삶의 체험이 평온한 회상을 통해 자연스레 분출되는 결과물이라는 것.

03 Fake news consists of deliberate false information **spread** via traditional news media or online social media.
가짜 뉴스는 전통적 뉴스 미디어나 온라인 소셜 미디어를 통해 퍼지는 고의적인 허위 정보로 이루어져.

- 명사(deliberate false information) + v-ed분사(spread ~): v-ed분사가 뒤에서 앞 명사 수식(뒤수식).
  deliberate false information - (is) spread via traditional news media ~: 수동 관계(~되는) ➜ spread ~

01
derive 얻다[끌어내다]
labor 노동
pleasure 기쁨[즐거움]

02
spontaneous 자연스러운
overflow 넘쳐흐름
recollect 기억해 내다[회상하다]
tranquility 평온

03
fake 가짜의
consist of ~로 이루어지다
deliberate 고의의[의도적인]
spread 퍼뜨리다 (-spread-spread)
via 통하여

A

04 A child **educated** only at school is an uneducated child. *George Santayana*
단지 학교에서만 교육받은 아이는 교육받지 못한 아이야.

- 명사(a child) + v-ed분사(educated ~): v-ed분사가 뒤에서 앞 명사 수식(뒤수식).
  a child - (is) educated only at school: 수동 관계(~되는) ➜ educated ~

Know More <숨은 의미> 교육은 지식과 기술, 가치와 습관 등을 배우고 가르치는 과정인데, 어린아이는 가정이 기본이 되어 학교와 긴밀히 협조해서 교육되어야 한다는 것. 특히 정보화 시대는 사회 전체가 직접적인 교육의 장이라 하겠음.

05 Common sense is the collection of prejudices **acquired** by age eighteen. *Albert Einstein*
상식은 열여덟 살 때까지 습득된 편견들의 집합체야.

- 명사(prejudices) + v-ed분사(acquired ~): v-ed분사가 뒤에서 앞 명사 수식(뒤수식).
  prejudices - (are) acquired by age eighteen: 수동 관계(~되는) ➜ acquired ~

Know More <유머 코드> 늘 기존 상식을 깨뜨리는 새로운 발상을 한 아인슈타인이 했다는 말로, 몰상식이 아닌 건전한 상식이 아니라, 어린 시절부터 쌓여서 자명한 고정 관념으로 자리 잡아 창의성을 방해하는 상식에 대해 경계하는 것.

06 A cell of a higher organism contains a thousand different substances **arranged** in a complex system. *Herbert Jennings*
고등 생물의 세포 하나는 복잡한 체계 속에 배열된 수많은 각기 다른 물질들을 포함하고 있어.

- 명사(a thousand different substances) + v-ed분사(arranged ~): v-ed분사가 뒤에서 앞 명사 수식.
  a thousand different substances - (are) arranged in a complex system: 수동 관계(~되는) ➜ arranged ~

07 Dance is the movement of the universe **concentrated** in an individual. *Isadora Duncan*
춤은 한 개인에 집중된 우주의 움직임이야.

- 명사(the movement of the universe) + v-ed분사(concentrated ~): v-ed분사가 뒤에서 앞 명사 수식.
  the movement of the universe - (is) concentrated in an individual: 수동 관계(~되는) ➜ concentrated ~

04
educate 교육하다
uneducated 교육을 받지 못한[무식한]

05
common sense 상식
collection 수집품
prejudice 편견
acquire 습득하다

06
organism 유기체[생물]
contain 포함하다
substance 물질
arrange 배열하다
complex 복잡한

07
movement 움직임
concentrate 집중하다

B **08** A gene is a basic unit of heredity **found** in the cells of all living organisms, from bacteria to humans.
유전자는 박테리아에서 인간까지 모든 살아 있는 유기체의 세포에서 발견되는 유전의 기본 단위야.

- 명사(a basic unit of heredity) + v-ed분사(found ~): v-ed분사가 뒤에서 앞 명사 수식(뒤수식).
  a basic unit of heredity - (is) found in the cells of all living organisms ~: 수동 관계(~되는) ➜ found ~

08
gene 유전자
unit 단위
heredity 유전
cell 세포
organism 유기체[생물]

09 Only people **affected** by the same disease understand each other. *Franz Kafka*
같은 병에 걸린 사람들만이 서로를 이해해.

- 명사(only people) + v-ed분사(affected ~): v-ed분사가 뒤에서 앞 명사 수식(뒤수식).
  only people - (are) affected by the same disease: 수동 관계(~되는) ➜ affected ~

Know More 〈숨은 의미〉 동병상련(同病相憐).

09
affect 병이 나게 하다
disease (질)병

10 Mathematics is a game **played** according to certain simple rules with meaningless marks on paper. *David Hilbert*
수학은 종이 위에서 무의미한 기호들로 어떤 간단한 규칙들에 따라 행해지는 게임이야.

- 명사(a game) + v-ed분사(played ~): v-ed분사가 뒤에서 앞 명사 수식(뒤수식).
  a game - (is) played according to certain simple rules ~: 수동 관계(~되는) ➜ played ~

10
mathematics 수학
meaningless 무의미한[의미 없는]
mark 표시[기호]

11 The cultural heritage **transmitted** from generation to generation is recreated by communities in response to their environment.
대대로 전해지는 문화유산은 환경에 반응하여 공동체들에 의해 재창조돼.

- 명사(the cultural heritage) + v-ed분사(transmitted ~): v-ed분사가 뒤에서 앞 명사 수식(뒤수식).
  the cultural heritage - (is) transmitted from generation to generation: 수동 관계(~되는) ➜ transmitted ~

11
heritage 유산
transmit 전하다
recreate 되살리다[재창조하다]
response 반응

C **12** Anyone **found** guilty of corruption will be dealt with in accordance with the law. *George Weah*
부정부패로 유죄 판결을 받은 누구나 법에 따라 처리될 거야.

- 명사(anyone) + v-ed분사(found ~): v-ed분사가 뒤에서 앞 명사 수식(뒤수식).
  anyone - (is) found guilty of corruption: 수동 관계(~되는) ➜ found ~
- 구동사 미래 수동태 will be v-ed분사(dealt with): ~될 것이다

12
find 판결을 내리다
guilty 유죄의
corruption 부패[타락]
deal with 처리하다
in accordance with ~에 따라

13 GDP measures the total value of all goods and services **produced** in a country in one year.
국내 총생산(GDP)은 일 년 동안 한 나라에서 생산된 모든 재화와 용역의 총 가치야.

- 명사(all goods and services) + v-ed분사(produced ~): v-ed분사가 뒤에서 앞 명사 수식(뒤수식).
  all goods and services - (are) produced in a country in one year: 수동 관계(~되는) ➜ produced ~

13
GDP (gross domestic product) 국내 총생산
measure (크기·양이) ~이다[측정하다]
total 총[전체의]
produce 생산하다

14 The internal enemies of any state have betrayed the trust **imposed** upon them by the people. *Dalton Trumbo*
어떤 국가든 내부의 적들이 민중에 의해 그들에게 부과된 신뢰를 배반해 왔어.

- 명사(the trust) + v-ed분사(imposed ~): v-ed분사가 뒤에서 앞 명사 수식(뒤수식).
  the trust - (is) imposed upon them by the people: 수동 관계(~되는) ➜ imposed ~

Know More 〈숨은 의미〉 1950년대 미국을 휩쓴 반공주의 광풍('매카시즘') 블랙리스트에 올라 박해받은 (시나리오) 작가 돌턴 트럼보의 작품 중 대사로, 어떤 국가든 주로 고위 관리 등 지도층 인사들이 사리사욕에 눈멀어 나라와 겨레를 배신하고 반역·매국 행위를 해 왔다는 것.

14
internal 내부의
enemy 적
state 국가
betray 배신[배반]하다
impose 부과하다

15 Cyberterrorism disrupts computer networks **connected** to the Internet by means of viruses, phishing, and other malicious software.
사이버테러리즘은 바이러스, 피싱 사기, 그리고 다른 악성 소프트웨어로 인터넷에 연결된 컴퓨터 네트워크를 방해해.

- 명사(computer networks) + v-ed분사(connected ~): v-ed분사가 뒤에서 앞 명사 수식(뒤수식).
  computer networks - (are) connected to the Internet: 수동 관계(~되는) ➜ connected ~

15
disrupt 방해하다
by means of ~을 써서
phishing 피싱 사기
malicious 악의적인

본책 66~67쪽을 함께 펴놓고 보세요!

unit 18

명사 + 형용사구 / to-v(명사수식어)

주어	동사	명사 + 형용사구	
Peace	is	the only battle	worth fighting.

Standard Sentences

01 Peace is the only battle **worth fighting.** *Albert Camus*
평화는 싸울 가치가 있는 유일한 투쟁이야.

- 명사(the only battle) + 형용사구(worth + v-ing(fighting)): 형용사구가 뒤에서 앞 명사 수식(뒤수식).

Know More 〈숨은 의미〉 《이방인》 《시지프의 신화》를 쓴 프랑스 작가 알베르 카뮈가 2차 세계 대전 끝 무렵 일본에 원폭이 떨어져 수많은 사람들(약 20만 명)이 죽자 쓴 글인데, 그는 그 후 평생 인권·평화 운동에 헌신했음.

01
battle 전투[투쟁]
worth ~할 가치가 있는

02 People in grief need someone **to walk with them** without judging them. *Gail Sheehy*
비탄에 빠진 사람들은 그들을 판단하지 않고 그들과 함께 걸어 줄 누군가가 필요해.

- 대명사(someone) + to-v(to walk ~): to-v가 뒤에서 앞 대명사 수식(뒤수식).
- 전치사(without) + v-ing(judging ~): 전치사 뒤에 동사가 올 경우 v-ing.

02
grief 비탄[비통]
judge 판단하다

03 The deepest principle in human nature is the craving **to be appreciated.** *William James*
인간 본성의 가장 깊은 원리는 인정받으려는 욕구야.

- 명사(the craving) + to be v-ed분사(to be appreciated): 〈to be v-ed분사〉(v되는)가 뒤에서 앞 명사 수식.

Know More 〈배경 지식〉 미국 실용주의(pragmatism) 철학의 확립자이자 심리학자인 윌리엄 제임스의 말로, 이 '인정 욕구'는 여러 심리학자들을 통해 현대 심리학의 중심 주제 중 하나가 되었는데, 그는 특히 "인간은 마음가짐을 바꿔 삶을 바꿀 수 있다."(A human being can alter his life by altering his attitudes of mind.)는 점을 강조했음.

03
principle 원칙
craving 갈망[욕구]
appreciate 인정하다

A

04 Dear restroom, you are a place **to talk, cry, gossip** and **escape** from my class. Sincerely, teenagers.
화장실에게, 귀하는 이야기하고 울고 험담하고 수업에서 빠져나오는 곳입니다. 십대들 올림.

- 명사(a place) + to-v(to talk / (to) cry / (to) gossip / (to) escape ~): to-v가 뒤에서 앞 명사 수식(뒤수식).

04
gossip 험담[남 얘기]를 하다
escape 탈출하다[빠져나오다]

05 History is the long struggle of man **to understand** and **act on** his environment and himself. *E. H. Carr*
역사란 인간이 환경과 자신을 이해하고 그들에 작용하는 오랜 투쟁이야.

- 명사(the long struggle of man) + to-v(to understand / (to) act): to-v가 뒤에서 앞 명사 수식(뒤수식).
- 동사(understand / act on) + 목적어(his environment and himself): 목적어가 앞 두 동사를 공통으로 받음.

Know More 〈배경 지식〉 혁명적인 역사 진보의 개념을 확립한 영국 역사가 E.H.카의 《역사란 무엇인가?》(What Is History?)에 나오는 말로, 역사란 인간의 환경에 대한 이해와 작용인데, 현대에는 자의식의 발달로 자기 자신에 대한 이해와 작용이 더해졌다는 것.

05
struggle 투쟁
act on
~에 작용하다[영향을 미치다]
environment 환경

06 Words are the most powerful force **available to humanity**; they have energy **to help, to heal, to hurt,** and **to harm.** *Yehuda Berg*
말은 인간이 이용할 수 있는 가장 강력한 힘인데, 그것들은 돕고 치유하고 아프게 하고 해치는 에너지를 갖고 있어.

- 명사(the most powerful force) + 형용사구(available to + 명사(humanity)): 형용사구가 뒤에서 앞 명사 수식.
- 명사(energy) + to-v(to help / to heal / to hurt / to harm): to-v가 뒤에서 앞 명사 수식(뒤수식).

06
available
이용할[구할] 수 있는
humanity 인류[인간]
heal 치유하다
harm 해치다

07 Digital literacy refers to an individual's ability **to find, evaluate,** and **create** information on various digital platforms.
디지털 리터러시는 다양한 디지털 플랫폼에서 정보를 찾고 평가하고 만드는 개인의 능력을 가리켜.

- 명사(an individual's ability) + to-v(to find / (to) evaluate / (to) create ~): to-v가 뒤에서 앞 명사 수식.
- 타동사(find / evaluate / create) + 목적어(information ~): 목적어가 앞 동사들을 공통으로 받음.

07
literacy
글을 읽고 쓸 수 있는 능력
refer to 가리키다[나타내다]
evaluate 평가하다

B 

08 Democracy is a charming form of government **full of variety and disorder.** *Plato*
민주주의는 다양성과 무질서로 가득한 매력적인 형태의 정치 제제야.

- 명사(a charming form of government) + 형용사구(full of + 명사(variety and disorder)): 형용사구가 뒤에서 앞 명사 수식.

Know More **〈배경 지식〉** '서양 2000년 철학은 모두 플라톤의 각주에 불과하다'는 서양 철학의 간판스타 플라톤의 《국가》(The Republic)에 나오는 민주주의를 폄하하는 말인데, 그는 진리와 선을 아는 소수 '철인'(哲人)(=귀족)에 의한 지배를 옹호하고 시민 계급의 토론에 의한 민주 정치를 '우민 정치'라고 비판했음.

08
charming 매력적인
variety 다양성
disorder 무질서

09 Virtual reality (VR) is a simulated experience **similar** to or completely **different** from the real world.
가상 현실은 실제 세계와 비슷하거나 완전히 다른, 모방해 만들어진 경험이야.

- 명사(a simulated experience) + 형용사구(similar to / different from + 명사(the real world)): 형용사구가 뒤에서 앞 명사 수식.
- A(similar to) or B((completely) different from) + the real world: the real world가 A와 B 공통으로 받음.

09
virtual reality 가상 현실
simulate 모방해 만들다[시뮬레이션하다]
similar 비슷한

10 Life is not a problem **to be solved,** but a reality **to be experienced.** *Kierkegaard*
삶은 해결되어야 할 문제가 아니라, 경험되어야 할 현실이야.

- not A(a problem ~) but B(a reality ~): A가 아니라 B(A는 부정되고 B가 긍정됨.)
- 명사(a problem / a reality) + to be v-ed분사(to be solved / to be experienced): 〈to be v-ed분사〉(수동형 to-v(v되는))가 뒤에서 앞 명사 수식.

Know More **〈배경 지식〉** '실존주의'의 아버지라 불리는 키르케고르의 핵심 사상(Existence precedes essence. 실존은 본질에 앞선다.)이 담긴 말로, 답 없는 삶의 문제를 풀려 하지 말고, 부조리한 현실에서 '죽음에 이르는 병'인 절망의 고통을 오히려 축복으로 느끼며 자기 삶을 자유와 책임을 가진 주체자로 겪으면서 밀고 나가라는 것.

10
experience 경험하다

11 You are the main character of your life's story; it's time **to give** your audience something **to be inspired by.** *Kevin Ngo*
넌 네 삶의 이야기의 주인공이고, 네 관객에게 영감을 받을 뭔가를 주어야 할 시간이야.

- 명사(time) + to-v(to give ~): to-v가 뒤에서 앞 명사 수식.
- 대명사(something) + to be v-ed분사(to be inspired by): 〈to be v-ed분사〉(v되는)가 뒤에서 앞 대명사 수식.

11
inspire 영감을 주다

C

12 Too often we give children answers **to remember** rather than problems **to solve.** *Roger Lewin*
너무도 흔히 우리는 아이들에게 풀어야 할 문제 대신에 기억해야 할 답을 줘.

- 명사(answers / problems) + to-v(to remember / to solve): to-v가 뒤에서 앞 명사 수식(뒤수식).

12
rather than ~보다는[대신에]

13 Social distancing is a set of infection control actions **to stop** or **slow down** the spread of a contagious disease.
사회적 거리 두기는 전염병의 확산을 멈추거나 늦추려는 일련의 전염 통제 조치야.

- 명사(a set of infection control actions) + to-v(to stop / (to) slow down ~): to-v가 뒤에서 앞 명사 수식.
- (구)동사(stop / slow down) + 목적어(the spread ~): 목적어가 앞 두 (구)동사를 공통으로 받음.

13
social distancing 사회적 거리 두기
infection 감염[전염병]
spread 확산
contagious 전염의

14 AI perceives its environment and takes actions **to maximize** its chance **of successfully achieving** its goals.
인공 지능은 자신의 환경을 감지하고 목표를 성공적으로 달성할 기회를 최대화하는 조치를 취해.

- 명사(actions) + to-v(to maximize ~): to-v가 뒤에서 앞 명사 수식.
- 전치사(of) + v-ing((successfully) achieving ~): 전치사 뒤에 동사가 올 경우 v-ing. ➲ Unit 29

14
perceive 감지하다
maximize 최대화하다

15 Music has the healing power **to take** people out of themselves for a few hours. *Elton John*
음악은 사람들에게 몇 시간 동안 근심을 잊게 하는 치유력을 가지고 있어.

- 명사(the healing power) + to-v(to take ~): to-v가 뒤에서 앞 명사 수식.

15
heal 치유하다
take ~ out of oneself ~에게 근심을 잊게 하다

본책 68~69쪽을 함께 펴놓고 보세요!

unit 19

전치사구 (명사수식어 / 부사어)

주어	동사	명사 + 전치사구	
Democracy	is	government	of the people, by the people, and for the people.

Standard Sentences

01 Democracy is government of the people, by the people, and for the people. *Abraham Lincoln* 민주주의는 국민의, 국민에 의한, 국민을 위한 정치 체제야.

- 명사(government) + 전치사구(of / by / for + the people): 전치사구(전치사 + 명사)가 뒤에서 앞 명사 수식.

02 Strive for continuous improvement instead of perfection. *Kim Collins*
완벽 대신 지속적인 개선을 위해 노력해.

- 동사(strive) + 전치사구[부사어](for continuous improvement ~): 전치사구(전치사 + 명사)가 동사 수식.
- 명사(continuous improvement) + 전치사구(instead of perfection): 전치사구가 뒤에서 앞 명사 수식.

02
strive 노력[분투]하다
instead of ~ 대신에
perfection 완벽

03 Through all my life, the new sights of Nature made me rejoice like a child. *Marie Curie*
평생 자연의 새로운 광경이 날 어린아이처럼 크게 기뻐하게 했어.

- 전치사구[부사어](through all my life)가 문장 맨 앞에 왔음.
- 타동사(make) + 목적어(me) + 목적보어[V](rejoice ~): ~을 v하게 하다
- 동사(rejoice) + 전치사구(like a child): 전치사구(전치사 + 명사)가 동사 수식.

03
sight 광경
rejoice 크게 기뻐하다

A

04 Everyone has the right to freedom of thought, conscience and religion, and to freedom of opinion and expression. *세계 인권 선언*
모든 사람은 사상, 양심, 종교의 자유에 대한 권리와, 의견과 표현의 자유에 대한 권리가 있어.

- 명사(the right) + 전치사구(to freedom): 전치사구(전치사 + 명사)가 뒤에서 앞 명사 수식.
- 명사(freedom) + 전치사구(of thought / conscience / religion / opinion / expression): 전치사구(전치사 + 명사)가 뒤에서 앞 명사 수식.

04
right 권리
freedom 자유
conscience 양심
religion 종교
expression 표현

05 There are serious concerns about dangers in the areas of privacy and security in the Internet of Things.
사물 인터넷의 사생활과 보안 부문에서의 위험에 대한 심각한 우려가 있어.

- serious concerns about dangers in the areas of privacy and security in the Internet of Things

Know More 〈배경 지식〉 사물 인터넷(Internet of Things[IoT]): 가전제품과 모바일 장비 등에 센서와 통신 기능을 내장해 인터넷을 통해 사물들이 수집·분석한 정보를 사용자에게 제공하거나 사용자가 원격 조정·관리할 수 있는 시스템으로, 사물이 바이러스와 해킹의 대상이 될 수 있어 특히 보안이 중요한 것.

05
concern 우려[걱정]
privacy 사생활
security 보안
Internet of Things 사물 인터넷

Up! **06** The laureates were awarded the prize for contributions to our understanding of the evolution of the universe and Earth's place in the cosmos.
수상자들은 우주 진화와 우주에서의 지구의 위치에 대한 우리의 이해에 기여하여 상을 받았어. *Swedish Academy*

- 동사(were awarded) ~ 전치사구[부사어](for contributions ~): 전치사구(전치사 + 명사)가 동사 수식.
- contributions to our understanding of A(the evolution of the universe) and B(Earth's place in the cosmos)

06
laureate 수상자
award 수여하다
contribution 기여
evolution 진화
cosmos 우주

07 We are just an advanced breed of monkeys on a minor planet of a very average star, but we can understand the universe. *Stephen Hawking*
우리는 매우 평범한 별의 작은 행성에 사는 단지 진화된 원숭이 종일뿐이지만, 우리는 우주를 이해할 수 있어.

- an advanced breed of monkeys on a minor planet of a very average star

Know More 〈배경 지식〉 2018년 타계한 이론물리학자 스티븐 호킹이 남긴 유명한 말로, 우주를 이해할 수 있는 우리의 능력이야말로 평범한 존재인 우리를 정말 특별한 존재로 만든다는 것.

07
advanced 진화된
breed (품)종
minor 작은
average 평범한

B **08** **Politics is war without bloodshed; war is politics with bloodshed.** *Mao Zedong*
정치는 유혈 사태 없는 전쟁이고, 전쟁은 유혈 사태 있는 정치야.

- 명사(war / politics) + 전치사구(without / with + bloodshed): 전치사구(전치사 + 명사)가 뒤에서 앞 명사 수식.

Know More **〈배경 지식〉** 국공 내전에서 승리를 거두고 중화인민공화국을 수립한 마오쩌둥의 말로, 정치를 전쟁과 동일한 이익들의 충돌로 본 것. 그의 말 "정치권력은 총구에서 나온다."(Political power grows out of the barrel of a gun.)도 같은 의미.

09 **Justice for crimes against humanity must have no limitations.** *Simon Wiesenthal*
반인도적 범죄에 대한 처벌은 공소 시효가 없어야 해.

- 명사(justice / crimes) + 전치사구(for crimes ~ / against humanity): 전치사구(전치사 + 명사)가 뒤에서 앞 명사 수식.

Know More **〈배경 지식〉** 홀로코스트(Holocaust 나치 유대인 대학살)의 생존자이자 연구가·추적자인 지몬 비젠탈의 말로, '반인도적 범죄'는 주로 전쟁 전후 민간인에 대해 저질러지는 살인·박해로, 국제형사재판소의 관할로 어떤 시효도 적용받지 않게 되었음.

10 **Victims of bullying experience lower self-esteem and various negative emotions, including being scared, angry and depressed.**
집단 따돌림[약자 괴롭히기]의 피해자들은 낮은 자존감과 무섭고 화나고 우울한 것을 포함한 다양한 부정적인 감정들을 경험해.

- 명사(various negative emotions) + 전치사구(including being scared ~): 전치사구가 뒤에서 앞 명사 수식.
- 전치사(including) + v-ing(being scared ~): 전치사 뒤에 동사가 올 경우 v-ing. ➔ Unit 29

11 **Tragedy heals the audience through their experience of pity and fear in response to the suffering of the characters in the drama.**
비극은 극 중 등장인물들의 고통에 반응하는 연민과 두려움의 경험을 통해 관객들을 치유해.

- 동사(heals) ~ 전치사구[부사어](through their experience ~): 전치사구(전치사 + 명사)가 동사 수식.
- 명사(their experience) + 전치사구(of pity and fear ~): 전치사구가 뒤에서 앞 명사 수식.
- response to the suffering of the characters in the drama

Know More **〈배경 지식〉** 아리스토텔레스의 문학론을 담은 《시학》(Poetics)의 내용으로, 위인·영웅의 삶이 자신의 성격적 결함이나 실수로 인해 행운에서 불운으로 역전되는 비극을 보면서 관객이 '카타르시스'(감정의 정화)를 얻게 된다는 것.

C **12** **Nothing occurs contrary to nature except the impossible, and that never occurs.** *Galileo Galilei*
불가능한 것을 제외하고는 아무것도 자연에 반해서 일어나지 않고, 그 불가능한 것은 절대 일어나지 않아.

- 명사(nothing) ~ 전치사구(except the impossible): 전치사구가 앞 명사와 떨어져 뒤에서 수식.

Know More **〈유머 코드〉** 근대 과학·물리학·관측천문학의 아버지로 불리는 갈릴레오 갈릴레이의 말로, 결국 자연에 반해 일어나는 건 아무것도 없다는 것.

13 **History followed different courses for different peoples because of environmental differences, not biological differences.** *Jared Diamond*
역사는 생물학적 차이가 아니라 환경적 차이 때문에 각기 다른 민족들의 각기 다른 코스들을 따라갔어.

- 동사(followed) ~ 부사어(because of + 명사(environmental differences)): 전치사구(전치사 + 명사)가 동사 수식.
- 명사(different courses) + 전치사구(for different peoples): 전치사구가 뒤에서 앞 명사 수식.

Know More **〈배경 지식〉** 재러드 다이아몬드의 《총, 균, 쇠》에 나오는 말로, 그는 유라시아 문명이 다른 문명을 정복할 수 있었던 것은 유라시아 인종의 유전적 우월성 때문이 아니라 지리적 차이 때문이었다고 결론지었음.

14 **According to general relativity, the gravitational attraction between masses results from the distortion of space and time by those masses.**
일반 상대성 이론에 따르면, 질량을 가진 물체들 사이의 중력은 그 질량들에 의한 시공간의 휘어짐으로부터 생겨.

- 전치사(according to) + 명사(general relativity): 전치사구[부사어]가 문장 맨 앞에서 문장 전체를 수식.
- 동사(results) + 전치사구[부사어](from the distortion ~): 전치사구(전치사 + 명사)가 동사 수식.
- the distortion of space and time by those masses

15 **Despite his hearing loss, Beethoven composed some of the world's most beautiful symphonies.** 청력 상실에도 불구하고, 베토벤은 세상에서 가장 아름다운 교향곡들을 작곡했어.

- despite[in spite of] + 명사(his hearing loss): 전치사구[부사어]가 문장 맨 앞에 왔음.

08
politics 정치
bloodshed 유혈 사태

09
justice 처벌[정의]
humanity 인류[인간]
limitation 공소 시효[제한]

10
victim 피해자
bully 약자를 괴롭히다
self-esteem 자존감
including ~을 포함하여

11
heal 치유하다
pity 연민[동정]
in response to ~에 (반)응하여
suffering 고통
character 등장인물

12
occur 일어나다[발생하다]
contrary to ~에 반해서[~와 반대로]
except 제외하고는

13
people 민족[국민] (복수형 peoples)
because of ~ 때문에
environmental 환경의
biological 생물학적인

14
according to ~에 따르면
gravitational attraction 중력
mass 질량
result from ~의 결과로 생기다
distortion 휘어짐[왜곡]

15
despite ~에도 불구하고
loss 상실
compose 작곡하다
symphony 교향곡

본책 70~71쪽을 함께 펴놓고 보세요!

unit 20

to-v (부사어 / 형용사·부사수식어)

주어	동사	목적어	to-v
We	need	about 8 hours of sleep per night	to function optimally.

Standard Sentences

01 We need **about 8 hours of sleep per night** **to function** optimally during waking hours.

우리는 깨어있는 시간 동안 최적으로 기능하기 위해 **하룻밤에 약 8시간의 수면이** 필요해.

- 동사(need) ~ to-v[부사어](to function ~): v하기 위해[v하도록](목적)

01 per 각[마다] / function 기능하다 / optimally 최적으로

02 Maybe one day we will be glad **to remember** even these hardships. *Virgil*

아마도 어느 날 우리는 이 어려움조차 기억하게 되어서 기쁠 거야.

- be + 감정 형용사(glad) + to-v(to remember ~): v해서(감정의 원인)

Know More **<배경 지식>** 고대 로마의 시성(詩聖)이라 불린 베르길리우스의 말로, 어려운 시절에도 자신을 잘 돌보며 참고 견뎌 내서 훗날 뒤돌아보면 아름다운 추억으로 기억될 거라는 것.

02 hardship 어려움[곤란]

03 A teenager is always **too tired to hold** a dishcloth, but never **too tired to hold** a phone.

십대는 늘 너무 피곤해서 행주는 들 수 없지만, 결코 전화기를 들기엔 너무 피곤하지 않아.

- too 형용사(tired) to-v(to hold ~): v하기엔 너무 ~한[너무 ~해서 v할 수 없는]

03 dishcloth 행주

A

04 Life is like riding a bicycle; **to keep** your balance, you must keep moving. *Albert Einstein*

삶은 자전거를 타는 것과 같아서, 균형을 유지하기 위해 넌 계속 움직여야 해.

- 전치사(like) + v-ing(riding ~): 전치사 뒤에 동사가 올 경우 v-ing.
- to-v[부사어](to keep ~): 목적(v하기 위해)을 나타내는 to-v가 동사(must keep) 앞으로 나왔음.
- keep (on) + v-ing(moving): 계속 v하다 Unit 24

04 balance 균형

05 He was eating **pillow-shaped biscuits** in his dream, and woke up **to find** the mattress half gone. *Fred Allen*

그는 꿈에서 **베개 모양의 비스킷을** 먹고 있었는데, 깨어나서 매트리스가 반쯤 없어진 걸 알게 되었어.

- 동사(woke up) + to-v[부사어](to find ~): ~해서 v되다(예상 밖의 결과)
- 타동사(find) + 목적어(the mattress) + 목적보어(half gone): ~가 …인 걸 알게 되다

05 pillow 베개 / mattress 매트리스 / half 반쯤 / gone 없어진

06 The scientist must be free **to ask** any question, **to doubt** any assertion, **to seek** any evidence, and **to correct** any errors. *Robert Oppenheimer*

과학자는 어떤 질문이든 자유롭게 묻고, 어떤 주장이든 자유롭게 의심하고, 어떤 증거든 자유롭게 찾고, 어떤 오류든 자유롭게 바로잡아야 해.

- be free to-v(to ask / doubt / seek / correct ~): v하기에 자유롭다[자유롭게 v하다]

06 assertion 주장 / evidence 증거 / correct 바로잡다

07 **In order to achieve** anything you must be **brave enough to fail.** *Kirk Douglas*

무엇이든 성취하기 위해 넌 실패할 만큼 충분히 용감해야 해.

- in order to-v[부사어](to achieve ~): 목적(v하기 위해)을 나타내는 in order to-v가 문장 맨 앞에 왔음.
- 형용사(brave) enough to-v(to fail): v할 만큼 충분히 ~한

Know More **<유머 코드>** 빈민가에 살며 고학해 100여 편의 영화에 출연·제작하고 103세의 나이로 2020년 타계한 전설적인 미국 영화배우·제작자 커크 더글러스의 말로, 실패를 두려워하지 말고 용감하게 시도해야 성공할 수 있다는 것. 특히 그는 박해받던 돌턴 트럼보 각본으로 대작 《스파르타쿠스》를 주연·제작해 '할리우드 블랙리스트' 타파에 기여하기도 했음.

07 achieve 성취하다

B 08 I was hugely relieved **to discover** there was a purpose for girls with loud voices. *Betty Buckley*
난 목소리가 큰 소녀들의 쓰임새가 있다는 것을 알아내서 크게 다행으로 여겼어.

- be + 감정 형용사(relieved) + to-v(to discover ~): v해서(감정의 원인)
- discover + (that) + there was a purpose ~: ~것을 알아내다(that절이 discover의 목적어절.) Unit 33

Know More **<유머 코드>** 미국 배우·가수인 베티 버클리의 말로, 단점으로 여겨졌던 큰 목소리를 가진 소녀였는데 그것이 오히려 유리한 분야를 발견했다는 것.

08
relieved 다행으로 여기는[안도하는]
discover 발견하다[알아내다]
purpose 목적[용도]

09 Your dreams must be **big enough not to lose** sight of them. *Oscar Wilde*
네 꿈은 안 보이게 되지 않을 만큼 충분히 커야 해.

- 형용사(big) enough not to-v: v하지 않을 만큼 충분히 ~한

Know More **<유머 코드>** 꿈이 시간의 흐름에 따라 희미해져 잊히지 않도록 꿈을 크게 가지라는 권고.

09
lose sight of ~이 더 이상 안 보이게 되다

10 I cannot speak **well enough to be** unintelligible. *Jane Austen*
난 이해할 수 없을 만큼 충분히 잘(어렵게 꾸며) 말할 수 없어.

- 부사(well) enough to-v(to be): v할 만큼 충분히 ~하게

Know More **<유머 코드>** 《오만과 편견》(Pride and Prejudice) 《이성과 감성》(Sense and Sensibility)을 쓴 영국 소설가 제인 오스틴의 소설 속 대화로, 괜히 난해하게 표현하는 언어 관행에 대해 풍자한 것.

10
unintelligible 이해할 수 없는

11 You are never **too old to set** another goal or **to dream** a new dream. *C.S. Lewis*
넌 또 다른 목표를 세우거나 새로운 꿈을 꾸기에 결코 너무 나이 들지 않았어.

- too 형용사(old) to-v(to set ~ / to dream ~): v하기엔 너무 ~한[너무 ~해서 v할 수 없는]

11
set a goal 목표를 세우다

C 12 Fake news is made up **so as to damage** a person or organization, or **gain** financially or politically.
가짜 뉴스는 개인이나 조직에 피해를 입히거나, 금전적이나 정치적으로 이익을 얻기 위해 지어내져.

- so as to-v(to damage / (to) gain ~): v하기 위해(목적)

12
make up 지어내다
organization 조직[단체]
gain (이익을) 얻다
financially 재정[금전]적으로

13 **To write** effective fantasies, authors rely on the readers' **"suspension of disbelief," an acceptance of the unbelievable for enjoyment.**
효과적인 공상 소설을 쓰기 위해 작가들은 독자들의 '불신 유보', 즉 즐거움을 위한 믿기 힘든 것의 수용을 필요로 해.

- to-v[부사어](to write ~): 목적(v하기 위해)을 나타내는 to-v[부사어]가 문장 맨 앞에 왔음.
- A("suspension of disbelief"), B(an acceptance of the unbelievable ~): A와 B는 동격(A=B).

Know More **<배경 지식>** 불신의 자발적 유보(willing suspension of disbelief): 문학 독자나 관객이 허구의 작품 앞에서 비판과 의심의 능력을 자발적으로 유보하고 비사실적인 상상의 세계 속에 몰입함으로써 즐거움과 쾌락을 느끼려고 하는 경향.

13
effective 효과적인
fantasy 판타지 소설[영화]
rely on 의지하다[필요로 하다]
suspension 유보
disbelief 불신
acceptance 수락[수용]

14 People may **climb** the ladder of success **only to find** that the ladder is leaning against the wrong wall. *Thomas Merton*
사람들은 성공의 사다리를 타고 올라가서 사다리가 잘못된 벽에 기대어 있다는 것을 알게만 될지도 몰라.

- 동사(climb) ~ only to-v[부사어](to find ~): ~해서 v만 되다(예상 밖의 결과)
- find + that + 주어(the ladder) + 동사(is leaning) ~: ~것을 알게 되다(that절이 find의 목적어절.) Unit 33

14
ladder 사다리
lean 기대다

Up! 15 There is **nothing so likely to** produce peace **as to be** well prepared **to meet** the enemy. *George Washington*
적과 대결할 준비가 잘 되어 있는 것만큼 평화를 가져올 가능성이 큰 건 아무것도 없어.

- 대명사(nothing) + 형용사구(so likely to ~ as to …): …만큼 ~한 것은 아무것도 없는(가장 ~한) Unit 57
- so 형용사(likely) ~ as to-v(to be ~): v할 만큼 ~한
- be (well) prepared to-v(to meet ~): v할 준비가 (잘) 되어 있다

Know More **<배경 지식>** 미국 독립 전쟁 총사령관으로 건국의 아버지라 불린 미국 초대 대통령 조지 워싱턴의 말로, 대적할 준비를 잘하는 것이야말로 평화를 위한 가장 확실한 방책이라는 것. 유비무환(有備無患).

15
likely to-v v할 가능성이 있는[할 것 같은]
meet 만나다[대결하다]
enemy 적

A

01 There is no fundamental difference between man and animals in their ability to feel pleasure and pain, happiness and misery. *Charles Darwin*
기쁨과 고통, 행복과 불행을 느끼는 능력에서 인간과 동물들 간의 근본적인 차이가 없어.

- 명사(their ability) + to-v(to feel ~): to-v가 뒤에서 앞 명사 수식.

Know More 〈배경 지식〉 평생을 동식물과 인간 연구에 바친 찰스 다윈의 말로, 그는 어린 시절부터 동물 관찰에 흥미를 보였고 사냥도 잔인하다며 그만두었으며 세계를 여행하면서 원주민들과 차이를 인정하지 않았고 노예 제도에 격분했는데, 그의 이러한 성향과 진화론의 발견·전개는 무관치 않을 것.

01 fundamental 근본(본질)적인 / ability 능력 / pain 고통 / misery 고통[불행]

02 A people **without** the knowledge of their history and culture is **like** a tree **without roots.** *Marcus Garvey*
자신들의 역사와 문화에 대한 지식이 없는 민족은 뿌리 없는 나무와 같아.

- 명사(a people / a tree) + 전치사구(without + the knowledge ~ / roots): 전치사구가 뒤에서 앞 명사 수식.

02 root 뿌리

Up! **03** The Information Age is a period **characterized** by the shift from traditional industry to an economy **based** upon information technology.
정보화 시대는 전통 산업에서 정보 기술에 기반을 둔 경제로의 변화로 특징지어지는 시기야.

- 명사(a period) + v-ed분사(characterized ~): v-ed분사가 뒤에서 앞 명사 수식(뒤수식).
- 명사(an economy) + v-ed분사(based ~): v-ed분사가 뒤에서 앞 명사 수식(뒤수식).

03 period 시기[기간] / characterize 특징짓다 / shift 변화

04 Most people have the will **to win**; few have the will **to prepare to win.** *Bobby Knight*
대부분의 사람들은 이기려는 의지가 있지만, 이기려고 준비하는 의지를 가진 사람은 거의 없어.

- 명사(the will) + to-v(to win / to prepare ~): to-v가 뒤에서 앞 명사 수식.
- to-v(to win): ~하기 위해(목적)

04 will 의지 / prepare 준비하다

05 Fear is the "preparation energy" **to do your best in a new situation.** *Peter McWilliams*
두려움은 새로운 상황에서 네가 최선을 다할 수 있게 하는 '준비 에너지'야.

- 명사(the "preparation energy") + to-v(to do ~): to-v가 뒤에서 앞 명사 수식.

05 fear 두려움 / preparation 준비

06 Countries must work together and learn from one another **in order to create** a better world for all people.
나라들은 모든 사람들을 위한 더 나은 세상을 만들기 위해 함께 일하고 서로 배워야 해.

- in order to-v[부사어](in order to create ~): 목적(v하기 위해)

06 one another 서로

07 To be a lighthouse, you must be strong **enough to resist** every storm and loneliness, and you must have a light inside you! *Mehmet Ildan*
등대가 되기 위해, 넌 모든 폭풍우와 외로움을 견딜 만큼 충분히 강해야 하고, 넌 네 안에 빛을 가져야 해!

- to-v[부사어](to be ~): 목적(v하기 위해)을 나타내는 to-v[부사어]가 문장 맨 앞에 왔음.
- 형용사(strong) enough to-v(to resist ~): v할 만큼 충분히 ~한

07 lighthouse 등대 / resist 견디다[참다] / loneliness 외로움

B

08 A person **using** virtual reality equipment is able to look around the artificial world and interact with virtual features or items.
가상 현실 장비를 사용하는 사람은 인공 세계를 둘러보고, 가상 특징들이나 물품들과 상호 작용할 수 있어.

- 명사(a person) + v-ing(using ~): v-ing가 뒤에서 앞 명사 수식(능동 관계).
- be able to V(look around ~) and V(interact ~): ~할 수 있다

08 virtual 가상의 / equipment 장비 / artificial 인공의 / interact 상호 작용하다 / feature 특징

09 Most remarks **made** by children consist of correct ideas very badly **expressed.** *W. Sawyer*
아이들이 하는 대부분의 말들은 매우 서툴게 표현되는 옳은 생각들로 이루어져 있어.

- 명사(most remarks) + v-ed분사(made ~): v-ed분사가 뒤에서 앞 명사 수식(수동 관계).
- 명사(correct ideas) + v-ed분사((very badly) expressed): v-ed분사가 뒤에서 앞 명사 수식(뒤수식).

09 remark 발언[말] / correct 맞는[정확한]/옳은[적절한]

10 We are already seeing an increase of extreme weather events **disrupting** lives across the region.
우리는 이미 온 지역에 걸쳐 생활을 방해하고 있는 극한 기후 사건들의 증가를 보고 있어.

- 명사(extreme weather events) + v-ing(disrupting ~): v-ing가 뒤에서 앞 명사 수식(능동 관계).

10 extreme 극단적인 / disrupt 방해하다 / across ~에 걸쳐[온 ~에]

Stage Ⅱ

주어 / 보어 / 목적어구·절 & 관계절

Stage Ⅱ

Contents of Stage

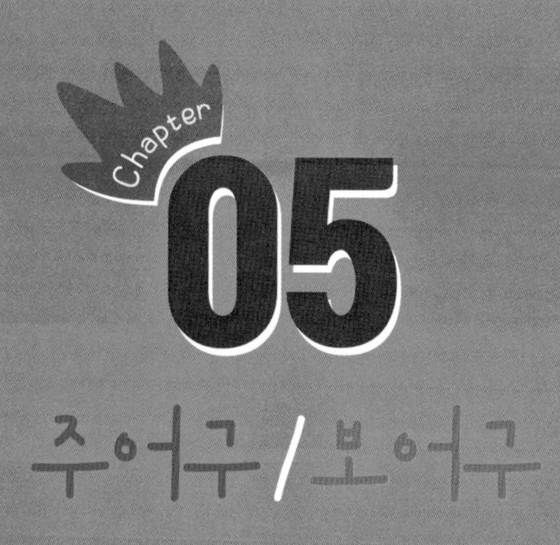

주어구 / 보어구

Unit Words

■ 본격적인 구문 학습에 앞서, 각 유닛별 주요 단어를 확인하세요.

Unit 21 주어 v-ing

- ☐ conserve 보호[보존]하다
- ☐ imperative 긴요한 것
- ☐ quit 끊다[그만하다]
- ☐ challenging 도전적인
- ☐ mid-point 중간 (지점)
- ☐ put ~ into practice ~을 실행에 옮기다
- ☐ risk ~의 위험을 무릅쓰다
- ☐ self-love 자기애
- ☐ courage 용기
- ☐ relax 쉬다
- ☐ awareness 의식
- ☐ pressing 긴급한
- ☐ economics 경제학
- ☐ lead a ~ life ~한 삶을 살다
- ☐ moderate 적당한
- ☐ pace 속도
- ☐ intense 강렬한
- ☐ coward 겁쟁이

Unit 22 주어 to-v

- ☐ folly 어리석음
- ☐ contradict 부정[반박]하다
- ☐ originality 독창성
- ☐ imitation 모방
- ☐ cry out 외치다
- ☐ addict 중독자
- ☐ deprivation 부족[박탈]
- ☐ flexible 융통성 있는[유연한]
- ☐ cooperative 협조적인
- ☐ dwell on 곱씹다
- ☐ angle 각도[시각]
- ☐ advance 발전
- ☐ mastery 지배(력)
- ☐ dual 이중의
- ☐ function 기능

Unit 23 보어 v-ing / to-v

- ☐ triumph 승리
- ☐ evil 악
- ☐ sight 시력
- ☐ vision 비전[전망]
- ☐ mind 신경 쓰다
- ☐ possibility 기회
- ☐ illusion 환상
- ☐ acquire 얻다[획득하다]
- ☐ intellectual property 지식 재산
- ☐ encourage 장려하다
- ☐ step on 밟다
- ☐ the same as ~ ~와 같은[같이]
- ☐ community 공동체
- ☐ emergency 비상(사태)
- ☐ heaven 천국

본책 78~79쪽을 함께 펴놓고 보세요!

Unit 21

주어 v-ing

v-ing	동사	보어
Conserving biodiversity	is	a survival imperative.

Standard Sentences

01 Conserving biodiversity is not a luxury in our times but a survival imperative. *Vandana Shiva*
생물의 다양성을 보존하는 것은 우리 시대의 사치가 아니라 생존에 긴요한 일이야.

- v-ing[주어](conserving biodiversity) + 동사(is): v-ing(v하는 것)가 주어.
- not A(a luxury ~) but B(a survival ~): A가 아니라 B(A는 부정되고 B가 긍정됨.)

01
conserve 보호[보존]하다
biodiversity 생물의 다양성
luxury 사치(품)
survival 생존
imperative 긴요한 것

02 Not having time to think may be not having the wish to think. *John Steinbeck*
생각할 시간이 없는 것은 생각하고 싶은 마음이 없는 것일지도 몰라.

- not + v-ing(having ~): v-ing의 부정(v하지 않는 것).
- not v-ing[주어](not having ~) + 동사(may be) + not v-ing[보어](not having ~)
- 명사(time / the wish) + to-v(to think): to-v가 뒤에서 앞 명사 수식.

Know More <숨은 의미> 《분노의 포도》를 비롯해 고통 받는 노동자들의 삶을 따뜻하게 그린 소설들을 쓴 존 스타인벡의 작품 속 말로, 생각은 아무 때나 할 수 있는데 생각하지 않는 건 생각하려는 욕구가 없어서라는 것.

02
wish 바람[소망]

03 It's no use blaming the looking glass if your face is untidy. *Nikolai Gogol*
얼굴이 깔끔하지 못하면 거울을 탓해야 소용없어.

- It(형식주어) + be동사 + no use + v-ing(진주어): v하는 것은 소용없다
- if + 주어 + 동사: ~면(조건 부사절) Unit 50

03
blame 탓하다
looking glass 거울
untidy 깔끔하지 못한

A

04 Quitting smoking is easy; I've done it hundreds of times. *Mark Twain*
담배를 끊는 건 쉬워서, 난 그걸 수백 번 해 봤어.

- v-ing[주어](quitting smoking) + 동사(is): v-ing(v하는 것)가 주어.
- have v-ed분사(done) ~ times: ~번 …한 적이 있다[…해 봤다](현재완료 경험) Unit 9

Know More <유머 코드> 《톰소여·허클베리핀의 모험》을 쓴 유머와 풍자의 최고봉 마크 트웨인의 말로, 담배는 끊기도 쉽고 다시 피우기도 쉽다는 것. 어렵지만 꼭 해야 하는 건 끊고 다시 피우지 않는 것!

04
quit 끊다[그만하다]

05 Anything can look like a failure in the middle; pushing through this challenging mid-point is the only path to success. *Rosabeth Kanter*
무엇이든 도중엔 실패처럼 보일 수 있는데, 이 도전적인 중간 지점을 통과해 나가는 게 성공으로 가는 유일한 길이야.

- v-ing[주어](pushing ~) + 동사(is): v-ing(v하는 것)가 주어.

Know More <숨은 의미> 실패로 여겨질 수도 있는 결정적인 난관을 돌파해야 성공에 이를 수 있다는 것.

05
push through 통과하다[끝까지 해내다]
challenging 도전적인
mid-point 중간 (지점)
path 길

06 Having seen something is not as good as knowing it; knowing it is not as good as putting it into practice. *Xunzi(순자)*
어떤 걸 본 적이 있는 건 그것을 아는 것만큼 좋지는 않고, 그걸 아는 건 그걸 실행에 옮기는 것만큼 좋지는 않아.

- having v-ed분사(having seen ~) / v-ing(knowing ~) + 동사(is): having + v-ed분사 / v-ing가 주어.
- having v-ed분사(seen): v한 적이 있는 것(본동사보다 앞선 시간이나 완료를 나타냄.)
- not as 형용사(good) as ~: ~만큼 …하지 않은 Unit 56
- A(v-ing ~) is (not) as 형용사(good) as B(v-ing ~): A와 B 같은 꼴(v-ing) 비교.

Know More <배경 지식> 사람의 본성은 이기적이고 악하다는 '성악설'(性惡說)을 주장한 고대 중국 순자(荀子)의 말로, 그는 예(禮)를 배워 알고 이를 실천해 악한 본성을 선하게 만들어야 한다고 했음.

06
put ~ into practice ~을 실행에 옮기다

07 This is your life; it is worth risking everything to make it yours. *Oprah Winfrey*
이건 네 삶이니, 그걸 네 것으로 만들기 위해 모든 위험을 무릅쓰는 건 가치가 있어.

- It(형식주어) + be동사 + worth + v-ing(진주어): v하는 것은 가치 있다
- to make + 목적어(it=your life) + 목적보어(yours): to-v 부사어(v하기 위해)

07
risk ~의 위험을 무릅쓰다

B **08** Singing sad songs often has a way of healing a situation. *Reba McEntire*
슬픈 노래를 부르는 것은 흔히 상황을 치유하게 돼.

- v-ing[주어](singing ~) + 동사(has): v-ing(v하는 것)가 주어.
- 명사(a way) + 전치사구(of + v-ing(healing ~)): 전치사구가 앞 명사 수식. 전치사 뒤에 동사가 올 경우 v-ing. Unit 29

08
have a way of v-ing 흔히 v하게 되어 가다
heal 치유하다
situation 상황

09 Sometimes not doing something is the best form of self-love.
때로는 어떤 것을 하지 않는 게 자기애의 최선의 형태야.

- not v-ing[주어](not doing ~) + 동사(is): not v-ing(v하지 않는 것)가 주어.

Know More <숨은 의미> 일체의 부자연스러운 행위가 없는 '무위'(無爲)를 최고의 행동 원리로 삼은 게 '도가'(道家)[노장사상]'인데, 그까지는 아니더라도 누구든 때로는 하기 싫은 괴로운 일을 하지 않는 게 자신을 사랑하는 법이라는 것.

09
self-love 자기애

10 Being deeply loved by someone gives you strength; loving someone deeply gives you courage. *Lao Tzu(노자)*
누군가에게 깊이 사랑받는 건 네게 힘을 주고, 누군가를 깊이 사랑하는 건 네게 용기를 줘.

- being + (deeply) + v-ed분사(loved): 의미상 주어와의 관계가 수동이면 being + v-ed분사(v되는[받는] 것).
- v-ing[주어](being deeply loved ~/loving ~) + 동사(gives): v-ing(v하는 것)가 주어.

Know More <숨은 의미> 사랑받으면 힘이 나고, 사랑하면 사랑을 실천할 용기가 난다는 것.

10
strength 힘
courage 용기

11 It is nice finding the place where you can just go and relax. *Moises Arias*
바로 가서 쉴 수 있는 곳을 찾아내는 건 좋은 거야.

- It(형식주어) + be동사 + nice + v-ing(진주어): v하는 것은 좋다
- 명사(the place) + 관계절(where you can just go and relax): 관계절이 앞명사 수식. Unit 39

11
relax 쉬다

C **12** Raising awareness on the most pressing environmental issues of our time is more important than ever. *Leonardo DiCaprio*
우리 시대의 가장 긴급한 환경 문제에 대한 의식을 높이는 것이 그 어느 때보다 더 중요해.

- v-ing[주어](raising ~) + 동사(is): v-ing(v하는 것)가 주어.
- 비교급(more important) + than ever: 그 어느 때보다 더 ~한 Unit 56

12
raise 높이다[올리다]
awareness 의식
pressing 긴급한
environmental 환경의

13 Understanding economics can help you make better decisions and lead a happier life. *Tyler Cowen*
경제학을 이해하는 건 네가 더 나은 결정을 하고 더 행복한 삶을 살도록 도울 수 있어.

- v-ing[주어](understanding ~) + 동사(can help): v-ing(v하는 것)가 주어.
- help + 목적어(you) + 목적보어[V](make ~/lead ~): ~가 v하도록 돕다

13
economics 경제학
decision 결정
lead a ~ life ~한 삶을 살다

14 Walking at a moderate pace for an hour a day is considered a moderately intense level of exercise.
하루에 한 시간 동안 적당한 속도로 걷는 것이 적당한 강도의 운동으로 여겨져.

- v-ing[주어](walking ~) + 동사(is considered): v-ing(v하는 것)가 주어.

14
moderate 적당한
pace 속도
intense 강렬한
level 강도

15 Using social media to hurt and destroy is acted out by cowards hiding behind computers. *Martin Garrix*
상처 주고 파괴하기 위해 소셜 미디어를 사용하는 짓이 컴퓨터 뒤에 숨어 있는 겁쟁이들에 의해 행해져.

- v-ing[주어](using ~) + 동사(is acted out): v-ing(v하는 것)가 주어.
- to-v(to hurt/(to) destroy): v하기 위해(목적)
- 명사(cowards) + v-ing(hiding ~): v-ing가 뒤에서 앞 명사 수식.

15
act out 실행하다
coward 겁쟁이

본책 80~81쪽을 함께 펴놓고 보세요!

unit 22 주어 to-v

It	동사	보어	to-v
It	is	our responsibility	to leave this planet in better shape for the future generations.

Standard Sentences

01 It's all of our responsibility to leave this planet in better shape for the future generations. *Mike Huckabee*
이 지구를 미래 세대들에게 더 나은 상태로 남겨 주는 것은 우리 모두의 책임이야.
- It(형식주어) + 동사(is) ~ + to-v(진주어): 주어 to-v(v하는 것)가 형식주어 it을 앞세우고 뒤에 왔음.

01
responsibility 책임
shape 상태[모양]
generation 세대

02 To keep your secret is wisdom, but to expect others to keep it is folly.
네 비밀을 지키는 것은 현명한 일이지만, 다른 이들이 그걸 지킬 거라 기대하는 것은 어리석은 생각이야. *Samuel Johnson*
- to-v(to keep ~/to expect ~) + 동사(is): to-v(v하는 것)가 주어.
- expect + 목적어(others) + 목적보어[to-v](to keep ~): ~가 v하기를 기대하다

02
wisdom 지혜[현명함]
folly 어리석음

03 It is always possible for a scientific law to be contradicted, restricted, or extended by future observations.
과학 법칙이 미래의 관찰에 의해 반박되거나 제한되거나 확장되는 것은 언제나 가능해.
- It(형식주어) + 동사 ~ + for 명사(의미상 주어) + to-v(진주어): ~가 v하는 것은 …하다
- to be + v-ed분사(contradicted/restricted/extended): 의미상 주어와의 관계가 수동(a scientific law is contradicted/restricted/extended ~).

03
contradict 부정[반박]하다
restrict 제한하다
extend 확대[확장]하다
observation 관찰

A

04 To find fault is easy; to do better may be difficult. *Plutarch*
잘못을 찾는 건 쉽지만, 더 잘하는 건 어려울지도 몰라.
- to-v(to find ~/to do ~) + 동사(is/may be): to-v(v하는 것)가 주어.

Know More 〈숨은 의미〉《플루타르코스 영웅전》을 쓴 고대 그리스 작가 플루타르코스의 말로, 남들의 잘못을 찾는 것은 쉽지만 자신이 더 잘하기는 어렵다는 것.

04
fault 잘못

05 To study and not think is a waste; to think and not study is dangerous.
공부하면서 생각하지 않는 건 낭비고, 생각하면서 공부하지 않는 건 위험해. *Confucius(공자)*
- to-v(to study and not (to) think/to think and not (to) study) + 동사(is): to-v(v하는 것)가 주어.

Know More 〈숨은 의미〉 지식만 쌓고 비판적 사고와 현실적 판단을 하지 않으면 그 지식은 낭비일 뿐이고, 충분한 지식을 갖추지 않고 생각만 하면 편향이나 외곬에 빠질 수 있어 위험하다는 것.

05
waste 낭비

06 It is better to fail in originality than to succeed in imitation. *Herman Melville*
모방에 성공하는 것보다 독창성에 실패하는 게 더 나아.
- It(형식주어) + 동사(is) ~ + to-v(진주어): 주어 to-v(v하는 것)가 형식주어 it을 앞세우고 뒤에 왔음.
- It is better A(to-v ~) than B(to-v ~): A와 B 같은 꼴(to-v) 비교.
- 비교급(better) + than ~: ~보다 더 …한

Know More 〈숨은 의미〉《모비딕》(Moby-Dick《백경》)의 작가 허먼 멜빌의 말로, 성공적인 모방보다 잠재적 가치에서 독창적인 실패가 더 낫다는 것.

06
fail in ~에 실패하다
originality 독창성
succeed in ~에 성공하다
imitation 모방

07 The dead cannot cry out for justice; it is a duty of the living to do so for them. *Lois Bujold* 죽은 이들은 정의를 위해 외칠 수 없으니, 그들을 위해 그렇게 하는 게 산 자들의 의무야.
- the dead/the living = dead people/living people
- It(형식주어) + 동사(is) ~ + to-v(진주어): 주어 to-v(v하는 것)가 형식주어 it을 앞세우고 뒤에 왔음.

Know More 〈숨은 의미〉 죽은 이들을 위해 정의를 실현해서 그들의 한을 풀어 주는 게 산 자들의 의무라는 것.

07
cry out 외치다
duty 의무

B **08** Not to know is bad; not to wish to know is worse. *African Proverb*
알지 못하는 것은 나쁘지만, 알길 바라지 않는 것은 더 나빠.

- not + to-v(to know / to wish ~): to-v의 부정(v하지 않는 것).
- not to-v(not to know / not to wish ~) + 동사(is): not to-v(v하지 않는 것)가 주어.
- wish + 목적어[to-v](to know): v하기를 바라다 Unit 25

08
wish 바라다

09 It's common for a video game addict to spend over 10 hours a day gaming, and suffer from sleep deprivation.
비디오 게임 중독자가 게임하면서 하루 열 시간 이상을 보내고 수면 부족으로 고통받는 일은 흔해.

- It(형식주어) + 동사 ~ + for 명사(의미상 주어) + to-v(진주어): ~가 v하는 것은 …하다 (a video game addict spends ~)
- spend + 시간(over 10 hours a day) + v-ing(gaming): v하면서 시간을 보내다

09
common 흔한
addict 중독자
suffer from ~로 고통받다
deprivation 부족[박탈]

10 It was silly of me to get angry about something so small.
내가 그렇게 사소한 일에 화를 낸 건 어리석었어.

- It(형식주어) + be동사 + 성격 형용사(silly) + of 명사(의미상 주어) + to-v(진주어): ~가 v하는 것은 어떠하다
  → I was silly to get angry about something so small.

11 It is wise of you to become more flexible and cooperative.
네가 더 융통성 있고 협조적이 되는 게 현명해.

- It(형식주어) + be동사 + 성격 형용사(wise) + of 명사(의미상 주어) + to-v(진주어): ~가 v하는 것은 어떠하다
  → You are wise to become more flexible and cooperative.

11
flexible 융통성 있는[유연한]
cooperative 협조적인

C **12** It does not do to dwell on dreams and forget to live. *J.K. Rowling*
꿈들을 곱씹으며 (실제로) 사는 걸 잊어버리는 것은 적절하지 않아.

- It(형식주어) + 동사(does not do) + to-v(진주어): 주어 to-v(v하는 것)가 형식주어 it을 앞세우고 뒤에 왔음.
- forget + 목적어[to-v](to live): (앞으로) v할 것을 잊다 Unit 26

12
do 적절하다
dwell on 곱씹다

13 It takes a lot of courage to show your dream to someone else. *Erma Bombeck*
네 꿈을 다른 사람에게 보여 주는 데는 많은 용기가 필요해.

- It + takes + 명사(a lot of courage) + to-v(to show ~): v하는 데는 ~가 필요하다

13
take 필요하다
courage 용기

14 To regard old problems from a new angle requires creative imagination and marks real advance in science. *Albert Einstein*
오래된 문제들을 새로운 시각에서 보는 것은 창의적인 상상력이 필요하고 진정한 과학의 발전을 나타내.

- to-v(to regard ~) + 동사(requires / marks): to-v(v하는 것)가 주어.

14
regard 보다
angle 각도[시각]
require 필요하다
imagination 상상력
mark 나타내다
advance 발전

15 To enable man to understand the past and to increase his mastery over the present is the dual function of history. *E. H. Carr*
인간이 과거를 이해하고 현재에 대한 지배력을 높일 수 있도록 하는 것이 역사의 이중 기능이야.

- to-v(to enable ~) + 동사(is): to-v(v하는 것)가 주어.
- enable + 목적어(man) + 목적보어[to-v](to understand / to increase ~): ~가 v할 수 있게 하다 Unit 27

Know More <배경 지식> E.H.카의 《역사란 무엇인가?》(What Is History?)에 나오는 말로, 역사는 과거의 사실을 다루지만 그 과거에 대한 이해가 현재를 효과적으로 지배해 나가는 데 활용되어야 한다는 것.

15
past 과거
mastery 지배(력)
present 현재
dual 이중의
function 기능

본책 82~83쪽을 함께 펴놓고 보세요!

Unit 23

보어 v-ing / to-v

주어	동사	v-ing
The purpose of art	is	washing the dust of daily life off our souls.

Standard Sentences

01 The purpose of art is washing the dust of daily life off our souls. *Pablo Picasso*
예술의 목적은 우리의 영혼에서 일상의 먼지를 씻어 내는 거야.

- 주어 + be동사 + v-ing[보어](washing ~): v-ing(v하는 것)가 보어.

Know More <배경 지식> 1만 3,500 여점의 그림과 700 여점의 조각 등 3만여 점의 예술품을 창작한 '현대 미술의 마르지 않는 샘' 파블로 피카소의 말로, 판에 박힌 일상과 세속적 욕망으로부터 영혼을 해방·정화하는 게 예술의 목적이라는 것.

02 One of the most beautiful qualities of true friendship is to understand and to be understood. *Seneca* 참된 우정의 가장 아름다운 특징 중 하나는 이해하고 이해받는 거야.

- one of the 최상급(most beautiful) + 복수명사(qualities): 가장 ~한 것들 중 하나 Unit 57
- 주어 + be동사 + to-v / to be v-ed분사[보어](to understand / to be understood): to-v(v하는 것) / to be v-ed분사(v되는 것: 의미상 주어와의 관계가 수동)가 보어.

03 The only thing necessary for the triumph of evil is for good men to do nothing. *Edmund Burke* 악의 승리에 필요한 유일한 것은 선한 사람들이 아무것도 안 하는 거야.

- 명사(the only thing) + 형용사구(necessary for ~): 형용사구가 뒤에서 앞 명사 수식. Unit 18
- 주어 + be동사 + for 명사(의미상 주어) + to-v[보어]: <for + 명사>는 to-v의 의미상 주어 (~가 v하는 것).

Know More <배경 지식> 기존 질서의 파괴와 혼란을 가져오는 변혁에 반대한 '근대 보수주의의 아버지'로 알려진 영국 정치가 에드먼드 버크의 말로, 공동선을 지키려는 사람들의 의로운 행동이 없으면 악이 만연하게 된다는 것.

01
purpose 목적
wash A off B
A를 B에서 씻어 없애다
dust 먼지
daily 일상의
soul 영혼

02
quality 특징[특성]
friendship 우정

03
triumph 승리
evil 악

A

04 The only thing worse than being blind is having sight but no vision. *Helen Keller*
눈이 먼 것보다 더 나쁜 유일한 것은 시력은 있는데 전망이 없는 거야.

- 명사(the only thing) + 형용사구(worse than ~: ~보다 더 나쁜): 형용사구가 뒤에서 앞 명사 수식.
- 주어 + be동사 + v-ing[보어](having ~): v-ing(v하는 것)가 보어.
- having sight but (having) no vision: 반복 어구 생략.

Know More <배경 지식> 어린 시절 시각·청각 중복 장애인이 되었으나 앤 설리번 선생과 자신의 노력으로 극복해 작가이자 교육자이자 사회·노동 운동가로 불꽃같은 삶을 산 헬런 켈러의 말.

05 Being young is not having any money; being young is not minding not having any money. *Katharine Whitehorn*
젊다는 건 돈이 없다는 거고, 젊다는 건 돈이 없는 걸 신경 쓰지 않는다는 거야.

- v-ing[주어](being ~) + 동사(is) + not v-ing[보어](not having ~/not minding ~): v-ing(v하는 것)가 주어 / not v-ing(v하지 않는 것)가 보어.
- mind + 목적어[not v-ing](not having ~): v하지 않는 것을 신경 쓰다 Unit 24

06 The way to get started is to quit talking and begin doing. *Walt Disney*
시작하는 법은 이야기를 그만하고 하기 시작하는 거야.

- 주어 + be동사 + to-v[보어](to quit ~/ (to) begin ~): to-v(v하는 것)가 보어.
- quit/beign + 목적어[v-ing](talking/doing): v하는 것을 그만두다/v하기 시작하다

Up!

07 The goal of education is not to increase the amount of knowledge but to create the possibilities for a child to invent and discover. *Jean Piaget*
교육의 목표는 지식의 양을 늘리는 것이 아니라 아이가 발명하고 발견할 기회를 만들어 주는 거야.

- not A(to increase ~) but B(to create ~): A가 아니라 B(A는 부정되고 B가 긍정됨.)
- 주어 + be동사 + to-v[보어](to increase ~/to create ~): to-v(v하는 것)가 보어.
- 명사(the possibilities) + for 명사(의미상 주어) + to-v(to invent / (to) discover): to-v가 뒤에서 앞 명사 수식.

04
blind 눈이 먼
sight 시력
vision 비전[전망]

05
mind 신경 쓰다

06
quit 그만두다

07
increase 늘리다[증가시키다]
amount 양
possibility 기회
invent 발명하다
discover 발견하다

B **08** Growing up is losing some illusions in order to acquire others. *Virginia Woolf*
성장하는 것은 다른 환상들을 얻기 위해 어떤 환상들은 잃는 거야.

- v-ing[주어](growing up) + be동사 + v-ing[보어](losing ~): v-ing(v하는 것)가 주어/보어.
- in order to-v(to acquire): v하기 위해(목적)

Know More <숨은 의미> 《댈러웨이 부인》《등대로》 등의 소설로 '의식의 흐름' 기법을 탄생시키고 완성한 작가 중 하나인 버지니아 울프의 말로, 정신적 성장이란 지니고 살던 환상[꿈]을 깨뜨리고 새로운 환상[꿈]을 좇는 과정이라는 것.

08
illusion 환상
acquire 얻다[획득하다]

09 The purpose of intellectual property law is to encourage the creation of a wide variety of intellectual goods.
지식 재산 법의 목적은 매우 다양한 지식 제품의 창작을 장려하는 거야.

- 주어 + be동사 + to-v[보어](to encourage ~): to-v(v하는 것)가 보어.

09
intellectual property 지식 재산
encourage 장려하다
creation 창조[창작]
a wide variety of 매우 다양한

10 Courage is not living without fear, but being scared to death and doing the right thing anyway. *Chae Richardson*
용기는 두려움 없이 사는 게 아니라, 죽도록 무서운데도 옳은 걸 하는 거야.

- not A(living ~) but B(being ~/doing ~): A가 아니라 B(A는 부정되고 B가 긍정됨.)
- 주어 + be동사 + v-ing[보어](living ~/being ~/doing ~): v-ing(v하는 것)가 보어.

10
scared 무서워하는
to death 죽도록
anyway 그래도[어쨌든]

11 Happiness is not being pained in body or troubled in mind. *Thomas Jefferson*
행복은 몸이 고통스럽지 않거나 마음이 괴롭지 않은 거야.

- 주어 + be동사 + not being v-ed분사[보어](not being pained/(not being) troubled ~): not being v-ed분사(v되지 않는 것)가 보어.
- being + v-ed분사: 의미상 주어와의 관계가 수동이면 being + v-ed분사(v되는 것).

Know More <숨은 의미> 미국 독립 선언서의 기초자이자 제3대 대통령 토머스 제퍼슨의 말로, 하나 마나 한 극히 평범하고 소극적인 행복론인 듯하나 살면 살수록 진리임을 깨닫게 되는 것.

11
pain 고통스럽게 하다
trouble 괴롭히다

C **12** Dancing is moving to the music without stepping on anyone's toes, pretty much the same as life. *Robert Brault*
춤은 삶과 거의 같이 누구의 발가락도 밟지 않으면서 음악에 맞춰 움직이는 거야.

- 주어 + be동사 + v-ing[보어](moving ~): v-ing(v하는 것)가 보어.
- 전치사(without) + v-ing(stepping ~): v하지 않고(전치사 뒤에 동사가 올 경우 v-ing.)
- pretty much the same as ~: ~와 거의 같이

Know More <숨은 의미> 춤도 삶도 남에게 피해를 입히지 않으면서 자신만의 자유로운 음악에 맞춰 아름답게 즐기는 것.

12
step on 밟다
pretty much 거의
the same as ~ ~와 같은[같이]

13 Learning a new language is becoming a member of the community of speakers of that language. *Frank Smith*
새로운 언어를 배우는 것은 그 언어 사용자들 공동체의 일원이 되는 거야.

- v-ing[주어](learning ~) + be동사 + v-ing[보어](becoming ~): v-ing(v하는 것)가 주어/보어.

13
community 공동체
speaker 언어 사용자[화자]

14 The best way to handle an emergency is to be prepared for every situation.
비상사태에 대처하는 최선의 방법은 모든 상황에 준비되어 있는 거야.

- 명사(the best way) + to-v(to handle ~): to-v가 뒤에서 앞 명사 수식.
- 주어 + be동사 + to-v[보어](to be prepared ~): to-v(v하는 것)가 보어.

14
handle 다루다[처리하다]
emergency 비상(사태)
prepared 준비된

15 To love yourself right now, just as you are, is to give yourself heaven.
그냥 너인 그대로, 바로 지금 너 자신을 사랑하는 것이 너 자신에게 천국을 선사하는 거야. *Alan Cohen*

- to-v[주어](to love ~) + be동사 + to-v[보어](to give ~): to-v(v하는 것)가 주어/보어.
- just as you are: 그냥 너인 그대로

Know More <숨은 의미> 남들과 비교하지 말고 과거에 대해 후회하지도 말고 현재의 나 자신을 사랑하면 그게 바로 천국이라는 것.

15
heaven 천국

본책 • p.84

A

01 Doing the best at this moment puts you in the best place for the next moment.
이 순간 최선을 다하는 것이 다음 순간을 위한 최선의 자리에 널 있게 해 줘. *Oprah Winfrey*

- v-ing[주어](doing ~) + 동사(puts): v-ing(v하는 것)가 주어.

02 One's only failure is failing to live up to one's own possibilities.
사람의 유일한 실패는 자기 자신의 가능성에 부응하지 못하는 거야. *Abraham Maslow*

- 주어 + be동사 + v-ing[보어](failing ~): v-ing(v하는 것)가 보어.
- fail + 목적어[to-v](to live ~): v하는 데 실패하다[v하지 못하다] ➲ Unit 25

Know More <배경 지식> '매슬로의 5단계 욕구 단계설'(생리→안전→애정·소속→존경→자아실현)로 유명한 심리학자 에이브러햄 매슬로의 말로, 그는 마지막 단계 욕구로 자신의 잠재력[가능성]을 깨우는 자아실현(self-realization)을 들었음.

02
live up to ~에 부응하다
possibility 가능성

03 To live is to suffer; to survive is to find some meaning in the suffering.
산다는 건 고통 받는 거고, 살아간다는 건 고통 속에서 어떤 의미를 찾는 거야. *Friedrich Nietzsche*

- to-v[주어](to live / to survive) + be동사 + to-v[보어](to suffer / to find ~): to-v(v하는 것)가 주어/보어.

Know More <배경 지식> 전통을 깨고 새로운 가치를 세우려 했기에 '망치를 든 철학자'라 불린 니체의 말로, 그는 병치레가 잦았고 마지막 10년은 정신 병원에서 보내야 했으며, 생전에 무시와 비판, 오해에 시달렸으나 사후 최고의 철학자로 큰 영향을 미쳤음.

03
suffer 고통받다
survive 살아남다[살아가다]

04 To talk eloquently is a great art, but an equally great one is to know the right moment to stop. *Wolfgang Amadeus Mozart*
유창하게 말하는 건 훌륭한 기술이지만, 똑같이 훌륭한 건 멈춰야 할 알맞은 때를 아는 거야.

- to-v[주어](to talk ~) + 동사(is): to-v(v하는 것)가 주어.
- 주어 + be동사 + to-v[보어](to know ~): to-v(v하는 것)가 보어.
- 명사(the right moment) + to-v(to stop): to-v가 뒤에서 앞 명사 수식.

Know More <배경 지식> 위대한 작곡가 모차르트가 말하기에서의 절제를 강조한 말로, 그는 "음악은 음들 속에 있는 게 아니라, 그들 사이 침묵 속에 있다."는 말을 남기기도 했음.

04
eloquently 유창하게
art 기술

05 It takes a great deal of bravery to stand up to our enemies, but just as much to stand up to our friends. *J.K. Rowling*
우리 적들에 맞서는 데는 많은 용기가 필요하지만, 우리 친구들에 맞서는 데도 꼭 그만큼 필요해.

- It + takes + 명사(a great deal of bravery / just as much) + to-v(to stand ~): v하는 데는 ~가 필요하다

Know More <숨은 의미> 《해리포터와 마법사의 돌》(Harry Potter and the Philosopher's Stone)에 나오는 말로, 좋게 지내야 할 친구들과 다른 생각과 판단을 갖고 맞서는 건 적들 못지않게 힘들므로 용기가 필요하다는 것.

05
a great deal of 많은
bravery 용기
stand up to ~에 맞서다[저항하다]
(just) as much (꼭) 그와 같은 것

06 The purpose of anthropology is to make the world safe for human differences.
인류학의 목적은 세상을 인간의 다름에 대해 안전하게 하려는 거야. *Ruth Benedict*

- 주어 + be동사 + to-v[보어](to make ~): to-v(v하는 것)가 보어.
- make + 목적어(the world) + 목적보어[형용사](safe): ~을 어떠하게 하다

Know More <배경 지식> (문화)인류학은 오늘날 다양하게 존재하는 여러 문화들에 대해 총체적으로 연구하는 것으로, 이를 통해 인간의 다름에 대한 이해를 넓히고 이해 부족으로 인한 위험을 줄여 세상을 더 안전하게 한다는 것.

06
anthropology 인류학

07 The aim of "surrealism" is to resolve the contradiction of dream and reality into an absolute reality, a super-reality. *André Breton*
'초현실주의'의 목적은 꿈과 현실의 모순을 절대적 현실인 초현실로 해결하려는 거야.

- 주어 + be동사 + to-v[보어](to resolve ~): to-v(v하는 것)가 보어.
- A(an absolute reality), B(a super-reality): A와 B는 동격(A=B).

Know More <배경 지식> 무의식과 꿈의 세계를 탐색한 초현실주의의 대표적 이론가 앙드레 브르통의 말로, 무의식과 의식, 꿈과 현실의 모순과 대립을 새로운 통합의 세계인 초현실의 미를 창조해 해결하고자 한다는 것.

07
surrealism 초현실주의
resolve 해결하다
contradiction 모순
absolute 절대적인

B

08 Not having a clear goal leads to nothing by a thousand compromises.
분명한 목표가 없으면 수많은 타협들로 아무것에도 이르지 못해. *Mark Pincus*

- not v-ing[주어](not having ~) + 동사(leads): not v-ing(v하지 않는 것)가 주어.

08
clear 분명한
lead to ~에 이르다
compromise 타협

09 It is no use speaking in soft, gentle tones if everyone else is shouting.
다른 모든 사람들이 소리치고 있으면, 부드럽고 조용한 어조로 말해 봐야 소용없어. *Joseph Priestley*

- It(형식주어) + be동사 + no use + v-ing(진주어): v하는 것은 소용없다

09
gentle 조용한[온화한]

10 It is easier for a camel to go through the eye of a needle than for a rich man to enter the kingdom of God. *Jesus*
낙타가 바늘귀를 통과하는 것이 부자가 하느님의 왕국에 들어가기보다 더 쉬워.

- It(형식주어) + 동사 ~ + for 명사(의미상 주어) + to-v(진주어): ~가 v하는 것은 …하다(a camel goes ~)
- It + be동사 + 형용사-er + A(for ~ to go ~) + than + B(for ~ to enter ~): A가 B보다 더 ~하다(A와 B는 같은 꼴.)

Know More <배경 지식> 성경에 나오는 예수의 말로, 부자가 천국에 가는 건 어렵다는 말에 덧붙여 거듭 비유로 아주 좁은 틈의 상징인 바늘귀와 낙타의 예를 들어 부자의 천국행의 난망함을 강조한 것.

10
camel 낙타
needle 바늘

목적어구

Unit Words

■ 본격적인 구문 학습에 앞서, 각 유닛별 주요 단어를 확인하세요.

Unit 24 목적어 v-ing

- ☐ long 열망[갈망]하다
- ☐ exhausted 기진맥진한[탈진한]
- ☐ hypothesis 가설
- ☐ derive 끌어내다[얻다]
- ☐ prediction 예측
- ☐ carry out 수행하다
- ☐ involvement 관여
- ☐ minimum 최소한
- ☐ chase 뒤쫓다
- ☐ degradation 저하
- ☐ livestock 가축
- ☐ indefinitely 무기한으로
- ☐ decent 제대로 된
- ☐ hatch 부화하다
- ☐ condemn 유죄 판결하다[비난하다]

Unit 25 목적어 to-v

- ☐ authoritarian 권위주의적인
- ☐ extraordinary 비범한
- ☐ accomplish 성취하다
- ☐ strive 분투하다
- ☐ hear out 말을 끝까지 들어주다
- ☐ one another 서로
- ☐ noble 고귀한
- ☐ dread 두려워하다
- ☐ flee 달아나다

Unit 26 목적어 v-ing / to-v

- ☐ anthropologist 인류학자
- ☐ perspective 관점[시각]
- ☐ accountable 책임이 있는
- ☐ application 지원[신청]
- ☐ let go 버리다[포기하다]
- ☐ speak out 공개적으로 말하다
- ☐ empower 권한을 주다
- ☐ expand 확대[확장]하다
- ☐ simplify 간소화[단순화]하다

Unit 27 목적보어 to-v

- ☐ persuade 설득하다
- ☐ geographic 지리적인
- ☐ border 국경[경계]
- ☐ deceive 속이다
- ☐ alienate 멀리하다[소외시키다]
- ☐ intellectually 지적으로
- ☐ protection 보호
- ☐ manufacturer 제조업자
- ☐ critically 비판적으로
- ☐ confront 직면하다
- ☐ authority 당국
- ☐ resident 거주자[주민]

Unit 28 목적보어 V / v-ing / v-ed분사

- ☐ inferior 열등한
- ☐ consent 동의[승낙]
- ☐ grief 깊은 슬픔
- ☐ extend 포괄하다[이어지다]
- ☐ perpetual 끊임없는
- ☐ acute 격심한
- ☐ transform 완전히 바꾸다
- ☐ motivate 동기를 부여하다
- ☐ direction 방향

Unit 29 전치사목적어 v-ing

- ☐ stable 안정된
- ☐ mortally 치명적으로
- ☐ wound 상처를 입히다
- ☐ instruction 지시
- ☐ quality 자질
- ☐ falsehood 거짓임
- ☐ serve 도움이 되다
- ☐ abuse 학대[남용]하다
- ☐ at the expense of ~을 희생해서

본책 86~87쪽을 함께 펴놓고 보세요!

Unit 24
목적어 v-ing

주어	동사	v-ing
Winners	enjoy	working in the present toward the future.

Standard Sentences

01 Winners learn from the past and enjoy working in the present toward the future. *Denis Waitley*

성공하는 사람들은 과거로부터 배우고, 미래를 위해 현재 일하는 걸 즐겨.

- enjoy + 목적어[v-ing](working ~): v하는 것을 즐기다

01
past 과거
present 현재

02 We cannot put off living until we are ready. *Ortega Gasset*

우리는 준비될 때까지 사는 걸 미룰 순 없어.

- put off + 목적어[v-ing](living): v하는 것을 미루다
- until + 주어 + 동사: ~할 때까지(시간 부사절) Unit 46

02
put off 미루다
ready 준비가 된

03 Imagine all the people living life in peace and sharing all the world. *John Lennon*

모든 사람들이 평화롭게 살아가면서 온 세상을 나누는 걸 상상해 봐.

- imagine + 명사(의미상 주어) + 목적어[v-ing](living ~/sharing ~): ~가 v하는 것을 상상하다

Know More 〈배경 지식〉 세계 대중음악 사상 가장 성공한 밴드 '비틀즈'(The Beatles)의 창립 멤버인 존 레논의 솔로 곡 〈Imagine〉의 주제로, 그가 경력과 삶을 걸고 전개한 반전·평화 운동의 대표곡으로서 영국인이 가장 좋아하는 노랫말로 선정되기도 했음.

03
imagine 상상하다
share 나누다[공유하다]

A

04 We can never give up longing and wishing while we are thoroughly alive. *George Eliot*

우리는 완전히 살아 있는 동안 열망하고 소망하는 것을 절대 포기할 수 없어.

- give up + v-ing(longing/wishing): v하는 것을 포기하다
- while + 주어 + 동사: ~하는 동안(시간 부사절) Unit 46

04
give up 포기하다
long 열망[갈망]하다
thoroughly 완전히

05 Never mind searching for who you are. *Robert Breault*

네가 누구인지 찾는 걸 절대 꺼리지 마[기꺼이 네가 누구인지 찾으려 해].

- not[never] mind + v-ing(searching for ~): 기꺼이 v하다
- who you are(네가 누구인지): wh-절(명사절)이 search for의 목적어로 쓰이고 있음. Unit 35

05
not mind 기꺼이 ~하다
(mind 꺼리다)
search for 찾다

06 Avoid using the word "very" because it's lazy; a man is not very tired, he is exhausted. *Movie "Dead Poets Society"*

'매우'라는 말은 성의가 부족하기 때문에 그것을 쓰는 걸 피해. 어떤 사람이 매우 피곤한 게 아니라, 그는 기진맥진한 거야.

- avoid + v-ing(using ~): v하는 것을 피하다
- because + 주어 + 동사: ~ 때문에(이유 부사절) Unit 47

Know More 〈배경 지식〉 영화 《죽은 시인의 사회》에서 국어 선생님 키팅이 한 말로, 그는 시와 문학을 가르치며 학생들에게 파격적인 방식으로 영감을 주는데, 언어 사용에서도 틀에 박힌 강조 부사 'very'를 쓰지 말고 보다 적확한 표현을 찾아 써야 구애에 성공하고 에세이에서도 좋은 점수를 얻을 수 있다고 설파한 것.

06
avoid (회)피하다
lazy 게으른[성의가 부족한]
exhausted 기진맥진한[탈진한]

07 The process of the scientific method involves making hypotheses, deriving predictions from them, and carrying out experiments.

과학적 방법의 과정은 가설들을 세우고, 그것들에서 예측들을 끌어내고, 실험들을 수행하는 것을 포함해.

- involve + v-ing(making ~/deriving ~/carrying out ~): v하는 것을 포함하다
- derive A from B: A를 B에서 끌어내다[얻다]

07
involve 수반[포함]하다
hypothesis 가설
(복수형 hypotheses)
derive 끌어내다[얻다]
prediction 예측
carry out 수행하다

B **08** I recommend limiting one's involvement in other people's lives to a minimum. *Quentin Crisp*
난 타인의 삶에 대한 관여를 최소한으로 제한하길 권해.

- recommend + v-ing(limiting ~): v하는 것을 권하다

09 Have you ever considered quitting school?
넌 학교를 그만둘 걸 고려한 적이 있어?

- consider + v-ing(quitting ~): v할 것을 고려하다

10 Two teenagers deny attempting to rob a schoolboy after chasing him into an alley.
두 십대가 한 남학생을 골목으로 뒤쫓아 간 후 그에게서 갈취하려고 시도했다는 걸 부인해.

- deny + v-ing(attempting ~): v한 것을 부인하다
- attempt + to-v(to rob ~): v하려고 시도하다
- 전치사(after: ~ 후에) + v-ing(chasing ~): 전치사 뒤에 동사가 올 경우 v-ing. ➲ Unit 29

11 Keep your feet on the ground and keep reaching for the stars. *Casey Kasem*
발을 땅에 딛고 계속 별을 향해 손을 뻗어.

- keep + v-ing(reaching for ~): 계속 v하다

Know More 〈숨은 의미〉 현실에 바탕을 두고 끊임없이 이상을 추구하라는 것.

C **12** FAO suggests eating insects as a possible solution to environmental degradation caused by livestock production.
유엔 식량 농업 기구는 가축 생산에 의해 야기되는 환경의 저하에 대한 가능한 해결책으로 곤충을 먹을 것을 제안해.

- suggest + v-ing(eating ~): v할 것을 제안하다
- 명사(a possible solution) + 전치사구(to environmental degradation): 전치사구가 뒤에서 앞 명사 수식.
- 명사(environmental degradation) + v-ed분사(caused ~): v-ed분사가 뒤에서 앞 명사 수식(수동 관계).

13 You cannot go on indefinitely being just an ordinary, decent egg; we must be hatched or go bad. *C. S. Lewis*
넌 계속 무기한 그저 보통의 제대로 된 계란일 수는 없어. 우리는 부화되거나 상해야 해.

- go on + v-ing(being ~): 계속 v하다
- must + be v-ed분사(be hatched)/V(go ~): ~되어야 한다/~해야 한다

14 The author should die once he has finished writing, so as not to trouble the path of the text. *Umberto Eco*
작가는 글의 진로를 방해하지 않기 위해, 일단 글쓰기를 끝내면 사라져야 해.

- once + 주어 + 동사: 일단 ~하면(조건 부사절) ➲ Unit 50
- finish + v-ing(writing): v하는 것을 끝내다
- so as (not) to-v(trouble): v하기 위해(v하지 않기 위해)

Know More 〈숨은 의미〉 지식계의 티라노사우르스로 불릴 만큼 엄청난 양의 독서를 바탕으로 온갖 분야에서 수많은 깊이 있는 저술(《장미의 이름》 《푸코의 진자》 등)을 남긴 철학자·미학자·기호학자·언어학자·역사학자·소설가 움베르토 에코의 말로, 일단 저술된 글은 작가를 떠나 자체의 생명력을 갖고 세상과 독자를 만나게 된다는 것.

Up! **15** It is better to risk saving a guilty man than to condemn an innocent one. *Voltaire*
한 죄 없는 사람에게 유죄 판결하는 것보다 죄 있는 사람의 죄를 면하게 하는 위험을 감수하는 게 더 나아.

- It(형식주어) + 동사(is) ~ + to-v(진주어): 진주어 to-v(v하는 것)가 형식주어 it를 앞세우고 뒤에 왔음.
- It is better A(to-v ~) than B(to-v ~): A와 B 같은 꼴(to-v) 비교.
- risk + v-ing(saving ~): v하는 위험을 무릅쓰다

Know More 〈배경 지식〉 프랑스 계몽주의 자유와 '포용(tolerance)'의 사상가 볼테르의 말로, 피의자의 유무죄가 불확실한 경우 유죄 가능성을 보고 형벌을 가하기보다 무죄 가능성을 보고 방면하는 게 더 낫다는 것.

08
recommend 권(고)하다
limit 제한하다
involvement 관여
to a minimum
최소한으로(minimum 최소한)

09
consider 고려(숙고)하다
quit 그만두다

10
teenager 십대
deny 부인하다
attempt 시도하다
rob 빼앗다[강탈하다]
schoolboy 남학생
chase 뒤쫓다
alley 골목

11
reach for ~로 손을 뻗다

12
FAO (Food and Agriculture Organization of the United Nations) 유엔 식량 농업 기구
suggest 제안하다
degradation 저하
livestock 가축

13
go on 계속하다
indefinitely 무기한으로
ordinary 보통의
decent 괜찮은[제대로 된]
hatch 부화하다
go bad 상하다

14
author 작가
trouble 괴롭히다[방해하다]
path 길[진로]

15
risk 위험을 무릅쓰다
save 구하다
guilty 유죄의
condemn
유죄 판결하다[비난하다]
innocent 무죄의

본책 88~89쪽을 함께 펴놓고 보세요!

unit 25

목적어 to-v

주어	동사	to-v
You	shouldn't agree	to be slaves in an authoritarian structure.

Standard Sentences

01 You shouldn't agree to be slaves in an authoritarian structure. *Noam Chomsky*
넌 권위주의적 구조의 노예가 되는 걸 동의해선 안 돼.

- agree + 목적어[to-v](to be ~): v하는 것을 동의하다

Know More <배경 지식> 사회 비평가·정치 운동가로서의 노엄 촘스키는 미국의 제국주의 정책에 대한 비판과 인권 옹호에 초점을 맞추어, 인간성을 파괴하는 정치적 권위주의[독재]·전체주의와 경제적 신자유주의·자본-언론 결탁에 대해서 각성·저항할 것을 주창함.

01
agree 동의하다
slave 노예
authoritarian 권위주의적인[독재적인]

02 The Internet of Things promises to reshape our lives as fundamentally as the introduction of the railway.
사물 인터넷은 철도의 도입만큼 근본적으로 우리 생활의 모습을 바꿀 것 같아.

- promise + 목적어[to-v](to reshape ~): v하겠다고 약속하다[v할 것 같다]
- as 부사(fundamentally) as ~: ~만큼 …하게

Know More <배경 지식> 사물 인터넷(Internet of Things[IoT]) Unit 19-05

02
Internet of Things 사물 인터넷
promise 약속하다[~일 것 같다]
reshape 모양을 바꾸다
fundamentally 근본적으로
introduction 도입
railway 철도

03 I don't need to know everything; I just need to know where to find it. *Albert Einstein*
난 모든 걸 알 필요는 없고, 단지 그걸 어디서 찾아야 할지 알기만 하면 돼.

- need + 목적어[to-v](to know ~): v할 필요가 있다[v해야 한다]
- 타동사(know) + wh-(where) + to-v(to find ~): 〈wh- + to-v〉가 목적어(어디서 v해야 할지).

Know More <숨은 의미> 수많은 정보를 미리 알아 둘 필요 없이 필요할 때 찾을 수만 있으면 된다는 아인슈타인의 말로, 특히 정보 검색이 너무나 편리해진 요즘 더욱 빛을 발하는 명언. "Never memorize something that you can look up."(네가 찾아볼 수 있는 걸 절대 암기하지 마.)도 같은 의미.

A

04 If you fail to plan, you are planning to fail. *Benjamin Franklin*
네가 계획하는 걸 실패하면, 넌 실패할 걸 계획하고 있는 거야.

- if + 주어 + 동사: ~면(조건 부사절) Unit 50
- fail + to-v(to plan): v하는 것을 실패하다
- plan + to-v(to fail): v할 것을 계획하다

05 People do not decide to become extraordinary; they decide to accomplish extraordinary things. *Edmund Hillary*
사람들은 비범하게 되려고 결심하지는 않고, 비범한 것들을 성취하기로 결정해.

- decide + to-v(to become ~ / to accomplish ~): v하려고 결정[결심]하다

Know More <숨은 의미> 1953년 에베레스트산을 최초로 오른 에드먼드 힐러리의 말로, 비범한 성취를 하려면 우선 자신이 비범해지려는 결심과 노력을 해야 하는데 그러지 않고 비범한 성취를 바란다는 것.

05
decide 결정[결심]하다
extraordinary 비범한
accomplish 성취하다

Think **06** The media does not tell us what to think; it tells us what to think about. *Walter Lippmann*
미디어[대중 매체]는 우리에게 무엇을 생각해야 할지를 말해 주지 않고, 우리에게 무엇에 대해 생각해야 할지를 말해 줘.

- tell + (에게)목적어(us) + (을)목적어(what to think ~): ~에게 …을 말해 주다
- wh-(what) + to-v(to think / to think about): 〈wh- + to-v〉가 목적어(무엇을/무엇에 대해 v해야 할지).

Know More <배경 지식> 미국의 작가·언론인 월터 리프먼의 말로, 민주주의에서의 미디어의 역할로 의견(opinion)의 제시보다 사실(fact)의 전달을 강조하며, 미디어는 대중들에게 생각 자체가 아닌 생각할 거리를 제공해야 한다는 것.

06
media 미디어[대중 매체]

07 Sports teach players how to strive for a goal and handle mistakes. *Julie Foudy*
스포츠는 선수들에게 어떻게 목표를 위해 분투하고 실수를 처리해야 하는지 가르쳐 줘.

- teach + (에게)목적어(players) + (을)목적어(how to strive ~): ~에게 …을 가르쳐 주다
- how + to-v(to strive / (to) handle ~): 〈how + to-v〉가 목적어(어떻게 v해야 할지).

07
strive 분투하다
goal 목표
handle 다루다[처리하다]
mistake 실수

B **08** **Let's choose to hear one another out.** *Betsy DeVos*
서로의 말을 끝까지 들어 주기로 정하자.

- choose + to-v(to hear ~): v하기로 정하다

08
choose (선)택[(선)정]하다
hear out 말을 끝까지 들어주다
one another 서로

09 **Most of the students expect to be graded individually for their contribution to group work.**
대부분의 학생들은 단체 활동에 대한 자신의 기여에 따라 개별적으로 점수 받기를 기대해.

- expect + to be v-ed분사(to be graded ~): v되기를 기대하다
- 명사(their contribution) + 전치사구(to group work): 전치사구가 뒤에서 앞 명사 수식.

09
grade 성적을 매기다
contribution 기여

10 **Writers want to express themselves; readers want to be impressed.**
작가들은 자신들을 표현하기를 원하고, 독자들은 감동을 받길 원해. *Claire Amber*

- want + to-v(to express ~): v하기를 원하다[바라다]
- want + to be v-ed분사(to be impressed): v되기를 원하다[바라다]

10
express 표현하다
impressed 감동[감명]을 받은

Think **11** **We don't ask how to make a pig happy; we ask how to grow it faster, fatter, cheaper, and that's not a noble goal.** *Joel Salatin*
우리는 어떻게 돼지를 행복하게 해야 할지를 묻지 않고, 그것을 어떻게 더 빨리 더 살찌게 더 싸게 길러야 할지를 묻는데, 그것은 고상한 목표가 아니야.

- ask + how + to-v(to make / to grow ~): 〈how + to-v〉가 목적어(어떻게 v해야 할지).
- make + 목적어(a pig) + 목적보어[형용사](happy): ~을 어떠하게 하다

11
noble 고귀한

C **12** **We hope to grow old and we dread old age; that is to say, we love life and we flee from death.** *La Bruyère*
우리는 나이 들기를 바라면서도 노년은 두려워해. 즉, 우리는 삶을 사랑하면서 죽음으로부터 달아나.

- hope + to-v(to grow ~): v하기를 바라다

12
dread 두려워하다
that is to say 즉
flee 달아나다

13 **I plan to rearrange the alphabetical order; I have just discovered that U and I should be together.** *Patricia Barry*
난 알파벳 순서를 재배열할 계획인데, 난 방금 'U'와 'I'가 함께 있어야 한다는 걸 발견했거든.

- plan + to-v(to rearrange ~): v하려고 계획하다
- discover + that + 주어 + 동사 ~: ~ 것을 발견하다(that절이 discover의 목적어절.) Unit 33

13
rearrange 재배열[재배치]하다
alphabetical 알파벳순의
order 순서

14 **Welfare attempts to provide poor people with certain goods and social services, such as health care and education.**
복지는 가난한 사람들에게 일정한 물품과 의료 서비스와 교육과 같은 사회 서비스를 제공하려고 시도해.

- attempt + to-v(to provide ~): v하려고 시도하다
- provide A(poor people) with B(certain goods ~): A에게 B를 제공하다
- A(social services), B((such as) health care and education): A와 B는 동격(A⊃B).

14
welfare 복지
attempt 시도하다
provide 제공하다
such as ~와 같은
health care 의료 서비스

15 **We learn in friendship to look with the eyes of another person, to listen with their ears, and to feel with their heart.** *Alfred Adler*
우리는 우정에서 다른 사람의 눈으로 보고, 그들의 귀로 듣고, 그들의 마음으로 느끼는 걸 배워.

- learn + (부사어 삽입) + 목적어[to-v](to look ~/to listen ~/to feel ~): v하는 것을 배우다

본책 90~91쪽을 함께 펴놓고 보세요!

unit 26

목적어 v-ing / to-v

주어	동사	to-v
We	continue	to shape[shaping] our personality all our life.

Standard Sentences

01 We continue to shape[shaping] our personality all our life. *Albert Camus*

우리는 평생 우리의 인격을 계속 형성해.

- continue + to-v[v-ing] (to shape[shaping] ~): 계속 v하다

01
continue 계속하다
shape 형성하다
personality 성격[인격]

02 I regret not having spent more time with you.

난 너와 더 많은 시간을 보내지 않은 걸 후회해.

- regret + (not) + v-ing[having + v-ed분사] (spending[having spent] ~): (과거에) v한(v하지 않은) 것을 후회하다(v-ing와 having + v-ed분사 둘 다 가능.)

02
regret 후회하다

03 An anthropologist tries to understand other cultures from the perspective of an insider.

인류학자는 내부자의 관점으로 다른 문화를 이해하려고 노력해.

- try + to-v(to understand ~): v하려고 노력하다

Know More 〈배경 지식〉 인류학의 필수 관점 중 하나인 '문화 상대주의'(cultural relativism)로, 인류학자 자신의 관점이나 특정 가치를 배제하고 해당 문화 속에서 적응하고 살아가는 구성원의 관점에서 그 문화를 이해해야 한다는 것으로, 이를 위해 인류학자는 현지어를 습득하고 현지인들과의 신뢰 관계를 확립해야 함.

03
anthropologist 인류학자
perspective 관점[시각]
insider 내부자

A

04 Begin to accept[accepting] your own weakness, and growth begins. *Jean Vanier*

너 자신의 약점을 받아들이기 시작하면, 성장이 시작돼.

- begin + to-v[v-ing] (to accept[accepting] ~): v하기 시작하다
- 명령문(Begin to accept[accepting] ~), and 주어(growth) + 동사(begins): ~하면, ... Unit 44

04
accept 받아들이다
weakness 약점
growth 성장

05 Try doing something different every day like talking to a stranger. *Paulo Coelho*

낯선 이에게 말을 거는 것 같은 색다른 뭔가를 매일 해 봐.

- try + v-ing(doing ~): (시험 삼아) v해 보다
- something + different: 형용사가 -thing을 뒤에서 수식.
- 명사(something different) + 전치사구(like talking ~): 전치사구(전치사 + v-ing)가 앞 명사를 뒤에서 수식.

Know More 〈숨은 의미〉 우울과 분노의 청소년기와 방황과 순례를 통해 인간의 내면과 삶의 본질을 다루는 소설(대표작 《연금술사》)을 써 전 세계적으로 사랑받은 브라질 소설가 파울로 코엘료의 말로, 색다른 시도들을 통해 일상에 갇힌 삶과 사랑의 에너지를 자유롭게 흐르게 하라는 것.

05
stranger 낯선 사람

06 Don't forget to tell yourself positive things daily. *Hannah Bronfman*

매일 너 자신에게 긍정적인 말들을 할 걸 잊지 마.

- forget + to-v(to tell ~): (앞으로) v할 것을 잊다
- tell + (에게)목적어(yourself) + (을)목적어(positive things): ~에게 …을 말하다

06
forget 잊다
positive 긍정적인
daily 매일

07 True equality means holding everyone accountable in the same way. *Monica Crowley*

진정한 평등은 모두에게 똑같은 방식으로 책임지게 하는 걸 수반해.

- mean + v-ing(holding ~): v하는 것을 의미[수반]하다
- hold ~ accountable: ~에게 책임지게 하다

07
equality 평등
accountable 책임이 있는

B **08** I remember being taught to read at a very early age. *J. Abrams*
난 아주 어린 나이에 읽는 걸 배운 것을 기억해.

- remember + v-ing / being v-ed분사(being taught ~): (과거에) v한/v된 것을 기억하다
- be taught + to-v(to read ~): v하도록 가르침을 받다[v하는 것을 배우다]

09 Did you ever stop to think, and forget to start again? *A. A. Milne*
넌 생각하려고 멈추었다가, 다시 시작하는 걸 잊어버린 적이 있어?

- stop + to-v(to think): v하기 위해[v하려고] 멈추다(to-v는 목적을 나타내는 부사어.)
- forget + to-v(to start ~): (앞으로) v할 것을 잊다 〈비교〉 forget + v-ing: (과거에) v한 것을 잊다

Know More 〈유머 코드〉 밀른의 동화 《곰돌이 푸》(Winnie-the-Pooh)에서 푸가 하는 말로, 생각은 꼬리에 꼬리를 무는지라 누구나 뭘 생각하면서 생각의 꼬리를 따라가다 애당초 무엇 때문에 생각을 했는지 뭘 하고 있었는지조차 잊어버린 경험이 있으리라.

10 We regret to inform you that your application has not been successful.
우리는 귀하의 지원이 성공적이지 못했음을 알려 드리는 것을 유감스럽게 생각합니다.

- regret + to-v(to inform ~): 유감스럽게도 v하다 〈비교〉 regret + v-ing: (과거에) v한 것을 후회하다
- inform + (에게)목적어(you) + (을)목적어(that + 주어 + 동사 ~): ~에게 … 것을 알리다(that절이 inform의 (을)목적어절.) ➲ Unit 33

10
regret 유감스럽게 생각하다
inform 알리다
application 지원[신청]
successful 성공적인

11 I stopped fighting my inner self; we're on the same side now.
난 나의 내적 자아와 싸우는 걸 그만두어서, 우리는 이제 같은 편이야.

- stop + v-ing(fighting ~): v하는 것을 그만두다

11
inner 내부의[내면의]

C **12** I will never forget reading this book in high school.
난 고등학교 때 이 책을 읽은 걸 절대 잊지 않을 거야.

- forget + v-ing(reading ~): (과거에) v한 것을 잊다

13 I prefer to choose[choosing] which traditions to keep and which to let go. *Theodore Bikel*
난 어느 전통은 지켜야 하고 어느 것은 버려야 할지 선택하는 걸 좋아해.

- prefer + to-v[v-ing](to choose[choosing] ~): v하는 것을 (더) 좋아하다
- choose + which + (명사) + to-v: 어느 ~ v해야 할지 선택하다(《which + (명사) + to-v》가 목적어.)

13
prefer (더) 좋아하다[선호하다]
tradition 전통
let go 버리다[포기하다]

14 Remember to use your vote; remember to speak out and feel empowered.
네 투표권을 행사할 것을 기억해. 공개적으로 발언할 것과 권한 받은 걸 느낄 것을 기억해. *Sarah Gavron*

- remember + to-v(to use / to speak / (to) feel ~): (앞으로) v할 것을 기억하다

Know More 〈숨은 의미〉 민주주의의 핵심 동력인 선거권의 획득과 확대는 역사상 수많은 투쟁과 희생을 통해 이루어져 온 것으로, 이는 바로 주권자로서 부여받은 평등한 가치를 지닌 공개적 발언이자 권한[권력]의 행사라는 거

14
vote 투표(권)
speak out 공개적으로 말하다
empower 권한을 주다

15 To innovate does not necessarily mean to expand; very often it means to simplify. *Russell Ballard*
혁신하는 것은 반드시 확대하려고 의도하는 건 아니고, 아주 흔히 그것은 간소화하려고 의도해.

- to-v[주어](to innovate) + 동사(does ~): to-v(v하는 것)가 주어.
- not necessarily: 반드시 ~한 것은 아니다(부분 부정: 일부 부정, 일부 긍정.) ➲ Unit 59
- mean + to-v(to expand / to simplify): v하려고 의도[작정]하다

15
innovate 혁신하다
necessarily 반드시
expand 확대[확장]하다
simplify 간소화[단순화]하다

본책 92~93쪽을 함께 펴놓고 보세요!

Unit 27

목직보어 to-v

주어	동사	목적어	to-v
Experience	enables	you	to recognize a mistake.

Standard Sentences

01 Experience enables you to recognize a mistake when you make it again. *Franklin Jones*
경험은 네가 잘못을 다시 할 때 네가 그것을 알아볼 수 있게 해.

- enable + 목적어(you) + to-v(to recognize ~): ~가 v할 수 있게 하다
- when + 주어 + 동사: ~할 때(시간 부사절) Unit 46

01
recognize 알아보다

02 The best teachers encourage students to find the truth inside their own experience. *Tamika Schilbe*
최고의 선생님들은 학생들에게 자신들의 경험 속에서 진리를 발견하도록 권장해.

- encourage + 목적어(students) + to-v(to find ~): ~가 v하도록 격려[권장]하다

02
encourage 격려[권장]하다

03 Children with ADHD find it difficult to focus on and complete tasks such as schoolwork.
주의력결핍 과다행동장애를 가진 아이들은 학업과 같은 과업에 집중해서 끝마치는 게 어렵다고 여겨.

- find + it(형식목적어) + 목적보어(difficult) + to-v(진목적어)(to focus/(to) complete ~): v하는 것이 어떠하다고 여기다

03
ADHD[attention deficit hyperactivity disorder] 주의력결핍 과다행동장애
task 과업
schoolwork 학업

A

04 Adversity causes some men to break; others to break records. *William Ward*
역경은 어떤 사람들은 깨지게 하고, 다른 사람들은 기록을 깨게 해.

- cause + 목적어(some men/others) + to-v(to break ~): ~가 v하게 하다
- some ~, others …: 어떤 것(사람)들은 ~, 다른 것(사람)들은 …

Know More <유머 코드> 대부분의 영어 동사들은 자동사(break)/타동사(break records) 둘 다로 쓰인다는 것을 보여 주는 좋은 예로, 역경 또한 깨지게도 하고 (한계를) 깨뜨리게도 하는 두 가지 기능이 있다는 것.

04
adversity 역경
cause ~하게 하다
break 깨지다(깨다)
record 기록

05 You can persuade someone to look at your face, but you can't persuade them to see the beauty therein. *Michael Johnson*
넌 누군가에게 네 얼굴을 보라고 설득할 수는 있지만, 그들에게 그 안의 아름다움을 보라고 설득할 수는 없어.

- persuade + 목적어(someone/them) + to-v(to look at ~/to see ~): ~에게 v하도록 설득하다

05
persuade 설득하다
therein 그 안에

06 Expect people to be better than they are; it helps them to become better. *Mary Browne*
사람들이 현재의 그들보다 더 낫기를 기대하면, 그건 그들이 더 낫게 되도록 도와줘.

- expect + 목적어(people) + to-v(to be ~): ~가 v하기를 기대하다
- than they are: 현재의 그들보다
- help + 목적어(them) + to-v[V](to become[become] ~): ~가 v하도록 돕다(help는 목적보어로 to-v와 V 둘 다 가능.)

07 Social networking services make it possible to connect people across political, economic, and geographic borders.
소셜 네트워킹 서비스는 정치적 경제적 지리적 경계를 넘어 사람들을 연결하는 것을 가능하게 해.

- make + it(형식목적어) + 목적보어(possible) + to-v(진목적어)(to connect ~): v하는 것을 어떠하게 하다

07
connect 연결하다
geographic 지리적인
border 국경[경계]

B **08** She warned him not to be deceived by appearances, for beauty is found within. *Movie "Beauty and the Beast"*
그녀는 그에게 외모에 속지 말라고 경고했는데, 왜냐면 아름다움은 내면에서 발견되기 때문이야.

- warn + 목적어(him) + not to be v-ed분사(not to be deceived ~): ~에게 v되지 말라고 경고하다
- for: 왜냐면 ~ (이유[판단의 근거] 추가적 설명.) Unit 44

08
warn 경고하다
deceive 속이다
appearance 외모
within 내부[안]에서

Up! **09** Bertolt Brecht wanted the audience to be alienated emotionally from the action and characters, and to intellectually analyze the world.
베르톨트 브레히트는 관객이 사건과 등장인물들로부터 감정적으로 멀어져 세상을 지적으로 분석하길 원했어.

- want + 목적어(the audience) + to be v-ed분사/to-v(to be alienated/to analyze ~): ~가 v되기/v하기를 원하다
- A(to be alienated ~) and B(to (intellectually) analyze ~): A와 B 대등 연결.

Know More <배경 지식> 독일 극작가 베르톨트 브레히트가 '낯설게 하기'(일상 사물이나 관념을 낯설게 하여 새로운 느낌이 들게 하는 예술 기법)를 연극에 도입한 것으로, 그는 관객의 주체적 비판적 의식을 고취해 사회 변혁을 꾀하고자 했음.

09
audience 청중[관객]
alienate 멀리하다[소외시키다]
action (이야기 속) 사건
character 등장인물
intellectually 지적으로
analyze 분석하다

10 Consumer protection policies and laws compel manufacturers to make products safe.
소비자 보호 정책과 법률은 제조업자들이 제품을 안전하게 만들도록 강제해.

- compel + 목적어(manufacturers) + to-v(to make ~): ~가 v하도록 강제[강요]하다
- make + 목적어(products) + 목적보어[형용사](safe): ~을 어떠하게 만들다

10
consumer 소비자
protection 보호
policy 정책
compel 강요[강제]하다
manufacturer 제조업자
product 제품

11 How can I get you to understand the uncertainty principle?
내가 어떻게 네가 불확정성 원리를 이해하게 할 수 있을까?

- get + 목적어(you) + to-v(to understand ~): ~가 v하게 하다

Know More <배경 지식> 불확정성 원리: 독일 물리학자 하이젠베르크가 발견한 원리로, 양자 역학에서 입자의 위치와 운동량, 에너지와 시간 등과 같이 서로 관계가 있는 한 쌍의 물리량을 동시에 정확히 측정할 수 없다는 것.

11
the uncertainty principle
불확정성 원리

C **12** I can't permit myself to do things halfway. *Marion Bartoli*
난 나 자신이 일을 어중간하게 하는 걸 허용할 수 없어.

- permit + 목적어(myself) + to-v(to do ~): ~가 v하는 것을 허용[허락]하다

12
permit 허용[허락]하다
halfway 중간에

13 Media literacy allows people to access, critically evaluate, and create media.
미디어 리터러시는 사람들이 미디어에 접근하고, 미디어를 비판적으로 평가하고 만드는 것을 가능하게 해.

- allow + 목적어(people) + to-v(to access/(to) evaluate/(to) create ~): ~가 v하는 것을 허락하다[가능하게 하다]

Know More <배경 지식> 미디어 리터러시(media literacy): 정보 기술에 대해 기본적으로 이해하고 정보 미디어를 구사하며 정보를 이용해 자신의 생각을 표현하는 능력.

13
literacy
글을 읽고 쓸 줄 아는 능력
allow 허락하다[가능하게 하다]
access 접근하다
critically 비판적으로
evaluate 평가하다

14 Growing up sometimes forces us to confront the distance between our childhood hope and the truth. *Sara Shandler*
성장하는 것은 때로는 우리에게 어린 시절 희망과 현실 사이의 거리에 직면하도록 강요해.

- force + 목적어(us) + to-v(to confront ~): ~에게 v하도록 강요하다

14
grow up 성장하다
force 강요하다
confront 직면하다
distance 거리

15 Health authorities advise residents to stay indoors as much as possible, to close windows, and to drink plenty of water.
보건 당국은 주민들에게 실내에 가능한 한 많이 머무르고, 창문을 닫고, 그리고 충분한 물을 마실 것을 권고해.

- advise + 목적어(residents) + to-v(to stay/to close/to drink ~): ~에게 v할 것을 조언[권고]하다
- as 부사(much) as possible: 가능한 한 ~하게

15
authority 당국
advise 조언[권고]하다
resident 거주자[주민]
indoors 실내에서

본책 94~95쪽을 함께 펴놓고 보세요!

Unit 28

목직보어 V/v-ing/v-ed분사

주어	동사	목적어	V	부사어
No one	can make	you	feel inferior	without your consent.

Standard Sentences

01 No one can make you feel inferior without your consent. *Eleanor Roosevelt*
아무도 네 동의 없이는 널 열등감을 느끼게 할 수 없어.

- make + 목적어(you) + 목적보어[V](feel ~): ~가 v하게 하다

01
inferior 열등한
consent 동의[승낙]

02 I could feel the sweat running down my back.
난 땀이 내 등에 흘러내리는 걸 느낄 수 있었어.

- feel + 목적어(the sweat) + 목적보어[v-ing](running ~): ~가 v하고 있는 것을 느끼다
  ← I could feel + the sweat was running down my back

02
sweat 땀

03 He got his hair dyed, and she had her eyebrows tattooed.
그는 머리 염색을 시켰고, 그녀는 눈썹 문신을 시켰어.

- get + 목적어(his hair) + 목적보어[v-ed분사](dyed): ~가 v되게 시키다(his hair was dyed)
- have + 목적어(her eyebrows) + 목적보어[v-ed분사](tattooed): ~가 v되게 시키다(her eyebrows were tattooed)

03
dye 염색하다
eyebrow 눈썹
tattoo 문신하다

A

04 Leave me not drowning in a sea of grief. *Ned Ward*
내가 깊은 슬픔의 바다에 빠져 죽어 가지 않게 해 줘.

- leave + 목적어(me) + 목적보어[not v-ing](not drowning ~): ~가 계속 v하고 있지 않게 하다[두다]

04
leave 계속 하게 하다[두다]
drown 익사하다[물에 빠져 죽다]
grief 깊은 슬픔

05 A good trainer can hear a horse speak to him; a great trainer can hear him whisper. *Monty Roberts*
좋은 조련사는 말이 그(조련사)에게 말하는 걸 들을 수 있고, 훌륭한 조련사는 그(말)가 속삭이는 걸 들을 수 있어.

- hear + 목적어(a horse/him) + 목적보어[V](speak ~/whisper): ~가 v하는 것을 듣다
  ← a good trainer can hear + a horse speaks to him(= a good trainer)
  a great trainer can hear + he(= a horse) whispers

Know More 〈숨은 의미〉 조련사는 말과 말의 언어로 의사소통할 수 있는데, 더 고수는 더 섬세한 공감의 소통을 할 수 있다는 것.

05
whisper 속삭이다

06 I saw large rivers flowing along for miles, and huge forests extending along several borders. *Astronaut John Bartoe*
난 커다란 강들이 수 마일에 걸쳐 흐르고 있는 것과, 거대한 숲들이 여러 국경들을 따라 이어지는 걸 보았어.

- see + 목적어(large rivers/huge forests) + 목적보어[v-ing](flowing ~/extending ~): ~가 v하고 있는 것을 보다 ← I saw + large rivers were flowing ~/huge forests were extending ~

Know More 〈배경 지식〉 미국 우주 비행사 존 바토우가 우주 왕복선을 타고 우주에서 내려다본 하나로 연결된 세계 지구의 광경을 펼쳐 보이고 있는 것.

06
flow 흐르다
forest 숲
extend 포괄하다[이어지다]
border 국경

07 Everyone should have their mind blown once a day. *Neil Tyson*
모든 사람은 하루에 한 번 마음이 완전 뿅가게 되어야 해.

- have + 목적어(their mind) + 목적보어[v-ed분사](blown): ~가 v되게 하다(their mind is blown ~)

Know More 〈숨은 의미〉 미국 천체 물리학자·대중 과학 운동가 닐 타이슨의 말로, 누구나 하루 한 번쯤은 호기심으로 가득한 어린 시절의 마음으로 돌아가 기쁨과 흥분과 경이로움으로 완전 뿅가게 되어야 한다는 것.

07
blow 불다[날리다]
(-blew-blown)
blow one's mind
완전 뿅가게 만들다

B **08** **Scientific knowledge is in perpetual evolution; it finds itself changed from one day to the next.** *Jean Piaget*
과학 지식은 끊임없이 계속되는 발전 속에 있고, 그것은 그 자체가 하루하루 변화하게 돼.

- find + 목적어(itself) + 목적보어[v-ed분사](changed ~): ~가 v되는 것을 알게 되다(목적어 – 목적보어: 수동 관계)

08
perpetual 끊임없는
evolution 진화[발전]
from one day to the next 하루하루

09 **At the first kiss I felt something acute melt inside me; everything was transformed.** *Hermann Hesse*
첫 키스에서 난 내 안에서 격심한 무언가가 녹아내리는 걸 느꼈고, 모든 게 완전히 바뀌었어.

- feel + 목적어(something acute) + 목적보어[V](melt ~): ~가 v하는 것을 느끼다
- something + acute: 형용사가 -thing을 뒤에서 수식.

09
acute 격심한
melt 녹다
transform 완전히 바꾸다

10 **I stop and watch the woods fill up with snow.** *Robert Frost*
난 멈춰 서서 숲이 눈으로 가득 차는 걸 지켜봐.

- watch + 목적어(the woods) + 목적보어[V](fill up ~): ~가 v하는 것을 지켜보다

10
wood 숲
fill up (with) (~로) 가득 차다

11 **I want you tuned in to my eyes.** *Song "Boy With Luv" by BTS*
난 내 눈에 널 맞추고 싶어.

- want + 목적어(you) + 목적보어[v-ed분사](tuned ~): ~가 v되게 하고 싶다(you - tuned in ~: 수동 관계)

11
tune 맞추다

C **12** **You should make people laugh without hurting somebody else's feelings.** *Ellen DeGeneres*
넌 다른 사람의 감정을 상하게 하지 않고 사람들을 웃겨야 해.

- make + 목적어(people) + 목적보어[V](laugh): ~가 v하게 하다
- 전치사(without) + v-ing(hurting ~): v하지 않고(전치사 뒤에 동사가 올 경우 v-ing.)

Know More <숨은 의미> 미국 코미디언 엘런 드제너러스의 말로, 인생의 모순이나 사회의 부조리를 품격 있게 풍자해 웃겨야지 인간 특히 약자에 상처를 주는 가학적 저속함에 의존해선 안 된다는 것.

13 **Let your tears water the seeds of your future happiness.** *Steve Maraboli*
네 눈물이 네 미래 행복의 씨앗에 물을 주게 해.

- let + 목적어(your tears) + 목적보어[V](water ~): ~가 v하게 하다

13
tear 눈물
water 물을 주다
seed 씨앗

14 **Don't let anyone rob you of your imagination, your creativity, or your curiosity; it's your life.** *Mae Jemison*
누가 네게서 상상력이나 창의성이나 호기심을 빼앗아 가지 않게 해. 그건 네 인생이야.

- let + 목적어(anyone) + 목적보어[V](rob ~): ~가 v하게 하다

14
rob 강탈하다[털다]
curiosity 호기심

15 **Goals keep you motivated, and they give you a direction.** *Helen Jenkins*
목표는 네가 계속 동기 부여가 되게 하고, 네게 방향을 제시해 줘.

- keep + 목적어(you) + 목적보어[v-ed분사](motivated): ~가 계속 v되게 하다(you are motivated)
- give + (에게)목적어(you) + (을)목적어(a direction): ~에게 …을 주다

15
motivate 동기를 부여하다
direction 방향

본책 96~97쪽을 함께 펴놓고 보세요!

unit 29 전치사목적어 v-ing

주어	동사	전치사 + v-ing		전치사 + v-ing
A man	is not paid	for having a head and hands,	but	for using them.

Standard Sentences

01 A man is not paid **for having** a head and hands, but **for using** them. *Elbert Hubbard*
사람은 머리와 손을 가진 대가를 받는 게 아니라, 그들을 사용하는 대가를 받아.
- pay-paid-paid (대가를) 지불하다[주다] → (수동태) be paid (대가를) (지불)받다
- not A(for having ~) but B(for using ~): A가 아니라 B(A는 부정되고 B가 긍정됨.)
- pay + 전치사(for) + v-ing(having / using ~): v하는 대가를 지불하다(전치사 뒤에 동사가 올 경우 v-ing.)

02 Memory is vital **to forming** a person's identity and **providing** a stable sense of reality.
기억은 사람의 정체성을 형성하고 안정된 현실감을 제공하는 데 필수적이야.
- vital + 전치사(to) + v-ing(forming / providing ~): v하는 데 필수적인(전치사 뒤에 동사가 올 경우 v-ing.)

Know More <숨은 의미> 기억은 경험이나 학습을 통해 얻은 정보를 저장하고 인출하는 기능으로, 이를 통해 인간은 자신의 정체성을 형성·확인할 수 있고 현실감을 획득해 정상적인 생활을 영위할 수 있는 것.

02
vital 필수적인
form 형성하다
identity 정체성
provide 제공하다
stable 안정된

03 I look forward **to having** the opportunity to take on new challenges.
난 새로운 도전적인 일들을 맡을 기회를 갖길 고대해.
- look forward to + v-ing(having ~): v하기를 고대하다(전치사 뒤에 동사가 올 경우 v-ing.)
- 명사(the opportunity) + to-v(to take on ~): to-v가 앞 명사를 뒤에서 수식.

03
opportunity 기회
take on 맡다
challenge 도전

A

04 Falling in love is **like getting** hit by a truck, and yet **not being** mortally wounded. *Jackie Collins*
사랑에 빠지는 건 트럭에 치이지만 치명상은 입지 않는 것과 같아.
- v-ing(falling ~) + 동사(is): v-ing(v하는 것)가 주어.
- like + v-ing(getting / not being ~): v하는 것과 같은(전치사 뒤에 동사가 올 경우 v-ing.)
- get hit by ~: ~에 치이다[맞다]
- not being (mortally) v-ed분사(wounded): v되지 않는 것

04
yet 그렇지만[그런데도]
mortally 치명적으로
wound 상처를 입히다

05 Discoveries are often made **by not following** instructions, **by going off** the main road, **by trying** the untried. *Frank Tyger*
발견은 흔히 지시를 따르지 않고, 큰길에서 벗어나서, 시도해 보지 않은 것을 시도함으로써 이루어져.
- make discoveries(발견하다) → (수동태) discoveries are made
- by + v-ing(not following / going off / trying ~): v함으로써(전치사 뒤에 동사가 올 경우 v-ing.)

05
discovery 발견
instruction 지시
go off
(어떤 장소를) 벗어나다
untried 시험해 보지 않은

06 Life isn't **about finding** yourself, but **creating** yourself. *Bernard Shaw*
삶은 너 자신을 발견하는 것에 관한 게 아니라, 너 자신을 창조하는 것에 관한 거야[창조하는 걸 목적으로 하는 거야].
- not A(about finding ~) but B((about) creating ~): A가 아니라 B(A는 부정되고 B가 긍정됨.)
- about + v-ing(finding / creating ~): v하는 것에 관한(전치사 뒤에 동사가 올 경우 v-ing.)

Know More <숨은 의미> 삶은 이미 있는 과거의 나를 찾는 게 아니라, 아직 없는 미래의 나를 만들어 나가는 과정이라는 것.

Up! **07** We've been trained to **prefer being** right **to learning** something, to **prefer passing** the test **to making** a difference. *Seth Godin*
우리는 무엇을 배우는 것보다 (틀리지 않고) 맞는 것을, 영향을 미치는 것보다 시험에 합격하는 걸 더 좋아하도록 훈련받아 왔어.
- 완료 수동태 have been v-ed분사(trained): ~되어[받아] 왔다
- prefer A[v-ing](being / passing ~) to B[v-ing](learning / making ~): A(v하는 것)를 B(v하는 것)보다 더 좋아하다(A와 B 같은 꼴(v-ing) 비교.)

07
train 훈련시키다
prefer 더 좋아하다
make a difference
영향을 미치다

B 08 The truest mark of **having been born** with great qualities is **to have been born** without envy. *La Rochefoucauld*
훌륭한 자질을 갖고 태어났다는 가장 확실한 표시는 부러움 없이 태어났다는 거야.

- of + having been v-ed분사(having been born): v한 것의(전치사 뒤에 동사가 올 경우 v-ing.)
- v-ing 완료 수동형: having been v-ed분사
- to-v 완료 수동형: to have v-ed분사
- 주어 + be동사 + to have v-ed분사(to have been born ~): to have v-ed분사(v한 것)가 보어.

Know More <유머 코드> 자신이 갖지 못한 것을 가진 남들에게 느끼는 'envy'(부러움)가 없다는 것이야말로 자신이 원하는 모든 걸 가졌다는 징표라는 것.

> 08
> mark 표시
> quality 자질
> envy 부러움

09 A liar begins **with making** falsehood appear like truth and **ends with making** truth itself appear like falsehood. *William Shenstone*
거짓말쟁이는 거짓을 진실처럼 보이게 하는 것으로 시작해서, 진실 그 자체가 거짓처럼 보이게 하는 것으로 끝나.

- with + v-ing(making ~): v하는 것으로(전치사 뒤에 동사가 올 경우 v-ing.)
- make + 목적어(falsehood / truth itself) + 목적보어[V](appear ~): ~을 v하게 하다

Know More <숨은 의미> 거짓을 진실처럼 꾸며 유지하기 위해서는 필연적으로 거짓과 모순·대립되는 진실을 거짓으로 만들 수밖에 없다는 것으로, 거짓말쟁이가 왜 진실을 왜곡·훼손하는지에 대한 통찰을 보여 줌.

> 09
> liar 거짓말쟁이
> falsehood 거짓임
> appear like ~처럼 보이다

10 Our economic knowledge serves us **in managing** our personal lives, **in understanding** society, and **in improving** the world around us. *Samuelson & Nordhaus*
우리의 경제적 지식은 우리 개인의 삶을 관리하고, 사회를 이해하고, 우리 주변의 세상을 개선하는 데 우리에게 도움이 돼.

- in + v-ing(managing / understanding / improving ~): v하는 데(전치사 뒤에 동사가 올 경우 v-ing.)

> 10
> economic 경제의
> serve 도움이 되다[기여하다]
> manage 관리하다

11 I **used to be** a fighter, and I **am used to losing** weight. *Burt Young*
난 예전에 파이터였기에, 몸무게를 줄이는 데 익숙해.

- used to + V(be ~): 예전에 ~이었다 / ~하곤 했다(과거 오랫동안 계속된 상태 / 반복된 동작[습관])
- be used to v-ing(losing ~): v하는 데 익숙하다

Know More <유머 코드> 체중 조절 경험이 많은 운동선수 출신이어서 살 빼기에 익숙하다는 말로, <used to V>(예전에 ~이었다)와 <be used to v-ing>(v하는 데 익숙하다)가 대구를 이룸.

> 11
> lose weight 몸무게를 줄이다

C 12 Love yourself **instead of abusing** yourself. *Karolina Kurkova*
너 자신을 학대하는 대신에 너 자신을 사랑해.

- instead of + v-ing(abusing ~): v하는 대신에(전치사 뒤에 동사가 올 경우 v-ing.)

> 12
> abuse 학대[남용]하다

13 Enjoy your own life **without comparing** it with that of another. *Nicolas Condorcet*
너 자신의 삶을 다른 사람의 삶과 비교하지 말고 너 자신의 삶을 즐겨.

- without + v-ing(comparing ~): v하지 않고(전치사 뒤에 동사가 올 경우 v-ing.)
- compare A(it=your own life) with B(that(=the life) of another): A를 B와 비교하다(A와 B는 같은 대상(life).)

> 13
> compare 비교하다

14 Society needs **people managing** projects **in addition to handling** individual tasks. *Marilyn Savant*
사회는 개인적 일을 처리하는 것에 더해 프로젝트를 관리하는 사람들이 필요해.

- 명사(people) + v-ing(managing ~): v-ing가 뒤에서 앞 명사 수식.
- in addition to + v-ing(handling ~): v하는 것에 더해(전치사 뒤에 동사가 올 경우 v-ing.)

> 14
> manage 관리[운영]하다
> handle 다루다[처리하다]

15 Most comedy **is based on getting** a laugh at somebody else's expense.
대부분의 코미디는 다른 누군가를 희생해서 웃음을 얻는 데 바탕을 둬. *Ellen DeGeneres*

- be based on + v-ing(getting ~): v하는 데 바탕을 두다(전치사 뒤에 동사가 올 경우 v-ing.)

> 15
> at the expense of [at one's expense] ~을 희생해서

A

01 I'm trying to concentrate, but my mind keeps wandering.
난 집중하려고 노력하고 있지만, 내 마음은 계속 방황하고 있어.

- try + to-v(to concentrate): v하려고 노력하다 • keep + v-ing(wandering): 계속 v하다

01
concentrate 집중하다
wander 헤매다[방황하다]

02 To make knowledge productive, we will have to learn to see both forest and tree, and to connect. *Peter Drucker*
지식을 생산적이 되게 하기 위해, 우리는 숲과 나무 둘 다 보는 것과 연결하는 것을 배워야 할 거야.

- to make + 목적어(knowledge) + 목적보어(productive): to-v(부사어)가 문장 맨 앞에서 동사 수식(v하기 위해).
- learn + to-v(to see ~ / to connect): v하는 것을 배우다

Know More 〈숨은 의미〉 경영학자 피터 드러커의 말로, 관련 분야 전체와 전문 분야의 지식을 함께 보고, 각 분야의 지식들을 서로 연결시켜야 생산적이 된다는 것.

02
productive 생산적인
connect 연결하다

03 To choose to live with a dog is to agree to participate in a long process of interpretation. *Mark Doty*
개와 함께 사는 걸 선택하는 것은 긴 해석의 과정에 참여하는 것에 동의하는 거야.

- to-v[주어](to choose ~) + be동사 + to-v[보어](to agree ~): to-v(v하는 것)가 주어/보어.
- choose/agree + to-v(to live ~/to participate ~): v하는 것을 선택하다/v하는 것에 동의하다

Know More 〈숨은 의미〉 개(반려동물)와 함께 살려면 서로 이해할 수 있는 소통 방식을 찾아 맞추어 나가는 과정이 필요하다는 것.

03
participate in ~에 참여하다
process 과정
interpretation 해석[설명/이해]

04 To know when to go away and when to come closer is the key to any lasting relationship. *Domenico Cieri*
언제 가야 할지와 언제 더 가까이 와야 할지 아는 게 어떤 지속적인 관계에 대해서든 열쇠야.

- know + wh-(when) + to-v(to go away / to come ~): 언제 v해야 할지를 알다

Know More 〈숨은 의미〉 인간관계는 각자의 독립성을 바탕으로 한 상호 교류인데, 때에 따라 함께 만족할 서로 간 거리 조절이 필요하다는 것.

04
go away (떠나)가다
lasting 지속적인
relationship 관계

05 Everyone has the ability of making someone happy: some by entering the room, others by leaving it.
모든 사람은 누군가를 행복하게 하는 능력이 있는데, 어떤 사람들은 방에 들어감으로써, 다른 사람들은 방을 떠남으로써 그렇게 해.

- 명사(the ability) + 전치사구(of making ~): 전치사구가 앞 명사와 동격(전치사 뒤에 동사가 올 경우 v-ing).
- some ~, others …: 어떤 사람들은 ~, 다른 사람들은 …
- some (have the ability ~ happy) by entering the room, others (have the ability ~ happy) by leaving it.

Know More 〈유머 코드〉 함께 있으면 누군가가 즐거운 사람이 되어야 할까, 함께 없어야 누군가가 즐거운 사람이 되어야 할까?

Up! **06** A video game addict engages in gaming activities at the cost of fulfilling daily responsibilities or pursuing other interests.
비디오 게임 중독자는 일상의 책임을 다하는 것이나 다른 관심사를 추구하는 것을 희생하고 게임 활동에 참여해.

- 전치사(of) + v-ing(fulfilling / pursuing ~): v하는 것의(전치사 뒤에 동사가 올 경우 v-ing.)

06
addict 중독자
engage in ~에 참여[관여]하다
at the cost of ~을 희생하고
fulfill (의무·약속을) 다하다
responsibility 책임
pursue 추구하다
interest 관심(사)

07 Experience tells you what to do; confidence allows you to do it. *Stan Smith*
경험은 네게 무엇을 해야 할지 말해 주고, 자신감은 네가 그것을 할 수 있게 해 줘.

- tell + (에게)목적어(you) + (을)목적어[wh- + to-v](what to do): ~에게 무엇을 v해야 할지를 말해 주다
- allow + 목적어(you) + 목적보어[to-v](to do ~): ~가 v하게 하다[허락하다]

07
confidence 자신감

B

08 If you cannot enjoy reading a book over and over, there is no use reading it at all. *Oscar Wilde* 네가 어떤 책을 반복해서 읽는 걸 즐길 수 없으면, 그것은 읽어도 전혀 소용없어.

- enjoy + v-ing(reading ~): v하는 것을 즐기다
- there[it] is no use + v-ing(reading ~): v해도 아무 소용없다 ➔ Unit 21

Know More 〈숨은 의미〉 반복해서 즐길 만한 책만이 읽을 가치가 있다는 것.

08
over and over 반복해서[여러 번]
at all 전혀

09 I make it a rule to test action by thought, thought by action. *Goethe*
난 행동은 생각으로, 생각은 행동으로 시험하는 것을 원칙으로 해.

- make + it(형식목적어) + 목적보어(a rule) + to-v(진목적어)(to test ~): v하는 것을 원칙으로 하다
- to test action by thought, (to test) thought by action: 반복 어구 생략.

Know More 〈숨은 의미〉 《파우스트》 《젊은 베르테르의 슬픔》으로 유명한 독일 작가·철학자·과학자 괴테의 말로, 행동은 생각을 통해 옳거나 효과적인지 검증하고, 생각은 행동을 통해 옳거나 효과적인지 검증한다는 것.

10 Words make you think a thought; music makes you feel a feeling; a song makes you feel a thought. *Yip Harburg*
말은 네가 생각을 하게 하고, 음악은 네가 감정을 느끼게 하고, 노래는 네가 생각을 느끼게 해.

- make + 목적어(you) + 목적보어[V](think / feel ~): ~가 v하게 하다

Know More 〈숨은 의미〉 말[노랫말](생각) + 음악[곡](느낌) = 노래(생각 느낌)

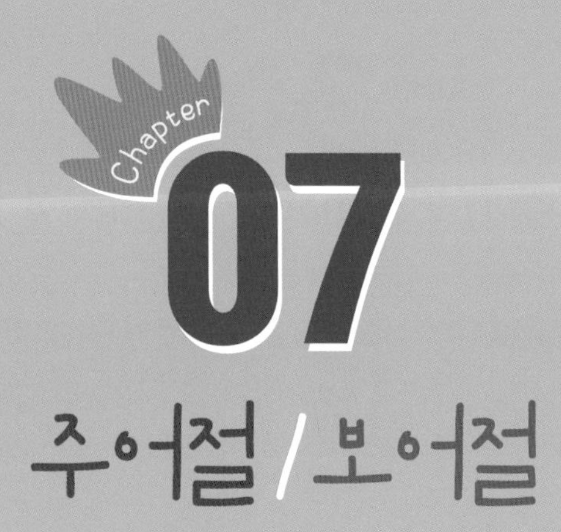

주어절/보어절

Unit Words

■ 본격적인 구문 학습에 앞서, 각 유닛별 주요 단어를 확인하세요.

Unit 30 주어/보어 that절/whether절

- ☐ remarkable 놀랄 만한[주목할 만한]
- ☐ devise 고안[창안]하다
- ☐ replace 대신[대체]하다
- ☐ whole 전체의[중대한]
- ☐ fanatic 광적인 사람[광신도]
- ☐ promptly 즉시
- ☐ resolve 해결하다
- ☐ incredible 믿을 수 없는
- ☐ virtual reality 가상 현실
- ☐ present 있는[존재하는]
- ☐ make sense 타당하다[말이 되다]
- ☐ concern 관심사
- ☐ trend 추세[동향]
- ☐ aspect 양상[측면]
- ☐ republic 공화국
- ☐ majority 다수
- ☐ sufficiently 충분히
- ☐ minority 소수 (집단)

Unit 31 주어/보어 what절

- ☐ observatory 관측소[천문대]
- ☐ rigid 뻣뻣한
- ☐ wither 시들다
- ☐ inwardly 마음속으로
- ☐ outer 외부의
- ☐ moral 도덕적인
- ☐ immoral 비도덕적인[부도덕한]
- ☐ pursuit 추구[좇음]/추적[뒤쫓음]
- ☐ genre 장르
- ☐ belong to ~에 속하다
- ☐ owe 빚지고 있다
- ☐ bill 청구서
- ☐ present 주다[제시하다]
- ☐ victim 피해자
- ☐ oppressor 압제자
- ☐ bystander 구경꾼[방관자]
- ☐ pretend ~인 척하다
- ☐ honor 명예

Unit 32 주어/보어 wh-절

- ☐ trust A with B A에게 B를 맡기다
- ☐ pace 속도
- ☐ prisoner 죄수[포로]
- ☐ cell 감방/휴대폰/세포
- ☐ breeding 가정 교육
- ☐ quarrel (말)다툼
- ☐ slam 쾅 닫다
- ☐ revolving door 회전문
- ☐ deserve 받을 만하다
- ☐ tender 다정한
- ☐ compassionate 연민 어린
- ☐ solar eclipse 일식
- ☐ engulf 휩싸다[뒤덮다]
- ☐ cast 던지다[드리우다]
- ☐ partially 부분적으로

본책 100~101쪽을 함께 펴놓고 보세요!

unit 30

주어/보어 that절/whether절

It	동사	보어	that절
It	is	a miracle	that curiosity survives formal education.

Standard Sentences

01 It is a miracle **that** curiosity survives formal education. *Albert Einstein*

호기심이 정규 교육에서 살아남는 것은 기적이야.

- It(형식주어) + 동사(is) ~ + that절(that + 주어(curiosity) + 동사(survives) ~): that절(~ 것)이 진주어.

Know More <배경 지식> 획일적 교육에도 호기심이 완전히 죽지 않는 건 기적이라는 아인슈타인의 말로, 그는 학창 시절 개성과 창의성이 무시되는 주입·암기식 전체주의 교육에 고통받아 신경쇠약으로 학업을 중단하기도 했음.

01
miracle 기적
curiosity 호기심
survive 살아남다
formal 정규적인

02 One of the penalties for refusing to participate in politics is **that** you end up being governed by your inferiors. *Plato*

정치 참여를 거부하는 것으로 인한 불이익들 중 하나는 네가 결국 너보다 못한 사람들에 의해 지배당하게 되는 거야.

- 주어 + be동사(is) + that절(that + 주어(you) + 동사(end up) ~): that절(~ 것)이 보어.

Know More <배경 지식> '철인(哲人) 정치'를 주장한 플라톤이 정치가 귀찮고 손해라고 회피하면 자기보다 못한 귀족들의 지배를 받는다고 한 말인데, 민주주의 시대 시민들이 정치를 외면하면 무능·부패한 정치꾼들에 의해 지배당한다는 의미로 전화되었음.

02
penality 불이익[벌칙]
refuse to-v
v하기를 거절[거부]하다
end up 결국 ~되다
govern 통치[지배]하다
inferior 못한 (사람)

03 It doesn't matter if you fall down; it matters **whether** you get back up. *Michael Jordan*

네가 넘어지는지는 중요하지 않아. 네가 다시 일어서는지 아닌지가 중요해.

- It(형식주어) + 동사 + if[whether]절(if[whether] + 주어 + 동사 ~): if[whether]절(~인지 (아닌지))이 진주어.

03
matter 중요하다

A 04 Isn't it remarkable **that** of all the machines devised by the humans, not one can replace imagination? *Abhijit Naskar*

인간에 의해 고안된 모든 기계들 중 단 하나도 상상력을 대신할 수 없다는 것이 놀랍지 않니?

- 동사(Isn't) + it(형식주어) ~ + that절(that + 주어(not one) + 동사(can replace) ~)?: that절(~ 것)이 진주어.
- 부사어(of all the machines ~) + 주어(not one) + 동사(can replace) ~: 부사어(~ 중에)가 앞으로 나갔음.
- 명사(all the machines) + v-ed분사(devised ~): v-ed분사가 뒤에서 앞 명사 수식.

04
remarkable
놀랄 만한[주목할 만한]
devise 고안[창안]하다
replace 대신[대체]하다

05 The liar's punishment is not **that** he is not believed, but **that** he cannot believe anyone else. *Bernard Shaw*

거짓말쟁이의 벌은 그가 믿어지지 않는 것이 아니라, 그가 다른 아무도 믿을 수 없는 거야.

- not A(that he is not believed) but B(that he cannot believe ~): A가 아니라 B(A는 부정되고 B가 긍정됨.)
- 주어 + be동사(is) + that절(that + 주어(he) + 동사(is ~/cannot ~) ~): that절(~ 것)이 보어.

Know More <숨은 의미> 거짓말쟁이는 남들이 자기를 믿지 못해서가 아니라, 남들이 거짓말할까 봐 자기가 아무도 믿을 수 없어서 비참하다는 것.

05
punishment (처)벌

Up! 06 The whole problem with the world is **that** fools and fanatics are always so certain of themselves, and wise people so full of doubts. *Bertrand Russell*

세상의 중대한 문제는 바보들과 광적인 사람들은 늘 자신들을 너무 확신하고, 똑똑한 사람들은 늘 의심으로 너무 가득 차 있다는 거야.

- 주어 + be동사 + that절(that + 주어(fools and fanatics/wise people) + 동사(are) ~): that절(~ 것)이 보어.
- wise people (are always) so full of doubts: 반복 어구 생략.

Know More <숨은 의미> 버트런드 러셀의 말로, 무식하면 용감한데 많이 알면 신중해져 우유부단한 딜레마가 문제라는 것.

06
whole 전체의[중대한]
fanatic 광적인 사람[광신도]
doubt 의심

07 The test of our progress is not **whether** we add more to the abundance of the rich, but **whether** we provide enough for the poor. *Franklin D. Roosevelt*

우리 진보의 시험대는 우리가 부자들의 풍요에 더 많은 것을 더하는지가 아니라, 우리가 가난한 사람들에게 필요한 만큼 제공하는지 아닌지야.

- not A(whether we add ~) but B(whether we provide ~): A가 아니라 B(A는 부정되고 B가 긍정됨.)
- 주어 + be동사(is) + whether절(whether + we + add/provide ~): whether절(~인지 (아닌지))이 보어.

07
test 시험대[시금석]
progress 진보[발전]
add A to B
A를 B에 더하다
abundance 풍부
provide A for B
A를 B에게 제공하다
enough 필요한 만큼의 수[양]

B **08** It is expected **that** a children's story will raise a difficulty and then so promptly resolve it. *Rachel Cusk*
동화는 어려움을 일으키고 나서 바로 즉시 그것을 해결할 것으로 기대돼.

- It(형식주어) + is expected + that절(진주어)(that a children's story will ~): ~ 것으로 기대[예상]되다
- a children's story will A(raise ~) and then (so promptly) B(resolve ~): A와 B 대등 연결.

Know More <숨은 의미> 동화에서 만들어지는 어려움이 너무 빨리 해결될 것으로 기대되어, 정작 그 어려움의 본질적 성격이나 극복을 위해 거쳐야 할 충분한 갈등에 대한 이해는 어려워진다는 것.

08
raise 불러일으키다
difficulty 어려움
promptly 즉시
resolve 해결하다

09 The incredible thing about virtual reality is **that** you feel like you're actually present in another place with other people. *Mark Zuckerberg*
가상 현실에 대해 믿을 수 없는 것은 네가 실제로 다른 사람들과 다른 곳에 있는 것처럼 느낀다는 거야.

- 주어 + be동사(is) + that절(that + 주어(you) + 동사(feel) ~): that절(~ 것)이 보어.
- 동사(feel) + **like** + 주어(you) + 동사(are) ~: 마치 ~인 것처럼 (느끼다) (like = as if[as though]) Unit 48

09
incredible 믿을 수 없는
virtual reality 가상 현실
present 있는[존재하는]

10 **Whether** histories have a happy ending **or not** depends on when the historian ends the tale. *Linda Gordon*
역사가 행복한 결말을 갖는지 아닌지는 역사가가 언제 이야기를 끝내는지에 달려있어.

- whether절(**whether** + 주어 + 동사 ~ **or not**) + 동사(depends on) ~: whether절(~인지 아닌지)이 주어.
- depend on + wh-절(when the historian ends ~): 언제 ~인지에 달려있다(wh-절이 목적어절.) Unit 35

Know More <숨은 의미> 역사는 행불행의 끊임없는 스토리니, 역사가가 끝내는 시점에 따라 엔딩의 성격이 결정된다는 것.

10
depend on ~에 달려있다
historian 역사가[사학자]
tale 이야기

11 The question is **whether or not** the communities ruling the Internet can make their spaces safer for users. *Brianna Wu*
문제는 인터넷을 지배하는 공동체들이 사용자들을 위해 자기들의 공간을 더 안전하게 만들 수 있는지 아닌지야.

- 주어 + be동사(is) + whether절(**whether or not** + 주어 + 동사 ~): whether절(~인지 아닌지)이 보어.
  *whether or not + 주어 + 동사 ~ = whether + 주어 + 동사 ~ or not
- 명사(the communities) + v-ing(ruling ~): v-ing가 뒤에서 앞 명사 수식.

Know More <배경 지식> 웹 포털(web portal)이나 소셜 미디어(social media) 등 인터넷을 지배하는 집단들이 사용자들 특히 여성, 아동, 소수자 등을 위해 사이버 공간을 안전하게 만드는 게 중요한 문제라는 것.

11
rule 지배하다

C **12** It's no wonder **that** truth is stranger than fiction; fiction has to make sense. *Mark Twain*
사실이 소설[허구]보다 더 이상하다는 것은 놀랍지 않아. 소설은 말이 되어야 하니.

- It(형식주어) + is + no wonder + that절(진주어)(that truth is ~): ~ 것은 놀랍지 않다
- (it is) No wonder (that) 주어 + 동사(truth is ~): it is / that 생략 가능.
- 형용사 비교급(stranger) + than ~: ~보다 더 …한 Unit 56

Know More <유머 코드> 허구의 세계는 그럴듯하게 꾸며지지만, 사실의 세계는 부조리하게 보일 때가 많다는 것.

12
wonder 놀라움[경이]
fiction 소설[허구]
make sense 타당하다[말이 되다]

13 It is widely believed **that** social concerns and trends are reflected in the mass media such as television and film.
사회적 관심사와 추세는 텔레비전과 영화 같은 대중 매체에 반영되는 것으로 널리 여겨져.

- It(형식주어) + is (widely) believed + that절(진주어)(that + 주어 + 동사 ~): ~ 것으로 여겨지다

13
concern 관심사
trend 추세[동향]
reflect 반영하다
mass media 대중 매체

14 The saddest aspect of life right now is **that** science gathers knowledge faster than society gathers wisdom. *Isaac Asimov*
바로 지금 삶의 가장 슬픈 양상은 과학이 사회가 지혜를 모으는 것보다 더 빨리 지식을 모은다는 거야.

- 주어 + be동사(is) + that절(that + 주어(science) + 동사(gathers) ~): that절(~ 것)이 보어.
- 부사 비교급(faster) + than + 주어 + 동사 ~: 주어가 동사하는 것보다 더 …하게 Unit 56

Know More <숨은 의미> "아이작이 쓰면 그게 바로 SF다."라는 말이 있는 과학 소설계의 거물이자 다방면에 걸쳐 500여 권의 책을 낸 아이작 아시모프의 말로, 과학의 발달 속도가 인간 사회의 발달 속도를 앞질러 우려스럽다는 것.

14
aspect 양상[측면]
gather 모으다
wisdom 지혜

15 In republics, the great danger is **that** the majority may not sufficiently respect the rights of the minority. *James Madison*
공화국에서 큰 위험은 다수가 소수의 권리를 충분히 존중하지 않을 수도 있다는 거야.

- 주어 + be동사(is) + that절(that + 주어(the majority) + 동사(may not respect) ~): that절(~ 것)이 보어.

15
republic 공화국
majority 다수
sufficiently 충분히
minority 소수 (집단)

본책 102~103쪽을 함께 펴놓고 보세요!

Unit 31
주어/보어 what절

what절	동사	보어
What makes the desert beautiful	is	that somewhere it hides a well.

Standard Sentences

01 **What makes the desert beautiful is that somewhere it hides a well.** *The Little Prince*
사막을 아름답게 만드는 것은 어딘가에 사막이 샘을 숨기고 있다는 거야.

- what절(what(주어) + 동사(makes) ~) + be동사(is) + that절(that + 주어(it) + 동사(hides) ~): what절(~인 것)이 주어, that절(~ 것)이 보어.

Know More <숨은 의미> 생텍쥐페리가 사하라 사막 체험에서 영감을 받아 쓴 《어린 왕자》(The Little Prince)에 나오는 말로, 집이든 별이든 혹은 삶이든 무언가를 아름답게 하는 건 그 속에 있는 눈에 보이지 않는 것(희망, 사랑, 행복 등)이라는 것.

01
desert 사막
hide 숨기다[감추다]
well 우물[샘]

02 **The soul without imagination is what an observatory would be without a telescope.** *Henry Beecher*
상상력 없는 정신은 망원경 없는 관측소 같은 것이야.

- 주어 + be동사(is) + what절(what(보어) + 주어(an observatory) + 동사(would be) ~): what절(~인 것)이 보어.
  ← 주어(an observatory) + 동사(would be) + 보어(what) ~: what절 속 what은 보어 역할.
- 주어 + 과거조동사 V(would be) ~ without a telescope: 가정표현 ➲ Unit 52

02
observatory 관측소[천문대]
telescope 망원경

03 **Whatever is flexible and living will tend to grow; whatever is rigid and blocked will wither and die.** *Lao Tzu(노자)*
유연하고 살아 있는 무엇이든 자라기 쉽겠지만, 뻣뻣하고 막힌 것은 무엇이든 시들어 죽을 거야.

- whatever절(whatever(주어) + 동사(is) ~) + 동사(will tend / wither ~): whatever절(~인 무엇이든)이 주어.

03
flexible 유연한
tend to-v v하기 쉽다[v하는 경향이 있다]
rigid 뻣뻣한
wither 시들다

A

04 **What we achieve inwardly will change outer reality.** *Plutarch*
우리가 마음속으로 이루는 것은 외부 현실을 바꿀 거야.

- what절(what(목적어) + 주어(we) + 동사(achieve) ~) + 동사(will change) ~: what절(~인 것)이 주어.
  ← 주어(we) + 동사(achieve) + 목적어(what) ~: what절 속 what은 목적어 역할.

Know More <숨은 의미> 자신의 내적 변화와 성취가 외부 세계를 변화시킬 수 있다는 것.

04
achieve 성취하다[이루다]
inwardly 마음속으로
outer 외부의

05 **What society does to its children is what its children will do to society.** *Cicero*
사회가 (현재) 아이들에게 하는 것이 아이들이 (미래) 사회에 하게 될 것이야.

- what절(what(목적어) + 주어(society) + 동사(does) ~) + be동사(is) + what절(what(목적어) + 주어(its children) + 동사(will do) ~): what절(~인 것)이 주어/보어.
  ← 주어(society / its children) + 동사(does / will do) + 목적어(what) ~: what절 속 what은 목적어 역할.

Know More <숨은 의미> 고전 라틴어를 확립한 고대 로마의 정치가·문학가·철학자 키케로의 말로, 현재 기성세대가 이루고 있는 사회의 영향을 받아 성장한 아이들이 미래에 기성세대로서 그대로 영향을 미쳐 미래 사회를 이루게 된다는 것.

06 **What is moral is what you feel good after; what is immoral is what you feel bad after.** *Ernest Hemingway*
도덕적인 것은 네가 (그것을 한) 후에 기분 좋은 것이고, 비도덕적인 것은 네가 (그것을 한) 후에 기분 나쁜 것이야.

- what절(what(주어) + 동사(is) ~) + be동사(is) + what절(what(목적어) + 주어(you) + 동사(feel) ~ after): what절(~인 것)이 주어/보어
  ← 주어(you) + 동사(feel) + 보어(good / bad) + 전치사(after) + what: what절 속 what은 전치사 목적어 역할

06
moral 도덕적인
immoral 비도덕적인[부도덕한]

07 **Whatever has happened to you in your past has no power over this present moment because life is now.** *Oprah Winfrey*
과거 네게 일어났던 무엇이든 삶은 지금이기 때문에 이 현재 순간에 대해서는 힘을 갖지 못해.

- whatever절(whatever(주어) + 동사(has happened) ~) + 동사(has): whatever절(~인 무엇이든)이 주어.
- because + 주어 + 동사 ~: ~ 때문에(이유[원인] 부사절) ➲ Unit 47

B 08 **What we want is to see the child in pursuit of knowledge, and not knowledge in pursuit of the child.** *Bernard Shaw*
우리가 원하는 것은 지식을 좇는 아이를 보는 것이지, 아이를 뒤쫓는 지식을 보는 것이 아니야.

- what절(what(목적어) + 주어(we) + 동사(want)) + be동사(is) + to-v(to see ~): what절이 주어, to-v가 보어.
- to see A(the child ~) and not (to see) B(knowledge ~): A와 B 대등 연결.

Know More 〈유머 코드〉 pursuit의 두 가지 의미(추구[좇음]와 추적[뒤쫓음])를 활용해, 아이가 능동적으로 필요한 지식을 추구하게 해야지, 획일적인 지식이 아이를 추적하게[아이가 피동적으로 지식에 쫓기게] 해서는 안 된다는 것.

08
pursuit 추구[좇음]/추적[뒤쫓음]

09 **Great music is great music; it doesn't matter what genre it belongs to.**
훌륭한 음악은 훌륭한 음악이지, 그것이 어떤 장르에 속하는지는 중요하지 않아. *Stjepan Hauser*

- It(형식주어) + 동사(doesn't matter) + what절(what genre(목적어) + 주어(it) + 동사(belongs to)): what절(어떤 ~인지)이 진주어. ← 주어(it) + 동사(belongs to) + 목적어(what genre): what절 속 what genre는 목적어 역할.

09
genre 장르
belong to ~에 속하다

10 **It doesn't matter what it is; what matters is what it will become.** *Dr. Seuss*
그것이 무엇인지는 중요하지 않고, 중요한 것은 그것이 무엇이 될 것인지야.

- It(형식주어) + 동사(doesn't matter) + what절(what(보어) + 주어(it) + be동사(is)): what절(무엇 ~인지)이 진주어.
- what절(what(주어) + 동사(matters)) + be동사(is) + what절(what(보어) + 주어(it) + 동사(will become)): what절(~인 것/무엇 ~인지)이 주어/보어.

11 **One's religion is whatever they are most interested in.** *James Barrie*
사람의 종교는 그들이 가장 관심 있는 무엇이든지야.

- 주어 + be동사(is) + whatever절(whatever(목적어) + 주어(they) + 동사(are) ~): whatever절(~인 무엇이든지)이 보어. whatever절 속 whatever는 전치사(in) 목적어 역할(← they are most interested in whatever).

11
religion 종교
interested 관심 있는

C 12 **What we owe our parents is the bill presented to us by our children.**
우리가 우리 부모에게 빚지고 있는 것은 우리 아이들에 의해 우리에게 주어질 청구서야. *Nancy Friday*

- what절(what(목적어) + 주어(we) + 동사(owe) ~) + 동사(is) ~: what절(~인 것)이 주어.
  ← 주어(we) + 동사(owe) + (에게)목적어(our parents) + (을)목적어(what): what절 속 what은 목적어 역할.
- 명사(the bill) + v-ed분사(presented ~): v-ed분사가 뒤에서 앞 명사 수식.

Know More 〈숨은 의미〉 우리 부모에게 빚지는 것은 우리 자식에게 갚아야 한다는 것.

12
owe 빚지고 있다
bill 청구서
present 주다[제시하다]

13 **What hurts the victim most is not the cruelty of the oppressor, but the silence of the bystander.** *Elie Wiesel*
피해자를 가장 아프게 하는 것은 압제자의 잔인함이 아니라, 방관자의 침묵이야.

- what절(what(주어) + 동사(hurts) ~) + 동사(is) ~: what절(~인 것)이 주어.
- not A(the cruelty ~) but B(the silence ~): A가 아니라 B(A는 부정되고 B가 긍정됨.)

Know More 〈숨은 의미〉 The ultimate tragedy is not the oppression and cruelty by the bad people but the silence over that by the good people. Martin Luther King(최대의 비극은 악한 사람들의 압제와 잔인함이 아니라 그에 대한 선한 사람들의 침묵이야.)

13
victim 피해자
cruelty 잔인함
oppressor 압제자
silence 침묵
bystander 구경꾼[방관자]

14 **Education is what survives when what has been learned has been forgotten.**
교육은 배워졌던 것이 잊혔을 때 살아남는 거야. *B. F. Skinner*

- 주어 + be동사(is) + what절(what(주어) + 동사(survives) ~): what절(~인 것)이 보어.
- when + what절(what(주어) + 동사(has been learned)) + 동사(has been forgotten): what절(~인 것)이 when절 속 주어. ~할 때(시간 부사절) ➲ Unit 46

Know More 〈배경 지식〉 행동주의 심리학자로 교육과 심리학에 커다란 영향을 끼친 스키너가 인용한 말로, 시험을 치며 배워진 사실과 법칙 등의 지식은 잊히지만 그 과정에서 얻은 여러 가지 능력[행동]은 남게 되는데 그것이 교육이라는 것.

14
education 교육
survive 살아남다

15 **The greatest way to live with honor in this world is to be what we pretend to be.** *Socrates* 이 세상을 명예롭게 사는 가장 훌륭한 방법은 우리가 무엇인 척하는 것이 (진짜) 되는 거야.

- 주어 + be동사(is) + to-v[보어](to be ~): to-v(v하는 것)가 보어.
- to be + what절(what + we + pretend + to be): what절(~인 것)이 to-v 속 보어. what절 속 what은 be의 보어 역할(← we pretend to be what).

Know More 〈숨은 의미〉 무엇인 척하는 건 남들에게 잘 보이려고 실제 자신이 아닌 최고의 모습을 가장해 사는 건데, 남들에게뿐 아니라 자신에게도 떳떳하고 자랑스럽게 살려면 그냥 그런 척하는 대로 진짜 살면 된다는 것.

15
honor 명예
pretend ~인 척하다

본책 104~105쪽을 함께 펴놓고 보세요!

Unit 32 주어/보어 wh-절

wh-절	동사	목적어
Who controls the past	controls	the future.

Standard Sentences

01 Who controls the past controls the future; who controls the present controls the past. *George Orwell*
과거를 지배하는 자가 미래를 지배하고, 현재를 지배하는 자가 과거를 지배해.

- who절(who(주어) + 동사(controls) ~) + 동사(controls) ~: who절(~ 사람)이 주어.

Know More <배경 지식> 영국 작가 조지 오웰이 전체주의를 비판한 소설 《1984년》에 나오는 말로, '빅 브라더'(Big Brother)를 정점으로 개인을 감시하고 언어와 사고를 통제하여 현재를 지배하는 국가(당)가 과거의 역사와 기억을 비참했던 것으로 조작해 국민들이 감사하며 미래의 목표를 위해 충성하도록 강요하는 것.

01
control 지배[통제]하다

02 It doesn't matter **where** you came from; what matters is **where** you are going. 네가 어디서 왔는지는 중요하지 않아. 중요한 것은 네가 어디로 가고 있는지야.

- It(형식주어) + 동사 + where절(where + 주어(you) + 동사(came) ~): where절(어디 ~인지)이 진주어.
- what절(what(주어) + 동사(matters)) + be동사(is) + where절(where + 주어(you) + 동사(are going)): what절(~인 것)이 주어. where절(어디 ~인지)이 보어.

03 Whoever is careless with the truth in small matters cannot be trusted with important matters. *Albert Einstein*
작은 일에서 진실에 부주의한 누구든 중요한 일이 맡겨질 수 없어.

- whoever절(whoever(주어) + 동사(is) ~) + 동사(cannot be trusted) ~: whoever절(~인 누구든)이 주어.

03
careless 부주의한
matter 일[문제]
trust A with B A에게 B를 맡기다

A

04 How a person uses social networking can change their feelings of loneliness in either a positive or negative way.
사람이 어떻게 소셜 네트워킹을 사용하는지가 외로움의 감정을 긍정적 또는 부정적으로 바꿀 수 있어.

- how절(how + 주어(a person) + 동사(uses) ~) + 동사(can change) ~: how절(어떻게 ~인지)이 주어.
- either A(a positive (way)) or B((a) negative way): A와 B 둘 중 하나

04
loneliness 외로움

05 It doesn't matter **how** new an idea is; what matters is **how** new it becomes. *Elias Canetti*
생각이 얼마나 새로운지는 중요하지 않고, 중요한 것은 그것이 얼마나 새롭게 되는지야.

- It(형식주어) + 동사 + how절(how new(보어) + 주어(an idea) + 동사(is)): how절(얼마나 ~인지)이 진주어.
- what절(what(주어) + 동사(matters)) + be동사(is) + how절(how new(보어) + 주어(it) + 동사(becomes)): what절(~인 것)이 주어. how절(얼마나 ~인지)이 보어.

Up!

06 I am who I am, not who you think I am, not who you want me to be.
난 네가 나라고 생각하는 사람도 아니고, 네가 나이기를 바라는 사람도 아니라, 그냥 나야. *Brigitte Nicole*

- 주어 + be동사(am) + who절(who + 주어(I/you) + 동사(am/think/want) ~): who절(~ 사람)이 보어.
- who I am (who) / who you think I am (who) / who you want me to be (who): who절 속 who는 am/be의 보어 역할.

07 Design is not just what it looks like and feels like, but how it works. *Steve Jobs*
디자인은 단지 그것이 어떻게 보이고 느껴지는 지뿐만 아니라, 그것이 어떻게 기능하는지야.

- not just[only] A but (also) B: A뿐만 아니라 B도
- 주어 + be동사(is) + what절(what + 주어(it) + 동사(looks/feels) + like): what절(무엇 ~인지)이 보어(what절 속 what은 like(~ 같은)의 목적어 역할).
- how절(how + 주어(it) + 동사(works)): how절(어떻게 ~인지)이 보어.

Know More <배경 지식> 애플을 창업해 개인용 컴퓨터를 대중화하고, 2001년 아이팟, 2007년 아이폰, 2010년 아이패드를 내놓은 스티브 잡스의 말로, 무엇보다 기능성을 중시한 그의 디자인 철학이 잘 드러나는 것.

07
work 작동하다[기능하다]

B **08** Home is where the heart can laugh without shyness, and the heart's tears can dry at their own pace. *Vernon Bake*
가정은 마음이 부끄럼 없이 웃을 수 있고, 마음의 눈물이 자신만의 속도로 마를 수 있는 곳이야.

- 주어 + be동사(is) + where절(where + 주어(the heart/the heart's tears) + 동사(can laugh/dry) ~): where절(~ 곳)이 보어.

08
shyness 수줍음[부끄럼]
tear 눈물
dry 마르다
pace 속도

09 People are prisoners of their phones; that's why it's called a "cell" phone.
사람들은 휴대폰의 포로들인데, 그게 휴대폰이 '셀(감방)'폰이라 불리는 이유야.

- that's + why절(why + 주어(it) + 동사(is called) ~): why절(~ 이유)이 보어.

Know More <유머 코드> cell의 두 가지 의미(감방/휴대폰)을 이용한 절묘한 유머.

09
prisoner 죄수[포로]
cell
감방/휴대폰 (= cellphone)/세포

10 The test of a man or woman's breeding is how they behave in a quarrel. *Bernard Shaw*
남성이나 여성의 가정 교육의 시험대는 그들이 다툴 때 어떻게 행동하는지야.

- 주어 + be동사(is) + how절(how + 주어(they) + 동사(behave) ~): how절(어떻게 ~인지)이 보어.

Know More <유머 코드> 싸울 때 끝까지 가는 말이나 행동에서 그 사람의 가정 교육이 드러나게 된다는 것.

10
test 시험대[시금석]
breeding 가정 교육
behave 행동하다
quarrel (말)다툼

11 Whoever said nothing is impossible never tried slamming a revolving door.
아무것도 불가능하지 않다고 말한 누구든 회전문을 쾅 닫는 걸 절대 시도한 적이 없어.

- whoever절(whoever(주어) + 동사(said) ~) + 동사(never tried) ~: whoever절(~인 누구든)이 주어.
- say + (that) + 주어(nothing) + 동사(is) ~: ~라고 말하다(that절이 say의 목적어절.) Unit 33
- try + v-ing(slamming ~): (시험 삼아) v해 보다[v하는 것을 시도하다]

Know More <유머 코드> 회전문을 쾅 닫는 건 불가능하기도 하거니와, 그런 시도를 할 경우 무슨 일이...?

11
slam 쾅 닫다
revolving door 회전문

C **12** Nobody deserves your tears, but whoever deserves them will not make you cry. *Gabriel Marquez*
아무도 네 눈물을 받을 만하지 않지만, 그걸 받을 만한 누구든 널 울게 하지 않을 거야.

- whoever절(whoever(주어) + 동사(deserves) ~) + 동사(will not make) ~: whoever절(~인 누구든)이 주어.

Know More <숨은 의미> 《백년 동안의 고독》 《콜레라 시대의 사랑》 등 마술적 사실주의 소설로 유명한 가브리엘 마르케스의 말로, 널 울게 할 만한 사람도 없고 그럴 만한 사람은 널 울게 하지도 않을 거니, 누구 때문에도 울지 말라는 것.

12
deserve 받을 만하다
tear 눈물

13 How far you go in life depends on your being tender with the young and compassionate with the aged. *George Carver*
네가 살면서 얼마나 성공할지는 네가 젊은이들에게 다정한 것과 노인들에게 동정심을 갖는 것에 달려 있어.

- how절(how far + 주어(you) + 동사(go) ~) + 동사(depends on) ~: how절(얼마나 ~인지)이 주어.
- depend on + 의미상 주어(your) + v-ing(being ~): ~가 v하는 것에 달려 있다
- being A(tender ~) and B(compassionate ~): A와 B 대등 연결.

Know More <숨은 의미> 평소 어린 사람들에게 다정하고 노인들을 공경하면 복 받아 성공하게 된다는 것.

13
go far 장차 크게 되다[성공하다]
tender 다정한
compassionate
연민 어린[동정하는]
the aged 노인들

14 No thief can rob one of knowledge, and that is why knowledge is the best and safest treasure to acquire. *Frank Baum*
어떤 도둑도 사람에게서 지식을 빼앗아 갈 수 없는데, 그것이 지식이 얻기에 가장 좋고 가장 안전한 보물인 이유야.

- rob A(one) of B(knowledge): A에게서 B를 앗아 가다
- that is + why절(why + 주어(knowledge) + 동사(is) ~): why절(~ 이유)이 보어.
- 명사(the best and safest treasure) + to-v(to acquire): to-v가 뒤에서 앞 명사 수식.

14
treasure 보물
acquire 얻다[습득하다]

Up! **15** A solar eclipse is when a portion of the Earth is engulfed in a shadow cast by the Moon fully or partially blocking sunlight.
일식은 지구의 일부가 햇빛의 전부나 일부를 가리는 달에 의해 드리워지는 그림자에 뒤덮일 때야.

- 주어 + be동사(is) + when절(when + 주어(a portion of the Earth) + 동사(is ~) ~): when절(~ 때)이 보어.
- 명사(a shadow) + v-ed분사(cast ~): v-ed분사(v되는)가 뒤에서 앞 명사 수식.
- 명사(the Moon) + v-ing((fully or partially) blocking ~): v-ing(v하는)가 뒤에서 앞 명사 수식.

15
solar eclipse 일식
portion 부분
engulf 휩싸다[뒤덮다]
shadow 그림자
cast 던지다[드리우다]
(-cast-cast)
partially 부분적으로
block 막다[가리다]

A

01 What mankind must know is that human beings cannot live without Mother Earth, but the planet can live without humans. *Evo Morales*
인류가 알아야 할 것은 인간은 어머니인 지구 없이는 살 수 없지만, 지구는 인간 없이도 살 수 있다는 거야.

- what절(what(목적어)+주어(mankind)+동사(must know))+be동사(is)+that절(that+주어(human beings/the planet)+동사(cannot/can live) ~): what절(~인 것)이 주어, that절(~ 것)이 보어.

01
mankind 인류
the planet (Earth) 지구

Up! **02** The question is not whether but how the actions of a given gene influence some interesting aspect of behavior. *Jeffrey Hall*
문제는 특정 유전자의 작용이 행동의 어떤 흥미로운 양상에 영향을 미치는지 아닌지가 아니라, 어떻게 영향을 미치는지야.

- not A(whether) but B(how): A가 아니라 B(A는 부정되고 B가 긍정됨.)
- 주어+be동사(is)+whether절/how절(whether/how+주어(the actions ~)+동사(influence) ~): whether절(~인지 (아닌지))/how절(어떻게 ~인지)이 보어.

02
action 작용
given 특정한
gene 유전자
influence 영향을 미치다
aspect 양상
behavior 행동

03 One of the greatest regrets in life is being what others would want you to be, rather than being yourself. *Shannon Alder*
삶의 가장 큰 후회 중 하나는 너 자신이 되기보다 다른 사람들이 네가 되길 원하는 것이 되는 거야.

- 주어+be동사(is)+v-ing(being ~): v-ing(v하는 것)가 보어.
- be(ing)+what절(what+주어(others)+동사(would want)+목적어(you)+to be (what)): what절이 be(ing)의 보어(what절 속 what은 to be의 보어 역할).

03
regret 후회
rather than ~보다는

04 Whoever fights monsters should see to it that in the process he does not become a monster. *Friedrich Nietzsche*
괴물들과 싸우는 누구든 반드시 그 과정에서 자신도 괴물이 되지 않도록 확인해야 해.

- whoever절(whoever(주어)+동사(fights) ~)+동사(should see) ~: whoever절(~인 누구든)이 주어.
- see+(to it)+that절(that+(in ~)+주어(he)+동사(does ~) ~): 반드시 ~하도록 확인하다(to it은 생략 가능.)

Know More 〈배경 지식〉 니체의 《선악의 저편》에 나오는 말로, 선을 지키겠다고 악과 싸우는 동안 자신도 모르게 악과 닮아 가는 어리석음을 범하지 말고, 자신의 자연스러운 생명을 충실히 발전시키는 새로운 가치를 창조해 나가야 한다는 것.

04
monster 괴물
process 과정

05 The only mystery in life is why the kamikaze pilots wore helmets. *Al McGuire*
삶의 유일한 수수께끼는 가미카제 조종사들이 왜 헬멧을 썼는지야.

- 주어+be동사(is)+why절(why+주어(the kamikaze pilots)+동사(wore) ~): why절(왜 ~인지)이 보어.

Know More 〈유머 코드〉 유머라 하기엔 좀 엽기적이지만, 제2차 세계대전 때 일제의 가미카제 자살 특공대원들이 왜 생존을 위한 헬멧을 썼겠느냐는 건데, 사실은 당시 비행사의 비행모자는 생존용이 아니라 비행 시 여러 조건에서의 보호용이었다고 함.

05
mystery 수수께끼[미스터리]
kamikaze
일제의 가미카제 자살 특공대
wear 입다[쓰다] (-wore-worn)

06 It does not matter how you came into the world; what matters is that you are here. *Oprah Winfrey*
네가 어떻게 세상에 태어났는지는 중요하지 않고, 중요한 것은 네가 여기에 있다는 거야.

- It(형식주어)+동사(does ~)+how절(how+주어(you)+동사(came) ~): how절(어떻게 ~인지)이 진주어.
- what절(what matters)+동사(is)+that절(that you are ~): what절(~인 것)이 주어, that절(~ 것)이 보어.

06
come into the world
세상에 나오다[태어나다]

07 Searching and learning is where the miracle process all begins. *Jim Rohn*
탐구와 학습은 기적의 과정 모두가 시작되는 곳이야.

- 주어+be동사+where절(where+주어(the miracle process all)+동사(begins)): where절(~ 곳)이 보어.

07
search 찾아보다
miracle 기적
process 과정

B

08 Music, at its essence, is what gives us memories. *Stevie Wonder*
음악은 본질적으로 우리에게 추억을 주는 거야.

- 주어+be동사(is)+what절(what(주어)+동사(gives) ~): what절(~인 것)이 보어.

08
essence 본질

09 A bird in a nest is secure, but that is not why God gave it wings. *Matshona Dhliwayo*
둥지 안의 새는 안전하지만, 그건 신이 그에게 날개를 준 이유가 아니야.

- that is not+why절(why+주어(God)+동사(gave) ~): why절(~ 이유)이 보어.

09
nest 둥지
secure 안전한

10 Whatever appears as a motion of the sun is really due to the motion of the earth. *Copernicus*
태양의 움직임처럼 보이는 무엇이든 실제로는 지구의 움직임 때문이야.

- whatever절(whatever(주어)+동사(appears) ~)+동사(is) ~: whatever절(~인 무엇이든)이 주어.

Know More 〈배경 지식〉 프톨레마이오스의 지구 중심 우주론(천동설)이 지배하던 16세기 태양 중심 우주론을 제기한 코페르니쿠스의 말로, 그 후 1세기가 지난 17세기 케플러와 갈릴레이의 천체 관측으로 이 지동설이 받아들여졌음.

10
appear as ~처럼 보이다
motion 운동[움직임]
due to ~ 때문에

Unit Words

■ 본격적인 구문 학습에 앞서, 각 유닛별 주요 단어를 확인하세요.

Unit 33 목적어 that절 / whether[if]절

- □ gifted 재능이 있는
- □ priority 우선 사항
- □ thoughtful 사려 깊은
- □ committed 헌신적인
- □ organized 조직된
- □ altruism 이타주의
- □ destructive 파괴적인
- □ in one's right mind 제 정신인
- □ pass off 점차 사라지다
- □ intelligent 똑똑한[총명한]
- □ archaeology 고고학
- □ take ~ for granted 당연히 여기다
- □ appreciate 고마워하다
- □ conservation 보존
- □ isolated 고립된
- □ constant 변함없는
- □ dimensional 차원의
- □ geometry 기하학(적 구조)

Unit 34 목적어 what절

- □ comprehend 이해하다
- □ make sense of 이해하다
- □ liberty 자유
- □ be willing to 기꺼이 ~하다
- □ undone 끝나지 않은
- □ reason 이성
- □ ignorance 무지
- □ submit 굴복하다[따르다]
- □ dictate 지시[명령]하다
- □ previous 이전의
- □ visual 시각의
- □ conceptual 개념의

Unit 35 목적어 wh-절

- □ define 규정[정의]하다
- □ anthropology 인류학
- □ examine 조사하다
- □ interact 상호 작용하다
- □ ultimate 궁극적인
- □ neuroscience 신경 과학
- □ encode 암호화하다
- □ sincere 진심 어린
- □ criticize 비판[비난]하다
- □ scarce 부족한
- □ commodity 상품[물품]
- □ distribute 분배하다

Unit 36 명사동격 that절

- □ unwarranted 부당한
- □ hold true 사실이다
- □ presumption 추정
- □ innocence 무지[결백]
- □ ecological 생태계의
- □ run out of ~을 다 쓰다
- □ renewal 회복
- □ opportunity cost 기회비용
- □ perception 인식
- □ liberal 자유로운[진보적인]
- □ biased 편향된
- □ fake 가짜의
- □ ethnocentrism 자기 민족 중심주의
- □ rate 평가하다
- □ with reference to ~와 관련하여
- □ conviction 확신[신념]
- □ proposition 명제
- □ standard of living 생활수준

본책 108~109쪽을 함께 펴놓고 보세요!

Unit 33

목적어 that절 / whether(if)절

주어	동사	that절
We	must believe	that we are gifted for something.

Standard Sentences

01 We must believe **that** we are gifted for something and **that** this thing must be attained. *Marie Curie*
우리는 자신이 무언가에 재능이 있고, 이것은 성취되어야 한다는 걸 믿어야 해.
- 타동사(believe) + that절(that we are ~) + and + that절(that this thing must ~): 목적어 that절(~ 것) 2개가 and로 연결(~ 것과 ~ 것을 믿다).

01 gifted 재능이 있는 / attain 성취[획득]하다

02 We always have to ask ourselves **if** we are focusing on the most important priorities.
우리는 늘 스스로에게 자신이 가장 중요한 우선 사항에 집중하고 있는지 물어야 해.
- 타동사(ask) + (에게)목적어(ourselves) + if절(if we are focusing ~): if절(~인지)이 (을)목적어(~인지 묻다).

02 focus on ~에 집중하다 / priority 우선 사항

03 Firemen don't talk about **whether** a burning warehouse is worth saving. *Sebastian Junger*
소방관은 불타고 있는 창고가 구할 가치가 있는지에 대해 말하지 않아.
- talk about + whether절(whether ~ warehouse is ~): whether절(~인지)이 목적어(~인지에 대해 말하다).

Know More 〈숨은 의미〉 진짜 위험한 일을 하는 사람들은 자신들이 하고 있는 일의 가치를 논하며 빈둥거릴 여유가 없다는 것.

03 warehouse 창고 / be worth v-ing v할 가치가 있다 / save 구하다

04 Globalization makes it clear **that** social responsibility is required not only of governments, but of companies. *Anna Lindh*
세계화는 정부들뿐만 아니라 기업들의 사회적 책임도 요구된다는 걸 분명히 해.
- make + it(형식목적어) + 목적보어(clear) + that절(진목적어): 형식목적어 it을 내세우고 진목적어 that절이 뒤에 옴.
- social responsibility + not only of ~ but of ~: 전치사구(of ~)가 앞 명사를 수식하나 길어서 떨어져 뒤로 감.
- not only A(of governments) but (also) B(of companies): A뿐만 아니라 B도

Know More 〈배경 지식〉 세계화(globalization)는 교통·통신의 발달로 무역, 자본, 지식 등의 분야에서 전 세계 개인-기업-정부 간 경제·문화·정치적 상호 작용과 통합이 이루어지는 과정인데 특히 다국적 기업들의 전 지구적 책임이 요구된다는 것. 한편, 탈세계화(Deglobalization) 현상이나 반세계화(anti-globalization) 운동도 만만찮음.

04 globalization 세계화 / responsibility 책임 / require 요구하다

A

05 Never doubt **that** a small group of thoughtful, committed, organized citizens can change the world. *Margaret Mead*
작은 집단의 사려 깊고 헌신적이고 조직된 시민들이 세계를 바꿀 수 있다는 것을 결코 의심하지 마.
- doubt + that절(that a small group ~): that절(~ 것)이 목적어(~ 것을 의심하다).

Know More 〈숨은 의미〉 인류학자 마거릿 미드의 명언으로, 민주주의와 세계 진보의 원동력은 깨어 있는 조직된 시민들의 소집단운동이라는 것.

05 doubt 의심하다 / thoughtful 사려 깊은 / committed 헌신적인 / organized 조직된

06 You can tell **whether** a man is clever by his answers; you can tell **whether** a man is wise by his questions. *Naguib Mahfouz*
넌 어떤 사람의 대답으로 그가 영리한지 알 수 있고, 넌 어떤 사람의 질문으로 그가 현명한지 알 수 있어.
- tell + whether절(whether a man is ~): whether절(~인지)이 목적어(~인지 알다).

Know More 〈숨은 의미〉 지식에 기반한 영리한 답도 중요하지만, 지혜로운 질문이야말로 문제의 핵심에 이르는 사고와 토론을 이끌어 낼 수 있다는 것.

06 tell 알다[판단하다] / clever 영리한 / wise 현명한

07 Every man must decide **whether** he will walk in the light of creative altruism or in the darkness of destructive selfishness. *Martin Luther King*
모든 사람은 자신이 창조적인 이타주의의 빛 속을 걸을지 또는 파괴적인 이기주의의 어둠 속을 걸을지 결정해야 해.
- decide + whether절(whether he will walk ~): whether절(~인지)이 목적어(~인지 결정하다).
- walk + A(in the light ~) or B(in the darkness ~): A와 B 대등 연결.

07 altruism 이타주의 / destructive 파괴적인 / selfishness 이기적임

B **08** Television has proved **that** people will look at anything rather than each other. *Ann Landers* 텔레비전은 사람들이 서로를 보기보다는 다른 뭔가를 볼 거라는 걸 입증했어.

- prove + that절(that people will look ~): that절(~ 것)이 목적어(~ 것을 입증[증명]하다).

Know More <숨은 의미> 가족들이 서로 마주보고 대화하는 대신 다 함께 TV 화면만 바라보는 세태를 꼬집은 것으로, "사랑은 서로를 보는 게 아니라 같은 방향을 보는 것(→ Unit 45-11)."이라는 말로 위안을 삼아야 하나...

08
prove 입증[증명]하다
rather than ~보다는
each other 서로

09 Sometimes I wonder **if** I'm in my right mind; then it passes off and I'm as intelligent as ever. *Samuel Beckett*
때때로 난 내가 제 정신인지 궁금해. 그러고 나서 그 생각은 점차 사라지고 난 언제나처럼 똑똑해져.

- wonder + if절(if I'm ~): if절(~인지)이 목적어(~인지 궁금하다).

Know More <숨은 의미> 부조리한 세계와 무의미한 인간 조건을 독창적으로 묘사한 희곡 《고도를 기다리며》 등으로 새로운 연극의 대표 작가가 된 사뮈엘 베케트의 작품 속 대사로, 자의식·현실감 상실과 회복의 경계를 넘나듦을 말하는 것.

09
in one's right mind 제 정신인
pass off 점차 사라지다
as ~ as ever 언제나처럼 ~한
intelligent 똑똑한[총명한]

Up! **10** Archaeology is like a jigsaw puzzle, except **that** you can't cheat and look at the box, and not all the pieces are there. *Stephen Dean*
고고학은 네가 속여 상자를 볼 수 없고, 모든 조각들이 거기에 있는 건 아니라는 것 외에는, 조각 그림 맞추기 같아.

- except + that절(that you can't cheat ~): that절(~ 것)이 전치사 except(외에는)의 목적어(~ 것 외에는).
- not all: 모든 것이 ~인 것은 아닌(부분 부정) ➔ Unit 59

10
archaeology 고고학
jigsaw puzzle 조각 그림 맞추기
except 외에는
cheat 속이다

11 I don't take it for granted that I wake up every morning, but I always appreciate it. *King Diamond*
난 내가 매일 아침 깨어나는 걸 당연히 여기는 게 아니라, 늘 그것을 고마워해.

- not A but B: A가 아니라 B(A는 부정되고 B가 긍정됨.)
- take + it(형식목적어) + 목적보어(for granted) + that절(진목적어): ~ 것을 당연히 여기다

11
take ~ for granted 당연히 여기다
wake up 깨어나다
appreciate 고마워하다

C **12** The law of conservation of energy states **that** the total energy of an isolated system remains constant.
에너지 보존 법칙은 고립계의 총 에너지는 변함없다고 명시해.

- state + that절(that the total energy ~): that절(~ 것)이 목적어(~ 것을 말하다[명시하다]).

Know More <배경 지식> 에너지는 외부 영향이 없으면 형태가 바뀔 뿐 총량은 일정하며 새로 생기거나 사라질 수 없다는 것.

12
conservation 보존
state 말하다[명시하다]
isolated 고립된
remain 계속 어떠하다
constant 변함없는

13 Einstein proposed **that** space and time may be united into a single, four-dimensional geometry consisting of 3 space dimensions and 1 time dimension.
아인슈타인은 공간과 시간이 세 개의 공간 차원과 한 개의 시간 차원으로 구성되는 단일한 4차원의 기하학적 구조로 통합될 수도 있다고 제시했어.

- propose + that절(that space and time may be ~): that절(~ 것)이 목적어(~ 것을 제시[제안]하다).
- 명사(geometry) + v-ing(consisting of ~): v-ing(v하는)가 뒤에서 앞 명사 수식.

Know More <배경 지식> 수학자 민코프스키가 3차원 공간과 1차원 시간을 하나의 구조로 묶은 4차원 시공간(spacetime)을 제시했는데, 아인슈타인이 이를 일반 상대성 이론에 도입한 것.

13
propose 제안[제시]하다
unite 통합하다
single 단일한
dimension(al) 차원(의)
geometry 기하학(적 구조)
consist of ~로 구성되다

14 Murphy's law doesn't mean **that** something bad will happen; it means **that** whatever can happen will happen. *Movie "Interstellar"*
머피의 법칙은 나쁜 일이 일어날 거라는 걸 의미하지 않고, 그것은 일어날 수 있는 무엇이든지 일어날 거라는 걸 의미해.

- mean + that절(that something bad will ~/that whatever can ~): that절(~ 것)이 목적어(~ 것을 의미하다).
- that + whatever절(whatever can happen) + 동사(will ~): whatever절(~인 무엇이든)이 that절 속 주어.

Know More <배경 지식> 머피의 법칙은 "Anything that can go wrong will go wrong."(잘못될 수 있는 무엇이든 잘못될 거야.)으로, 하는 일이 항상 원치 않는 방향으로만 되어 간다는 것인데, 영화 <인터스텔라>에서 긍정적으로 재해석한 것.

15 I do not know **whether** I was then a man dreaming I was a butterfly, or **whether** I am now a butterfly dreaming I am a man. *Zhuangzi(장자)*
난 내가 그때 나비였던 꿈을 꾸고 있던 사람이었는지, 또는 내가 지금 사람인 꿈을 꾸고 있는 나비인지 모르겠어.

- know + whether절 or whether절: 목적어 whether절(~인지) 2개가 or로 연결(~인지 또는 ~인지 알다).
- 명사(a man/a butterfly) + v-ing(dreaming I was/am ~): v-ing가 뒤에서 앞 명사 수식.
- dream + (that) + 주어(I) + 동사(was/am) ~: ~것을 꿈꾸다[~인 꿈을 꾸다]

Know More <배경 지식> 나비의 꿈(胡蝶之夢): 중국 전국시대 철학자 장자(莊子)의 대표적 설화로, 장자가 꿈에 나비가 되어 날아다니다 깨어나, 자신이 나비가 되었던 꿈을 그때 꾸었는지, 나비가 장자가 된 꿈을 지금 꾸고 있는지 모르겠다는 것.

15
butterfly 나비

본책 110~111쪽을 함께 펴놓고 보세요!

unit 34

목적어 what절

주어	동사	what절
The eye	sees	only what the mind is prepared to comprehend.

Standard Sentences

01 The eye sees only **what** the mind is prepared to comprehend. *Henri Bergson*
눈은 마음이 이해할 준비가 된 것만 봐.

- see + what절(what the mind is ~): what절(~인 것)이 목적어(~인 것을 보다).

Know More 〈숨은 의미〉 철학자 앙리 베르그손의 말로 알려지기도 한 것으로, 자신이 보고 싶은 것만 보게 된다는 것.

01
be prepared to-v v할 준비가 되어 있다
comprehend 이해하다

02 Your worth consists in **what** you are, and not in **what** you have. *Thomas Edison*
네 가치는 네가 무엇을 가지고 있는지가 아니라, 네가 어떤 사람인지에 있어.

- consist in + what절(what you are / have): what절(무엇 ~인지)이 전치사 in 목적어(무엇 ~인지에 있다).
- what + 주어(you) + be동사(are): 네가 무엇인지[어떤 사람인지](what절 속 what은 보어 역할).
- what + 주어(you) + 동사(have): 네가 무엇을 가지고 있는지(what절 속 what은 목적어 역할).

02
consist in ~에 있다

03 To be sure of hitting the target, shoot first, and call **whatever** you hit the target. *Ashleigh Brilliant*
확실히 목표물을 맞히려면, 먼저 쏘고, 네가 맞힌 무엇이든 **목표물**이라고 불러.

- to be sure of v-ing(hitting ~): to-v(v하기 위해)가 문장 맨 앞에서 동사 수식(확실히 v하기 위해).
- call + whatever절(목적어) + 목적보어(the target): whatever절이 목적어(~인 무엇이든 …라고 부르다).
- whatever(목적어) + 주어(you) + 동사(hit): whatever절 속 whatever는 목적어 역할.

03
be sure of v-ing 확실히 v하다
target 표적[목표물]
shoot 쏘다

A

04 Ask not **what** your country can do for you; ask **what** you can do for your country. *John F. Kennedy*
나라가 너를 위해 무엇을 할 수 있는지 묻지 말고, 네가 나라를 위해 무엇을 할 수 있는지 물어.

- ask + what절(what + your country / you + can do ~): what절(무엇 ~인지)이 목적어(무엇 ~인지 묻다).

Know More 〈배경 지식〉 너무도 유명한 미국 케네디 대통령의 취임 연설로, 시민들이 자신들의 이익[사익]만 좇으려 들지 말고 사회 전체의 이익[공익]을 위해 함께 이바지해야 한다는 것.

05 Try to make sense of **what** you see, and wonder **what** makes the universe exist. *Stephen Hawking*
네가 보는 것을 이해하고, 무엇이 우주를 존재하게 하는지 궁금해하려고 노력해.

- make sense of + what절(what(목적어) + 주어(you) + 동사(see)): what절(~인 것)이 목적어(~인 것을 이해하다).
- wonder + what절(what makes ~): what절(무엇 ~인지)이 목적어(무엇 ~인지 궁금해하다).
- what(주어) + 동사(makes) + 목적어(the universe) + V(exist): 무엇이 ~을 v하게 하는지

05
make sense of 이해하다
exist 존재하다

06 What lies behind us and what lies before us are tiny matters compared to what lies within us. *Ralph Emerson*
우리 뒤에 있는 것과 우리 앞에 있는 것은 우리 안에 있는 것과 비교해서 아주 작은 문제야.

- what절(what lies behind / before us) + 동사(are): what절(~인 것) 2개가 주어(what절 속 what은 주어).
- compared to + what절(what lies ~): what절(~인 것)이 전치사 to 목적어(~인 것과 비교해서).

Know More 〈숨은 의미〉 미국 사상가 랄프 에머슨의 말로, 그는 인간·자연·신을 하나로 보고 자기 신뢰와 인간성 존중을 강조하는 '초월주의' 운동을 벌였는데, 과거나 미래 상황보다 자신의 정신이나 자질이 더 중요하다는 것.

06
lie 있다
tiny 아주 작은
compared to ~와[에] 비(교)해서[비(교)하면]

07 Liberty is the right of doing **whatever** the laws permit. *Montesquieu*
자유는 법이 허용하는 무엇이든 할 수 있는 권리야.

- 명사(the right) + of + v-ing(doing ~): 전치사(of) 뒤에 동사가 올 경우 v-ing(v-ing는 앞 명사와 동격).
- do + whatever절(whatever(목적어) + 주어(the laws) + 동사(permit)): whatever절(~인 무엇이든)이 목적어.

Know More 〈배경 지식〉 자유주의 관점에서 삼권분립에 의한 법치주의를 제창한 법학자 몽테스키외의 말.

07
liberty 자유
right 권리
law 법
permit 허용[허락]하다

B **08** Do to others **what** you want them to do to you. *Jesus*
네가 다른 사람들이 네게 하길 바라는 것을 다른 사람들에게도 해.

- do + (to others) + what절(what you want ~): what절(~인 것)이 목적어(~인 것을 하다).
- what + 주어(you) + 동사(want) + 목적어(them) + to-v(to do) ~: ~가 v하기를 바라는 것(what은 do의 목적어).

Know More **<배경 지식>** 여러 종교와 문화에 있는 호혜의 윤리 원칙인 '황금률'(The Golden Rule)로, 남에게 대접받기 원하는 대로 남을 대접하라는 것.

09 Only put off until tomorrow **what** you are willing to die having left undone. *Pablo Picasso*
끝내지 않고 기꺼이 죽을 수 있는 일만 내일로 미뤄.

- put off + (until tomorrow) + what절(what you are ~): what절(~인 것)이 목적어(~인 것을 미루다).
- what + 주어(you) + 동사(are willing to die) + v-ing(having left (what) undone): what은 having left의 목적어 역할(undone은 목적보어).
- die + v-ing(having left ~): v하면서 죽다(v-ing 구문) Unit 51

Know More **<유머 코드>** 피카소의 말로, 끝내고 싶은 마음이 조금이라도 있는 일이라면 미루지 말고 지금 하라는 것.

09
be willing to 기꺼이 ~하다
undone 끝나지 않은

10 I do not know with **what** weapons World War III will be fought, but World War IV will be fought with sticks and stones. *Albert Einstein*
난 3차 세계대전이 어떤 무기로 싸워질지 알지 못하지만, 4차 세계대전은 나뭇가지와 돌로 싸워질 거야.

- know + what절(with what weapons World War III will ~): what절(어떤 ~인지)이 목적어(어떤 ~인지 알다).
- with what weapons + 주어(World War III) + 동사(will ~): with what weapons(어떤 무기로)는 부사어.

Know More **<숨은 의미>** 평화주의자 아인슈타인의 말로, 3차 세계대전은 극도로 발달된 무기로 인류 문명을 사라지게 할 거란 것.

10
weapon 무기
stick 나뭇가지
stone 돌

11 What you do makes a difference, and you have to decide **what** kind of a difference you want to make. *Jane Goodall*
네가 하는 일은 영향을 미치는데, 넌 어떤 종류의 영향을 미치고 싶은지 결정해야 해.

- what절(what you do) + 동사(makes): what절(~인 것)이 주어(what절 속 what은 목적어).
- decide + what절: what절(어떤 ~인지)이 목적어(어떤 ~인지 결정하다).
- what kind of a ~ you want to make: what kind of a difference(어떤 종류의 영향)는 make의 목적어.

11
make a difference 영향을 미치다

C **12** The greatest pleasure in life is doing **what** people say you cannot do. *Walter Bagehot*
삶의 가장 큰 즐거움은 사람들이 네가 할 수 없다고 말하는 걸 하는 거야.

- 주어 + be동사(is) + v-ing(doing ~): v-ing(v하는 것)가 보어.
- do + what절(what + 주어(people) + 동사(say) + 목적어절((that) you cannot do)): what절(~인 것)이 목적어(~인 것을 하다), what절 속 what은 do의 목적어 역할.

12
pleasure 즐거움

13 Let's go invent tomorrow rather than worrying about **what** happened yesterday. *Steve Jobs*
어제 일어난 일을 걱정하기보다 가서 내일을 발명하자.

- go invent = go and invent
- worry about + what절(what happened yesterday): what절(~인 것)이 목적어(what절 속 what은 주어 역할).

13
invent 발명하다
rather than ~보다는 (=instead of)

14 Reason obeys itself, and ignorance submits to **whatever** is dictated to it. *Thomas Paine*
이성은 자신을 따르고, 무지는 그것(무지)에 지시되는 무엇에든 따라.

- submit to + whatever절(whatever is ~): whatever절(~인 무엇이든)이 목적어(~인 무엇에든 따르다).

Know More **<배경 지식>** "페인의 펜이 없었다면 조지 워싱턴의 칼은 쓸모없었을 것."으로 유명한 미국 이론가 토머스 페인의 말로, 이성과 상식과 선거에 기반한 공화국[민주제]과 무지와 복종과 세습에 기반한 군주국[독재]를 대비하는 것.

14
reason 이성
obey 따르다[복종하다]
ignorance 무지
submit 굴복하다[따르다]
dictate 지시[명령]하다

Up! **15** What a man sees depends both upon **what** he looks at and upon **what** his previous visual-conceptual experience has taught him to see. *Thomas Kuhn*
사람이 보는 것은 그가 보는 것과 이전의 시각적 개념적 경험이 그에게 보도록 가르쳤던 것 둘 다에 의해 결정돼.

- what절(what a man sees) + 동사(depends upon) + what절(what he / his previous ~): what절(~인 것)이 주어, what절(~인 것) 2개가 목적어.
- depend + both A(upon what he ~) and B(upon what his previous ~): A와 B 둘 다에 의해 결정되다
- what + 주어(his ~ experience) + 동사(has taught) + 목적어(him) + to-v(to see): what은 see의 목적어 역할.

Know More **<숨은 의미>** 과학 발전이 '패러다임'의 전환에 의해 이루어진다고 한 과학사학자 토머스 쿤의 《과학 혁명의 구조》 속 말로, 우리는 세계를 각자의 경험으로 형성되는 생각이나 믿음에 의해 특정한 방식으로 지각하게 된다는 것.

15
depend (up)on ~에 달려 있다 [~에 의해 결정되다]
previous 이전의
visual 시각의
conceptual 개념의

본책 112~113쪽을 함께 펴놓고 보세요!

unit 35

목적어 wh-절

주어	동사	wh-절
War	doesn't determine	who is right.

Standard Sentences

01 War doesn't determine **who's right**; war determines **who's left.** *Bertrand Russell*

전쟁은 누가 옳은지 결정하지 않고, 전쟁은 누가 (살아)남는지 결정해.

- determine + who절(who's right / left): who절(누구 ~인지)이 목적어(누가 ~인지 결정하다).

Know More <숨은 의미> right(오른쪽의/옳은)와 left(왼쪽의/leave(남기다)의 v-ed분사(남은))의 이중 의미를 이용한 대구로, 전쟁의 결과 어느 편이 도덕적으로 옳은지 결정되는 게 아니라, 어느 편이 살아남는지가 결정될 뿐이라는 것.

01
determine 결정하다
leave 남기다 (-left-left)

02 Where you end up does not depend on **where** you start, but on **which** direction you choose. *Kevin Ngo*

네가 어디서 끝나는지는 네가 어디서 시작하는지에 달려 있는 게 아니라, 네가 어느 방향을 택하는지에 달려 있어.

- where절(where you end up) + 동사(depend on) + where절/which절: where절이 주어, where절/which절이 목적어.
- not depend on A(where절) but (depend) on B(which절): A가 아니라 B(A는 부정되고 B가 긍정됨.)
- which direction(목적어) + 주어(you) + 동사(choose): which direction(어떤 방향)이 목적어 역할.

02
direction 방향

03 I just say **whatever** I want, to **whoever** I want, whenever I want, wherever I want, however I want. *Eminem*

난 그저 내가 원하는 무엇이든, 내가 원하는 누구에게든, 내가 원하는 언제든, 내가 원하는 어디서든, 내가 원하는 어떻게든 말할 뿐이야.

- say + whatever절 + to whoever절: whatever절(~인 무엇이든)이 목적어, whoever절(~인 누구든)은 전치사 to의 목적어.
- whenever절(~인 언제든)/wherever절(~인 어디든)/however절(~인 어떻게든): 부사절

A

04 The brain makes each human unique, and defines **who** he or she is. *Stanley Prusiner*

뇌는 각 인간을 독특하게 만들고, 그 혹은 그녀가 누구인지 규정해.

- make + 목적어(each human) + 목적보어(unique): ~을 어떠하게 만들다
- define + who절: who절(누구 ~인지)이 목적어(누구 ~인지 규정하다).
- who(보어) + 주어(he / she) + be동사(is): who절 속 who는 보어 역할.

04
unique 독특한
define 규정[정의]하다

05 Anthropology examines **how** people live, what they think, what they produce, and **how** they interact with their environments.

인류학은 사람들이 어떻게 살고, 무엇을 생각하고, 무엇을 생산하고, 어떻게 환경과 상호 작용하는지 조사해.

- examine + how절/what절: how절(어떻게 ~인지)/what절(무엇 ~인지)이 목적어(어떻게/무엇 ~인지 조사하다).

05
anthropology 인류학
examine 조사하다
interact 상호 작용하다

06 The ultimate goal of neuroscience has been to understand **how** and where information is encoded in the brain. *Thomas Insel*

신경 과학의 궁극적 목표는 정보가 뇌에서 어떻게 어디서 암호화되는지 이해하는 것이었어.

- 주어 + be동사(has been) + to-v(to understand ~): to-v(v하는 것)가 보어.
- understand + how절/where절: how절(어떻게 ~인지)/where절(어디 ~인지)이 목적어.

06
ultimate 궁극적인
neuroscience 신경 과학
encode 암호화하다

07 Give whatever you are doing and **whoever** you are with **the gift of your attention.** *Jim Rohn*

네가 하고 있는 무엇에든 네가 함께 있는 누구에게든 네 관심이라는 선물을 줘라.

- give + (에게)목적어(whatever / whoever you are ~) + (을)목적어(the gift ~): ~에게 …을 주다
- whatever(목적어) + 주어(you) + 동사(are doing): whatever(~인 무엇이든)가 목적어 역할.
- whoever + 주어(you) + 동사(are) + 전치사(with): whoever(~인 누구든)이 전치사 with의 목적어 역할.

07
gift 선물
attention 주의[관심]

B **08** Before borrowing money from a friend, decide **which** you need more: the friend or the money.
친구에게 돈을 빌리기 전에, 네가 친구나 돈 중 어느 게 더 필요한지 결정해라.

- before(전치사) + v-ing(borrowing ~): 전치사 뒤에 동사가 올 경우 v-ing(v하기 전에).
- decide + which절(which + 주어(you) + 동사(need) ~): which절(어느 것 ~인지)이 목적어(어느 것 ~인지 결정하다).

Know More **<유머 코드>** 친구 간의 돈 거래로 우정을 망칠 수 있음을 경고하는 것.

09 People will forget what you said and what you did, but people will never forget **how** you made them feel. *Maya Angelou*
사람들은 네가 뭘 말했는지와 네가 뭘 했는지는 잊어버리겠지만, 네가 자신들을 어떻게 느끼게 했는지는 절대 잊지 않을 거야.

- forget + what절/how절: what절(무엇 ~인지)/how절(어떻게 ~인지)이 목적어(무엇/어떻게 ~인지 잊다).
- what(목적어) + 주어(you) + 동사(said / did): what절 속 what은 목적어 역할.
- make + 목적어(them) + V(feel): ~가 v하게 하다

10 You never know **when** a moment and a few sincere words can have an impact on a life. *Zig Ziglar*
넌 한 순간과 몇 마디 진심 어린 말이 언제 한 삶에 영향을 미칠 수 있을지 절대 알지 못해.

- know + when절: when절(언제 ~인지)이 목적어(언제 ~인지 알다).

10
sincere 진심 어린
have an impact on ~에 영향을 미치다

11 We all remember **how** many religious wars were fought for a religion of love and gentleness. *Karl Popper*
우리 모두는 얼마나 많은 종교 전쟁들이 사랑과 온화함의 종교를 위해 싸워졌는지 기억해.

- remember + how절(how many religious wars were ~): how절(얼마나 ~인지)이 목적어(얼마나 ~인지 기억하다).

Know More **<배경 지식>** 비판과 토론을 통한 합리주의를 추구한 과학·사회철학자 칼 포퍼의 말로, 종교의 맹목적 신앙과 권위주의·독선적 태도가 낳은 수많은 전쟁과 폭력을 상기하며 상호 존중과 배움의 태도를 가질 것을 희망하는 것.

11
gentleness 온화함

C **12** If you want to know **who** controls you, look at **who** you are not allowed to criticize.
네가 누가 널 통제하는지 알고 싶으면, 네가 누구를 비판하도록 허용되지 않는지 봐.

- if + 주어 + 동사: ~면(조건 부사절) Unit 50
- know / look at + who절: who절(누구 ~인지)이 목적어(누구 ~인지 알다/보다).
- who + you + are not allowed + to criticize (who): who는 criticize의 목적어 역할.
- be allowed to-v(to criticize): v하도록 허용되다

Know More **<숨은 의미>** 지배자는 자신을 비판하도록 허용하지 않는다는 것으로, 일방적 지배-피지배가 허용되지 않는 자유·평등의 민주주의 시대에 부당한 관계를 경계하는 의미로 새겨야 할 것(비판이 허용되지 않는 것이 허용되어서는 안 된다는 것).

12
control 통제[지배]하다
criticize 비판[비난]하다

13 Don't just listen to what someone is saying, but listen to **why** they are saying it.
누군가가 말하고 있는 걸 그냥 듣지 말고, 그들이 왜 그것을 말하고 있는지 들어.

- listen to + what절/why절: what절(~인 것)/why절(왜 ~인지)이 목적어(~인 것을/왜 ~인지 듣다).
- what(목적어) + 주어(someone) + 동사(is saying): what절 속 what은 목적어 역할.

14 A police officer asked me **where** I was between 5 and 6. I replied, "Kindergarten."
경찰관이 내게 5(시)와 6(시) 사이에 어디에 있었는지 물어서, 난 (5살과 6살 사이에) "유치원에 다녔다"고 대답했어.

- ask + (에게)목적어(me) + where절: where절(어디 ~인지)가 (을)목적어(~에게 어디 ~인지 묻다).

14
reply 대답하다
kindergarten 유치원

Up! **15** Economists study **how** societies use scarce resources to produce valuable commodities and distribute them among different people.
경제학자는 사회가 가치 있는 물품들을 생산하고 그것들을 각기 다른 사람들에게 분배하기 위해 어떻게 부족한 자원을 사용하는지 연구해. *Samuelson & Nordhaus*

- study + how절: how절(어떻게 ~인지)이 목적어(어떻게 ~인지 연구하다).
- use + 목적어 + to-v(to produce ~ / (to) distribute ~): to-v가 목적(v하기 위해)을 나타내는 부사어.

15
economist 경제학자
scarce 부족한
resource 자원
valuable 귀중한(가치 있는)
commodity 상품(물품)
distribute 분배하다

본책 114~115쪽을 함께 펴놓고 보세요!

unit 36

명사동격 that절

명사 = that절		동사	명사 = that절	
The fact	that the price must be paid	is	proof	that it is worth paying.

Standard Sentences

01 **The fact that** the price must be paid is **proof that** it is worth paying. *Robert Jordan*

대가가 치러져야 한다는 사실은 그것이 지불할 가치가 있다는 증거야.

- the fact / proof + that절: 앞 명사(the fact / proof)와 뒤 that절은 동격(=)(~다는 사실/증거).
- be worth + v-ing(paying): v할 가치가 있다

Know More 〈숨은 의미〉 가치 있는 무엇이든 대가를 치러야 한다는 것.

01 price 대가[값] proof 증거

02 I heard **a rumor that** I had left the earth. *Cody Simpson*

난 내가 지구를 떠났다는 소문을 들었어.

- a rumor + that절: 앞 명사(a rumor)와 뒤 that절은 동격(=)(~다는 소문).
- 과거완료 had v-ed분사(had left): 본동사(heard) 이전의 일.

02 rumor 소문[풍문/유언비어]

03 There can be **no doubt that** distrust of the media is less harmful than unwarranted trust in them.

미디어에 대한 불신이 그것에 대한 부당한 신뢰보다 덜 해롭다는 것은 의심의 여지가 있을 수 없어.

- there + be동사 + no doubt + that절: doubt와 that절은 동격(~다는 것은 의심의 여지가 없다).
- less + 형용사(harmful) + than ~: ~보다 덜 …한 unit 56

Know More 〈숨은 의미〉 대중 매체에 대한 맹목적 신뢰보다 합리적 의심과 비판적 태도가 더 이롭다는 것.

03 distrust 불신 harmful 해로운 unwarranted 부당한

A

04 **Einstein's theory that** nothing can travel faster than the speed of light in a vacuum still holds true.

아무것도 진공 상태에서 빛의 속도보다 더 빨리 이동할 수 없다는 아인슈타인의 이론은 여전히 사실이야.

- Einstein's theory + that절: 앞 명사(Einstein's theory)와 뒤 that절은 동격(=)(~다는 이론).
- 부사 비교급(faster) + than ~: ~보다 더 …하게

04 theory 이론 vacuum 진공 hold true 사실이다

05 The presumption of innocence is **the legal principle that** one is considered innocent unless proven guilty.

무죄 추정은 사람은 유죄로 입증되지 않는 한 무죄로 간주된다는 법적 원칙이야.

- the legal principle + that절: 앞 명사(the legal principle)와 뒤 that절은 동격(=)(~다는 법적 원칙).
- unless (one is) proven guilty: 반복 어구(주어 + be동사) 생략(~하지 않는 한: 조건 부사절). unit 50

05 presumption 추정 innocence 무죄[결백] legal 법률의 principle 원칙 unless ~하지 않는 한 prove 입증[증명]하다

Up! **06** **The belief that** there is only one truth, and **that** oneself is in possession of it, is the root of all evil in the world. *Max Born*

오직 하나의 진리만 있고, 자기 자신이 그것을 소유하고 있다는 믿음은 세상 모든 악의 근원이야.

- the belief + that절: 앞 명사(the belief)와 뒤 that절 2개는 동격(=)(~다는 믿음)
- be in possession of: ~을 소유하다

06 possession 소유 root 뿌리[근원] evil 악

07 "Superabundance" is **an ecological myth that** we will never run out of resources, **that** the Earth is in a perpetual state of renewal. *Daniel O'Sullivan*

'무한 풍부'는 우리가 자원을 절대 다 쓰지 않을 것이고, 지구는 끊임없는 회복 상태에 있다는 생태계의 근거 없는 믿음이야.

- an ecological myth + that절: 앞 명사(an ecological myth)와 뒤 that절 2개는 동격(=)(~다는 근거 없는 믿음).

07 superabundance 과다[무한 풍부] ecological 생태계의 myth 신화[근거 없는 믿음] run out of ~을 다 쓰다 perpetual 끊임없는 renewal 회복

B

08 Opportunity cost is **the concept that** once you spend your money on something, you can't spend it again on something else. *Malcolm Turnbull*
기회비용은 일단 네가 무언가에 돈을 쓰면 그 돈을 다른 것에 다시 쓸 수 없다는 개념이야.

- the concept + that절: 앞 명사(the concept)와 뒤 that절은 동격(=)(~다는 개념).
- once + 주어 + 동사: 일단 ~하면(조건 부사절) ➲ Unit 50

08
opportunity cost 기회비용
concept 개념
once 일단 ~하면

09 Entropy as the degree of disorder in a system includes **the idea that** the lack of order increases over a period of time.
시스템 내의 무질서도로서의 엔트로피는 시간이 지나면서 무질서가 증가한다는 생각을 포함해.

- the idea + that절: 앞 명사(the idea)와 뒤 that절은 동격(=)(~다는 생각).

Know More <배경 지식> 엔트로피: 자연계에서 물질의 상태 변화[무질서화(균질화)] 또는 에너지의 변화[유용한 에너지의 감소]의 정도를 나타내는 것.

09
entropy 엔트로피
as ~로서
degree 정도
disorder 무질서
include 포함하다
lack 결핍

10 There is **a perception that** the media is very liberal, very biased, and produces fake news. *Elizabeth Flock*
미디어는 매우 자유롭고, 매우 편향되고, 가짜 뉴스를 만들어 낸다는 인식이 있어.

- a perception + that절: 앞 명사(a perception)와 뒤 that절은 동격(=)(~다는 인식).

Know More <숨은 의미> 건전한 여론 형성과 권력 감시의 사명으로 입법·행정·사법부 외의 '제4의 권력'(fourth power)이라 불렸던 언론[뉴스 미디어]이 자본·정치권력과 유착된 결과 편향된 가짜 뉴스의 생산지로 불신되고 있다는 것.

10
perception 인식
liberal 자유로운[진보적인]
biased 편향된
fake 가짜의

11 There is **no question that** climate change is happening; the only arguable point is what part humans are playing in it. *David Attenborough*
기후 변화가 일어나고 있다는 데는 의문의 여지가 없고, 오직 논쟁의 소지가 있는 점은 인간이 그것(기후 변화)에 어떤 역할을 하고 있는지야.

- there + be동사 + no question + that절: question과 that절은 동격(~다는 데는 의문의 여지가 없다).
- 주어 + be동사 + what절(what part(목적어) + 주어(humans) + 동사(are ~)): what절(어떤 ~인지)이 보어.

11
arguable 논쟁의 소지가 있는

C

12 Ethnocentrism is **the viewpoint that** one's own group is the center of everything, and **that** all others are rated with reference to it.
자기 민족 중심주의는 자기 자신의 집단이 모든 것의 중심이고, 모든 다른 집단들은 그것(자기 집단)과 관련해 평가된다는 관점이야.

- the viewpoint + that절: 앞 명사(the viewpoint)와 뒤 that절 2개는 동격(=)(~다는 관점).

12
ethnocentrism 자기 민족 중심주의
viewpoint 관점
rate 평가하다
with reference to ~와 관련하여

13 The writer is driven by **his conviction that** some truths aren't arrived at so easily, and **that** life is still full of mystery. *Don DeLillo*
작가는 어떤 진실들은 그리 쉽게 도달되지 않고, 삶은 여전히 미스터리로 가득 차 있다는 자기 확신에 의해 추동되는 거야.

- 주어 + be v-ed분사(is driven / aren't arrived at ~): 수동태(~되다)
- his conviction + that절(that some truths ~ / that life ~): 앞 명사(his conviction)와 뒤 that절 2개는 동격(=)(~다는 확신).

13
drive 몰아가다[추동하다]
conviction 확신[신념]
be full of ~로 가득하다

Up! **14** All democracies are based on **the proposition that** power is dangerous and **that** it is important not to let any person or group have too much power too long. *Aldous Huxley*
모든 민주주의는 권력은 위험하고 어떤 사람이나 집단이든 너무 오래 너무 많은 권력을 갖게 하지 않는 것이 중요하다는 명제에 기반을 둬.

- the proposition + that절: 앞 명사(the proposition)와 뒤 that절 2개는 동격(=)(~다는 명제).
- it(형식주어) + 동사(is) ~ + to-v(진주어)(not to let ~): 주어 not to-v (v하지 않는 것)가 형식주어 it을 앞세웠음.
- let + 목적어(any person or group) + V(have ~): ~가 v하게 하다

14
be based on ~에 기반을 두다
proposition 명제

15 We face **the question whether** a still higher "standard of living" is worth its cost in things natural, wild, and free. *Aldo Leopold*
우리는 더욱 더 높은 '생활수준'이란 게 자연적이고 야생적이고 자유로운 것들을 희생할 가치가 있는가라는 의문에 직면하고 있어.

- the question + (of) + whether절: 앞 명사(the question)와 뒤 whether절(~인지)은 동격(=)(~인지의 의문).
- 명사(things) + 형용사구(natural, wild, and free): 형용사구가 뒤에서 앞 명사 수식.

15
face 직면하다
still (비교급 강조) 훨씬[더욱]
standard of living 생활수준
cost 비용[희생]

본책 • p.116

A

01 Alfred Adler argued **that** the individual's unconscious self works to convert feelings of inferiority to completeness in personality development.
알프레트 아들러는 개인의 무의식적 자아가 성격의 발달 과정에서 열등감을 완성 상태로 전환시키기 위해 작용한다고 주장했어.

- argue + that절: that절(~ 것)이 목적어.
- to-v(to convert ~): v하기 위해(목적)

Know More <배경 지식> 개인심리학의 창시자 알프레트 아들러는, 인간은 누구나 여러 가지 원인으로 열등감을 느끼는데 이를 보상해 완성을 역동적으로 추구해 나가는 과정에서 인격이 형성되어 간다고 보았다는 것.

01
argue 주장[논증]하다
unconscious 무의식의
convert A to B A를 B로 전환시키다
inferiority 열등함
completeness 완성

02 Scientists have learned **that** light behaves like a particle at times and like a wave at other times.
과학자들은 빛이 때로는 입자처럼 다른 땐 파동처럼 작용한다는 걸 알게 되었어.

- learn + that절: that절(~ 것)이 목적어(~것을 알게 되다).

Know More <배경 지식> 파동-입자 이중성(wave particle duality): 빛이 파동과 입자 두 가지 성질을 다 지닌다는 사실이 실험으로 증명된 후, 다른 모든 물질도 입자성과 파동성을 동시에 가지고 있다는 사실이 밝혀진 것.

02
behave 행동[작용]하다
particle 입자
at times 때로는

03 The law of diminishing marginal utility means **that** consuming the first unit has a higher utility than every other unit.
한계 효용 체감의 법칙은 첫 번째 단위를 소비하는 것이 모든 다른 단위보다 더 높은 효용을 갖는다는 걸 의미해.

- mean + that절(that + 주어(consuming ~) + 동사(has) ~): that절(~ 것)이 목적어.

03
law of diminishing marginal utility 한계 효용 체감의 법칙
consume 소비하다
unit 단위

04 People know **what** they do; frequently they know **why** they do **what** they do; but what they don't know is what what they do does. *Michel Foucault*
사람들은 자신들이 무엇을 하는지 알고, 흔히 자신들이 하는 일을 왜 하는지 알지만, 그들이 모르는 것은 자신들이 하는 일이 무엇을 하는지야.

- know what they do(목적어)
- know why they do what they do(목적어)
- they do what they do(목적어)
- what they don't know(주어)
- what what they do does(보어)
- what what they do(주어) does

Know More <배경 지식> 철학자 미셸 푸코의 말로, 사회 구조 속에서 그 일부를 이루며 일하는 개인들이 정작 자신들의 일이 전체 사회에 어떤 작용을 하게 되는지는 인식하지 못한다는 것. 어려운 단어 하나 없이 what절 / wh-절의 진수를 보여줌.

04
frequently 흔히

05 Look at **how** hard it was to get to **where** I am; it doesn't make sense to give it up. *Oprah Winfrey* 내가 있는 곳에 이르는 게 얼마나 힘들었는지 봐. 그걸 포기하는 건 말이 안 돼.

- look at + how절(how hard ~): how절(얼마나 ~인지)이 목적어(얼마나 ~인지 보다).
- how hard(보어) + it(형식주어) + be동사 + to-v(진주어)(to get ~): 주어 to-v(v하는 것)가 형식주어 it을 앞세웠음.
- get to + where절(where I am): where절(~ 곳)은 전치사 to의 목적어 역할.
- it(형식주어) + 동사(doesn't make ~) + to-v(진주어)(to give it up): 주어 to-v(v하는 것)가 형식주어 it을 앞세웠음.

05
make sense 타당하다[말이 되다]

06 Victims of cyberbullying may not know **who** is bullying them, or **why** the bully is targeting them. 사이버 폭력의 피해자들은 누가 자신들을 괴롭히고 있는지, 또는 괴롭히는 자가 왜 자신들을 표적으로 삼고 있는지 알지 못할 수도 있어.

- know + who절/why절: who절(누구 ~인지)/why절(왜 ~인지)이 목적어(누가/왜 ~인지 알다).

06
victim 피해자
cyberbullying 사이버 폭력
bully 약자를 괴롭히다/약자를 괴롭히는 자
target 표적으로 삼다

Up! **07** The question (of) **whether** a computer can think is no more interesting than the question (of) **whether** a submarine can swim. *Edsger Dijkstra*
컴퓨터가 생각할 수 있는지 아닌지의 문제가 흥미롭지 않은 것은 잠수함이 헤엄칠 수 있는지 아닌지가 흥미롭지 않은 것과 같아.

- the question + (of) + whether절: 앞 명사(the question)와 뒤 whether절(~인지)은 동격(=)(~인지의 문제).
- A(the question whether a computer ~) ~ no more ~ than B(the question whether a submarine ~): A가 ~ 아닌 것은 B가 아닌 것과 같다(A와 B 둘 다 부정.) Unit 56

Know More <배경 지식> 컴퓨터 과학자 데이크스트라의 말로, think/swim을 과정(process)으로 보면 인간과 컴퓨터/잠수함이 다르지만, 출력[결과](output)의 관점에서 보면 인간과 컴퓨터/잠수함의 think/swim은 같다는 것.

07
submarine 잠수함

B

08 Cultural relativism is the idea **that** a person's beliefs, values, and practices should be understood based on his own culture.
문화 상대주의는 인간의 신념들, 가치들, 그리고 관행들이 자신의 문화에 바탕을 두고 이해되어야 한다는 생각이야.

- the idea + that절: 앞 명사(the idea)와 뒤 that절은 동격(=)(~다는 생각).

08
relativism 상대주의
practice 관행[관습]

09 We always long for the forbidden things, and desire **what** is denied us.
우리는 늘 금지된 것들을 열망하고, 우리에게 허락되지 않는 것을 원해. *Francois Rabelais*

- desire + what절(what(주어) + 동사(is denied) + 목적어(us)): what절(~인 것)이 목적어(~인 것을 원하다).

09
long for 열망[갈망]하다
forbidden 금지된
desire 바라다[원하다]
deny 거부하다[허락하지 않다]

10 The focus of physiology is on **how** organisms, organs, and cells carry out the chemical and physical functions in a living system.
생리학의 초점은 유기체와 장기와 세포가 생체 내의 화학적 물리적 기능을 어떻게 수행하는지에 있어.

- on + how절: how절(어떻게 ~인지)이 전치사 on의 목적어(어떻게 ~인지에).

10
physiology 생리학
organ 장기[기관]
carry out 수행하다
chemical 화학적인
physical 물리적인

관계절(명사수식어)

Unit Words

■ 본격적인 구문 학습에 앞서, 각 유닛별 주요 단어를 확인하세요.

Unit 37 주어 관계사 관계절

- □ insane 미친(제정신이 아닌)
- □ fuzzy 애매한(불분명한)
- □ logic 논리
- □ analyze 분석하다
- □ define 정의하다
- □ expert 전문가
- □ field 분야
- □ official (고위) 공무원(관리)
- □ elect 선출하다
- □ capture 사로잡다
- □ profoundly 깊이
- □ restore 복구하다
- □ enhance 강화하다
- □ integration 통합
- □ component 요소(부품)
- □ defend 옹호(변호)하다
- □ obstacle 장애(물)
- □ feasible 실현 가능한

Unit 38 목적어 관계사 관계절

- □ article 물품(품목)
- □ alien 생소한(낯선)
- □ admire 존경하다
- □ denominator 분모
- □ convince 확신시키다
- □ morality 도덕성
- □ adopt 취하다(채택하다)
- □ measure 측정(평가)하다
- □ overcome 극복하다
- □ deserve ~을 받을 만하다
- □ argument 논쟁(언쟁)
- □ sum up 요약하다

Unit 39 기타 관계사 관계절

- □ public 대중(일반인들)
- □ critic 비평가
- □ anything (at all) 무엇이든
- □ state 국가
- □ assume 맡다
- □ equilibrium 균형(평형)
- □ quantity demanded 수요량
- □ quantity supplied 공급량
- □ flourish 번영(번창)하다
- □ miserable 비참한
- □ entire 전체의
- □ far from 전혀(결코) ~이 아닌
- □ grasp 파악하다
- □ neuronal 뉴런의
- □ retrieve 검색하다
- □ circumstance 상황(환경)
- □ foster 조성하다(발전시키다)
- □ altruism 이타주의

Unit 40 추가정보 관계절

- □ cobweb 거미줄
- □ wasp 말벌
- □ perceive 인식하다(여기다)
- □ tropical 열대의
- □ ecosystem 생태계
- □ framework 틀(체제)
- □ compete 경쟁하다
- □ status update 상태 업데이트
- □ era 시대
- □ unaware 알지 못하는
- □ bulk (큰) 규모(양)
- □ mediocre 그리 좋지 않은
- □ make A (out) of B A를 B로 만들다
- □ backwards 뒤로(거꾸로)
- □ narration 서술
- □ arrange 배열하다
- □ hypothesis 가설
- □ conform to ~에 따르다
- □ archetype 전형
- □ epic 서사시의
- □ tension 긴장
- □ alienation 소외
- □ assimilation 동화
- □ manuscript 원고

본책 118~119쪽을 함께 펴놓고 보세요!

Unit 37
수어 관계사 관계절

(대)명사 + who + 동사		동사	부사어
He	who laughs last	laughs	best[longest].

Standard Sentences

01 **He who laughs last laughs best[longest].** *Proverb* 마지막에 웃는 사람이 가장 잘[오래] 웃어.

- 대명사(he) + 관계절(who(주어) + 동사(laughs) ~) + 동사(laughs) ~: 관계절이 앞대명사 수식. 사람(he) – 주어 관계사 → who[that]
- he: 일반인을 나타내는 것으로, 격언에 한정적으로 쓰임.

Know More <유머 코드> 패러디 문장: "He who laughs last probably didn't get the joke."(마지막에 웃는 사람은 아마 농담을 이해하지 못했을 거야.)

01
last 마지막에

02 **The crucial differences which distinguish human societies and human beings are not biological, but cultural.** *Ruth Benedict*
인간 사회들과 인간들을 구별 짓는 결정적인 차이는 생물학적이 아니라 문화적인 거야.

- 명사(the crucial differences) + 관계절(which(주어) + 동사(distinguish) ~) + 동사(are) ~: 관계절이 앞명사 수식. 사물(the crucial differences) – 주어 관계사 → which[that]

02
crucial 중대한[결정적인]
distinguish 구별 짓다
biological 생물학적인

03 **It has been said that democracy is the worst form of government except all the others that have been tried.** *Winston Churchill*
민주주의는 시도됐던 다른 모든 정치 체제들을 제외하고는 최악의 형태의 정치 체제라고 말해져 왔어.

- 대명사(all the others) + 관계절(that(주어) + 동사(have been tried)): 관계절이 앞대명사 수식. 사물(all the others) – 주어 관계사 → that[which]

Know More <숨은 의미> 민주주의(국민이 주권을 행사하는 체제)에 대한 윈스턴 처칠의 말로, except(제외하고는)로 반전이 있는데, 1. 민주주의는 문제가 많은 최악의 정치 체제다 2. 역사상 다른 정치 체제들은 민주주의보다 더 문제가 많았다는 것.

03
democracy 민주주의
government 정치 체제[정부]
except 제외하고는

A 04 **Those who dance are considered insane by those who can't hear the music.** 춤추는 사람들은 음악을 들을 수 없는 사람들에겐 제정신이 아닌 것으로 여겨져.

- 대명사(those) + 관계절(who(주어) + 동사(dance / can't hear) ~): 사람(those) – 주어 관계사 → who[that]
- those: 격식체에서 관계사의 앞명사(사람/사물 복수: 사람들[것들])로 쓰일 수 있음.

Know More <숨은 의미> 배우 메건 폭스가 등에 문신한, 출처(니체라는 속설도 있음)가 불확실한 말로, 음악에 맞춰 춤추는 사람들이 음악을 듣지 못하는 사람들에겐 미친 것처럼 보인다는 건데, 이는 춤-음악의 불가분 관계나 타인(의 취향·생각·행동)에 대한 이해 불가(오해) 등 다양한 해석이 가능한 것.

04
consider 여기다[생각하다]
insane 미친[제정신이 아닌]

05 **The only person who is educated is the one who has learned how to learn and change.** *Carl Rogers* 학식 있는 유일한 사람은 학습하고 변화하는 법을 배운 사람이야.

- 명사(the only person) + 관계절(who(주어) + 동사(is) ~): 사람(the only person) – 주어 관계사 → who[that]
- 대명사(the one(= person)) + 관계절(who(주어) + 동사(has learned) ~): 사람 – 주어 관계사 → who[that]

05
educated 많이 배운[학식 있는]

Up! 06 **Our heart is like a chemical computer that uses fuzzy logic to analyze information that can't be easily defined in zeros and ones.** *Naveen Jain*
우리의 마음은 0과 1로 쉽게 정의될 수 없는 정보를 분석하기 위해 애매한 논리를 사용하는 화학적 컴퓨터와 같아.

- 명사(a chemical computer / information) + 관계절(that(주어) + 동사(uses / can't be ~) ~): 사물(a chemical computer / information) – 주어 관계사 → that[which]

06
fuzzy 애매한[불분명한]
logic 논리
analyze 분석하다
define 정의하다

07 **An expert is a person who has made all the mistakes that can be made in a very narrow field.** *Niels Bohr* 전문가는 매우 좁은 분야에서 행해질 수 있는 모든 잘못을 해 본 사람이야.

- 명사(a person) + 관계절(who(주어) + 동사(has made) ~): 사람(a person) – 주어 관계사 → who[that]
- 명사(all the mistakes) + 관계절(that(주어) + 동사(can be made) ~): 사물 – 주어 관계사 → that[which]

Know More <숨은 의미> 원자 구조의 이해와 양자 역학의 성립에 기여한 물리학자 닐스 보어의 말로, 수많은(모든) 시도와 실험과 잘못을 거쳐야만 좁고 깊은 전문가의 반열에 오를 수 있다는 것.

07
expert 전문가
narrow 좁은
field 분야

B **08** Bad officials are elected by **good citizens who don't vote.** *George Nathan*
나쁜 공직자들이 투표하지 않는 선한 시민들에 의해 선출돼.

- 명사(good citizens) + 관계절(who(주어) + 동사(don't vote)): 사람 – 주어 관계사 → who[that]

Know More **<배경 지식>** 민주주의 체제에서 공동선(common good)과 공익(public good)이 실현되려면 좋은 공직자들의 선출이 필수적인데, 개인적으로 아무리 선한 시민이라도 기본 권리이자 책무인 선거에 참여하지 않으면 결과적으로 나쁜 자들이 뽑혀 사회를 망친다는 것.

09 There's **no one who** I believe has ever captured the soul of America more profoundly than Abraham Lincoln has. *Barack Obama*
내 생각에 에이브러햄 링컨보다 더 깊이 미국의 마음을 사로잡았던 사람은 아무도 없어.

- 대명사(no one) + 관계절(who(주어) + 동사(has ever captured) ~): 사람 – 주어 관계사 → who[that]
- who (I believe) has ever captured ~: I believe(내 생각에) 삽입.
- than Abraham Lincoln has (captured the soul of America): 반복 어구 생략.

10 The "cyborg" applies to **an organism that** has restored or enhanced functions due to the integration of some artificial components.
'사이보그'는 어떤 인공적 요소들의 통합으로 기능을 복구하거나 강화한 (인조)인간에 적용돼.

- 명사(an organism) + 관계절(that(주어) + 동사(has restored ~) ~): an organism - 주어 관계사 → that
- due to + 명사(the integration ~): ~ 때문에

Up! **11** One part of knowledge consists in being ignorant of **such things as** are not worthy to be known. *Crates* 앎의 한 부분은 알 가치가 없는 것들을 모르는 것에 있어.

- consist in + v-ing(being ~): v하는 데 있다(전치사 뒤에 동사가 올 경우 v-ing.)
- such + 명사(things) + 관계절(as(주어) + 동사(are not) ~): as가 관계사처럼 쓰임.
- worthy + to be v-ed(to be known): v될 가치가 있는

Know More **<숨은 의미>** 진정한 앎은 알 가치가 있는 것들은 알고 알 가치가 없는 것들은 모르는 것으로, 그 판별이 쉽지 않겠지만 한정된 조건(시간, 기회, 지능 등)에서 살아가므로, 알 가치가 있는 것들은 알고 알 가치가 없는 것들은 모르는 것이 진정한 앎이라는 것. 한편, "Ignorance is bliss."(모르는 게 약이다.)라는 말은, 모르면 걱정할 것도 없다는 뜻.

C **12** A true friend is **the one who** sees a fault, gives you advice and defends you in your absence. *Ali*
진정한 친구는 잘못을 보고, 네게 조언을 하고, 네가 없을 때 너를 옹호해 주는 사람이야.

- 대명사(the one) + 관계절(who(주어) + 동사(sees / gives / defends) ~): 사람 – 주어 관계사 → who[that]

13 Believe in yourself and **all that** you are; know that there is **something** inside you **that** is greater than any obstacle. *Christian Larson*
너 자신과 너인 모든 것을 믿고, 어떤 장애물보다 더 큰 무엇이 네 안에 있다는 것을 알아라.

- 대명사(all) + 관계절(that(보어) + 주어(you) + be동사(are)): 사물(all) – 주어 관계사 → that[which]
- 대명사(something) + (inside you) + 관계절(that(주어) + 동사(is) ~): 사물 – 주어 관계사 → that[which]

14 User-generated content (UGC) is **any form of content**, such as images, videos, text and audio, **that** has been posted by users on online platforms.
사용자 생성 콘텐츠는 온라인 플랫폼에 사용자들에 의해 게시된 이미지, 동영상, 텍스트 그리고 오디오와 같은 어떤 형태의 콘텐츠든지야.

- A(any form of content), B((such as) images, videos, text and audio): A와 B는 동격(A⊃B).
- 명사(any form of content) + 관계절(that(주어) + 동사(has been ~) ~): 사물 – 주어 관계사 → that[which]

Up! **15** Divide each difficulty into **as many** parts **as** is feasible and necessary to resolve it. *Descartes* 각 어려움을 해결하기 위해 실현 가능하고 필요한 만큼의 부분들로 나누어.

- as + 명사(many parts) + 관계절(as(주어) + 동사(is) ~): as가 관계사처럼 쓰임.

Know More **<배경 지식>** 서양 근대 철학의 아버지이자 수학자·과학자 데카르트는 《방법 서설》에서 "나는 생각[의심]한다, 고로 존재한다."며 방법론적 회의[의심]를 진리 탐구의 방법으로 삼았는데, 회의의 4단계는 1. 사실인 정보만 받아들이고 2. 사실을 작은 부분들로 나누고 3. 우선 간단한 문제를 해결하고 4. 추가할 문제들을 총정리하는 것.

08
official (고위) 공무원[관리]
elect 선출하다

09
capture 사로잡다
profoundly 깊이

10
cyborg (=cybernetic organism) 사이보그(신체 일부가 기계로 개조된 인조인간)
apply to ~에 적용되다
restore 복구하다
enhance 강화하다
integration 통합
artificial 인공의
component 요소[부품]

11
ignorant (of) (~에 대해) 무지한
worthy 가치 있는

12
fault 잘못
advice 충고
defend 옹호[변호]하다
absence 부재[없음]

13
obstacle 장애(물)

14
user-generated content (UGC) 사용자 생성 콘텐츠
post 게시하다[올리다]

15
as many ~ as [illegible]인 만큼의 [illegible]
feasible 실현 가능한
resolve 해결하다

본책 120~121쪽을 함께 펴놓고 보세요!

Unit 38 목적어 관계사 관계절

주어	동사	(대)명사 + (which[that]) + 주어 + 동사	
Good humor	is	one of the best articles of dress	(that) one can wear in society.

Standard Sentences

01 Good humor is one of **the best articles of dress** one can wear in society.
멋진 유머는 사람이 사회에서 입을 수 있는 최고 품목의 옷 중 하나야. *William Thackeray*

- 명사(the best articles of dress) + 관계절(주어(one) + 동사(can wear) ~): 관계절이 앞명사 수식. 사물 – 목적어 관계사 → that[which] → 생략

02 **Those whom** we most love are often the most alien to us. *Christopher Paolini*
우리가 가장 사랑하는 사람들이 흔히 우리에게 가장 낯설어.

- 대명사(those) + 관계절(whom(목적어) + 주어(we) + 동사(love)): 관계절이 앞대명사 수식. 사람(those) – 목적어 관계사 → who(m)[that]

Know More 〈숨은 의미〉 사랑하는 사람들이 문득 누구보다 더 생소하게 느껴질 때가 있는가? 어떤 대상에 대한 사랑이 자기애의 확장이거나 대상에 대한 자신의 투영일 때, 자신의 감정과 대상의 실상 간의 불일치를 겪게 됨은 불가피하다는 것.

03 Everyone is a moon, and has **a dark side which** he never shows to anybody.
모든 사람은 달이어서, 자신이 누구에게든 절대 보여 주지 않는 어두운 면이 있어. *Mark Twain*

- 명사(a dark side) + 관계절(which(목적어) + 주어(he) + 동사(never shows) ~): 관계절이 앞명사 수식. 사물 – 목적어 관계사 → which[that]

01 article 물품[품목]
02 alien 생소한[낯선]

A

04 Among **those whom** I like or admire, I can find no common denominator, but among **those whom** I love, I can. *W. H. Auden*
내가 좋아하고 존경하는 사람들 간에는 난 공통분모를 찾을 수 없지만, 내가 사랑하는 사람들 간에는 찾을 수 있어.

- 대명사(those) + 관계절(whom(목적어) + 주어(I) + 동사(like ~/love)): 사람 – 목적어 관계사 → who(m)[that]

Know More 〈숨은 의미〉 다양한 사람들을 좋아하고 존경할 순 있지만, 사랑하는 사람들은 동질적이라는 것.

05 **All of the people in my life** I consider to be close friends are good thinkers.
내가 가까운 친구라 여기는 내 삶의 사람들 모두는 생각이 있는 사람들이야. *John Maxwell*

- 대명사(all of the people in my life) + 관계절(주어(I) + 동사(consider) ~): 사람 – 목적어 관계사 → who(m)[that] → 생략
- consider + 목적어(생략 관계사) + 목적보어(to be close friends): ~을 …로 여기다

06 Do **something** today **that** your future self will thank you for. *Sean Flanery*
네 미래의 자신이 네게 감사하게 될 무언가를 오늘 해라.

- 대명사(something) + 관계절(that + 주어(your future self) + 동사(will thank) ~): 사물 – 목적어 관계사 → that[which]
- 주어(your future self) + 동사(will thank) + 목적어(you) + for + (관계사 that): 관계사 that은 for의 목적어에 해당.

07 Advertising is the art of convincing people to spend **money** they don't have for **something** they don't need. *Will Rogers*
광고는 사람들에게 필요 없는 것에 그들이 없는 돈을 쓰도록 확신시키는 기술이야

- (대)명사(money/something) + 관계절(주어(they) + 동사(don't have/need)): 사물 – 목적어 관계사 → that[which] → 생략

Know More 〈숨은 의미〉 자본주의와 불가분의 관계인 광고가 불필요한 수요를 창출해 소비자들의 빈 주머니를 턴다는 비판론인데, 반면 광고가 경쟁 촉진과 정보 제공으로 생산·소비 수준을 향상시키고 불황 완화에 기여한다는 옹호론도 있음.

04 admire 존경하다
common 공통의
denominator 분모

07 advertising 광고
convince 확신시키다

B 08 Morality is simply the attitude we adopt towards people whom we personally dislike. *Oscar Wilde*
도덕성이란 단지 우리가 개인적으로 싫어하는 사람들에 대해 취하는 태도에 불과해.

- 명사(the attitude) + 관계절(주어(we) + 동사(adopt) ~): 사물 – 목적어 관계사 → that[which] → 생략
- 명사(people) + 관계절(whom(목적어) + 주어(we) + 동사(dislike)): 사람 – 목적어 관계사 → who(m)[that]

Know More 〈배경 지식〉 날카로운 재치와 금기를 깨는 행동으로 유명했던 아일랜드의 극작가·소설가 오스카 와일드의 말로, 대상에 대한 호불호에 따라 다르게 적용되는 도덕성의 이중 잣대에 대한 통렬한 풍자.

08
morality 도덕성
adopt 취하다[채택하다]

Think 09 The only normal people are the ones you don't know very well. *Alfred Adler*
정상적인 유일한 사람들은 네가 그다지 잘 알지 못하는 사람들이야.

- 대명사(the ones) + 관계절(주어(you) + 동사(don't know) ~): 사람 – 목적어 관계사 → who(m)[that] → 생략

Know More 〈배경 지식〉 심리치료사 알프레트 아들러의 말로, 인간은 누구나 열등감을 느끼고 이를 극복해 나가는 존재로 다들 나름의 특이한 성향을 보일 수밖에 없으므로, 평범한 정상성이란 모르는 사람들에게만 해당된다는 것.

10 You measure the size of the accomplishment by the obstacles you had to overcome to reach your goals. *Booker Washington*
넌 네가 목표를 달성하기 위해 극복해야 했던 장애물로 성취의 크기를 평가하는 거야.

- 명사(the obstacles) + 관계절(주어(you) + 동사(had to ~) ~): 사물 – 목적어 관계사 → that[which] → 생략

10
measure 측정[평가]하다
accomplishment 성취[업적]
obstacle 장애(물)
overcome 극복하다

11 I'm flying high in the sky with the two wings you gave me back then.
나는 저 하늘을 높이 날고 있어. 그때 네가 내게 주었던 두 날개로. *Song "Boy With Luv" by BTS*

- 명사(the two wings) + 관계절(주어(you) + 동사(gave) ~): 사물 – 목적어 관계사 → that[which] → 생략

C 12 The time I kill is killing me. *Mason Cooley*
내가 죽이는 시간이 날 죽이고 있어.

- 명사(the time) + 관계절(주어(I) + 동사(kill)): 사물 – 목적어 관계사 → that[which] → 생략

Know More 〈숨은 의미〉 경구 작가(aphorist) 메이슨 쿨리의 유명한 경구로, 낭비하는 시간은 결국 삶의 낭비라는 것. 그의 또 다른 촌철살인 경구 "Regret for wasted time is more wasted time."(낭비한 시간에 대한 후회는 더 큰 시간 낭비야.)이 있음.

13 After an argument, I always think of awesome things I could have said.
논쟁이 끝난 후에야, 난 항상 내가 말했을 수도 있었(으나 하지 못했)던 멋진 말들이 생각나.

- 명사(awesome things) + 관계절(주어(I) + 동사(could ~)): 사물 – 목적어 관계사 → that[which] → 생략
- could + have v-ed분사(have said): v했을 수도 있었(으나 하지 못했)다

Know More 〈유머 코드〉 누구나 이런 경험 있으리라. 이와 정반대로 말하지 말았어야 했는데 해 버린 끔찍한 말들도.

13
argument 논쟁[언쟁]

14 In a democracy, the people get the government they deserve.
민주주의에서 국민들은 그들이 누릴 자격이 있는 정부를 가져. *Joseph de Maistre*

- 명사(the government) + 관계절(주어(they) + 동사(deserve)): 사물 – 목적어 관계사 → that[which] → 생략

Know More 〈배경 지식〉 프랑스 정치사상가 토크빌이 한 걸로 잘못 알려진 말로, 군주제를 옹호한 보수주의자 메스트르의 말 "Every nation gets the government it deserves."(각 국가는 누릴 자격이 있는 정부를 가져.)의 변형인데, 민주주의 국민들의 책임을 강조하는 것인 반면, 나쁜 정부의 책임을 시민들에게 떠넘긴다는 논란도 있는 것.

14
deserve
~을 받을 만하다[누릴 자격이 있다]

15 In three words I can sum up everything I've learned about life: it goes on.
세 단어로 난 삶에 대해 배운 모든 것을 요약할 수 있어: it goes on(삶은 계속된다). *Robert Frost*

- 대명사(everything) + 관계절(주어(I) + 동사(have learned) ~): 사물 – 목적어 관계사 → that[which] → 생략

15
sum up 요약하다

본책 122~123쪽을 함께 펴놓고 보세요!

unit 39

기타 관계사 관계절

주어	동사	(대)명사 + in which + 주어 + 동사	
Love	is	the condition	in which the happiness of another person is essential to your own.

Standard Sentences

01 **Love is the condition in which the happiness of another person is essential to your own.** *Robert Heinlein*
사랑은 다른 사람의 행복이 너 자신의 행복에 필수적인 상태야.

- 명사(the condition) + 관계절(in which + 주어(the happiness ~) + 동사(is) ~): in which = where[when]

01
condition 상태
essential 필수적인

02 **We cannot have peace among men whose hearts find delight in killing any living creature.** *Rachel Carson*
우리는 그들의 마음이 어떤 살아 있는 생명체든 죽이는 것에서 기쁨을 찾는 사람들 속에서 평화를 가질 수 없어.

- 명사(men) + 관계절(whose + 명사(hearts) + 동사(find) ~): 소유격 관계사 whose = men's (hearts)

02
peace 평화
delight 기쁨[즐거움]
creature 생물(체)

03 **We live in an age when pizza gets to your home before the police.** *Jeff Marder*
우리는 피자가 경찰보다 먼저 네 집에 도착하는 시대에 살고 있어.

- 명사(an age) + 관계절(when + 주어(pizza) + 동사(gets) ~): 시간(an age) + (when[that]) + 주어 + 동사 ~

03
age 시대
police 경찰

A Up!

04 **Language is the blood of the soul into which thoughts run and out of which they grow.** *Oliver Holmes*
언어는 생각이 거기로 흘러 들어가고 생각이 거기서 자라는 정신의 피야.

- 명사(the blood of the soul) + 관계절(into/out of + which + 주어(thoughts/they) + 동사(run/grow))
  ← thoughts run **into the blood of the soul** / they(= thoughts) grow **out of the blood of the soul**

04
blood 피
run 흐르다

05 **The right to vote is the one by which all of our rights are influenced, and without which none can be protected.** *Benjamin Jealous*
투표권은 우리의 모든 권리가 그것에 영향을 받는 것이고, 그것 없이는 하나도 보호받을 수 없는 것이야.

- 대명사(the one) + 관계절(by which + 주어(all of our rights) + 동사(are influenced))
- 대명사(the one) + 관계절(without which + 주어(none) + 동사(can be protected))

05
vote 투표하다
influence 영향을 미치다
none 아무(하나)도 ~ 않다
protect 보호하다

06 **The public is the only critic whose opinion is worth anything at all.** *Mark Twain*
대중은 그들의 의견이 무엇이라도 가치가 있는 유일한 비평가야.

- 명사(the only critic) + 관계절(whose + 명사(opinion) + 동사(is) ~): 소유격 관계사 whose = critic's (opinion)

Know More <숨은 의미> 유머와 풍자가 넘치는 작품으로 대중에게 사랑받은 소설가 마크 트웨인의 말로, 직업 비평가들의 말은 무시할 수 있어도 대중의 의견이야말로 절대적 가치를 지닌다는 것.

06
public 대중[일반인들]
critic 비평가
anything (at all) 무엇이든

07 **A welfare state is a political system where the state assumes responsibility for the health, education, and welfare of society.**
복지 국가는 국가가 건강, 교육, 그리고 사회 복지에 대한 책임을 지는 정치 체제야.

- 명사(a political system) + 관계절(where + 주어(the state) + 동사(assumes) ~): 장소(a political system) + (where[that])

07
welfare 복지
state 국가
political 정치적인
assume 맡다
responsibility 책임

B **08** Economic equilibrium occurs at **the point where** quantity demanded and quantity supplied are equal. 경제적 균형은 수요량과 공급량이 동일한 지점에서 이루어져.

- 명사(the point) + 관계절(where + 주어(quantity ~) + 동사(are) ~): 장소(the point) + (where[that])

Know More **<배경 지식>** 시장의 구매자들과 생산자들이 더 이상 효용이나 이윤을 증가시킬 수 없는 상태를 균형이라 하고, 그 가격을 균형 가격, 거래량을 균형 거래량이라 부르는데, 수요-공급 곡선에서 두 곡선이 일치하는 지점임.

08
equilibrium 균형[평형]
occur 일어나다[발생하다]
quantity demanded 수요량
quantity supplied 공급량
equal 동일한

09 As a teenager you are at **the last stage in your life when** you will be happy to hear that the phone is for you. *Fran Lebowitz*
십대로서 넌 폰이 네 거라는 말을 들어서 기뻐할 네 생애 마지막 시기에 있어.

- 명사(the last stage ~) + 관계절(when + 주어(you) + 동사(will be) ~): 시간(the last stage) + (when[that])

Know More **<유머 코드>** 부모님께 폰을 선물 받고 기뻐할 수 있는 십대가 끝나고 성인이 되면 자신이 벌어 장만해야 한다는 것.

Up! **10** No society can surely be flourishing and happy, **of which** the far greater part of the members are poor and miserable. *Adam Smith*
구성원들의 훨씬 더 많은 부분이 가난하고 비참한 어떤 사회도 확실히 번영해 나가거나 행복할 수 없어.

- 명사[주어](society) + 동사(can be ~) ~ + 관계절(of which(소유격 관계사) + 명사(the far greater part ~) + 동사(are) ~): 앞명사와 떨어져 있는 관계절 ← the far greater part of the members **of society**(소유격)

Know More **<배경 지식>** 고전경제학의 아버지인 영국 정치경제학자 애덤 스미스의 《국부론》(The Wealth of Nations)에 나오는 말로, 국가의 부당한 간섭으로 권력층에 부가 편중되어 다수가 가난해지는 반면, 독과점 배척과 공정한 규제를 전제로 한 자유 시장에서 '보이지 않는 손'(invisible hand)에 의해 개인의 이익이나 국부가 극대화된다고 본 것.

10
flourish 번영[번창]하다
miserable 비참한

11 **The reason why** people give up so fast is that they tend to look at how far they still have to go, instead of how far they have come. *Nicky Gumbel*
사람들이 그렇게 빨리 포기하는 이유는 그들이 얼마나 멀리 왔는지 대신에 아직 얼마나 멀리 더 가야 하는지 보는 경향이 있기 때문이야.

- 명사(the reason) + 관계절(why + 주어(people) + 동사(give up) ~): 이유(the reason) + (why[that])
- 주어 + be동사 + that절(that they tend ~): that절이 보어.
- look at / instead of + how절: how절(얼마나 ~인지)이 look at / instead of의 목적어.

11
tend to-v
v하는 경향이 있다[v하기 쉽다]
instead of ~ 대신에

C **12** **Water and air on which** all life depends have become global garbage cans. *Jacques Cousteau* 모든 생명체가 의존하는 물과 공기가 지구의 쓰레기통이 되어 버렸어.

- 명사(water and air) + 관계절(on which + 주어 + 동사(depends)): ← all life depends **on water and air**

12
depend on ~에 의존하다
garbage can 쓰레기통

13 Equal justice under law is one of **the ends for which** our entire legal system exists. *Lewis Powell Jr.* 법 아래 평등한 정의는 우리의 전체 법체계가 존재하는 목적 중 하나야.

- 명사(the ends) + 관계절(for which + 주어(our entire legal system) + 동사(exists))

13
end 목적[목표]
entire 전체의
legal 법의

14 We are still far from grasping **the neuronal processes by which** a memory is formed, stored, and retrieved.
우리는 기억이 형성되고 저장되고 검색되는 뉴런의 과정을 아직도 전혀 파악하지 못하고 있어.

- far from + v-ing(grasping ~): 전혀[결코] v하지 않는
- 명사(the neuronal processes) + 관계절(by which + 주어(a memory) + 동사(is formed ~))

14
far from 전혀[결코] ~이 아닌
grasp 파악하다
neuronal 뉴런의
retrieve 검색하다

Up! **15** There are **special circumstances in which** a gene can achieve its own selfish goals best by fostering a limited form of altruism. *Richard Dawkins*
유전자가 한정된 형태의 이타주의를 발전시켜 자신의 이기적인 목표를 가장 잘 달성할 수 있는 특수한 상황이 있어.

- 명사(special circumstances) + 관계절(in which + 주어(a gene) + 동사(can achieve) ~): in which= where[when]
- by + v-ing(fostering ~): v함으로써

Know More **<배경 지식>** 가장 영향력 있는 과학자 중 한 사람인 진화생물학자 리처드 도킨스의 《이기적 유전자》(The Selfish Gene)에 나오는 말로, 진화의 주체가 개체나 종이 아닌 유전자이고, 유전자의 이기성은 개체의 이기적 행동으로 나타나는데, 특수한 상황에서는 다른 개체를 돕는 이타적 행동으로 나타나기도 한다는 것.

15
circumstance 상황[환경]
gene 유전자
foster 조성하다[발전시키다]
altruism 이타주의

본책 124~125쪽을 함께 펴놓고 보세요!

추가정보 관계절

주어	동사	보어	which	동사	목적어
Laws	are	like cobwebs,	which	may catch	small flies.

Standard Sentences

01 Laws are like cobwebs, **which may catch small flies but let** wasps **break through.** *Jonathan Swift*

법들은 거미줄들과 같은데, 그것들은 작은 파리들은 잡을지 모르지만 말벌들은 뚫고 나가게 놔둬.

- cobwebs, which(=and they[cobwebs]) + 동사(may catch / let) ~: 관계절이 cobwebs를 받아 보충 설명.

Know More <숨은 의미> 풍자 소설 《걸리버 여행기》를 쓴 조너선 스위프트가 300년 전에 한 말로, '법 앞의 평등'(equality before the law)을 무색케 하는, 약자에게 가혹하고 강자에게 관대한 법의 못된 속성을 환기하는 것.

01
cobweb 거미줄
wasp 말벌
break through 뚫고 나아가다

02 Linus Pauling, **who is** the only person to win two unshared Nobel Prizes, **was awarded the Chemistry Prize in 1954, and the Peace Prize in 1962.**

라이너스 폴링은, 두 개의 공동 수상이 아닌 노벨상을 탄 유일한 사람인데, 1954년에 화학상을, 1962년에 평화상을 수상했어.

- 주어(Linus Pauling), 관계절(who + 동사(is) ~), 동사(was awarded) ~: 관계절이 앞명사를 보충 설명.

Know More <배경 지식> 노벨상을 두 번 받은 나머지 세 사람 중 마리 퀴리는 물리학상과 화학상 중 물리학상을 남편과 함께 받았고, 존 바딘은 두 번의 물리학상을 공동 수상했으며, 프레데릭 생어는 두 번의 화학상 중 한 번을 공동 수상했음.

02
unshared 공유되지 않은
award 수여하다

03 Status quo bias is a preference for the current state, **where any change is perceived as a loss.** 현상 유지 편향은 현 상태에 대한 선호인데, 거기선 어떤 변화도 손실로 여겨져.

- a preference ~, where(=and there) + 주어(any change) + 동사(is ~): 관계절이 앞명사를 받아 보충 설명.

03
status quo bias 현상 유지 편향
preference 선호
state 상태
perceive 인식하다(여기다)

A

04 Tropical forest ecosystems, **which cover 7 percent of earth's surface, contain about 90 percent of the world's species.**

열대 우림 생태계는, 지표면의 7퍼센트에 걸쳐 있는데, 세계 종의 약 90퍼센트를 포함해.

- 주어(tropical forest ecosystems), 관계절(which + 동사(cover) ~), 동사(contain) ~

04
tropical 열대의
ecosystem 생태계
cover (지역에) 걸치다
contain 포함하다

05 We live in a framework based on global economy, **which causes** people **to compete with each other through trade.** *John Sulston*

우리는 세계 경제에 기반한 체제 속에 사는데, 그것은 사람들이 무역을 통해 서로 경쟁하게 해.

- 명사(a framework) + based on ~: based on ~(~에 기반한)이 뒤에서 앞 명사 수식.
- a framework ~, which(=and that) + 동사(causes) ~: 관계절이 a framework을 받아 보충 설명.

05
framework 틀(체제)
compete 경쟁하다
trade 거래(무역)

06 Social media users are able to select which photos and status updates to post, **which can make** other users **feel inferior by comparison.**

소셜 미디어 이용자들은 어떤 사진들과 상태 업데이트들을 게시할지 선택할 수 있는데, 그것들은 다른 이용자들이 비교로 인한 열등감을 느끼게 할 수 있어.

- select + wh-(which ~) + to-v(to post): which + to-v (어떤 ~ v할지)가 목적어(어떤 ~ v할지 선택하다).
- photos and status updates ~, which(=and they) + 동사(can make) ~: 관계절이 앞명사를 받아 보충 설명.

Know More <숨은 의미> 소셜 미디어의 게시물은 주로 화려한 순간의 경험들이므로, 특히 비슷한 생활 환경에 있는 유저가 자신의 현재 처지와 비교해 열등감이나 상대적 박탈감을 느껴 정신 건강을 해치게 된다는 연구 결과가 있음.

06
select 선택하다
status update 상태 업데이트
inferior 열등한
comparison 비교

07 This is an era of specialists, **each of whom sees his own problem and is unaware of the larger frame into which it fits.** *Rachel Carson*

지금은 전문가들의 시대인데, 그들 각자는 자기 자신의 문제는 보면서 그것이 들어가는 더 큰 틀은 알지 못해.

- specialists, each of whom(=and each of them) + 동사(sees / is) ~: 관계절이 specialists를 받아 보충 설명.
- 명사(the larger frame) + 관계절(into which + 주어(it) + 동사(fits)): 관계절이 앞명사 수식.

07
era 시대
specialist 전문가
unaware 알지 못하는
frame 틀
fit into ~에 들어맞다(들어가다)

B **08** **The mind is like an iceberg, which floats with one-seventh of its bulk above water.** *Sigmund Freud* 마음은 빙산과 같은데, 그것은 그 규모의 7분의 1만 물 위에 떠 있어.

- an iceberg, which(=and that) + 동사(floats) ~: 관계절이 앞명사를 받아 보충 설명.
- with + 명사(one-seventh of its bulk) + 전치사구(above water): ~가 … 상태로[…한 채]

Know More <숨은 의미> 정신분석학의 창시자 프로이트의 말로, 마음은 자신과 환경을 자각하는 의식과 함께, 그보다 훨씬 더 큰 부분이지만 의식되지 않는 무의식으로 이루어진다고 보고, 꿈 등을 통해 나타나는 무의식의 욕구를 해석해 치료에 이용했음.

08
iceberg 빙산
float 뜨다
bulk (큰) 규모[양]

09 **Mediocre journalists simply make headlines of their conclusions, which suddenly become generally accepted by the people.** *Alexander Solzhenitsyn*
그리 훌륭하지 않은 기자들이 그냥 단순히 자신들의 결론들로 기사 제목들을 뽑는데, 그것들이 갑자기 대중들에게 일반적으로 받아들여져.

- headlines ~, which(=and they) + 동사(become accepted) ~: 관계절이 앞명사를 받아 보충 설명.

Know More <배경 지식> 수용소 체험 소설 《이반 데니소비치의 하루》 《수용소 군도》 등으로 구 소련의 압제에 대해 고발·저항한 노벨상 수상자 러시아 작가 솔제니친의 말로, 그리 훌륭하지 않은 기자들의 개인적 의견이 대중들에게 사실로 오해된다는 것.

09
mediocre 그리 좋지 않은
make A (out) of B
A를 B로 만들다
headline 기사 제목
conclusion 결론

10 **The opposite of Murphy's law, Yhprum's law, where the name is spelled backwards, is "anything that can go right, will go right."**
Murphy(머피)의 법칙의 반대인 Yhprum의 법칙은, 거기선 이름이 거꾸로 철자된 것인데, "잘될 수 있는 무엇이든 잘될 거다."야.

- A(the opposite of Murphy's law), B(Yhprum's law): A와 B는 동격(A=B).
- 주어(~, Yhprum's law), 관계절(where + 주어 + 동사(is spelled) ~), 동사(is) ~: 관계절이 앞명사를 보충 설명.

Know More <배경 지식> Murphy's law(머피의 법칙) Unit 33-14

10
opposite 반대(되는 것)
spell 철자하다
backwards 뒤로[거꾸로]
go right 잘되다

11 **A narrative consists of a set of events told in a process of narration, in which the events are selected and arranged in a particular order.**
이야기[내러티브]는 서술 과정에서 말해지는 일련의 사건들로 구성되는데, 거기서 사건들은 특정한 순서로 선택되고 배열돼.

- a narrative ~, in which + 주어(the events) + 동사(are ~) ~: 관계절이 a narrative을 받아 보충 설명.

11
narrative 이야기[내러티브]
consist of ~로 구성되다
narration 서술
arrange 배열하다
particular 특정한

C **12** **Progress comes from people who make hypotheses, most of which turn out to be wrong, but all of which ultimately point to the right answer.**
진보는 가설들을 세우는 사람들로부터 비롯되는데, 그것들(가설들) 대부분이 잘못으로 드러나지만, 그것들 모두는 결국 올바른 답을 시사해. *Milton Friedman*

- hypotheses, most of which(=and most of them) + 동사(turn out) ~: 관계절이 앞명사를 받아 보충 설명.
- all of which = all of them(hypotheses)

Know More <숨은 의미> 신자유주의 경제 이론가 밀턴 프리드먼의 말로, 선구자들의 가설들이 잘못으로 밝혀지더라도 진보로 가는 정답을 찾는 데 기여한다는 것.

12
progress 진보
come from
~에서 나오다[비롯되다]
hypothesis 가설
(복수형 hypotheses)
turn out 드러나다[밝혀지다]
ultimately 결국
point to
~을 나타내다[시사하다]

Up! **13** **Mathematics takes us into the region of absolute necessity, to which not only the actual word, but every possible word, must conform.** *Bertrand Russell*
수학은 우리를 절대적 필연성의 영역으로 데려가는데, 거기에는 실제 언어뿐만 아니라 모든 가상 언어도 따라야 해.

- absolute necessity, to which + 주어(not only ~ possible word) + must conform: to which의 to는 동사 conform 뒤에 둘 수 있음(conform to ~에 따르다).

Know More <배경 지식> 수리 논리학자 버트런드 러셀의 말로, 수학은 실제 세계와는 다른 독립적·추상적 영역인 '절대적 필연성'(제한 없이 모든 가능 세계에서 절대적으로 참인 것)을 다루는데, 여기에 실제 언어와 가상 언어(기호)가 따라야 한다는 것.

13
region 영역
absolute 절대적인
necessity 필연[필요](성)
conform to ~에 따르다

14 **The stranger is an archetype in epic poetry and novels, where the tension between alienation and assimilation has always been a basic theme.** *Jhumpa Lahiri*
이방인[낯선 사람]은 서사시와 소설에서의 전형인데, 거기서 소외와 동화 사이의 긴장이 늘 기본 주제가 되어 왔어.

- epic poetry and novels, where + 주어(the tension ~) + 동사(has ~) ~: 관계절이 앞명사를 받아 보충 설명.

Know More <배경 지식> 오디세우스의 귀향 모험담인 고대 그리스의 서사시 《오디세이아》를 비롯해 문학사의 시작부터 주인공들이 낯선 이방인으로 국경을 넘어 이국땅을 떠돌며 겪게 되는 현지에서의 소외-동화의 과정이 문학의 주제였다는 것.

14
stranger 이방인[낯선 사람]
archetype 전형
epic 서사시의
tension 긴장
alienation 소외
assimilation 동화

15 **Seventeen publishers rejected the manuscript, when I knew I had something pretty hot.** *Kinky Friedman*
17개 출판사들이 원고를 거절했는데, 그때 난 내가 아주 강렬한 뭔가를 갖고 있다는 걸 알게 되었어.

- 주어 + 동사 ~, when(=and then) + 주어(I) + 동사(knew) ~: 관계절이 앞문장을 받아 보충 설명.

Know More <유머 코드> 17개 출판사에 거절당하고도 이를 통해 오히려 자신의 강한 독창성을 깨달았다는 역설적 자신감!

15
publisher 출판사[출판인]
manuscript 원고

A

01 Those who have no time for healthy eating will sooner or later have to find time for illness. *Edward Stanley* 건강하게 먹을 시간이 없는 사람들은 조만간 병에 걸릴 시간을 찾아야 할 거야.

- 대명사(those) + 관계절(who(주어) + 동사(have) ~): 사람(those) – 주어 관계사 → who[that]

02 A successful man is **one who** can lay a firm foundation with **the bricks that** others have thrown at him. *David Brinkley*
성공하는 사람은 다른 사람들이 자신에게 던진 벽돌로 단단한 토대를 놓을 수 있는 사람이야.

- 대명사(one) + 관계절(who(주어) + 동사(can lay) ~): 사람(one) – 주어 관계사 → who[that]
- 명사(the bricks) + 관계절(that(목적어) + 주어(others) + 동사(have ~) ~): 사물 – 목적어 관계사 → that[which]

Know More <숨은 의미> 자신에 대한 남들의 비난이나 방해를 오히려 확실한 밑거름으로 삼아 성공하라는 것.

03 Genetically modified foods are produced from **organisms that** have had changes introduced into their DNA.
유전자 변형 식품은 디엔에이에 변형을 도입시킨 유기체들로부터 생산돼.

- 명사(organisms) + 관계절(that(주어) + 동사(have had) ~): 사물 – 주어 관계사 → that[which]
- have(have had) + 목적어(changes) + v-ed분사(introduced ~): ~가 v되게 시키다

04 Each BTS member sings about **the life** he wants to live in **a way that** is true to himself. *Moon Jae-in*
각 BTS 구성원은 자신에게 충실한 방식으로 자신이 살고 싶어 하는 삶에 대해 노래해.

- 명사(the life) + 관계절(주어(he) + 동사(wants) ~): 사물 – 목적어 관계사 → that[which] → 생략
- 명사(a way) + 관계절(that(주어) + 동사(is) ~): 사물 – 주어 관계사 → that[which]

Up! **05** Dance is **the only art of which** we ourselves are **the stuff of which** it is made. *Ted Shawn* 춤은 우리 자신이 예술이 창조되는 재료인 유일한 예술이야.

- 명사(the only art) + 관계절(of which + 주어(we ourselves) + be동사(are) + 보어(the stuff)): ← we ourselves are the stuff **of art**
- 명사(the stuff) + 관계절(of which + 주어(it) + 동사(is made)): ← it(art) is made **of the stuff**

Know More <숨은 의미> 미국 현대 무용의 중요한 남성 개척자인 테드 숀의 말로, 춤은 다른 예술들과 달리 다른 재료 없이 춤꾼 자신의 몸을 재료로 창조되는 예술이라는 것.

06 There may be **times that** we are powerless to prevent injustice, **but** there must never be **a time that** we fail to protest. *Elie Wiesel*
우리가 불의를 막을 힘이 없을 때가 있을지 몰라도, 우리가 항의하지 못할 때는 절대 없을 거야.

- 명사(times / a time) + 관계절(that + 주어(we) + 동사(are / fail) ~): 시간(times / a time) + (that[when])
- must + V(be): 틀림없이 ~일 것이다(확실한 추측)

Know More <숨은 의미> 불의에 행동하지 않는 양심은 악의 편이니, 담벼락에 대고 욕이라도 하라는 것.

07 REM sleep, **which** is an acronym for rapid eye movement sleep, is responsible for the most intense and visually realistic dreaming.
렘수면은, 빠른 안구 운동 수면의 두문자어인데, 가장 강렬하고 시각적으로 사실적인 꿈의 원인이 돼.

- 주어(REM sleep), 관계절(which(=REM sleep) + 동사(is) ~), 동사(is) ~: 관계절이 앞명사를 보충 설명.

B

08 A "fact" merely marks **the point where** we have agreed to let investigation cease. '사실'이란 단지 우리가 조사가 중단되도록 동의한 지점을 나타낼 뿐이야.

- 명사(the point) + 관계절(where + 주어(we) + 동사(have agreed) ~): 장소(the point) + (where[that])

Know More <숨은 의미> 사실(fact)의 한계와 진실(truth) 추구의 무한성을 강조한 것.

09 Using smartphones late at night can disturb sleep due to **the blue light of the screen, which** affects melatonin levels and sleep cycles.
밤늦게까지 스마트폰을 사용하는 것은 화면의 블루라이트 때문에 수면을 방해할 수 있는데, 그것(블루라이트)은 멜라토닌 수준과 수면 주기에 영향을 미쳐.

- the blue light of the screen, which(=and that) + 동사(affects) ~: 관계절이 the blue light를 받아 보충 설명.

Know More <배경 지식> 블루라이트는 짧은 파장의 가시광선의 한 종류로, 수면 유도 호르몬인 멜라토닌 분비를 억제해 낮 시간 집중력을 높여 주지만, 이에 장시간 노출되면 수면 방해는 물론 망막 손상이 초래될 위험이 있음.

10 We live in **a society dependent** on science and technology, **in which** hardly anyone knows anything about them. *Carl Sagan*
우리는 과학과 기술에 의존하는 사회에 살고 있는데, 거기서 거의 아무도 그것들(과학과 기술)에 대해 아무것도 알지 못해.

- 명사(a society) + 형용사구(dependent on ~): 형용사구가 뒤에서 앞 명사 수식.
- a society ~, in which(=and there) + 주어(hardly anyone) + 동사(knows) ~: 관계절이 앞명사를 받아 보충 설명.

Know More <숨은 의미> 수많은 책과 기사, 다큐멘터리를 통해 평생 과학의 대중화에 헌신한 천문학자 칼 세이건의 말로, 과학 기술에 의존하는 세상에 살면서도 정작 그 과학 기술을 이해하는 사람은 거의 없다는 것.

01
sooner or later 조만간[머잖아]
illness (질)병

02
successful 성공한
lay 놓다
firm 단단한
foundation 토대[기초]

03
genetically modified foods 유전자 변형 식품
organism 유기체[생물]
introduce 소개[도입]하다

04
true 충실한

05
stuff 재료[물건]

06
powerless 힘없는[~할 수 없는]
injustice 불의
protest 항의하다

07
acronym 두문자어
responsible 원인이 되는
intense 강렬한
visually 시각적으로
realistic 현실[사실]의

08
merely 그저[단지]
mark 나타내다[표시하다]
investigation 조사
cease 중단되다

09
disturb 방해하다
due to ~ 때문에
blue light 블루라이트
affect ~에 영향을 미치다
melatonin 멜라토닌

10
dependent 의존[의지]하는
hardly 거의 ~ 아닌

Stage Ⅲ

모든 문장과 특수 구문

Stage Ⅲ

Contents of Stage

문장성분 & 연결

Unit Words

■ 본격적인 구문 학습에 앞서, 각 유닛별 주요 단어를 확인하세요.

Unit 41 주어(구·절) 종합

- ☐ convinced 확신[납득]하는
- ☐ constantly 끊임없이
- ☐ out of the ordinary 특이한
- ☐ entail 수반하다
- ☐ unprecedented 전례 없는
- ☐ capacity 용량
- ☐ unlimited 무한한
- ☐ collaborate 협력하다
- ☐ improvise 임기응변하다
- ☐ prevail 승리하다
- ☐ degrade 비하하다
- ☐ lord 주인

Unit 42 보어(구·절) 종합

- ☐ devise 창안[고안]하다
- ☐ interpretation 해석
- ☐ unconscious 무의식적인
- ☐ erode 침식시키다[무너뜨리다]
- ☐ barrier 장벽[장애물]
- ☐ paradox 역설
- ☐ contradiction 모순
- ☐ vital (생명 유지에) 필수적인
- ☐ addiction 중독
- ☐ compulsive 강박적인
- ☐ disorder 장애[질병]
- ☐ breakdown 신경 쇠약
- ☐ hesitancy 주저[망설임]
- ☐ augment 증가시키다
- ☐ perceptual 지각의

Unit 43 목적어/목적보어(구·절) 종합

- ☐ representative 대표
- ☐ term 용어
- ☐ reliable 믿을 수 있는
- ☐ guidance 지침
- ☐ intellect 지성[지적 능력]
- ☐ profit 이익
- ☐ sum (총)합
- ☐ accurate 정확한
- ☐ conflict 상충하다

Unit 44 대등접속사

- ☐ cultivate 경작하다[기르다]
- ☐ inquiry 탐구[문의]
- ☐ all the time 내내
- ☐ arithmetic 산수[연산]
- ☐ involve 참여[관련]시키다
- ☐ originality 독창성
- ☐ perish 죽다
- ☐ utter 말하다
- ☐ for good or ill 좋든 나쁘든

Unit 45 상관접속사

- ☐ excessive 지나친[과도한]
- ☐ insufficient 불충분한
- ☐ blend 섞다[혼합하다]
- ☐ enforce 강요하다
- ☐ property 재산
- ☐ ultimate 궁극적인[최대의]
- ☐ optimist 낙관론자
- ☐ pessimist 비관론자
- ☐ contribute to ~에 기여하다
- ☐ parachute 낙하산
- ☐ gaze 응시하다[바라보다]
- ☐ craving 갈망[열망]
- ☐ self-doubt 자기 회의
- ☐ enterprise (대규모) 사업
- ☐ consistency 한결같음[일관성]

본책 132~133쪽을 함께 펴놓고 보세요!

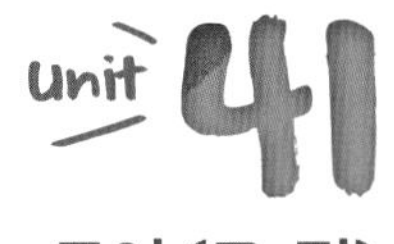

주어(구·절) 종합

wh-절	동사	목적어
How you gather, manage, and use information	will determine	whether you win or lose.

Standard Sentences

01 How you gather, manage, and use information will determine whether you win or lose. *Bill Gates* 네가 어떻게 정보를 수집하고 관리하고 사용하는지가 네가 이길지 질지 결정할 거야.

- how절(how + 주어(you) + 동사(gather / manage / use) ~) + 동사(will ~) ~: how절(어떻게 ~인지)이 주어.
- determine + whether절(whether + 주어(you) + 동사(win / lose)): whether절(~인지)이 목적어(~인지 결정하다).

01 gather 모으다[수집하다] manage 관리하다 determine 결정하다

02 Destroying rainforest for economic gain is like burning a Renaissance painting to cook a meal. *E. O. Wilson*
경제적 이익을 위해 열대 우림을 파괴하는 것은 식사를 준비하기 위해 르네상스 그림을 태우는 것과 같아.

- v-ing(destroying ~) + 동사(is) ~: v-ing(v하는 것)가 주어.
- 전치사(like) + v-ing(burning ~): 전치사 뒤에 동사가 올 경우 v-ing. ➲ Unit 29

Know More 〈배경 지식〉 열대 우림(비가 많은 적도 부근 열대 삼림)은 지구 생물종의 절반이 살고 대기 중 산소의 절반을 공급하는데, 이를 경제 개발로 파괴하는 것은 인류의 문화유산인 르네상스 그림을 땔감으로 때는 것과 같은 어리석은 짓이라는 것.

02 rainforest 열대 우림 economic 경제의 gain 이익[이득] burn 태우다

03 A journalist covering politics or the economy must be unbiased in their reporting. *Walter Cronkite* 정치나 경제를 다루는 기자는 자신의 보도에 편파적이지 않아야 해.

- 명사(a journalist) + v-ing(covering ~) + 동사(must be) ~: 〈명사 + v-ing〉가 주어로, v-ing(v하는)가 뒤에서 앞 명사 수식(명사 – v-ing 능동 관계).

03 cover 다루다 unbiased 편파적이지 않은

A

04 It is foolish to be convinced without evidence, but it is equally foolish to refuse to be convinced by real evidence. *Upton Sinclair*
증거 없이 확신하는 것은 어리석지만, 실제 증거에도 납득하기를 거부하는 것도 똑같이 어리석어.

- It(형식주어) + 동사(is) ~ + to-v(to be / to refuse ~): 진주어 to-v(v하는 것)가 형식주어 it을 앞세우고 뒤에 왔음.

04 foolish 어리석은 convinced 확신[납득]하는 evidence 증거 refuse 거부하다

05 To be yourself in a world that is constantly trying to make you something else is the greatest accomplishment. *Ralph Emerson*
끊임없이 널 (너 아닌) 다른 뭔가가 되게 하려고 하는 세상에서 너 자신이 된다는 건 가장 위대한 성취야.

- to-v(to be ~ something else) + be동사(is) + 보어(the greatest accomplishment): to-v(v하는 것)가 주어.
- 명사(a world) + 관계절(that(주어) + 동사(is ~) ~): 관계절이 앞명사 수식. 사물 – 주어 관계사 → that[which]

Know More 〈숨은 의미〉 획일화된 사회의 한 부속품으로 전락하는 것을 거부하고 자신의 고유한 정체성을 확립해 나가는 것이야말로 가장 훌륭한 성취라는 것.

05 constantly 끊임없이 accomplishment 성취[업적]

06 Your decision to be, have and do something out of the ordinary entails facing difficulties out of the ordinary as well. *Brian Tracy*
특이한 뭔가가 되고 뭔가를 갖고 뭔가를 하겠다는 네 결정은 특이한 어려움에 직면하는 것도 수반해.

- 명사(your decision) + to-v(to be / (to) have / (to) do ~): 〈명사 + to-v〉가 주어로, to-v가 뒤에서 앞 명사 수식.
- entail + v-ing(facing ~): v-ing(v하는 것)가 목적어(v하는 것을 수반하다).

Know More 〈숨은 의미〉 보통이 아닌 뭔가를 하려면 그에 따르는 보통이 아닌 어려움도 견뎌 내야 한다는 것.

06 out of ordinary 특이한[색다른] (ordinary 평범한) entail 수반하다 face 직면하다 as well ~도

07 It doesn't matter how much you learn in school; it matters whether you learn how to go on doing things by yourself. *Noam Chomsky*
네가 학교에서 얼마나 많이 배우는지는 중요하지 않고, 네가 혼자 힘으로 일들을 계속해 나가는 법을 배우는지가 중요해.

- It(형식주어) + 동사(doesn't matter) + how절(how much + 주어(you) + 동사(learn) ~): how절(얼마나 ~인지)이 진주어.
- it(형식주어) + 동사(matters) + whether절(whether + 주어(you) + 동사(learn) ~): whether절(~인지)이 진주어.

07 go on v-ing 계속 v하다 by oneself 혼자 (힘으로)

B Up!

08 The possibilities of billions of people connected by mobile devices with unprecedented processing power and storage capacity are unlimited. *Klaus Schwab*
전례 없는 처리 능력과 저장 용량을 갖춘 모바일 장치로 연결된 수십억 사람들의 가능성은 무한해.

- 명사(the possibilities) + 전치사구(of + billions of people ~) + 동사(are) ~: 〈명사 + 전치사구〉가 주어.
- 명사(billions of people) + v-ed분사(connected ~): v-ed분사(v된)가 뒤에서 앞 명사 수식(수동 관계).

08
unprecedented 전례 없는
process 처리하다
storage 저장
capacity 용량
unlimited 무한한

09 Whether the events in our life are good or bad, greatly depends on the way we perceive them. *Montaigne*
우리 삶에 일어나는 일들이 좋은지 나쁜지는 우리가 그것들을 인지하는 방식에 크게 의존해.

- whether절(whether + 주어(the events ~) + 동사(are) ~) + 동사(depends on) ~: whether절(~인지)이 주어.
- 명사(the way) + 관계절(주어(we) + 동사(perceive) ~): 관계절이 앞명사 수식.

Know More 〈숨은 의미〉 프랑스 철학자 몽테뉴의 말로, 살아가면서 일어나는 일은 그 자체가 좋거나 나쁘다기보다, 우리가 그것을 어떻게 이해해 받아들이느냐에 따라 좋을 수도 있고 나쁠 수도 있다는 것.

09
perceive 인지[감지]하다

10 In the long history of humankind, those who learned to collaborate and improvise most effectively have prevailed. *Charles Darwin*
인류의 오랜 역사에서 가장 효과적으로 협력하고 임기응변하는 것을 배운 사람들이 승리해 왔어.

- 대명사(those) + 관계절(who(주어) + 동사(learned) ~) + 동사(have prevailed): 〈대명사 + 관계절〉이 주어.

Know More 〈숨은 의미〉 진화론을 확립한 찰스 다윈의 '자연 선택'·'적자생존'(survival of the fittest) 이론으로, 다른 생물들과 마찬가지로 인류도 가장 강한 사람들이 아니라, 다양한 환경에 가장 잘 적응한 사람들이 살아남아 왔다는 것.

10
collaborate 협력하다
improvise 임기응변하다[즉석에서 하다]
prevail 승리하다

11 Any religion or philosophy which is not based on a respect for life is not a true religion or philosophy. *Albert Schweitzer*
생명 존중에 기반하지 않는 어떤 종교나 철학도 진정한 종교나 철학이 아니야.

- 명사(any religion or philosophy) + 관계절(which(주어) + 동사(is) ~) + 동사(is) ~: 〈명사 + 관계절〉이 주어.

Know More 〈숨은 의미〉 아프리카 의료 봉사로 인류애에 헌신한 슈바이처의 말로, '생명에 대한 경외'로 모든 생명체와 '동정'(com(함께) + passion(고통) = compassion(함께하는 고통))을 나누는 게 종교·철학의 바탕이자 평화에의 길이라는 것.

11
religion 종교
philosophy 철학
respect 존중[존경]

C

12 It is important that we understand the importance of the Arctic, stop the process of destruction, and protect it. *Ludovico Einaudi*
우리가 북극의 중요성을 이해하고 파괴의 과정을 멈추고 그것을 보호하는 것이 중요해.

- It(형식주어) + 동사(is) ~ + that절(that + 주어(we) + 동사(understand / stop / protect) ~): that절이 진주어.

12
the Arctic 북극
destruction 파괴

13 Whoever degrades another degrades me, and whatever is done or said returns at last to me. *Walt Whitman*
다른 사람을 비하하는 누구든 저 자신을 비하하는 것이고, 행해지거나 말해지는 무엇이든 결국 저 자신에게로 돌아와.

- whoever절(whoever(주어) + 동사(degrades) ~) + 동사(degrades) ~: whoever절(~인 누구든)이 주어.
- whatever절(whatever(주어) + 동사(is done / said)) + 동사(returns) ~: whatever절(~인 무엇이든)이 주어.

Know More 〈숨은 의미〉 미국의 대표적 시인 월트 휘트먼의 말로, 그는 미국의 물질주의 경향을 비판하고 인격주의의 필요성을 강조했는데, 다른 사람의 인격을 무시하는 말과 짓은 결국 누워서 침 뱉기와 같다는 것.

13
degrade 비하하다
at last 결국

14 What you are thinking, what shape your mind is in, makes the biggest difference of all. *Willie Mays*
네가 무엇을 생각하고 있는지, 즉 네 마음이 어떤 상태에 있는지가 모든 것 중에 가장 큰 차이를 만들어.

- A(what you are ~), B(what shape ~) + 동사(makes) ~: A와 B가 동격(A=B)으로 주어.
- what절(what(목적어) + 주어(you) + 동사(are thinking)): 무엇 ~인지(what절 속 what은 목적어.)
- what절(what shape + 주어(your mind) + 동사(is) + in): 어떤 ~인지(what shape는 전치사(in) 목적어.)

14
shape 형태[상태]

15 The reason why rivers and seas are able to be lords over a hundred mountain streams is that they know how to keep below them. *Lao Tzu (노자)*
강들과 바다들이 백 개의 계곡물들을 다스리는 주인이 될 수 있는 이유는 강들과 바다들이 계곡물들 아래에 머무는 법을 알고 있기 때문이야.

- 명사(the reason) + 관계절(why + 주어(rivers and seas) + 동사(are able to be) ~): 〈명사 + 관계절〉이 주어.
- 주어 + be동사(is) + that절(that + 주어(they) + 동사(know) ~): that절(~ 것)이 보어.
- know + how + to-v(to keep ~): 〈how + to-v〉가 목적어(v하는 법을 알다).

Know More 〈배경 지식〉 중국 춘추시대 철학자 '도교의 시조' 노자(老子)는 자신의 핵심 사상인 도(道)의 본질을 물의 속성에 비유한 바, 물이 자기를 낮춤(겸손)으로써 오히려 더 위대해진다는 역설적 진리를 드러내는 것.

15
lord 주인
mountain stream 계곡물

본책 134~135쪽을 함께 펴놓고 보세요!

unit 42

보어(구·절) 종합

주어	동사	v-ing
Success	is	walking from failure to failure without loss of enthusiasm.

Standard Sentences

01 Success is walking from failure to failure without loss of enthusiasm.
성공은 열정을 잃지 않고 실패에서 실패로 걸어가는 거야. *Winston Churchill*

- 주어 + be동사(is) + v-ing(walking ~): v-ing(v하는 것)가 보어.

Know More 〈숨은 의미〉 거듭되는 실패에도 낙심하지 말고 열정을 지켜 나가야 성공에 이른다는 것.

01
loss 상실[분실]
enthusiasm 열정[열광]

02 Life is 10 percent what happens to me and 90 percent how I react to it.
삶은 10퍼센트의 내게 무엇이 일어나는지와 90퍼센트의 내가 그것에 어떻게 반응하는지야. *Charles R. Swindoll*

- 주어 + be동사(is) + what절(what(주어) + 동사(happens) ~)/how절(how + 주어(I) + 동사(react) ~): what절(무엇 ~인지)/how절(어떻게 ~인지)이 보어.

02
react 반응하다

03 The vote is the most powerful instrument devised by man for breaking down injustice. *Lyndon Johnson*
투표는 불의를 깨부수기 위해 인간에 의해 고안된 가장 강력한 수단이야.

- 주어 + be동사(is) + 명사(the most powerful instrument) + v-ed분사(devised ~): 〈명사 + v-ed분사〉가 보어로, v-ed분사(v된)가 뒤에서 앞 명사 수식.
- 전치사(for) + v-ing(breaking down ~): 전치사 뒤에 동사가 올 경우 v-ing.

03
instrument 기구[수단]
devise 창안[고안]하다
break down (깨)부수다
injustice 불의

A

04 The interpretation of dreams is the royal road to a knowledge of the unconscious activities of the mind. *Sigmund Freud*
꿈의 해석은 마음의 무의식적 활동에 대한 지식으로 가는 왕도야.

- 주어 + 동사(is) + 명사(the royal road) + 전치사구(to a knowledge ~): 〈명사 + 전치사구〉가 보어로, 전치사구가 앞 명사를 뒤에서 수식.

Know More 〈배경 지식〉 《꿈의 해석》(The Interpretation of Dreams)은 프로이트 정신분석학의 대표적 책 제목으로, 그는 꿈을 소망 충족(wish fulfillment)의 형식, 즉 무의식의 힘이 만들어 낸 욕구가 검열에 의해 왜곡되어 나타나는 것으로 보고 이를 해석해 특히 신경증을 치료하려고 했음.

04
interpretation 해석
royal 왕의
unconscious 무의식적인

05 Peace is a daily, a weekly, a monthly process gradually changing opinions, slowly eroding old barriers, quietly building new structures. *John F. Kennedy*
평화는 차츰 여론을 바꾸고, 천천히 낡은 장벽을 무너뜨리고, 조용히 새로운 구조를 만들어 내는 매일 매주 매달의 과정이야.

- 명사(a daily ~ process) + v-ing((gradually) changing/(slowly) eroding/(quietly) building ~): 〈명사 + v-ing〉가 보어로, v-ing(v하는)가 뒤에서 앞 명사 수식(능동 관계).

05
gradually 차츰[서서히]
erode 침식시키다[무너뜨리다]
barrier 장벽[장애물]

06 The way to get good ideas is to get lots of ideas and throw the bad ones away. *Linus Pauling*
좋은 생각들을 얻는 방법은 많은 생각들을 얻어서 나쁜 생각들을 버리는 거야.

- 명사(the way) + to-v(to get ~) + 동사(is) ~: 〈명사 + to-v〉가 주어로, to-v(v하는)가 뒤에서 앞 명사 수식.
- 주어 + be동사(is) + to-v(to get/(to) throw ~): to-v(~하는 것)가 보어.

06
throw away 버리다

07 The question is not whether we are able to change but whether we are changing fast enough. *Angela Merkel*
문제는 우리가 변화할 수 있는지가 아니라 우리가 충분히 빨리 변화하고 있는지 아닌지야.

- not A(whether절) but B(whether절): A가 아니라 B(A는 부정되고 B가 긍정됨.)
- 주어 + be동사(is) + whether절(whether + 주어(we) + 동사(are able to change/are changing) ~): whether절(~인지)이 보어.

B Up!

08 The "paradox of water and diamonds" is the contradiction that water possesses a value far lower than diamonds, but water is far more vital to a human being. '물과 다이아몬드의 역설'은 물이 다이아몬드보다 훨씬 더 낮은 가치를 갖고 있지만, 물이 인간의 생명 유지에 훨씬 더 필수적이라는 모순이야.

- 주어 + be동사(is) + 명사(the contradiction) + that절: 〈명사 + that절〉이 보어로, 앞 명사와 that절은 동격(=).
- 명사(a value) + 형용사구(far lower ~): 형용사구가 뒤에서 앞 명사 수식.

08
paradox 역설
contradiction 모순
far (비교급 강조) 훨씬
vital (생명 유지에) 필수적인

09 Honesty is the fastest way to prevent a mistake from turning into a failure.
정직은 실수가 실패가 되는 걸 막는 가장 빠른 방법이야. *James Altucher*

- 주어 + be동사(is) + 명사(the fastest way) + to-v(to prevent ~): 〈명사 + to-v〉가 보어로, to-v(v하는)가 뒤에서 앞 명사 수식.

Know More 〈숨은 의미〉 누구나 크고 작은 실수[잘못]을 하기 마련인데, 그때 그 잘못을 남들에게나 자신에게 솔직히 인정하고 빨리 바꿔어야 더 큰 실패에 이르지 않게 된다는 것.

09
honesty 정직
prevent ~ from v-ing
~가 v하는 것을 막다

10 Video game addiction is a compulsive disorder that can cause severe damage to the point of social isolation and abnormal human function.
비디오 게임 중독은 사회적 고립과 비정상적 인체 기능에 이를 정도로 극심한 손상을 입힐 수 있는 강박 장애야.

- 주어 + 동사(is) + 명사(a compulsive disorder) + 관계절(that(주어) + 동사(can cause) ~): 〈명사 + 관계절〉이 보어로, 관계절이 앞명사 수식. 사물 – 주어 관계사 → that[which]

10
addiction 중독
compulsive 강박적인
disorder 장애[질병]
severe 극심한
to the point of ~라 할 정도로
isolation 고립
abnormal 비정상적인

Up!

11 Irony is when something happens that is opposite from what is expected.
아이러니는 예상되는 것과 정반대의 뭔가가 일어날 때야.

- 주어 + be동사(is) + when절(when + 주어(something) + 동사(happens) ~): when절(~ 때)이 보어.
- 대명사(something) ~ 관계절(that(주어) + is(동사) ~): 앞명사와 떨어져 있는 관계절.
- 전치사(from) + what절(what(주어) + 동사(is expected)): what절(~인 것)이 전치사(from) 목적어.

11
irony 아이러니[역설적인 것]
opposite (정)반대의

C

12 Your best is whatever you can do comfortably without having a breakdown.
너의 최선은 네가 신경 쇠약에 걸리지 않고 편안하게 할 수 있는 무엇이든지야. *J. Moehringer*

- 주어 + 동사(is) + whatever절(whatever + 주어(you) + 동사(can do) ~): whatever절(~인 무엇이든지)이 보어.

Know More 〈숨은 의미〉 흔히 쓰이는 '최선을 다하다'는 말에 대한 재밌는 정의로, 과로로 인한 두통, 어지럼증, 불면증, 소화불량, 주의 산만, 기억력 감퇴 등의 증상을 나타내는 '신경 쇠약'에 걸리지는 않을 정도로(그 직전까지) 온 힘을 다하는 거라는 것.

12
breakdown 신경 쇠약

13 The great pleasure of a dog is that you may make a fool of yourself with him, and not only will he not scold you, but he will make a fool of himself too. *Samuel Butler* 개가 주는 큰 즐거움은 네가 개와 함께 너 자신을 바보로 만들어도, 개는 널 꾸짖지 않을 뿐만 아니라, 개도 자신을 바보로 만들 거라는 거야.

- 주어 + be동사(is) + that절(that + 주어(you) + 동사(may make) ~): that절(~ 것)이 보어.
- not only A(조동사(will) + 주어(he) + 동사(not scold) ~), but B: A뿐만 아니라 B도(〈not only + 조동사 + 주어〉로 도치.) ➲ Unit 59

Know More 〈유머 코드〉 긴장 해소책으로 일부러 스스로 바보짓 하는 장난을, 허점을 보이면 깔보고 비난하는 인간들과는 달리, 개는 공감해서 잘 받아 준다는 것.

13
make a fool of
~을 놀리다[바보로 만들다]
scold 꾸짖다

14 The greatest weakness of most humans is their hesitancy to tell others how much they love them while they're alive. *Orlando Battista*
대부분 인간들의 최대의 결점은 그들이 다른 사람들을 얼마나 사랑하는지를 그들이 살아 있는 동안 그들에게 말하기를 주저한다는 거야.

- 주어 + be동사(is) + 명사(their hesitancy) + to-v(to tell ~): 〈명사 + to-v〉가 보어로, to-v가 뒤에서 앞 명사 수식.
- tell + (에게)목적어 + how절(how much + 주어(they) + 동사(love) ~): how절(얼마나 ~인지)이 (을)목적어.
- while + 주어(they) + 동사(are) ~: ~하는 동안(시간 부사절) ➲ Unit 46

14
weakness 약점[결점]
hesitancy 주저[망설임]

15 Augmented reality (AR) is an interactive experience of a real-world environment where real-world objects are enhanced by computer-generated perceptual data.
증강 현실은 실세계의 사물들이 컴퓨터로 만들어진 지각 데이터에 의해 강화되는 실세계 환경의 상호 작용하는 경험이야.

- 명사(an interactive experience ~) + 관계절(where + 주어(real-world objects) + 동사(are enhanced) ~): 〈명사 + 관계절〉이 보어로, 관계절이 앞명사 수식.

15
augment 증가시키다
interactive 상호 작용하는
real-world 실세계의
enhance 강화하다
computer-generated
컴퓨터로 만들어진
perceptual 지각의

본책 136~137쪽을 함께 펴놓고 보세요!

Unit 43

목적어/목적보어(구·절) 종합

동사	that절
Keep in mind	that the real courage is not in dying but in living for what you believe.

Standard Sentences

01 **Keep in mind that the real courage is not in dying but in living and suffering for what you believe.** *Christopher Paolini*

진정한 용기는 죽는 데 있는 게 아니라 네가 믿는 것을 위해 살며 고통을 겪는 데 있다는 걸 명심해.

- keep in mind + that절(that + 주어(the real courage) + 동사(is) ~): that절(~ 것)이 목적어(~ 것을 명심하다).
- not A(in dying) but B(in living and suffering ~): A가 아니라 B(A는 부정되고 B가 긍정됨.)
- 전치사(for) + what절(what(목적어) + 주어(you) + 동사(believe)): what절(~인 것)이 전치사(for) 목적어.

01
keep in mind 명심하다
courage 용기
suffer 고통을 겪다

02 **We have forgotten how to be good guests, how to walk lightly on the earth as its other creatures do.** *Barbara Ward*

우리는 좋은 손님이 되는 법을, 지구의 다른 생물들이 하는 대로 지구 위를 가볍게 걷는 법을 잊어버렸어.

- forget + how + to-v(to be / to walk ~): 〈how + to-v〉가 목적어(v하는 법).
- as + 주어(its other creatures) + 동사(do = walk ~ earth): ~대로(양상 부사절) ➲ Unit 48

Know More 〈숨은 의미〉 지구를 훼손하지 않고 살아가는 다른 생물들과 비교하여, 지구를 망치고 있는 나쁜 손님인 인간의 행태를 꼬집는 것.

02
guest 손님
creature 생물

03 **We must not allow other people's limited perceptions to define us.** *Virginia Satir*

우리는 다른 사람들의 제한된 인식이 우리를 규정하도록 허용해서는 안 돼.

- allow + 목적어(other people's limited perceptions) + to-v(to define ~): to-v가 목적보어(~가 v하도록 허락[허용]하다).

03
allow 허락[허용]하다
limited 제한된
perception 인식
define 규정[정의]하다

A

04 **Everyone has the right to take part in the government of his country, directly or through freely chosen representatives.** *세계 인권 선언*

모든 사람은 직접 또는 자유롭게 선출된 대표들을 통해 자기 나라의 정부에 참여할 권리가 있어.

- have + 명사(the right) + to-v(to take ~): 〈명사 + to-v〉가 목적어로, to-v가 뒤에서 앞 명사 수식.

04
take part in 참여하다
government 정부
directly 직접
representative 대표

05 **The term "global village" means different parts of the world that form one community that's linked by the Internet.**

'지구촌'이라는 용어는 인터넷으로 연결된 하나의 공동체를 형성하는 세계의 각각 다른 지역들을 의미해.

- mean + 명사(different parts ~) + 관계절(that(주어) + 동사(form) ~): 〈명사 + 관계절〉이 목적어로, 관계절이 앞 명사 수식. 사물-주어 관계사 → that[which]
- 명사(one community) + 관계절(that(주어) + 동사(is linked) ~): 관계절이 앞명사 수식.

05
term 용어
form 형성하다
link 연결하다

06 **Do not do to others what you do not want others to do to you.** *Confucius(공자)*

네가 다른 사람들이 네게 하길 바라지 않는 것을 다른 사람들에게 하지 마.

- do + (to others) + what절(what(목적어) + 주어(you) + 동사(do not want) ~): what절(~인 것)이 목적어.
  ← 주어(you) + 동사(do not want) + 목적어(others) + to-v(to do **what** to you): what은 to do의 목적어.

Know More **〈배경 지식〉** 여러 종교와 문화에 공통적인 '황금률'(The Golden Rule)로, 남에게 받길 바라지 않는 부당한 대우를 남에게도 하지 말라는 것. ➲ Unit 34-08

Up! **07** **WHO defined "infodemic" as an over-abundance of information that makes it hard for people to find reliable information and guidance.**

세계 보건 기구는 '정보유행병'을 사람들이 믿을 수 있는 정보와 지침을 찾기 어렵게 하는 정보의 과잉이라고 정의했어.

- define + 목적어("infodemic") + 목적보어(as an over-abundance ~): ~을 …라고 정의하다
- 명사(an over-abundance of information) + 관계절(that(주어) + 동사(makes) ~): 관계절이 앞명사 수식.
- make + it(형식목적어) + 목적보어(hard) + for 명사(의미상 주어) + to-v(진주어): ~가 v하는 것을 어떠하게 만들다

07
infodemic – information(정보) + epidemic(유행병)
over-abundance 과잉[과다]
reliable 믿을 수 있는
guidance 지침

B **08** I love voting day; I love the sight of my fellow citizens lining up to make their voices heard. *Beth Broderick*
난 투표하는 날을 아주 좋아하는데, 난 자신들의 목소리를 들리게 하기 위해 줄을 서 있는 동료 시민들의 광경이 정말 좋아.

- 명사(my fellow citizens) + v-ing(lining up ~): v-ing가 뒤에서 앞 명사 수식.
- to-v(to make ~): v하기 위해(목적)
- make + 목적어(their voices) + v-ed분사(heard): ~가 v되게 하다

08
sight 광경
line up 줄을 서다

09 Never stop trying to make your dreams come true.
네 꿈이 이루어지게 하려고 노력하는 것을 절대 그만두지 마.

- stop + v-ing(trying ~): v-ing(v하는 것)가 목적어(v하는 것을 그만두다).
- try + to-v(to make): v하려고 노력하다
- make + 목적어(your dreams) + V(come true): ~가 v하게 하다

09
come true 이루다[실현하다]

10 Don't let regrets about the past or worries about the future rob you of your enjoyment of the present. *Nicky Gumbel*
과거에 대한 후회나 미래에 대한 걱정이 네게서 현재의 즐거움을 빼앗도록 내버려 두지 마.

- let + 목적어(regrets / worries ~) + V(rob ~): ~가 v하게 놔두다
- rob + A(you) + of + B(your enjoyment ~): A에게서 B를 빼앗다

10
regret 후회
rob 빼앗다[강탈하다]
enjoyment 즐거움[기쁨]

11 Never regard your study as a duty, but as the opportunity to learn the beauty of the intellect for your own joy and the profit of the community.
절대로 네 공부를 의무로 여기지 말고, 네 자신의 기쁨과 공동체의 이익을 위해 지성의 아름다움을 배울 기회로 여겨.
Albert Einstein

- never A(as a duty), but B(as the opportunity ~): 절대 A가 아니라 B(A는 부정되고 B가 긍정됨.)
- regard + 목적어(your study) + 목적보어(as a duty ~): ~을 …로 여기다
- 명사(the opportunity) + to-v(to learn ~): to-v(v할)가 뒤에서 앞 명사 수식.

11
regard 여기다
duty 의무
intellect 지성[지적 능력]
profit 이익

C **12** I believe that the only thing worth doing is to add to the sum of accurate information in the world. *Margaret Mead*
난 할 가치가 있는 유일한 일은 세상의 정확한 정보의 총합에 더 보태는 것임을 믿어.

- believe + that절(that + 주어(the only thing ~) + 동사(is) ~): that절(~ 것)이 목적어.
- 명사(the only thing) + 형용사구(worth doing): 형용사구가 뒤에서 앞 명사 수식.
- 주어 + be동사(is) + to-v(to add ~): to-v(v하는 것)가 보어.

Know More <숨은 의미> 다양한 문화에 대해 연구한 문화인류학자 마거릿 미드의 말로, 과거로부터 현재에 이르기까지 축적되고 계승되어 온 인류의 모든 정보와 지식에 새로운 것을 더해 미래 세대에 물려주는 것이야말로 가장 가치 있다는 것.

12
add 더하다[보태다]
sum (총)합
accurate 정확한

13 Experiments determine whether observations agree with or conflict with the predictions derived from a hypothesis.
실험은 관찰이 가설에서 얻어진 예측과 일치하는지 또는 상충하는지 밝혀.

- determine + whether절(whether + 주어(observations) + 동사(agree / conflict) ~): whether절(~인지)이 목적어.
- 명사(the predictions) + v-ed분사(derived ~): v-ed분사(v된)가 뒤에서 앞 명사 수식(수동 관계).

13
determine 밝히다/결정하다
observation 관찰
agree 일치하다
conflict 상충하다
prediction 예측
derive 끌어내다[얻다]
hypothesis 가설

14 Only a few know how much one must know to know how little one knows.
몇몇 사람만이 자신이 얼마나 적게 아는지 알기 위해서 얼마나 많이 알아야 하는지를 알아. *Werner Heisenberg*

- know + how절(how much + 주어(one) + 동사(must know) ~): how절(얼마나 ~인지)이 목적어.
- to-v(to know ~): v하기 위해(목적)
- know + how절(how little + 주어(one) + 동사(knows)): how절(얼마나 ~인지)이 목적어.

Know More <숨은 의미> 불확정성의 원리와 양자 역학의 창시자인 물리학자 베르너 하이젠베르크의 말로, 많이 알면 알수록 모르는 게 더 많다는 걸 알게 되는데, 자신이 모르는 게 많다는 걸 알기 위해선 우선 많이 알아야만 한다는 것.

15 I always wondered why somebody didn't do something about that; then I realized I was somebody. *Lily Tomlin*
난 늘 누군가가 왜 그것에 대해 뭔가를 하지 않는지 궁금했는데, 그러다 난 내가 바로 그 누군가라는 걸 깨달았어.

- wonder + wh-절(why + 주어(somebody) + 동사(didn't do) ~): why절(왜 ~인지)이 목적어.
- realize + that절((that) + 주어(I) + 동사(was) ~): that절(~ 것)이 목적어(that은 생략 가능).

Know More <숨은 의미> 평소 남들의 방관적 태도를 궁금해하다 문득 자기 자신도 방관자였음을 깨달았다는 것.

15
realize 깨닫다

본책 138~139쪽을 함께 펴놓고 보세요!

대등접속사

동사	목적어,	and	주어	동사	부사어
Choose	a job you love,	and	you	will never have to work	a day in your life.

Standard Sentences

01 Choose a job you love, **and** you will never have to work a day in your life.
네가 정말 좋아하는 일을 선택하면, 넌 살면서 하루도 일할 필요가 결코 없을 거야.

- 명령문(Choose ~), and 주어 + 동사(you will ~) ~: ~하면 ...(=If you choose ~, you will ~)
- 명사(a job) + 관계절(주어(you) + 동사(love)): 관계절이 앞명사 수식. 사물 – 목적어 관계사 → that[which] 생략

Know More 〈숨은 의미〉 진짜 좋아하는 일을 하고 살면 일이 고역이 아니라 즐거운 놀이가 된다는 것.

01
choose 선택하다

02 Life is a tragedy when seen in close-up, **but** a comedy in long-shot. *Charlie Chaplin*
삶은 가까이서 보면 비극이지만, 멀리서 보면 희극이야.

- A(Life is a tragedy ~), but B((life is) a comedy ~): A와 B가 but(대조: ~지만)으로 대등 연결.
- when + (주어(life) + be동사(is)) + seen in close-up: 시간 부사절 Unit 46 〈주어 + be동사〉 생략.
- Life is a tragedy when seen in close-up, but (life is) a comedy (when seen) in long-shot.: 반복 어구 생략.

Know More 〈배경 지식〉 찰리 채플린의 말로, 인생은 늘 예기치 못한 일로 얻어맞고 싸우고 넘어지는 비극인 듯하지만, 시간이 지나 멀리서 보면 과장되고 소란스러운 한 편의 슬랩스틱 코미디 같기도 하니, 비극이냐 희극이냐는 어떻게 보느냐에 달려 있다는 것.

03 Take care to get what you like, **or** you will be forced to like what you get. *Bernard Shaw*
네가 좋아하는 것을 얻도록 주의하지 않으면, 넌 네가 얻은 것을 좋아하도록 강요당할 거야.

- 명령문(Take care ~), or 주어 + 동사(you will ~) ~: ~하지 않으면, ...(=If you don't take care ~, you will ~)
- take care + to-v(to get ~): v하도록 조심[주의]하다
- be forced + to-v(to like ~): v하도록 강요당하다
- get / like + what절(what(목적어) + 주어(you) + 동사(like / get): what절(~인 것)이 목적어.

Know More 〈숨은 의미〉 좋아하는 것을 얻을 수 있는 기회를 놓치면, 나중에 좋아하지 않는 것에 만족할 수밖에 없게 된다는 것.

03
take care 주의[조심]하다
force 강요하다

04 You cannot do a kindness too soon, **for** you never know how soon it will be too late. *Ralph Emerson* 넌 아무리 빨리 친절한 행동을 해도 지나치지 않은데, 왜냐면 넌 그것이 얼마나 빨리 너무 늦어질지 결코 알지 못하기 때문이야.

- A(You cannot do ~), for B(you never know ~): A와 B가 for(이유: 왜냐면)로 대등 연결(B가 A의 판단 근거).
- know + how절(how soon + 주어(it) + 동사(will be) ~): how절(얼마나 ~인지)이 목적어.

Know More 〈숨은 의미〉 언제 상황이 바뀌어 친절을 베풀 수 없는 지경이 될지도 모른다는 것.

04
cannot V too ~
아무리 ~해도 지나치지 않다
kindness 친절(한 행동)

A

05 Students must learn to think **and** act for themselves, **and** be free to cultivate a spirit of inquiry and criticism.
학생들은 스스로 생각하고 행동하는 것을 배워야 하고, 자유롭게 탐구심과 비판 의식을 길러야 해.

- A(must learn ~), and B((must) be free ~): A와 B가 and(~하고)로 같은 꼴 대등 연결.

05
be free to-v
v하기에 자유롭다[자유롭게 v하다]
cultivate 경작하다[기르다]
spirit 정신
inquiry 탐구[문의]
criticism 비판

06 You can fool all the people some of the time, **and** some of the people all the time, **but** you cannot fool all the people all the time. *Abraham Lincoln*
넌 모든 사람들을 얼마 동안 속일 수 있고, 일부 사람들을 내내 속일 수 있지만, 모든 사람들을 내내 속일 순 없어.

- A(You can fool ~), but B(you cannot fool ~): A와 B가 but(대조: ~지만)으로 대등 연결.
- A(all the people ~), and B(some of the people ~): A와 B가 and(~하고)로 대등 연결.

Know More 〈배경 지식〉 미국 역사상 가장 위대한 대통령으로 꼽히는 에이브러햄 링컨이 한 걸로 알려진 말로, 거짓은 일시적이고 부분적으로 속일 수는 있으나 시간과 집단 지성에 의해 드러나 결국 진실이 밝혀지고야 만다는 것.

06
fool 속이다
all the time 내내

07 Stand up **and** face your fears, **or** they will defeat you. *LL Cool J*
일어서서 두려움에 맞서지 않으면, 그것들(두려움)이 널 패배시킬 거야.

- 명령문(Stand up ~), or 주어 + 동사(they will ~) ~: ~하지 않으면, ...(=If you don't stand up ~, they will ~)

07
fear 두려움[공포]
defeat 패배시키다[물리치다]

B 08 In the arithmetic of love, one plus one equals everything, **and** two minus one equals nothing. *Mignon McLaughlin*
사랑의 연산에서, 1 더하기 1은 모든 것이고, 2 빼기 1은 아무것도 아니야.

- A(one plus one equals ~), and B(two minus one equals ~): A와 B가 and(~하고)로 대등 연결.

08
arithmetic 산수[연산]
equal (수나 양이) 같다[~이다]

09 You can't go back **and** change the beginning, **but** you can start where you are **and** change the ending. *C.S. Lewis*
넌 돌아가서 시작을 바꿀 수는 없지만, 네가 있는 곳에서 시작해서 결말을 바꿀 수는 있어.

- A(You can't go ~), but B(you can start ~): A와 B가 but(대조: ~지만)으로 대등 연결.
- A(can start ~) and B((can) change ~): A와 B가 and(~해서)로 대등 연결.
- where + 주어(you) + 동사(are): ~하는 곳에(네가 있는 곳에서)(장소 부사절)

10 Tell me, **and** I will forget; show me, **and** I may remember; involve me, **and** I will understand. *Confucius(공자)*
내게 말하면 난 잊어버릴 거고, 내게 보여 주면 난 기억할지도 모르고, 날 참여시키면 난 이해할 거야.

- 명령문(Tell/show/involve me), and 주어 + 동사(I will/may ~) ~: ~하면 ...(=If you tell/show/involve me, I will/may ~)

10
involve 참여[관련]시키다

11 Education is the passport to the future, **for** tomorrow belongs to those who prepare for it today. *Malcolm X*
교육은 미래로 가는 여권인데, 왜냐면 내일은 오늘 그것(내일)을 준비하는 사람들의 것이기 때문이야.

- A(Education is ~), for B(tomorrow belongs to ~): A와 B가 for(이유: 왜냐면)로 대등 연결(B가 A의 판단 근거).
- 대명사(those) + 관계절(who(주어) + 동사(prepare) ~): 관계절이 앞대명사 수식.

11
education 교육
passport 여권
belong to ~의 소유[것]이다
prepare 준비하다

C 12 Originality is the fine art of remembering what you hear **but** forgetting where you heard it. *Laurence Peter*
독창성이란 네가 듣는 것은 기억하지만 그걸 어디서 들었는지는 잊어버리는 멋진 기술이야.

- 전치사(of) + v-ing(remembering/forgetting ~): 전치사 뒤에 동사가 올 경우 v-ing.
- A(remembering ~) but B(forgetting ~): A와 B가 but(대조: ~지만)으로 같은 꼴(v-ing) 대등 연결.
- remember + what절(what(목적어) + 주어(you) + 동사(hear)): what절(~인 것)이 목적어.
- forget + where절(where + 주어(you) + 동사(heard) ~): where절(어디 ~인지)이 목적어.

Know More 〈숨은 의미〉 "There is no new thing under the sun."(하늘 아래 새로운 것은 없어.)라는 말도 있듯이, 독창성이란 완전히 새로운 걸 만들어 내는 것이 아니라 축적된 감각 경험들로부터 재구성되는 거라는 것.

12
originality 독창성

13 We must learn to live together as brothers **or** perish together as fools.
우리는 형제들로 함께 살거나 아니면 바보들로 함께 죽어야 한다는 걸 깨달아야 해. *Martin Luther King*

- A(learn to live ~) or B((learn to) perish ~): A와 B가 or(선택: ~이나)로 대등 연결.

13
learn 깨닫다
perish 죽다

Up! 14 Mathematics may be defined as the subject in which we **never** know what we are talking about, **nor** whether what we are saying is true. *Bertrand Russell*
수학은 우리가 무엇에 대해 말하고 있는지 결코 알지 못하고, 우리가 말하고 있는 게 사실인지 아닌지도 결코 알지 못하는 과목으로 정의될지도 몰라.

- 명사(the subject) + 관계절(in which + 주어(we) + 동사(never know) ~): 관계절이 앞명사 수식.
- not[never] A(know what ~), nor B((know) whether ~): A가 아니고, B도 (또한) 아니다
- know + what절/whether절: what절(무엇 ~인지)/whether절(~인지 아닌지)이 목적어.
- whether + what절(what + 주어(we) + 동사(are saying)) + 동사(is) ~: what절(~인 것)이 whether절 주어.

14
mathematics 수학
define 정의하다
subject 과목

15 Whatever words we utter should be chosen with care, **for** people will hear them **and** be influenced by them for good or ill. *Buddha(석가모니)*
우리가 하는 어떤 말이든 소심해서 골라져야 하는데, 왜냐면 사람들이 그것들을 듣고 좋든 나쁘든 그것들에 의해 영향을 받을 것이기 때문이야.

- whatever절(whatever words(목적어) + 주어(we) + 동사(utter)): whatever절(~인 어떤 …이든)이 주어.
- A(whatever ~ should be ~), for B(people will ~): A와 B가 for(이유: 왜냐면)로 대등 연결(B가 A의 판단 근거).
- A(will hear ~) and B((will) be influenced ~): A와 B가 and(~하고)로 대등 연결.

15
utter 말하다
with care 소심해서[소의 깊게]
influence 영향을 미치다
for good or ill 좋든 나쁘든

본책 140~141쪽을 함께 펴놓고 보세요!

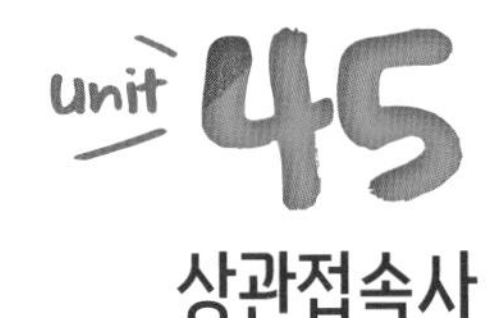

상관접속사

주어	동사 + not	보어,	but	보어
Peace	is not	the absence of war,	but	the presence of justice.

Standard Sentences

01 Peace is **not** the absence of war, **but** the presence of justice. *Harrison Ford*
평화는 전쟁이 없는 게 아니라 정의가 있는 거야.

- not A(the absence of war), but B(the presence of justice): A가 아니라 B(A는 부정되고 B가 긍정됨.)

Know More 〈숨은 의미〉 단지 외부의 적과 전쟁을 하지 않는다고 평화로운 게 아니라, 공동체 안에 정의가 강물처럼 흘러야 평화롭다는 것.

01
absence 부재[없음]
presence 있음[존재]

02 We have an infinite amount to learn **both** from nature **and** from each other.
우리는 자연에서와 서로에게서 배울 게 무한히 많아. *John Glenn*

- 명사(an infinite amount) + to-v(to learn ~): to-v가 뒤에서 앞 명사 수식.
- both A(from nature) and B(from each other): A와 B 둘 다(A와 B는 같은 꼴 대등 연결.)

02
infinite 무한한
amount 양

03 To accomplish great things, we must **not only** act, **but also** dream, **not only** plan, **but also** believe. *Anatole France*
위대한 일을 성취하기 위해, 우리는 행동할 뿐만 아니라 꿈꿔야 하고, 계획을 세울 뿐만 아니라 믿어야 해.

- to-v(to accomplish ~): 목적(v하기 위해)을 나타내는 to-v가 문장 맨 앞에 왔음.
- not only A(act/plan), but also B(dream/believe): A뿐만 아니라 B도(A와 B는 같은 꼴 대등 연결.)

03
accomplish 성취하다

A

04 **Both** excessive **and** insufficient exercise destroy one's strength, and **both** eating too much **and** too little destroy health. *Aristotle*
과도한 운동과 불충분한 운동 둘 다 사람의 힘을 파괴하고, 너무 많이 먹는 것과 너무 적게 먹는 것 둘 다 건강을 파괴해.

- both A(excessive (exercise)/eating too much) and B(insufficient exercise/(eating) too little): A와 B 둘 다
- v-ing(eating ~) + 동사(destroy) ~: v-ing(v하는 것)가 주어.

04
excessive 지나친[과도한]
insufficient 불충분한

Up! **05** The poet's aim is **either** to please **or** to profit, **or** to blend in one the delightful and the useful. *Horace*
시인의 목적은 기쁨을 주는 것이거나 이익을 주는 것이거나, 또는 즐거운 것과 유용한 것을 하나로 섞는 것이야.

- either A(to please) or B(to profit) or C(to blend ~): A, B, C 셋 중 하나(A, B, C는 같은 꼴(to-v) 대등 연결.)
- 주어 + be동사(is) + to-v(to please ~): to-v(v하는 것)가 보어.

Know More 〈배경 지식〉 고대 로마의 시인 호라티우스의 《시학》에 나오는 말로, 시인이 추구해야 하는 시의 목적은 쾌감과 교훈이라는 것.

05
aim 목적
please 기쁘게 하다
profit 이익을 얻다[주다]
blend 섞다[혼합하다]
delightful 즐거운

06 Where justice is denied and poverty is enforced, **neither** persons **nor** property will be safe. *Frederick Douglass*
정의가 부정되고 가난이 강요되는 곳에선, 사람도 재산도 안전하지 못할 거야.

- where + 주어(justice/poverty) + 동사(is denied/enforced): ~하는 곳에(장소 부사절)
- neither A(persons) nor B(property): A도 B도 아닌(A와 B는 같은 꼴 대등 연결.)

Know More 〈배경 지식〉 미국 흑인 노예로 태어나 노예제 폐지와 여성 인권 운동을 위한 연설가·작가로 활동한 프레더릭 더글러스의 말로, 불의와 빈곤으로 갈등이 심화되면 사회의 질서와 안녕이 유지되기 힘들다는 것.

06
deny 부인[부정]하다
enforce 강요하다
property 재산

07 In a democracy, the individual enjoys **not only** the ultimate power **but** carries the ultimate responsibility. *Norman Cousins*
민주주의에서 개인은 최대의 힘을 누릴 뿐만 아니라 최대의 책임도 떠맡아.

- not only A((enjoys) the ultimate power) but B(carries the ultimate responsibility): A뿐만 아니라 B도

07
democracy 민주주의
ultimate 궁극적인[최대의]
carry 짊어지다[떠맡다]
responsibility 책임

B **08** **Both** the optimist **and** the pessimist contribute to society; the optimist invents the aeroplane, and the pessimist the parachute. *Bernard Shaw*
낙관론자와 비관론자 둘 다 사회에 기여하는데, 낙관론자는 비행기를 발명하고, 비관론자는 낙하산을 발명해.

- both A(the optimist) and B(the pessimist): A와 B 둘 다(A와 B는 같은 꼴 대등 연결.)
- ~ and the pessimist (invents) the parachute: 반복 어구 생략.

> 08
> optimist 낙관론자
> pessimist 비관론자
> contribute to ~에 기여하다
> aeroplane 비행기
> parachute 낙하산

09 All human beings search for **either** reasons to be good, **or** excuses to be bad. *Chuck Palahniuk* 모든 인간은 좋게 되는 이유나 나쁘게 되는 변명을 찾아.

- either A(reasons ~) or B(excuses ~): A와 B 둘 중 하나(A와 B는 같은 꼴 대등 연결.)
- 명사(reasons/excuses) + to-v(to be ~): to-v가 뒤에서 앞 명사 수식.

> 09
> search for 찾다
> reason 이유
> excuse 변명[구실]

10 I am **neither** especially clever **nor** especially gifted; I am only very, very curious. *Albert Einstein*
난 특별히 영리하지도 특별히 재능이 있지도 않고, 난 그저 매우, 매우 호기심이 많을 뿐이야.

- neither A(especially clever) nor (especially gifted): A도 B도 아닌(A와 B는 같은 꼴 대등 연결.)

> 10
> especially 특(별)히
> gifted 재능이 있는
> curious 호기심이 많은[궁금한]

11 Love does **not** consist in gazing at each other, **but** in looking outward together in the same direction. *Saint-Exupery*
사랑은 서로를 바라보는 데 있는 게 아니라, 같은 방향으로 함께 밖을 쳐다보는 데 있어.

- not A(consist in gazing ~), but B((consists) in looking ~): A가 아니라 B(A는 부정되고 B가 긍정됨.)

> 11
> consist in ~에 있다[존재하다]
> gaze 응시하다[바라보다]
> outward 밖의[밖으로]

C **12** The most common reaction of the human mind to achievement is **not** satisfaction, **but** craving for more. *Yuval Harari*
성취에 대한 인간 마음의 가장 흔한 반응은 만족이 아니라 더 많은 것에 대한 열망이야.

- not A(satisfaction) but B(craving ~): A가 아니라 B(A는 부정되고 B가 긍정됨.)

Know More 〈숨은 의미〉 세계적 베스트셀러 《사피엔스: 인류의 간단한 역사》(Sapiens: A Brief History of Humankind)를 쓴 역사학자 유발 하라리의 말로, 인간의 만족할 줄 모르는 성취욕은 끝이 없다는 것.

> 12
> craving 갈망[열망]

13 You can **either** waltz boldly onto the stage of life, **or** you can sit quietly into the shadows of fear and self-doubt. *Oprah Winfrey*
넌 삶의 무대 위로 대담하게 왈츠를 추거나, 두려움과 자기 회의의 어둠 속에 조용히 앉아 있거나 둘 중 하나를 할 수 있어.

- either A((you can) waltz ~) or B(you can sit ~): A와 B 둘 중 하나

Know More 〈배경 지식〉 어린 시절의 엄청난 고난을 이겨 내고 토크 쇼를 대중화시켜 세계에서 가장 영향력 있는 여성으로 불린 미국 흑인 여성 방송인 오프라 윈프리의 말로, 어떤 환경에서 태어나 자랐건 삶의 무대에서 주인공이 되어 춤을 추든 무대 뒤 어둠 속에서 떨고 있든 자신만이 결정할 수 있다는 것.

> 13
> waltz 왈츠를 추다
> boldly 대담하게
> shadow 그림자[어둠]
> self-doubt 자기 회의

14 History **as well as** life itself is complicated; **neither** life **nor** history is an enterprise for those who seek simplicity and consistency. *Jared Diamond*
삶 자체뿐만 아니라 역사도 복잡한데, 삶도 역사도 단순함과 일관성을 추구하는 사람들을 위한 사업은 아니야.

- A(history) as well as B(life itself): B뿐만 아니라 A도
- neither A(life) nor B(history): A도 B도 아닌
- 대명사(those) + 관계절(who(주어) + 동사(seek) ~): 관계절이 앞대명사 수식. 사람(those) − 주어 관계사 → who[that]

Know More 〈배경 지식〉 재레드 다이아몬드의 《사회의 붕괴》(Collapse: How Societies Choose to Fail or Succeed)에 나오는 말로, 사회는 환경·기후 변화와 적대적 이웃·무역 상대 등 복잡한 요인들과 이들에 대한 대응으로 붕괴되기도 하고 번영하기도 하는 바, 여기서 살아가는 삶이나 이를 다루는 역사 역시 단순한 게 아니라는 것.

> 14
> complicated 복잡한
> enterprise (대규모) 사업
> simplicity 간단[단순]함
> consistency 한결같음[일관성]

15 Learning another language is **not only** learning different words for the same things, **but** learning another way to think about things. *Flora Lewis*
다른 언어를 배우는 것은 같은 것에 대한 다른 단어를 배우는 것일 뿐만 아니라, 사물에 대해 생각하는 다른 방법을 배우는 거야.

- v-ing(learning ~) + be동사(is) + v-ing(learning ~): v-ing(v하는 것)가 주어/보어.
- not only A(learning ~), but B(learning ~): A뿐만 아니라 B도(A와 B는 같은 꼴(v-ing) 대등 연결.)

> 15
> language 언어
> word 단어

A

01 What is considered "conservative" and what is considered "liberal" changes in any given era. *Rick Perlstein*
'보수적'이라고 여겨지는 것과 '진보적'이라고 여겨지는 것은 어떤 주어진 시대에서든 달라져.
- what절(what(주어) + 동사(is considered) + "conservative"/"liberal") + 동사(changes) ~: 두 what절이 주어.

01
conservative 보수적인
liberal 진보적인
era 시대

02 "Stream of consciousness" is a narrative mode that attempts to depict the multiple thoughts and feelings which pass through the mind of a narrator.
'의식의 흐름'은 서술자의 마음을 스쳐 지나가는 복합적인 생각과 감정을 묘사하려고 시도하는 서술 방식이야.
- 주어 + be동사(is) + 명사(a narrative mode) + 관계절(that(주어) + 동사(attempts) ~): 〈명사 + 관계절〉이 보어.
- 명사(the multiple thoughts and feelings) + 관계절(which(주어) + 동사(pass) ~) : 관계절이 앞명사 수식.

02
consciousness 의식
narrative 서술의
mode 방식
attempt 시도하다
depict 그리다[묘사하다]
multiple 복합적인
pass through 지나가다[통과하다]

03 The moment we cry in a film is **not** when things are sad **but** when they turn out to be more beautiful than we expected them to be. *Alain de Botton*
우리가 영화에서 우는 순간은 상황이 슬플 때가 아니라 상황이 우리가 그러리라 예상했던 것보다 더 아름다운 것으로 드러날 때야.
- 명사(the moment) + 관계절(주어(we) + 동사(cry) ~) + 동사(is) ~: 〈명사 + 관계절〉이 주어로, 관계절이 앞명사 수식.
- 주어 + be동사(is) + when절(when + 주어(things / they) + 동사(are / turn out) ~): when절(~ 때)이 보어.

03
turn out 드러나다[밝혀지다]

04 I know that you believe that you understood what you think I said, **but** I am not sure you realize that what you heard is not what I meant. *Robert McCloskey*
난 내가 말했다고 네가 생각하는 걸 네가 이해했다고 네가 믿는다는 건 알겠지만, 난 네가 들은 게 내가 의미한 것이 아니라는 걸 네가 아는지는 확신할 수 없어.
- understood + what절(what(목적어) + (you think) + 주어(I) + 동사(said)): what절(~인 것)이 목적어.
- be동사(is) + sure + that절((that) + 주어(you) + 동사(realize) ~): ~것을 확신하다
- realize + that절(that + 주어(what you heard) + 동사(is not) + 보어(what I meant)): that절(~ 것)이 목적어.

Know More 〈유머 코드〉 what절과 that절이 난무하는 고난도의 유머문! 말을 통한 커뮤니케이션[의사소통]의 한계를 풍자한 것.

04
realize 깨닫다[알아차리다]
mean 의미하다 (-meant-meant)

05 Show me a person who has never made a mistake, **and** I'll show you someone who has never achieved much. *Joan Collins*
내게 한 번도 실수한 적이 없는 사람을 보여 주면, 난 네게 한 번도 많은 걸 성취한 적이 없는 사람을 보여 줄게.
- 명령문(Show ~), and 주어 + 동사(I'll show) ~: ~하면 ...(= If you show ~, I'll show ~)
- (대)명사(a person / someone) + 관계절(who(주어) + 동사(has never made / achieved) ~): 관계절이 앞(대)명사 수식.

05
achieve 성취하다

06 Love is the strongest of all passions, **for** it attacks simultaneously the head, the heart and the senses. *Lao Tzu(노자)*
사랑은 모든 열정들 중 가장 강한 것인데, 왜냐면 그것은 머리와 심장과 감각들을 동시에 공격하기 때문이야.
- A(Love is ~), for B(it attacks ~): A와 B가 for(이유: 왜냐면)로 대등 연결(B가 A의 판단 근거).

06
passion 열정
attack 공격하다
simultaneously 동시에
sense 감각

Up! **07** Truth is found **neither** in the thesis **nor** the antithesis, **but** in an emergent synthesis which reconciles the two. *Hegel*
진리는 테제[정립]에서나 안티테제[반정립]에서가 아니라, 그 둘을 조화시키는 새로운 진테제[종합]에서 발견되는 거야.
- neither A(in the thesis) nor B((in) the antithesis), but C(in an emergent synthesis ~): A도 B도 아니라 C
- 명사(an emergent synthesis) + 관계절(which(주어) + 동사(reconciles) ~): 관계절이 앞명사 수식.

Know More 〈배경 지식〉 헤겔의 변증법으로, 만물을 정(正) → 반(反) → 합(合), 즉 제1단계 테제[정립](하나의 명제)→제2단계 안티테제[반정립](정립의 내적 모순으로 인한 대립 명제)→제3단계 진테제[종합](정립-반정립 모순의 통일)의 운동 과정으로 설명.

07
thesis 테제[정립]
antithesis 안티테제[반정립]
emergent 신생의
synthesis 진테제[종합]
reconcile 조화시키다

B

08 With the advent of genetic engineering, the time required for the evolution of new species may literally collapse. *Dee Hock*
유전 공학의 출현으로 새로운 종의 진화에 필요한 시간(이란 개념)은 그야말로 붕괴할지도 몰라.
- 명사(the time) + v-ed분사(required ~) + 동사(may ~): 〈명사 + v-ed분사〉가 주어. v-ed분사가 뒤에서 앞 명사 수식.

08
advent 출현
require 필요[요구]하다
literally 말 그대로[그야말로]
collapse 붕괴하다

09 Language's laws and principles are fixed, **but** the manner in which the principles of generation are used is free and infinitely varied. *Noam Chomsky*
언어의 법칙과 원리는 고정되어 있지만, 생성 원리가 사용되는 방식은 자유롭고 무한히 다양해.
- 명사(the manner) + 관계절(in which + 주어(the principles ~) + 동사(are used)): 〈명사 + 관계절〉이 주어.

Know More 〈배경 지식〉 '(변형) 생성 문법'(generative grammar)을 창안한 촘스키의 말로, 모든 인간은 타고난 '보편 문법'인 한정된 규칙 체계로 자유롭게 단어들을 결합해 무한한 문장들을 만들어 낸다고 보았는데, 특히 그는 문장을 '심층 구조'(deep structure)와 '표층 구조'(surface structure)로 나누어, '구절 구조 규칙'(문장→명사구 + 동사구)'에 의한 심층 구조가 '변형 규칙'(transformational grammar)에 따라 표층 구조로 생성된다고 설명했음.

09
principle 원리
generation 생성
infinitely 무한히
varied 다양한

10 Always recognize that human individuals are ends, **and** do not use them as means to your end. *Immanuel Kant*
항상 인간 개인들은 목적이란 걸 인정하고, 그들을 너의 목적에 대한 수단으로 이용하지 마.
- recognize + that절(that + 주어(human individuals) + 동사(are) ~): that절(~ 것)이 목적어(~ 것을 인정하다).

Know More 〈배경 지식〉 서양 근대 철학의 확립자·최고봉 칸트가 도덕 법칙으로 제시한 '무조건적 명령' 중 하나로, 인간은 절대적 가치를 지닌 인격체로서 다른 목적을 위한 수단이 아니라 그 자체가 목적이며 그에 합당한 존엄한 대우를 받아야 한다는 것.

10
recognize 인정[인식]하다
end 목적
means 수단

Chapter 11 부사절

Unit Words

■ 본격적인 구문 학습에 앞서, 각 유닛별 주요 단어를 확인하세요.

Unit 46 시간 부사절

- ☐ diminish 줄어들다[약해지다]
- ☐ civilization 문명
- ☐ maturity 성숙함[성숙한 상태]
- ☐ point of view 관점
- ☐ reform 개혁하다
- ☐ sow (씨를) 뿌리다
- ☐ reap 거두다[수확하다]
- ☐ urge 욕구[충동]
- ☐ propel 나아가게 하다

Unit 47 이유[원인] 부사절

- ☐ constitute 구성하다[이루다]
- ☐ sober 진지한[냉철한]
- ☐ rebellious 반항적인
- ☐ axis 축
- ☐ tilt 기울이다
- ☐ with respect to ~에 대하여
- ☐ sensory 감각의
- ☐ advent 도래[출현]
- ☐ homogeneity 동질성

Unit 48 목적 / 결과 / 양상 부사절

- ☐ bring together 모으다[결합하다]
- ☐ bargain for ~을 예상하다
- ☐ noticeable 뚜렷한
- ☐ bar A from B A에게 B를 금지하다
- ☐ undutiful 불성실한
- ☐ priceless 값을 매길 수 없는[귀중한]
- ☐ look after 돌보다
- ☐ bonfire 모닥불
- ☐ crash 충돌[추락]하다

Unit 49 대조[반전] 부사절

- ☐ archaeology 고고학
- ☐ uncover 알아내다
- ☐ inseparable 분리할 수 없는
- ☐ tick 째깍거리다
- ☐ quantum mechanics 양자 역학
- ☐ imperfectness 불완전함
- ☐ augmented reality 증강 현실
- ☐ alter 바꾸다
- ☐ simulated 모의의

Unit 50 조건 부사절

- ☐ master 숙달하다
- ☐ uninformed 지식[정보]가 없는
- ☐ misinform 잘못된 정보를 주다
- ☐ strap 끈으로 묶다
- ☐ dishearten 낙심하게 하다
- ☐ inferior 아랫사람
- ☐ savor 음미하다
- ☐ subtitle 자막
- ☐ specialized 전문적인

Unit 51 v-ing 구문

- ☐ incapable of ~을 할 수 없는
- ☐ trillion 1조
- ☐ mammal 포유류
- ☐ proportion 비율
- ☐ draw on 활용[의존]하다
- ☐ command 능력[구사력]
- ☐ democratization 민주화
- ☐ hierarchy 계급[위계]
- ☐ surrealist 초현실주의

본책 144~145쪽을 함께 펴놓고 보세요!

시간 부사절

주어	동사	시간 부사절		
The rights of every man	are diminished	when	the rights of one man	are threatened.

Standard Sentences

01 The rights of every man are diminished **when the rights of one man are threatened.** *John F. Kennedy* 모든 사람의 권리는 한 사람의 권리가 위협받을 때 약화돼.

- when + 주어(the rights ~) + 동사(are threatened): ~할 때(시간 부사절)

Know More <숨은 의미> 만인의 인권이 평등하게 보장되어야지, 한 사람의 인권이라도 유린되는 게 허용되면 연쇄적으로 모든 사람의 인권이 침해될 수 있다는 것.

01 diminish 줄어들다[약해지다] threaten 협박[위협]하다

02 A lie can travel halfway around the world **while the truth is putting on its shoes.** *Mark Twain* 거짓말은 진실이 신발을 신고 있는 동안 세계 반 바퀴를 돌 수 있어.

- while + 주어(the truth) + 동사(is putting on) ~: ~하는 동안(시간 부사절)

Know More <유머 코드> "발 없는 말이 천 리 간다."라는 속담도 있지만, 말 중에서도 거짓말(가짜 뉴스)이 더 빨리 순식간에 퍼진다는 것.

02 halfway 중간[가운데쯤]에

03 **Until you** make the unconscious **conscious, it will direct your life and you will call it fate.** *Carl Jung*
네가 무의식을 의식되도록 할 때까지, 무의식은 네 삶을 지배할 거고 넌 그걸 운명이라 여길 거야.

- until + 주어(you) + 동사(make) ~: ~할 때까지(미래 시간 부사절에 현재시제가 쓰임.)
- make + 목적어(the unconscious) + 목적보어(conscious): ~을 어떠하게 하다

Know More <배경 지식> 분석(심층) 심리학을 창시한 칼 융의 말로, 그는 개인·집단 무의식의 의식화를 중시했는데, 마치 운명처럼 우리를 이끄는 의식의 '그림자'(shadow)인 무의식을 더 의식하게 될수록 무의식의 영향을 덜 받게 된다는 것.

03 the unconscious 무의식 conscious 의식하는 direct 지시[명령]하다 fate 운명

A **04** Civilization will reach maturity **only when** it learns to value diversity of character and of ideas. *Arthur Clarke*
문명은 개성과 생각의 다양성을 소중하게 여기는 걸 배울 때만 성숙함에 이를 거야.

- only + when + 주어(it) + 동사(learns) ~: ~할 때만(미래 시간 부사절에 현재시제가 쓰임.)

04 civilization 문명 maturity 성숙함[성숙한 상태] character 개성

05 You never really understand a person **until** you consider things from his point of view. *Novel "To Kill a Mockingbird"*
넌 어떤 사람의 관점에서 상황을 고려할 때까지, 그를 절대 진짜 이해하지 못해[넌 어떤 사람의 관점에서 상황을 고려하고 나서야 비로소 그를 진짜 이해하게 돼].

- never[not] … until절: ~할 때까지 (절대) … 아닌[~해서야 비로소 …인]
- until + 주어(you) + 동사(consider) ~: ~할 때까지

05 consider 고려하다 point of view 관점

06 **The moment you** recognize what is beautiful in this world, you stop being a slave. *Aravind Adiga* 네가 이 세상에서 무엇이 아름다운지 인식하는 순간, 넌 노예 상태를 끝내게 돼.

- the moment + 주어(you) + 동사(recognize) ~: ~하는 순간[~하자마자]
- recognize + what절(what(주어) + 동사(is) ~): what절(무엇 ~인지)이 recognize의 목적어.

Know More <숨은 의미> 세상의 진정한 아름다움에 눈 뜨게 되면, 그 아름다움을 추구하려는 자유를 억압하는 어떤 족쇄도 깨부수게 된다는 것.

06 recognize 알아보다[인식하다] slave 노예

07 The human brain is special; it starts working **as soon as** you get up, and it doesn't stop **until** you get to school. *Milton Berle*
인간의 뇌는 특별한데, 그건 네가 일어나자마자 활동하기 시작해서, 네가 학교에 도착할 때까지는 멈추지 않아[학교에 도착하고 나면 멈춰].

- as soon as + 주어(you) + 동사(get up): ~하자마자
- until + 주어(you) + 동사(get) ~: ~할 때까지

Know More <유머 코드> 학교에만 오면 멍때리는 뇌들이여, 이 문장으로 한 번 크게 웃고 깨어나라!

B 08 **As** we express our gratitude, we must never **forget** that the highest appreciation is not to utter words, but to live by them. *John F. Kennedy*
우리는 감사를 표하면서, 최고의 감사는 말을 하는 게 아니라 그 말에 따라 사는 거란 걸 절대 잊어서는 안 돼.

- as + 주어(we) + 동사(express) ~: ~하면서
- forget + that절(that + 주어(the highest appreciation) + 동사(is) + to-v(to utter / to live ~)): that절(~ 것)이 목적어, to-v(v하는 것)가 that절 속 보어.

08
express 표현하다
gratitude 감사
appreciation 감사
utter 말하다

09 The learning process never ends even **long after** the days of school are over.
학창 시절이 끝난 오랜 후에도 학습 과정은 절대 끝나지 않아.

- long + after + 주어(the days of school) + 동사(are) ~: ~한 오랜 후에

09
process 과정

10 **Whenever** you find yourself on the side of the majority, **it is time to** reform. *Mark Twain*
네가 자신이 다수의 편에 있음을 알게 될 때마다, 그때가 개혁해야 할 때야.

- whenever + 주어(you) + 동사(find) ~: ~할 때마다
- it is time + to-v(to reform): ~할 때다(to-v가 뒤에서 앞 명사 수식.)

Know More <숨은 의미> 우리는 각기 다른 개성을 지닌 소중한 존재인데, 타성에 젖어 자신도 모르게 다수가 따르는 관행을 아무 생각 없이 좇아 사는 걸 깨닫게 되면, 다시 자아를 되찾아서 자기답게 살아가야 한다는 것.

10
majority 다수
reform 개혁하다

11 Life is choices. **No sooner** have you made one choice **than** another is upon you. *Atul Gawande*
삶은 선택들이야. 네가 하나의 선택을 하자마자 또 하나의 선택이 네게 다가와 있어.

- No sooner + 조동사(have) + 주어(you) + 동사(made) ~ than + 주어(another) + 현재동사(is) ~: ~하자마자 …하다(어순 주의.)

11
choice 선택

C 12 You sow in tears **before** you reap joy. *Ralph Ransom*
넌 기쁨을 거두기 전에 눈물을 흘리며 씨를 뿌려.

- before + 주어(you) + 동사(reap) ~: ~하기 전에

12
sow (씨를) 뿌리다
reap 거두다[수확하다]

13 **Every time** we lose a species, we break **a life chain which has evolved** over 3.5 billion years. *Jeff McNeely*
우리가 한 종을 잃을 때마다, 우리는 35억 년 이상 진화해 온 생명 사슬을 끊는 거야.

- every time + 주어(we) + 동사(lose) ~: ~할 때마다
- 명사(a life chain) + 관계절(주어(which) + 동사(has evolved) ~): 관계절이 앞명사 수식. 사물 – 주어 관계사 → which[that]

13
evolve 진화하다

14 The urge to explore has propelled evolution **since** the first water creatures reached the land. *Buzz Aldrin*
첫 수중 생물들이 육지에 닿은 이후 탐험하려는 욕구가 진화를 나아가게 해 왔어.

- since + 주어(the first water creatures) + 동사(reached) ~: ~한 이후로

14
urge 욕구[충동]
explore 탐험하다
propel 나아가게 하다

15 **By the time** this concert ends this evening, 30,000 Africans **will have died** because of extreme poverty. *Brad Pitt*
오늘 저녁 이 콘서트가 끝날 때쯤에는, 3만 명의 아프리카인이 극심한 빈곤 때문에 죽게 되었을 거예요.

- by the time + 주어(this concert) + 동사(ends) ~: ~할 때쯤에는(미래 시간 부사절에 현재시제가 쓰임.)
- will have + v-ed분사(died): 미래완료(미래 어느 시점 이전 일의 완료·결과를 나타냄.)

Know More <배경 지식> 아프리카 빈곤 퇴치를 위한 콘서트에서 미국 배우 브래드 피트가 한 말로, 3만 명은 아프리카의 기아로 인한 1일 평균 사망자 수.

15
extreme 극심한[극도의]
poverty 빈곤[가난]

본책 146~147쪽을 함께 펴놓고 보세요!

unit 47
이유[원인] 부사절

주어	동사	부사어	이유[원인] 부사절				
Someone	is sitting	in the shade today	because	someone	planted	a tree	a long time ago.

Standard Sentences

01 Someone is sitting in the shade today **because** someone planted a tree a long time ago. *Warren Buffett* 누군가가 오래 전에 나무를 심었기 때문에 누군가가 오늘 그늘에 앉아 있어.
- because + 주어(someone) + 동사(planted) ~: ~ 때문에(이유[원인] 부사절)

01
shade 그늘
plant 심다

02 Robots are blamed for rising technological unemployment **as** they replace workers in increasing numbers of functions.
로봇은 점점 더 많은 기능에서 노동자를 대신하기 때문에 늘어나는 기술적 실업의 원인으로 여겨져.
- as + 주어(they) + 동사(replace) ~: ~ 때문에(이유[원인] 부사절)

Know More 〈배경 지식〉 기술적 실업(technological unemployment): 기술적 변화를 통한 생산 방법의 혁신으로 인해 발생하는 실업.

02
blame ~때문으로 보다
unemployment 실업
replace 대신하다
function 기능

03 **Since** corrupt people unite among themselves **to constitute** a force, honest people must do the same. *Tolstoy*
부패한 사람들이 힘을 이루기 위해 자기들끼리 뭉치기 때문에 정직한 사람들도 똑같이 해야 해.
- since + 주어(corrupt people) + 동사(unite) ~: ~ 때문에(이유[원인] 부사절)
- to-v(to constitute ~): v하기 위해(목적)

Know More 〈배경 지식〉 《전쟁과 평화》 《부활》 등을 쓴 러시아의 대문호 톨스토이의 말로, 악의 무리가 서로 뭉쳐 힘을 만들기 때문에 이에 맞서려면 선한 세력도 분열되지 말고 서로 힘을 모아야 한다는 것.

03
corrupt 부패한[타락한]
unite 연합하다[뭉치다]
constitute 구성하다[이루다]

A

04 Most people do not really want freedom **because** freedom involves responsibility. *Sigmund Freud* 대부분의 사람들은 자유가 책임을 수반하기 때문에 자유를 정말로 원치 않아.
- because + 주어(freedom) + 동사(involves) ~: ~ 때문에(이유[원인] 부사절)

04
involve 수반[포함]하다
responsibility 책임

05 **Be who you are and say what you feel because** those who mind don't matter and those who matter don't mind. *Dr. Seuss*
상관하는 사람들은 중요하지 않고 중요한 사람들은 상관하지 않기 때문에 너 자신이 되고 네가 느끼는 것을 말해.
- be동사(be) + who절(who(보어) + 주어(you) + 동사(are)): who절이 보어.
- say + what절(what(목적어) + 주어(you) + 동사(feel)): what절(~인 것)이 목적어.
- because + 주어(those ~) + 동사(don't matter / mind): ~ 때문에(이유[원인] 부사절)
- 대명사(those) + 관계절(who(주어) + 동사(mind / matter)): 관계절이 앞대명사 수식. 사람 – 주어 관계사 → who[that]

Know More 〈숨은 의미〉 네게 정말 중요한 사람들은 널 믿고 괜히 상관하지 않으니, 누구 눈치 보지 말고 소신껏 자신에 충실하라는 것.

05
mind 상관하다[언짢아하다]

06 Humanity has advanced **not because** it has been sober and cautious, **but because** it has been playful and rebellious. *Tom Robbins*
인류는 진지하고 신중했기 때문이 아니라 놀기 좋아하고 반항적이었기 때문에 진보해 왔어.
- not because + 주어(it) + 동사(has been) ~, but because + 주어(it) + 동사(has been) …: ~ 때문이 아니라 … 때문에

06
advance 전진[진보]하다
sober 진지한[냉철한]
cautious 조심스러운[신중한]
playful 놀기 좋아하는
rebellious 반항적인

07 No scientific theory can ever be considered final, **since** new problematic evidence might be discovered.
어떤 과학 이론도 문제가 있다는 새로운 증거가 발견될지도 모르기 때문에 언제든 최종적인 것으로 여겨질 수 없어.
- since + 주어(new problematic evidence) + 동사(might be discovered): ~ 때문에

07
final 최종의
problematic 문제가 있는

B Up!

08 The seasons occur **because** the axis on which Earth turns is tilted with respect to the plane of Earth's orbit around the Sun.
계절은 지구가 회전(자전)하는 축이 태양 둘레를 공전하는 지구의 궤도면에 대해 기울어져 있기 때문에 생겨나.

- because + 주어(the axis ~) + 동사(is tilted) ~: ~ 때문에
- 명사(the axis) + 관계절(on which + 주어(Earth) + 동사(turns)): 관계절이 앞명사 수식.
  ← Earth turns **on the axis**

08
axis 축
tilt 기울이다
with respect to ~에 대하여
plane 면
orbit 궤도

09 **As** media production has become more accessible to the public, large numbers of individuals are able to post text, photos and videos online.
미디어 제작이 대중에게 더 이용 가능하게 되었기 때문에, 많은 개인들이 글과 사진과 동영상을 온라인에 게시할 수 있어.

- as + 주어(media production) + 동사(has become) ~: ~ 때문에

09
production 제작[생산]
accessible 접근[이용] 가능한
post 게시하다[올리다]

10 Food memories are more sensory than other memories **in that** they involve really all five senses. *Julie Thomson*
음식의 기억들은 정말 오감 모두를 포함하고 있다는 점에서 다른 기억들보다 더 감각적이야.

- 형용사 비교급(more sensory) + than ~: ~보다 더 …한 Unit 56
- in that + 주어(they) + 동사(involve) ~: ~이므로[~라는 점에서]

10
sensory 감각의
involve 포함[수반]하다

11 **Now that** I'm feeling the responsibilities of adulthood, the choices I make become an incredible weight. *Laura Marling*
이제 난 성인의 책임감을 느끼고 있으므로, 내가 하는 선택들이 믿을 수 없는 부담이 돼.

- now that + 주어(I) + 동사(am feeling) ~: (이제) ~이므로
- 명사(the choices) + 관계절(주어(I) + 동사(make)): 관계절이 앞명사 수식(관계사 생략).

11
adulthood 성인
incredible 믿을 수 없는
weight 무게[부담]

C **12** Humor is everywhere **in that** there's irony in just about anything a human does. *Bill Nye*
인간이 하는 거의 무엇에든 다 아이러니가 있으므로, 유머는 어디에나 있어.

- in that + there + be동사(is) + 주어(irony) ~: ~이므로[~라는 점에서]
- 대명사(anything) + 관계절(주어(a human) + 동사(does)): 관계절이 앞대명사 수식(관계사 생략).

12
irony 아이러니[역설적인 점]
just about 거의 (다)

13 Information is suited to "a gift economy" **as** information is a non-rival good and can be gifted at no cost.
정보는 비경쟁적 재화[비경합재]이고 무료로 선물될 수 있기 때문에 '선물 경제'에 적합해.

- as + 주어(information) + 동사(is / can be gifted) ~: ~ 때문에

Know More <배경 지식> 선물 경제(gift economy): 물물 교환이나 시장 가격을 통해 상품을 거래하는 교환 경제와 대비되는 것으로, 재화를 보상에 대한 합의 없이 선물로 나누어줌으로써 필요를 충족하는 경제인데, 이는 네티즌들의 자발적인 참여를 통해 유지될 수 있음.

13
suited 적합한[적당한]
non-rival good 비경쟁적 재화[비경합재](rival 경쟁자[경쟁의])
at no cost 무료로

14 We learn by example and by direct experience **because** there are real limits to the adequacy of verbal instruction. *Malcolm Gladwell*
우리는 구두 설명의 적절성에 현실적 한계가 있기 때문에 예시와 직접 경험에 의해 배워.

- because + there + be동사(are) + 주어(real limits) ~: ~ 때문에

14
example 예[예시]
adequacy 적절성
verbal 말[구두]의
instruction 설명[지시]

15 With the advent of globalization, a decline in cultural diversity is inevitable **because** information sharing promotes homogeneity.
세계화의 도래로, 정보 공유가 동질성을 촉진하기 때문에 문화 다양성의 감소는 불가피해.

- because + 주어(information sharing) + 동사(promotes) ~: ~ 때문에

15
advent 도래[출현]
globalization 세계화
decline 감소
inevitable 불가피한
promote 촉진하다
homogeneity 동질성

본책 148~149쪽을 함께 펴놓고 보세요!

Unit 48

목적/결과/양상 부사절

주어	동사	보어	목적 부사절			
Good teaching	must be	slow enough	so that	it	is not	confusing.

Standard Sentences

01 Good teaching must be slow enough **so that** it is not confusing, **and** fast enough **so that** it is not boring. *Sydney Harris*
좋은 가르침은 혼란스럽지 않도록 충분히 느려야 하고, 지루하지 않도록 충분히 빨라야 해.
- so that + 주어(it) + 동사(is) ~: ~하기 위해[~하도록] (목적 부사절)

01
confusing 혼란스러운

02 Everybody gets **so** much information all day long **that** they lose their common sense. *Gertrude Stein*
모두가 온종일 너무 많은 정보를 얻어서 자신들의 상식은 잃어버리게 돼.
- so ~ that + 주어(they) + 동사(lose) ~: 너무 ~해서 …하다 (결과 부사절)

02
all day long 온종일
common sense 상식

03 **As** a well spent day brings happy sleep, **so** a life well spent brings happy death. *Leonardo da Vinci*
잘 보낸 하루가 행복한 잠을 가져오는 것처럼, 잘 보낸 삶은 행복한 죽음을 가져와.
- as + 주어(a well spent day) + 동사(brings) ~, so + 주어(a life well spent) + 동사(brings) ~: ~인 것처럼 …하다
- 명사(a life) + v-ed분사((well) spent): v-ed분사가 뒤에서 앞 명사 수식(수동 관계).

A Up!

04 Justice and power must be brought together **so that** whatever is just may be powerful, **and** whatever is powerful may be just. *Pascal*
정의로운 무엇이든 힘 있고 힘 있는 무엇이든 정의롭도록 정의와 힘은 결합되어야 해.
- so that + 주어(whatever절) + 동사(may be) ~: ~하기 위해[~하도록] (목적 부사절)
- whatever(주어) + be동사(is) + 보어(just / powerful): whatever절(~인 무엇이든)이 so that절 속 주어.

Know More 〈숨은 의미〉 프랑스 수학자·철학자인 파스칼의 말로, 그는 "Justice without force is powerless; force without justice is tyrannical."(힘 없는 정의는 무력하고, 정의 없는 힘은 폭력이야.)라는 말도 남겼음.

04
bring together 모으다[결합하다]
just 정의로운

05 My neighbors loved the music **so** much **when** I turned it up **that** they invited the police **to** listen.
내 이웃들은 음악을 너무 많이 사랑해서 내가 소리를 높였을 때 경찰이 듣도록 초대했어.
- so ~ that + 주어(they) + 동사(invited) ~: 너무 ~해서 …하다
- when + 주어(I) + 동사(turned) ~: ~할 때
- invite + 목적어(the police) + to-v(to listen): ~가 v하도록 초대하다

05
turn up (소리를) 높이다

06 There are two ways to live: you can live **as if** nothing is a miracle; you can live **as if** everything is a miracle. *Albert Einstein*
살아가는 두 가지 방법이 있는데, 넌 마치 아무것도 기적이 아닌 것처럼 살 수도 있고, 마치 모든 게 기적인 것처럼 살 수도 있어.
- as if + 주어(nothing / everything) + 동사(is) ~: 마치 ~인 것처럼[~인 듯이]

06
miracle 기적

07 **Just as** no one can be forced into belief, **so** no one can be forced into unbelief. *Sigmund Freud*
아무도 믿음을 강요받을 수 없는 것처럼, 아무도 불신을 강요받을 수 없어.
- (just) as + 주어(no one) + 동사(can be forced) ~, so + 주어(no one) + 동사(can be forced) ~: (꼭) ~인 것처럼 …하다

07
belief 믿음[신앙]
unbelief 불신(앙)

B **08** Have the courage to face a difficulty lest it kick you harder than you bargain for. *Stanislaus I*
어려움이 네가 예상하는 것보다 더 세게 널 차지 않도록 어려움에 맞설 수 있는 용기를 가져.

- 명사(the courage) + to-v(to face ~): to-v가 뒤에서 앞 명사 수식.
- lest + 주어(it) + (should) + 동사(kick) ~: ~하지 않도록(= so that ~ not)

Know More 〈숨은 의미〉 어려움은 피할수록 더 악화될 수 있으니 차라리 용감히 맞서는 게 낫다는 것.

08
face 직면하다[맞서다]
bargain for ~을 예상하다

09 The sky is blue and the sun is shining, so my tears are even more noticeable. *Song "I Need U" by BTS*
하늘이 파래서 햇살이 빛나서 내 눈물이 훨씬 더 잘 보이나 봐.

- so + 주어(my tears) + 동사(are) ~: 그래서[~해서]

09
even (비교급 강조) 훨씬
noticeable 뚜렷한

10 Schools should be so beautiful that the punishment should bar undutiful children from going to school the following day. *Oscar Wilde*
학교들이 너무 아름다워서 벌로 불성실한 아이들이 다음날 학교에 오지 못하게 해야 해.

- so ~ that + 주어(the punishment) + 동사(should bar) ~: 너무 ~해서 …하다
- bar + 목적어(undutiful children) + from + v-ing(going ~): ~가 v하는 것을 금지하다

10
punishment (처)벌
bar A from B
A에게 B를 금지하다
undutiful 불성실한

11 Love is such a priceless treasure that you can buy the whole world with it. *Dostoevsky*
사랑은 너무 귀중한 보물이어서 넌 그것으로 온 세상을 살 수 있어.

- such + 명사(a priceless treasure) + that + 주어(you) + 동사(can buy) ~: 너무 ~해서 …하다

Know More 〈숨은 의미〉 《죄와 벌》 《백치》 등을 남긴 러시아 문학의 최고 거장 도스토옙스키의 소설 《카라마조프 가의 형제들》에 나오는 말로, 사랑을 하면 온 세상을 다 가진 것같이 된다는 것.

11
priceless
값을 매길 수 없는[귀중한]
treasure 보물

C **Up!** **12** We must not promise what we ought not lest we should be called on to perform what we cannot. *Abraham Lincoln*
우리는 우리가 행할 수 없는 것을 행하도록 요구받지 않도록 우리가 약속해선 안 되는 것을 약속해선 안 돼.

- promise + what절(what(목적어) + 주어(we) + 동사(ought not (to promise))): what절(~인 것)이 목적어.
- lest + 주어(we) + 동사(should be called on) ~: ~하지 않도록
- perform + what절(what(목적어) + 주어(we) + 동사(cannot(perform))): what절(~인 것)이 목적어(~인 것을 행하다).

12
call on 요구하다
perform 행하다

13 Parents should have good working conditions in order that they may have the time and energy to look after their children.
부모는 아이들을 돌볼 시간과 에너지를 갖도록 좋은 근로 조건을 가져야 해.

- in order that + 주어(they) + 동사(may have) ~: ~하기 위해[~하도록](목적 부사절)
- 명사(the time and energy) + to-v(to look after ~): to-v(v할)가 뒤에서 앞 명사 수식.

13
look after 돌보다

14 Absence diminishes small loves and increases great ones, as the wind blows out the candle and fans the bonfire. *Rochefoucauld*
부재는, 바람이 촛불은 끄고 모닥불은 거세게 하듯이, 작은 사랑은 더 작게 하고 큰 사랑은 더 크게 해.

- as + 주어(the wind) + 동사(blows out / fans) ~: ~듯이[~처럼](= like)

14
absence 부재[없음]
diminish 줄이다[약화시키다]
blow out (불어서) 끄다
fan (바람으로 불을) 거세게 하다
bonfire 모닥불

15 I have an underwater camera just in case I crash my car into a river, and I see a photo opportunity of a fish that I have never seen. *Mitch Hedberg*
난 내 차를 강 속으로 추락시켜 내가 한 번도 본 적 없는 물고기를 찍을 기회를 맞이할 경우에 대비해 수중 카메라를 갖고 있어.

- just in case + 주어(I) + 동사(crash / see) ~: ~할 경우에 대비해
- 명사(a fish) + 관계절(that(목적어) + 주어(I) + 동사(have never seen)): 관계절이 앞명사 수식.

15
underwater 물속[수중]의
crash 충돌[추락]하다

본책 150~151쪽을 함께 펴놓고 보세요!

unit 49
대조[반전] 부사절

부사어	주어	동사	목적어	대조[반전] 부사절				
In archaeology	you	uncover	the unknown,	whereas	in diplomacy	you	cover	the known.

Standard Sentences

01 In archaeology you uncover the unknown, **whereas** in diplomacy you cover the known. *Thomas Pickering*
고고학에서 넌 알려지지 않은 것을 알아내지만, 외교에선 넌 알려진 것을 덮어.
- whereas + ~ 주어(you) + 동사(cover) ~: ~지만[~ 데 반해] (대조[반전] 부사절)

02 When we're happy time seems to pass by fast, **while** when we're miserable it goes really slowly. *Lynsay Sands*
우리가 행복할 때는 시간이 빨리 지나가는 것 같은 데 반해, 우리가 우울할 때는 시간이 정말 느리게 가.
- when + 주어(we) + 동사(are) ~: ~할 때
- while + ~ 주어(it) + 동사(goes) ~: ~ 데 반해[~지만] (대조[반전] 부사절)

03 **Although** Nature needs millions of years to create a new species, man needs only a few dozen years to destroy one. *Victor Scheffer*
자연이 새로운 종을 창조하기 위해서 수백만 년이 필요하지만, 인간이 그것을 파괴하기 위해선 단 수십 년만 필요해.
- although + 주어(Nature) + 동사(needs) ~: ~지만(대조[반전] 부사절)
- to-v(to create ~/to destroy ~): v하기 위해(목적)
- one = a new species

04 **Wherever** you go, **no matter what** the weather, always bring your own sunshine. *Anthony D'Angelo*
네가 어디에 가든지, 날씨가 어떻더라도, 늘 너 자신의 햇빛을 가져가.
- wherever + 주어(you) + 동사(go): 어디 ~든지[~더라도]
- no matter what + 주어(the weather) + (동사(is)): 무엇 ~든지[~더라도]

01
archaeology 고고학
uncover 알아내다
diplomacy 외교
cover 덮다

02
miserable 비참한(우울한)

03
species 종
dozen 십여 개

A

05 Humanity is an ocean; **if** a few drops of the ocean are dirty, the ocean does not become dirty. *Mahatma Gandhi*
인류는 대양이어서, 대양의 몇 방울이 더러울지라도, 대양은 더러워지지 않아.
- if + 주어(a few drops ~) + 동사(are) ~: ~지라도[~더라도]

Know More 〈숨은 의미〉 마하트마 간디의 말로, 비록 못된 인간들이 일부 있더라도 인류 전체는 고귀함을 잃지 않으니, 인간에 대한 믿음을 잃어선 안 된다는 것.

06 **However** difficult life may seem, there is always something you can do and succeed at. *Stephen Hawking*
삶이 아무리 힘들어 보일지라도, 네가 해서 성공할 수 있는 뭔가는 늘 있어.
- however + 형용사(difficult) + 주어(life) + 동사(may seem): 아무리 ~든지[~더라도]
- 대명사(something) + 관계절(주어(you) + 동사(can do / succeed at)): 관계절이 앞대명사 수식(관계사 생략).

Know More 〈배경 지식〉 스티븐 호킹은 21세부터 루게릭병을 앓아 휠체어에 의지하며 살면서도, 이론 물리학 연구에는 물론 《시간의 역사》 《위대한 설계》 등의 저술로 과학의 대중화에도 크게 기여했음.

07 Right is right **even if** everyone is against it, and wrong is wrong **even if** everyone is for it. *William Penn*
비록 모두가 그것에 반대할지라도 옳은 건 옳고, 비록 모두가 그것에 찬성할지라도 그른 건 그른 거야.
- even if + 주어(everyone) + 동사(is) ~: 비록 ~지라도[~더라도]

05
humanity 인류
ocean 대양
drop 방울

B

08 Though the connections are not always obvious, personal change is inseparable from social and political change. *Harriet Lerner*
연관성이 늘 분명하진 않지만, 개인의 변화는 사회와 정치의 변화와 분리할 수 없어.

- though + 주어(the connections) + 동사(are) ~: ~지만
- not always: 항상[늘] ~한 것은 아니다(부분 부정) ➔ Unit 59

08
connection 연관성
inseparable 분리할 수 없는

09 The man who has done his level best is a success, even though the world may write him down a failure. *B.C. Forbes*
비록 세상이 그를 실패자라고 쓸지라도, 최선을 다한 사람은 성공한 사람이야.

- 명사(the man) + 관계절(who(주어) + 동사(has done) ~): 관계절이 앞명사 수식.
- even though + 주어(the world) + 동사(may write) ~: 비록 ~지만[~지라도]

09
do one's level best
최선을 다하다

10 Life is like riding in a taxi; whether you are going anywhere or not, the meter keeps ticking. *John Maxwell*
삶은 택시에 타고 있는 것 같은데, 네가 어디론가 가고 있든 아니든, 미터기는 계속 째깍거리며 올라가.

- whether + 주어(you) + 동사(are going) ~ or not: ~이든 아니든

10
tick 째깍거리다

11 While classical physics describes the behavior of matter and energy, quantum mechanics describes the behavior of atoms and smaller particles.
고전 물리학이 물질과 에너지의 작용을 설명하는 데 반해, 양자 역학은 원자와 더 작은 입자들의 작용을 설명해.

- while + 주어(classical physics) + 동사(describes) ~: ~ 데 반해[~지만]

11
classical physics 고전 물리학
behavior 작용
quantum mechanics
양자 역학
atom 원자
particle 입자

C

12 No matter what accomplishments you make, somebody helped you.
네가 어떤 업적을 이루더라도, 누군가가 널 도왔어. *Althea Gibson*

- no matter what + 명사(accomplishments) + 주어(you) + 동사(make): 어떤 ~든지[~더라도]

12
accomplishment 업적[성과]

13 No matter how much cats fight, there always seem to be plenty of kittens. *Abraham Lincoln*
고양이들은 아무리 많이 싸우더라도, 새끼 고양이들이 늘 많이 있는 것 같아.

- no matter how + 부사(much) + 주어(cats) + 동사(fight): 아무리 ~든지[~더라도]

13
kitten 새끼 고양이

14 Try as we may for perfection, the net result of our labors is an amazing variety of imperfectness. *Samuel Crothers*
우리가 완벽을 위해 노력해도, 노고의 최종 결과는 놀라울 만큼 다양한 불완전함이야.

- 동사(try) + as + 주어(we) + 조동사(may): ~지만[~해도]

Know More <숨은 의미> 세상에 완벽한 것은 없다는 것.

14
perfection 완벽
net 최종적인
imperfectness 불완전함

15 Augmented reality alters the user's perception of a real-world environment, whereas virtual reality replaces the real-world environment with a simulated one.
증강 현실이 실세계 환경에 대한 사용자의 지각을 바꾸는 데 반해, 가상 현실은 실세계 환경을 모의 환경으로 대체해.

- whereas + 주어(virtual reality) + 동사(replaces) ~: ~ 데 반해[~지만]
- replace A(the real-world environment) with B(a simulated one): A를 B로 대체하다

15
augmented reality 증강 현실
alter 바꾸다
virtual reality 가상 현실
replace 대신[대체]하다
simulated 모의의

본책 152~153쪽을 함께 펴놓고 보세요!

Unit 50
조건 부사절

조건 부사절				주어	동사	목적어	목적보어
If	the only tool	is	a hammer,	you	see	every problem	as a nail.

Standard Sentences

01 If the only tool you have is a hammer, you tend to see every problem as a nail. *Abraham Maslow* 네가 가진 유일한 도구가 망치이면, 넌 모든 문제를 못으로 보는 경향이 있어.

- if + 주어(the only tool ~) + 동사(is) ~: ~면(조건 부사절)
- 명사(the only tool) + 관계절(주어(you) + 동사(have)): 관계절이 앞명사 수식(관계사 생략).

Know More <숨은 의미> 미국 심리학자 에이브러햄 매슬로의 말로, 인간은 자신이 가진 익숙한 도구(문제 해결책)에 지나치게 의존하는 편향을 갖게 된다는 것.

01
tool 도구
hammer 망치
tend to-v
v하는 경향이 있다
nail 못

02 Unless you try to do something beyond what you have already mastered, you will never grow. *Ronald Osborn*
네가 이미 숙달한 것 이상의 뭔가를 하려고 노력하지 않는 한, 넌 결코 성장하지 않을 거야.

- unless + 주어(you) + 동사(try) ~: ~하지 않는 한(미래 조건 부사절에 현재시제가 쓰임.)
- 전치사(beyond) + what절(what(목적어) + 주어(you) + 동사(have (already) mastered)): what절(~인 것)이 beyond 목적어.

02
beyond ~ 이상[넘어서는]
master 숙달하다

03 Once you have read a book you care about, some part of it is always with you. *Louis L'Amour* 네가 일단 관심을 가진 책을 읽었으면, 그 일부는 늘 너와 함께 있게 돼.

- once + 주어(you) + 동사(have read) ~: 일단 ~하면(조건 부사절)
- 명사(a book) + 관계절(주어(you) + 동사(care about)): 관계절이 앞명사 수식(관계사 생략).

03
care about 관심을 가지다

A

04 If you don't read the news, you're uninformed; if you read the news, you're misinformed. *Mark Twain*
네가 뉴스를 읽지 않으면 넌 정보가 없게 되고, 네가 뉴스를 읽으면 넌 잘못된 정보를 얻게 돼.

- if + 주어(you) + 동사((don't) read) ~: ~면

Know More <숨은 의미> 촌철살인의 대가 마크 트웨인의 말로, 대중 매체의 보도를 외면하면 필요한 정보가 부족하게 되고 대중 매체의 보도에 접하면 거짓 정보에 빠지게 된다는 딜레마.

04
uninformed
지식[정보]가 없는
misinform 잘못된 정보를 주다

05 If toast always lands butter-side down, and cats always land on their feet, what happens if you strap toast on the back of a cat and drop it? *Steven Wright*
토스트는 늘 버터 바른 면이 아래로 떨어지고 고양이는 늘 발로 착지한다면, 네가 토스트를 고양이 등 위에 끈으로 묶어 떨어뜨리면 무슨 일이 일어날까?

- if + 주어(toast / cats) + 동사((always) land(s)) ~: ~면
- if + 주어(you) + 동사(strap / drop) ~: ~면

Know More <유머 코드> 토스트의 버터 바른 면을 위로 해서 고양이 등에 묶어 떨어뜨리면 토스트와 고양이 중 어느 쪽이 아래로 떨어질까?

05
land 착륙하다[떨어지다]
strap 끈으로 묶다

06 You can't be happy unless you're unhappy sometimes. *Lauren Oliver*
넌 때로 불행을 느끼지 않는 한 행복을 느낄 수 없어.

- unless + 주어(you) + 동사(are) ~: ~하지 않는 한

Know More <숨은 의미> 행복한 감정은 불행했던 감정과 비교해서만 느낄 수 있다는 것.

07 Do not allow yourselves to be disheartened by any failure as long as you have done your best. *Mother Teresa*
너희들이 최선을 다했기만 하면, 너희들 자신이 어떤 실패로 낙심하게 허락하지 마.

- allow + 목적어(yourselves) + to-v(to be dishearten ~): ~가 v하게 허락하다
- as long as + 주어(you) + 동사(have done) ~: ~하기만 하면[~하는 한]

07
dishearten 낙심하게 하다

B **08** If you want to know what a man's like, take a good look at **how he treats** his inferiors, not his equals. *J.K. Rowling*
네가 어떤 사람이 어떤지 알고 싶으면, 그가 동등한 사람들이 아닌 아랫사람들을 어떻게 대하는지 잘 봐.

- know + what절(what a man is like): what절이 know의 목적어(what절 속 what은 like의 목적어).
- take a good look at + how절(how + 주어(he) + 동사(treats) ~): how절(어떻게 ~인지)이 목적어.

Know More <숨은 의미> 《해리 포터와 불의 잔》(Harry Potter and the Goblet of Fire)에 나오는 말로, 어떤 이가 강자나 동등한 사람이 아닌 약자를 대할 때 그 사람의 됨됨이가 드러난다는 것.

09 Success in creating AI might be the last event in human history **unless** we learn **how to avoid** the risks. *Stephen Hawking*
인공 지능 창조의 성공은 우리가 그 위험을 피하는 법을 배우지 않는 한, 인간 역사의 마지막 사건이 될지도 몰라.

- unless + 주어(we) + 동사(learn) ~: ~하지 않는 한(미래 조건 부사절에 현재시제가 쓰임.)
- learn + how + to-v(to avoid ~): how + to-v(v하는 법)가 learn의 목적어.

Know More <숨은 의미> 물리학자 스티븐 호킹의 말로, 인공 지능의 창조는 인류 역사상 가장 큰 사건이겠지만, 그 위험을 피하지 못하면 인류가 인공 지능에 의해 멸망할지도 모른다는 것.

10 **As long as** you can savor the humorous aspect of misery and misfortune, you can overcome anything. *John Candy*
네가 고통과 불행의 유머러스한 측면을 음미할 수 있기만 하면, 넌 무엇이든 이겨 낼 수 있어.

- as long as + 주어(you) + 동사(can savor) ~: ~하기만 하면(~하는 한)

Know More <숨은 의미> 부조리한 삶을 살아가며 겪게 되는 고통과 불행을 물러나서 보면 그 속에서도 웃기는 요소들을 찾아내 이해할 수 있을 것인데, 이러한 거리 두기와 유머 감각을 통해 희비극적인 인간의 운명에 맞서 이겨낼 수 있다는 것.

11 **In case** you're worried about **what's going to become of** the younger generation, it's going to grow up and start **worrying about** the younger generation. *Roger Allen*
네가 젊은 세대가 어떻게 될지 걱정한다면, 그 세대는 자라서 (자기보다 더) 젊은 세대에 대해 걱정하기 시작할 거야.

- in case + 주어(you) + 동사(are) ~: ~면(=if) (미래 조건 부사절에 현재시제가 쓰임.)
- 전치사(about) + what절(what(주어) + 동사(is going to become) ~): what절이 전치사(about) 목적어.

Know More <숨은 의미> "요즘 젊은 것들은 버릇이 없다." 어쩌고 하며, 언제나 앞선 세대는 뒤에 오는 세대를 걱정한다는 것.

C **12** You will never reach **your destination** **if** you stop and throw **stones** at every dog that barks. *Winston Churchill*
네가 짖는 모든 개에게 멈춰 서서 돌을 던지면, 넌 결코 목적지에 도착하지 못할 거야.

- if + 주어(you) + 동사(stop and throw) ~: ~면(미래 조건 부사절에 현재시제가 쓰임.)
- 명사(every dog) + 관계절(that(주어) + 동사(barks)): 관계절이 앞명사 수식.

Know More **<유머 코드>** 살아가면서 맞닥뜨리는 갖가지 어려움이나 반대, 비판에 일일이 다 맞대응하다가는 영영 목적지에 다다르지 못하니, 중요하지 않은 건 무시하고 중요한 것에만 집중해 해결해 나가야 한다는 것.

13 **Given that** many animals have senses, emotions and intelligence, we should treat them with respect. *Jane Goodall*
많은 동물들이 감각과 감정과 지능을 갖고 있다는 걸 고려하면, 우리는 존중심을 갖고 그들을 대해야 해.

- given that + 주어(many animals) + 동사(have) ~: ~ 것을 고려하면

14 **Once** you overcome the one inch tall barrier of subtitles, you will be introduced to so many more amazing films. *Bong Joon Ho*
네가 일단 1인치 높이 자막의 장벽을 뛰어넘으면, 넌 훨씬 더 많은 놀라운 영화들을 접하게 될 거야.

- once + 주어(you) + 동사(overcome) ~: 일단 ~하면(미래 조건 부사절에 현재시제가 쓰임.)

Know More **<배경 지식>** 한국 영화감독 봉준호가 '기생충(Parasite)'으로 골든 글러브 외국어 영화상을 수상하며 한 말.

15 The pleasure of work is open to anyone who can develop some specialized skill, **provided that** he can get **satisfaction** from the exercise of his skill. *Bertrand Russell*
일의 즐거움은 자신의 기술 발휘에서 만족을 얻을 수 있다면, 전문 기술을 발전시킬 수 있는 누구에게든 열려 있어.

- 대명사(anyone) + 관계절(who(주어) + 동사(can develop) ~): 관계절이 앞대명사 수식.
- provided that + 주어(he) + 동사(can get) ~: ~면

08
treat 대하다
inferior 아랫사람
equal 동등한 (사람)

09
avoid (회)피하다
risk 위험

10
savor 음미하다
misery 고통
misfortune 불운[불행]

11
what becomes of
~이 어떻게 되다
generation 세대

12
destination 목적지[도착지]
bark 짖다

13
sense 감각
emotion 감정
intelligence 지능

14
overcome 극복하다[뛰어넘다]
barrier 장벽
subtitle 자막
introduce
소개하다[접하게 하다]

15
pleasure 즐거움
specialized 전문적인
satisfaction 만족
exercise 발휘

본책 154~155쪽을 함께 펴놓고 보세요!

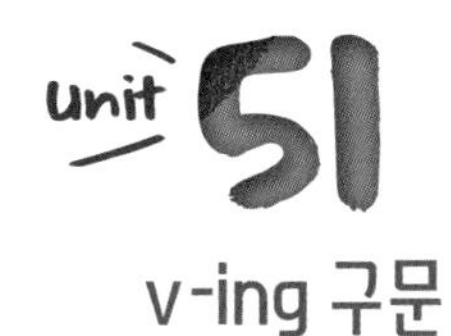

v-ing 구문

주어	동사	목적어	부사어	v-ing
I	spent	15 minutes	searching for my phone,	using my phone as a flashlight.

Standard Sentences

01 I just **spent 15 minutes searching for my phone** in my room, **using my phone as a flashlight.**

난 방금 내 폰을 손전등으로 사용해 내 방에서 내 폰을 찾느라 15분을 보냈어.

- spend + 시간(15 minutes) + v-ing(searching for ~): v하면서 시간을 보내다
- 주어 + 동사 ~ + v-ing(using ~): 주절과 동시 동작[상황].

02 **Passed from parents to offspring**, DNA contains **the specific instructions that make each type of living creature unique.**

부모에서 자식으로 전해질 때, 디엔에이는 각종 생물을 독특하게 하는 특정 지시를 포함해.

- (being) v-ed분사(passed ~) + 주어 + 동사 ~: 주절의 주어와 수동 관계(being 생략). = when it is passed ~
- 명사(the specific instructions) + 관계절(that(주어) + 동사(make) ~): 관계절이 앞명사 수식.

03 **Once having tasted** flight, you will walk the earth **with your eyes turned** skywards. *Leonardo da Vinci*

일단 비행을 맛본 적이 있으면, 넌 네 눈을 하늘로 향한 채 땅을 걷게 될 거야.

- 접속사(once) + having v-ed분사(having tasted ~) + 주어 + 동사 ~: 접속사 강조, 완료형(having v-ed분사).
- with + 명사(your eyes) + v-ed분사(turned ~): ~된 채(명사와 수동 관계.)

Know More <숨은 의미> 새가 나는 방법에 대한 연구로 비행기의 원리를 생각해 낸 르네상스의 만능인 레오나르도 다 빈치의 말로, 강력한 경험은 다시 하고 싶은 열망을 갖게 한다는 것.

01
flashlight 손전등

02
offspring 자식
specific 특정한
instruction 지시
creature 생물
unique 독특한

03
once 일단 ~하면
flight 비행
skywards 하늘 쪽으로

A

04 **Feeling confident** I can always **learn what I need to know**, I never feel I am incapable of succeeding. *Susan Wiggs*

난 알아야 하는 것을 항상 배울 수 있다는 자신감을 느끼기 때문에, 난 결코 내가 성공할 수 없다고 느끼지 않아.

- v-ing(feeling ~) + 주어 + 동사 ~: 이유를 나타냄(= because I feel ~).
- learn + what절(what + 주어(I) + 동사(need) ~): what절(~인 것)이 목적어(what절의 what은 know의 목적어).

05 **Not knowing the process by which results are arrived at**, we judge others according to results. *George Eliot*

결과가 거쳐 도달되는 과정을 모르기 때문에, 우리는 다른 사람들을 결과에 따라 판단해.

- not v-ing(not knowing ~) + 주어 + 동사 ~: v-ing의 부정. 이유를 나타냄(= because we don't know ~).
- 명사(the process) + 관계절(by which + 주어(results) + 동사(are arrived at)): 관계절이 앞명사 수식.

06 The legal status of GM foods varies, **with some nations banning or restricting** them, and **others permitting** them.

유전자 변형 식품들의 법적 지위는 다양한데, 어떤 나라들은 그것들을 금지하거나 제한하고 다른 나라들은 그것들을 허용해.

- with + 명사(some nations / others) + v-ing(banning or restricting / permitting ~): 명사와 능동 관계.

07 Earth could contain nearly 1 trillion species, **with only one-thousandth of 1 percent now identified.**

지구는 거의 1조 개의 종들을 포함할 수도 있는데, 그 중 1퍼센트의 1000분의 1만 현재 발견되어 있어.

- with + 명사(only one-thousandth of 1 percent) + v-ed분사((now) identified): 명사와 수동 관계.

Know More <배경 지식> 최신 미생물 연구 결과에 따르면 지구의 모든 종의 99.999퍼센트는 아직 발견되지 않은 채 있다는 것.

04
confident 자신감 있는
incapable of ~을 할 수 없는

05
process 과정
according to ~에 따라

06
status 지위
GM(=genetically modified) foods 유전자 변형 식품
vary 다양하다
ban 금지하다
restrict 제한하다
permit 허용하다

07
contain 포함하다
trillion 1조
identify 확인하다[발견하다]

B 08 **Judging** by brain-to-body size, dolphins may be the second most intelligent mammal after humans.
두뇌 대 신체 크기로 판단하면, 돌고래는 인간 다음 두 번째로 가장 지능이 높은 포유류일지도 몰라.

- judging by ~: ~로 판단하면

08
intelligent 지능이 높은[있는]
mammal 포유류

09 **Not affected** by foreign conquest, all political revolutions originate in moral revolutions. *John Stuart Mill*
외국의 정복에 의해 영향을 받지 않는다면, 모든 정치 혁명은 도덕 혁명에서 비롯돼.

- not v-ed분사(not affected ~) + 주어 + 동사 ~: 주절의 주어와 수동 관계(being 생략). = if they are not affected ~

Know More <숨은 의미> (표현의) 자유의 개념을 확립한 《자유론》으로 유명한 정치 사상가이자 공리주의 철학자 존 스튜어트 밀의 말로, 외국의 침략으로 인한 것이 아닌 기성 체제[제도]의 전복인 혁명은 결국 기존 여론과 도덕의 혁명적 전복의 결과일 뿐이라는 것.

09
conquest 정복
revolution 혁명
originate 비롯되다
moral 도덕상의[도덕적인]

10 The proportion of the food expenses, **other things being equal**, is the best measure of the material standard of living of a population. *Ernst Engel*
음식비의 비율은, 다른 것들이 동일하다면, 인구의 물질적 생활 수준의 가장 좋은 척도야.

- 의미상 주어(other things) + v-ing(being ~) + 주어 + 동사 ~: 주절의 주어와 다를 경우 v-ing 앞에 의미상 주어.

Know More <배경 지식> 엥겔 법칙: 총지출에서 음식비 지출이 차지하는 비율(엥겔 계수)이 저소득 가계일수록 높고 고소득 가계일수록 낮다는 것.

10
proportion 비율
expense 비용
measure 척도
standard of living 생활 수준
population 인구

11 Cultural meanings, values and tastes run the risk of becoming homogenized, **with information being** so easily **distributed** throughout the world.
문화적 의미와 가치와 취향은, 정보가 전 세계로 매우 쉽게 유통되고 있으면서, 동질화될 위험이 있어.

- with + 명사(information) + v-ing(being (so easily) distributed ~): 명사와 진행 수동 관계.

11
run the risk of ~의 위험이 있다
homogenized 동질화된
distribute 분배[유통]하다

C 12 **Drawing on** my fine command of the English language, I said nothing.
나의 훌륭한 영어 구사력을 활용해서, 난 아무것도 말하지 않았어. *Robert Benchley*

- v-ing(drawing on ~) + 주어 + 동사 ~: 이유를 나타냄(= because I drew on ~).

Know More <유머 코드> 침묵해야 할 때 침묵할 수 있는 것이야말로 고도의 언어 구사 능력이라는 의미로, 반전의 묘미를 극대화하는 유명한 유머 문장.('훌륭한 영어 구사력을 활용했는데도 아무것도 말하지 못했다'라고 오역하지 않도록 유의할 것.)

12
draw on 활용[의존]하다
command 능력[구사력]

Up! 13 **Looking** on you a moment, I can speak no more **but my tongue falls** silent, and with my eyes I can see nothing. *Sappho*
널 잠깐 바라볼 때면, 난 혀가 침묵에 빠지는 것 말고는 더 이상 말할 수 없고 눈으로 난 아무것도 볼 수 없어.

- v-ing(looking ~) + 주어 + 동사 ~: 때를 나타냄(= when I look ~).
- but + 주어(my tongue) + 동사(falls) ~: ~ 외에[~하지 않고]

Know More <배경 지식> 고대 그리스의 여성 시인 사포의 시구로, 그녀는 여성 특유의 조화로운 사랑과 우정의 환희를 영혼의 열정과 고결함을 통해 아름답게 읊어 그 명성이 전설적인 남성 시인 호메로스[호머]와 견줄 만큼 높았음.

13
tongue 혀
fall silent 조용해지다

14 User-generated content (UGC) leads to the democratization of content production, **breaking** down traditional media hierarchies.
사용자 생성 콘텐츠는 콘텐츠 생산의 민주화에 이르러, 전통적 미디어 위계질서를 무너뜨려.

- 주어 + 동사 ~ + v-ing(breaking ~): 주절과 동시[연속] 동작[상황].

Know More <배경 지식> 콘텐츠 '생산자(대기업)→소비자(개인)'의 수직적 구조인 기존 매스 미디어 시대가 저물고, 개인들이 누구나 다양한 콘텐츠를 직접 생산하고 서로 공유할 수 있는 '생산자 = 소비자'의 민주적 구조인 1인 미디어 시대가 밝아 왔다는 것.

14
user-generated content(UGC) 사용자 생성 콘텐츠
democratization 민주화
hierarchy 계급[위계]

15 "Surrealist" artists created strange creatures from everyday objects, **developing painting techniques that allowed** the unconscious to express itself.
'초현실주의' 예술가들은 일상적 물건들로 이상한 창조물들을 창조해서, 무의식이 스스로 표현하도록 하는 미술 기법을 개발했어.

- 주어 + 동사 ~ + v-ing(developing ~): 주절과 동시[연속] 동작[상황].
- 명사(painting techniques) + 관계절(that(주어) + 동사(allowed) ~): 관계절이 앞명사 수식.

15
surrealist 초현실주의
creature 창조물
object 물건
the unconscious 무의식

본책 • p.156

A

01 When your children are teenagers, it's important to have a dog so that someone in the house is happy to see you. *Nora Ephron*
당신 아이들이 십대일 때, 집 안의 누군가가 당신을 보고 기뻐하도록 개를 기르는 게 중요해.
- it(형식주어) + 동사(is) ~ + to-v(to have ~): to-v(v하는 것)가 진주어.
- so that + 주어(someone ~) + 동사(is) ~: ~하기 위해[~하도록]

Know More 〈유머 코드〉 이래서 개 키우는 집들이 늘어나는가?! 십대들이여, 아무리 성장이 아프고 고달파도 부모님을 좀 더 밝은 얼굴로 대하자!

02 You know you're in love when you can't fall asleep because reality is finally better than your dreams. *Dr. Seuss*
넌 현실이 마침내 네 꿈보다 더 좋기 때문에 네가 잠들 수 없을 때 네가 사랑에 빠진 걸 알게 돼.
- know + that절((that) + 주어(you) + 동사(are) ~): that절(~ 것)이 목적어(that 생략).
- when + 주어(you) + 동사(can't fall) ~: ~할 때 • because + 주어(reality) + 동사(is) ~: ~ 때문에

03 Sometimes people don't want to hear the truth since they don't want their illusions destroyed. *Friderich Nietzsche*
때로 사람들은 자신들의 환상이 깨지는 걸 원치 않기 때문에 진실을 듣기를 원치 않아.
- since + 주어(they) + 동사(don't want) ~: ~ 때문에(이유 부사절)
- want + 목적어(their illusions) + v-ed분사(destroyed): ~가 v되기를 원하다(목적어 – 목적보어 수동 관계.)

03
illusion 환상

04 If you really think that the environment is less important than the economy, try holding your breath while you count your money. *Guy McPherson*
네가 환경이 경제보다 덜 중요하다고 진짜 생각한다면, 네가 돈을 세는 동안 숨을 참아 봐.
- think + that절(that + 주어(the environment) + 동사(is) ~): that절(~ 것)이 think의 목적어.
- while + 주어(you) + 동사(count) ~: ~하는 동안(시간 부사절)

04
try v-ing
(시험삼아) v해 보다

Think 05 A meaningful life can be satisfying even in the midst of hardship, whereas a meaningless life is a terrible ordeal no matter how comfortable it is. *Yuval Harari*
의미 있는 삶이 어려움의 한가운데서조차 만족스러울 수 있지만, 의미 없는 삶은 아무리 편안하더라도 끔찍한 시련이야.
- whereas + 주어(a meaningless life) + 동사(is) ~: ~지만[~ 데 반해]
- no matter how + 형용사(comfortable) + 주어(it) + 동사(is): 아무리 ~더라도[~든지]

05
midst 한가운데
hardship 어려움[곤란]
ordeal 시련

06 Once you eliminate the impossible, whatever remains, no matter how improbable, must be the truth. *Conan Doyle*
일단 네가 불가능한 것을 제거하면, 무엇이든 남은 것이, 그게 아무리 사실 같지 않더라도, 사실임에 틀림없어.
- once + 주어(you) + 동사(eliminate) ~: 일단 ~하면
- whatever(주어) + 동사(remains): whatever절(~인 무엇이든)이 주어.
- no matter how + 형용사(improbable): 아무리 ~더라도[~든지]

Know More 〈배경 지식〉 영국 소설가 코난 도일의 추리 소설 주인공 셜록 홈즈(Sherlock Homes)의 말.

06
eliminate 없애다[제거하다]
the impossible 불가능한 것
improbable 사실 같지 않은

Up! 07 Hamlet contemplates death and suicide, complaining about the pain and unfairness of life but acknowledging that the alternative might be worse.
햄릿은 죽음과 자살을 숙고하면서, 삶의 고통과 불공평에 대해 불평하지만 대안이 더 나쁠지도 모른다는 걸 인정해.
- 주어 + 동사 ~ + v-ing(complaining/acknowledging ~): 주절과 동시 동작[상황].

Know More 〈배경 지식〉 영문학의 최고봉 윌리엄 셰익스피어의 대표작 '햄릿(*Hamlet*)' 3막 1장에 나오는, 영어 문장 중 가장 유명하고 널리 인용되는 "To be, or not to be, that is the question.(살까 살지 말까, 그게 문제야.)"로 시작되는 햄릿의 독백으로, 부조리한 현실에 절망해 죽음을 생각하면서도 미지의 사후 세계에 대한 두려움으로 행동하지 못하는 우유부단함을 보여 주는 것.

07
contemplate 고려[숙고]하다
suicide 자살
unfairness 부당성[불공평]
acknowledge 인정하다
alternative 대안

B

08 Please don't lie to me unless you're absolutely sure I'll never find out the truth. *Ashleigh Brilliant* 넌 내가 절대 진실을 알아내지 못할 거라고 완전히 확신하지 않는 한 제발 내게 거짓말하지 마.
- unless + 주어(you) + 동사(are) ~: ~하지 않는 한

08
absolutely 절대적으로[완전히]

09 Sometimes we fall so that we can learn to pick ourselves back up.
때로 우리는 우리 자신을 다시 일으켜 세우는 걸 배울 수 있기 위해 넘어져. *Movie "Batman Begins"*
- so that + 주어(we) + 동사(can learn) ~: ~하기 위해[~하도록]

Know More 〈배경 지식〉 영화 《배트맨 비긴즈》에 나오는 대사로, 실패에 결코 굴하지 말라고 용기를 북돋우는 것.

10 Communication is something so simple and difficult that we can never put it in simple words. *T.S. Mathews*
커뮤니케이션[의사소통]은 너무 단순하면서도 어려운 것이어서 우리는 그걸 단순한 말로 결코 할 수 없어.
- -thing(something) + 형용사(so simple and difficult): 형용사가 -thing을 뒤에서 수식.
- so ~ that + 주어(we) + 동사(can never put) ~: 너무 ~해서 …하다

Know More 〈숨은 의미〉 의사소통의 어려움과 그 매체인 말의 한계를 너무도 간단명료하게 나타낸 것.

10
put ~ in words
~을 말로 하다

가정표현

Unit Words

■ 본격적인 구문 학습에 앞서, 각 유닛별 주요 단어를 확인하세요.

Unit 52 가정표현 1

- ☐ cease 중단하다[그치다]
- ☐ crudeness 조야함
- ☐ unbearable 참을[견딜] 수 없는
- ☐ warrior 전사
- ☐ dose 복용량[투여량]
- ☐ antibiotic 항생제
- ☐ be about to 막 ~하려고 하다
- ☐ infinitely 무한히[대단히]
- ☐ discontented 불만족한
- ☐ deserve 받을 만하다[자격이 있다]
- ☐ distortion 왜곡
- ☐ self-deception 자기기만

Unit 53 가정표현 2

- ☐ mental illness 정신 질환
- ☐ quantum 양자
- ☐ circuit 회로
- ☐ manifestation 나타남[현현]
- ☐ be obliged to ~해야 한다
- ☐ conquer 정복하다
- ☐ commit suicide 자살하다
- ☐ candlelight 촛불
- ☐ astound 경악시키다
- ☐ pump 퍼 올리다[퍼붓다]
- ☐ frame (틀에 따라) 만들다
- ☐ articulation 발화[발음]

Unit 54 가정표현 3

- ☐ vanish 사라지다
- ☐ collapse 붕괴되다
- ☐ chaos 카오스[혼돈]
- ☐ turn to ~로 변하다
- ☐ flood 넘치다[범람하다]
- ☐ miss 놓치다
- ☐ deathbed 임종(의 자리)
- ☐ enforcement 집행[시행]
- ☐ organized 조직화된

Unit 55 가정표현 4

- ☐ distrust 불신[의심]하다
- ☐ imperative 긴요한[꼭 해야 하는]
- ☐ hard-working 근면한
- ☐ reward 보상하다
- ☐ take in 취하다[이해하다]
- ☐ diverse 다양한
- ☐ opposing 대립되는
- ☐ address 다루다
- ☐ self-interest 사리사욕
- ☐ propose 제시하다
- ☐ faithful 충실한
- ☐ vital 절대 필요한[필수적인]
- ☐ essential 필수적인
- ☐ timely 시의적절하게[적시에]
- ☐ desirable 바람직한
- ☐ legislation 법률 제정
- ☐ shield 보호하다
- ☐ wage worker 임금 노동자

본책 158~159쪽을 함께 펴놓고 보세요!

Unit 52
가정표현 1

If + 주어 + v-ed ~				주어	would V	목적어	목적보어
If	you	knew	how much work went into it,	you	wouldn't call	it	genius.

Standard Sentences

01 **If you knew how much work went into it, you wouldn't call it genius.** *Michelangelo*
만약 네가 얼마나 많은 노력이 그것에 들어가는지 안다면, 넌 그것을 천재성이라 부르지 않을 거야.
- If + 주어 + v-ed(knew) ~, 주어 + 과거조동사 V(wouldn't call) ...: 만약 ~다면, …할 거야[텐데](현재·미래 상황 가정·상상.)
- know + how절(how much + 주어(work) + 동사(went) ~): how절(얼마나 ~인지)이 목적어.

Know More 〈숨은 의미〉 르네상스 대표적 조각가·건축가·화가 미켈란젤로의 말로, 작품은 천재성이 아니라 노력으로 만들어진다는 것.

02 **If life were predictable, it would cease to be life, and be without flavor.** *Eleanor Roosevelt*
만약 삶이 예측할 수 있다면, 그건 삶인 걸 그치고 맛이 없어질 거야.
- If + 주어 + were ~, 주어 + 과거조동사 V(would cease / be) ...: 만약 ~다면, …할 거야[텐데](현재·미래 상황 가정·상상.)

02
predictable 예측할 수 있는
cease 중단하다[그치다]
flavor 맛[풍미]

03 **Without art, the crudeness of reality would make the world unbearable.** *Bernard Shaw*
만약 예술이 없다면, 현실의 조야함이 세상을 견딜 수 없게 할 거야.
- without ~ + 주어 + 과거조동사 V(would make) ...: 만약 ~이 없다면, …할 거야[텐데](현재·미래 상황 가정·상상.)
- without art(= if there were[was] no art)

03
crudeness 조야함
unbearable 참을[견딜] 수 없는

A

04 There's so much pollution in the air now that **if it weren't for** our lungs there **would be** no place to put it all. *Robert Orben*
지금 대기 중에 너무 많은 오염 물질이 있어서 만약 우리 폐들이 없다면 그것 모두를 둘 곳도 없을 거야.
- so ~ that …: 너무 ~해서 …하다
- if it weren't[wasn't] for ~, there + 과거조동사 V(would be) + 주어: 만약 ~이 없다면, …이 있을 거야[텐데]

Know More 〈유머 코드〉 웃으려고 해도 웃을 수도 없는, 대기 오염의 심각성에 대한 너무도 통렬한 풍자.

05 **But for** words and writing, there **would be** no history and there **could be** no concept of humanity. *Hermann Hesse*
만약 말과 글쓰기가 없다면, 역사도 없을 것이고 인간성의 개념도 있을 수 없을 거야.
- but for ~, there + 과거조동사 V(would / could be) + 주어: 만약 ~이 없다면, …이 (있을 수) 있을 거야[텐데]
- but for words and writing(= if it were[was] not for words and writing)

05
concept 개념
humanity 인간성

06 We face many challenges and have to fight like a warrior; **otherwise**, life **would be** boring.
우리는 많은 도전에 직면해 있고 전사처럼 싸워야 해. 만약 그렇지 않다면 삶은 지루할 거야.
- otherwise, 주어 + 과거조동사 V(would be) ~: 만약 그렇지 않다면, ~할 거야[텐데](현재·미래 상황 가정·상상.)

06
face 직면하다
challenge 도전
warrior 전사

07 **Beyond some point,** further doses of antibiotics **would kill** no bacteria at all, and **might** even **become** harmful to the body.
어느 단계를 넘어선다면, 더 이상의 항생제 투여는 박테리아를 전혀 죽이지 못하고, 심지어 인체에 해롭게 될지도 몰라.
- beyond some point, 주어 + 과거조동사 V(would kill / might become) ~: 부사구(beyond some point)가 조건절 역할.

07
further 더 이상의
dose 복용량[투여량]
antibiotic 항생제

B **08** **If** today **were** the last day of my life, **would** I **want** to do what I am about to do today? *Steve Jobs*
만약 오늘이 내 삶의 마지막 날이라면, 난 내가 오늘 막 하려는 것을 하길 원할까?

- If + 주어 + were ~, 과거조동사(would) + 주어 + V(want) ...?: 만약 ~다면, …할까?(현재·미래 상황 가정·상상.)
- do + what절(what(목적어) + 주어(I) + 동사(am about to do) ~): what절(~인 것)이 목적어.

08
be about to 막 ~하려고 하다

09 Life **would be** infinitely happier **if** we **could** only **be** born at the age of eighty and gradually approach eighteen. *Mark Twain*
만약 우리가 80살에 태어나 점점 18살에 다가갈 수만 있다면 삶은 엄청 더 행복할 텐데.

- 주어 + 과거조동사 V(would be) ~ + if + 주어(we) + could V(could be/approach) ...: 만약 …할 수 있다면, ~할 텐데[거야]

Know More 〈유머 코드〉 나이를 거꾸로 먹어 노인에서 청년으로 살아온다면 성장이나 노화로 인한 고통은 없을 거란 것.

09
infinitely 무한히[대단히]
gradually 점점
approach 다가가다

10 **If** a lion **could talk**, we **could not understand** him. *Ludwig Wittgenstein*
만약 사자가 말할 수 있더라도, 우리는 그를 이해할 수 없을 거야.

- If + 주어 + could V(could talk), 주어 + 과거조동사 V(could not understand) ...: 만약 ~할 수 있더라도, …할 거야(if절이 조건절이 아닌 대조[반전]절로 쓰인 드문 경우.)

Know More 〈배경 지식〉 철학자 비트겐슈타인의 말로, 비록 사자가 말한다 할지라도 우리는 사자와 언어 사용과 관련된 삶의 양식을 공유하고 있지 않기 때문에 사자의 말을 이해할 수 없다는 것.("단어의 의미는 주어진 언어-게임 속에서 그 단어가 사용될 때 가장 잘 이해된다.")

10
if 만약 ~더라도[~지라도]

Think **11** **Were** there none who were discontented with what they have, the world **would never reach** anything better. *Florence Nightingale*
만약 자신이 가진 것에 불만인 사람이 없다면, 세상은 결코 더 좋은 곳에 이르지 못할 거야.

- Were + there + 주어(= if there were + 주어): if 생략, were가 앞으로 나감.
- Were + there + 주어, 주어 + 과거조동사 V(would never reach) ...: 만약 ~이 있다면, …할 거야[텐데]
- 대명사(none) + 관계절(who(주어) + 동사(were) ~): 관계절이 앞대명사 수식.
- 전치사(with) + what절(what(목적어) + 주어(they) + 동사(have)): what절(~인 것)이 전치사 목적어.

11
discontented 불만족한

C **12** **Even if** I **knew** the world would end tomorrow, I **would continue** to plant my apple trees. *Martin Luther*
난 비록 세상이 내일 끝날 거라는 걸 알더라도, 계속 나의 사과나무들을 심을 거야.

- even if + 주어 + v-ed(knew) ~, 주어 + 과거조동사 V(would continue) ...: 비록 ~더라도, …할 거야(대조[반전])

Know More 〈배경 지식〉 흔히 스피노자의 말이라 잘못 알려진 이 말은, 독일의 종교 개혁가 마르틴 루터가 했다고 전해지기도 했지만 출처가 불분명함.

Up! **13** **If** there **weren't** any need for you in all your uniqueness to be on this earth, you **wouldn't be** here in the first place. *Buckminster Fuller*
만약 완전히 유일한 네가 이 세상에 있을 필요가 없다면, 넌 우선 여기에 있지 않을 거야.

- If + there + weren't + 주어, 주어 + 과거조동사 V(wouldn't be) ...: 만약 ~이 없다면, …할 거야[텐데]

Know More 〈숨은 의미〉 유일무이한 개인은 존재 자체가 이미 세상에 필요하다는 존재 증명이라는 것.

13
uniqueness 유일함[독특함]
in the first place 우선[먼저]

14 A computer **would deserve** to be called intelligent **if** it **could deceive** a human into believing that it was human. *Alan Turing*
만약 컴퓨터가 사람을 속여 컴퓨터가 인간이라고 믿게 할 수 있다면 컴퓨터는 지능적이라고 불릴 자격이 있을 거야.

- 주어 + 과거조동사 V(would deserve) ~ + if + 주어 + could V(could deceive) ...: 만약 …할 수 있다면, ~할 거야[텐데]

Know More 〈배경 지식〉 컴퓨터 과학과 인공 지능 분야의 선구자 '컴퓨터 과학의 아버지' 앨런 튜링이 1950년에 한 말.

14
deserve
받을 만하다[자격이 있다]
intelligent 지능적인
deceive ~ into v-ing
~을 속여 v하게 하다

15 **Suppose** we **were** able to share meanings freely without distortion and self-deception, this **would constitute** a real revolution in culture. *David Bohm*
만약 우리가 왜곡과 자기기만 없이 자유롭게 의미들을 나눌 수 있다고 한다면, 이것이야말로 진정한 문화의 혁명이 될 거야.

- Suppose + 주어 + were ~, 주어 + 과거조동사 V(would constitute) ...: 만약 ~라고 한다면, …할 거야[텐데]

Know More 〈숨은 의미〉 강요나 왜곡 없이 자유로운 의미들의 상호 공유를 통해 진정한 문화적 혁명이 이루어진다는 것.

15
suppose 만약 ~라고 한다면
distortion 왜곡
self-deception 자기기만
constitute
~이 되다[구성하다]

본책 160~161쪽을 함께 펴놓고 보세요!

Unit 53 가정표현 2

주어	would have v-ed분사	목적어	if + 주어 + had v-ed분사			
Man	would not have attained	the possible	if	he	had not reached out	for the impossible.

Standard Sentences

01 Man **would not have attained** the possible **if** he **had not reached out** for the impossible. *Max Weber*
만약 인간이 불가능한 것을 잡으려고 손을 뻗지 않았더라면 인간은 가능한 것에 이르지 못했을 거야.

- 주어 + 과거조동사 have v-ed분사(would not have attained) ~ + if + 주어 + had v-ed분사(had not reached out) ...: 만약 …했더라면, ~했을 거야[텐데](과거 상황 가정·상상.)

01
attain 이루다[이르다]
reach out for ~을 잡으려고 손을 뻗다

02 **Had** Cleopatra's nose **been** shorter, the whole face of the world **would have been changed.** *Pascal* 만약 클레오파트라의 코가 좀 더 낮았더라면, 세계의 전체 모습이 바뀌었을 거야.

- Had + 주어 + v-ed분사(been) ~(= if + 주어 + had v-ed분사(had been) ~): if 생략, had가 앞으로 나감.
- Had + 주어 + v-ed분사(been) ~, 주어 + 과거조동사 have v-ed분사(would have been changed) ...: 만약 ~했더라면, …했을 거야[텐데](과거 상황 가정·상상.)

Know More 〈배경 지식〉 고대 로마의 여러 남성 장군들과의 연합과 전쟁 등을 통해 호걸로서의 파란만장한 삶을 살았던 고대 이집트의 여성 파라오 클레오파트라를 후대의 프랑스 수학자·철학자인 파스칼이 일종의 성적인 관점에서 평가한 말.

03 If you **had seen** one day of war, you **would pray** to God **that** you would never see another. *Duke of Wellington*
만약 네가 전쟁의 하루를 보았더라면, 넌 신에게 네가 절대 또 다른 하루를 보지 않기를 기도할 거야.

- If + 주어 + had v-ed분사(had seen) ~, 주어 + 과거조동사 V(would pray) ...: 만약 ~했더라면(과거 가정), …할 거야(현재 가정)

03
pray 기도[기원]하다

A **04** Many of the good things **would never have happened if** the bad events **hadn't happened** first. *Suze Orman*
만약 나쁜 사건들이 먼저 일어나지 않았더라면 많은 좋은 일들도 결코 생기지 않았을 거야.

- 주어 + 과거조동사 have v-ed분사(would never have happened) + if + 주어 + had v-ed분사(hadn't happened) ...: 만약 …했더라면, ~했을 거야[텐데](과거 상황 가정·상상.)

05 If Van Gogh **had taken** medication for his mental illness, **would** the world **have been deprived of** a great artist? *Peter Kramer*
만약 반 고흐가 정신 질환에 대한 약물 치료를 받았더라면, 세계는 위대한 예술가를 빼앗겼을까?

- If + 주어 + had v-ed분사(had taken) ~, 과거조동사(would) + 주어 + have v-ed분사(have been deprived of) ...?: 만약 ~했더라면, …했을까?(과거 상황 가정·상상.)

Know More 〈배경 지식〉 빈센트 반 고흐는 그의 작품 전부를 정신 질환을 앓고 자살하기 전 10년 동안에 그렸음.

05
medication 약[약물] (치료)
mental illness 정신 질환
deprive A of B A에게서 B를 빼앗다

06 **Without** quantum theory, scientists **could not have developed** nuclear energy or the electric circuits that provide the basis for computers.
만약 양자론이 없었더라면, 과학자들은 핵에너지나 컴퓨터에 기반을 제공하는 전자 회로를 개발할 수 없었을 거야.

- without ~, 주어 + 과거조동사 have v-ed분사(could not have developed) ...: 만약 ~이 없었더라면, …할 수 있었을 거야
- 명사(the electric circuits) + 관계절(that(주어) + 동사(provide) ~): 관계절이 앞명사 수식.

06
quantum 양자
theory 이론
electric 전기의
circuit 회로
basis 기초[기반]

Up! **07** Beauty is a manifestation of secret natural laws, which **otherwise would have been hidden** from us forever. *Goethe*
아름다움은 은밀한 자연법칙의 현현[나타남]인데, 만약 그렇지 않다면 그것(자연법칙)은 영원히 우리에게 숨겨져 있었을 거야.

- secret natural laws, which(주어) ~: which 관계절이 앞명사를 받아 보충 설명.
- 주어(which) + otherwise(= if beauty were not a manifestation ~) + 과거조동사 have v-ed분사(would have been hidden) ~: 만약 그렇지 않다면, ~했을 거야

Know More 〈숨은 의미〉 괴테의 말로, 아름다움을 통해 은밀하게 숨겨져 있는 자연법칙을 발견하고 깨닫게 된다는 것.

07
manifestation 나타남[현현]
secret 비밀의[은밀한]
otherwise (만약) 그렇지 않으면[않다면]

B 08 **If I had had me** for a student, I **would have thrown** me out of class immediately. *Lynda Barry*
만약 내가 나를 학생으로 상대했더라면, (교사인) 난 (학생인) 날 즉시 교실 밖으로 던져 버렸을 거야.

- If + 주어 + had v-ed분사(had had) ~, 주어 + 과거조동사 have v-ed분사(would have thrown) ...: 만약 ~했더라면, …했을 거야(과거 상황 가정·상상.)

Know More **<유머 코드>** 미국의 만화가이자 교사인 필자가 못되게 굴었던 자신의 학창 시절을 회고하면서 반성하는 것.

08
immediately 즉시

09 **Had it not been for** you, I **would have remained** what I was when we first met. *Benjamin Disraeli* 만약 네가 없었더라면, 난 여전히 우리가 처음 만났을 때의 나였을 거야.

- Had it not been for ~(= if it had not been for ~): if 생략, had가 앞으로 나감.
- Had it not been for ~, 주어 + 과거조동사 have v-ed분사(would have remained) ...: 만약 ~이 없었더라면, …했을 거야
- remain + what절(what I was ~): what절(~인 것)이 보어(여전히 ~인 것이다).

Know More **<숨은 의미>** 널 만나 내가 변했다는 것.

09
remain 계속[여전히] ~이다

10 **If** the Romans **had been obliged to learn** Latin, they **would never have found** time to conquer the world. *Heinrich Heine*
만약 로마인들이 의무적으로 라틴어를 배워야 했더라면, 그들은 결코 세계를 정복할 시간을 찾지 못했을 거야.

- If + 주어 + had v-ed분사(had been obliged to learn) ~, 주어 + 과거조동사 have v-ed분사(would never have found) ...: 만약 ~했더라면, …했을 거야[텐데](과거 상황 가정·상상.)

Know More **<배경 지식>** 독일의 세계적 시인 하인리히 하이네가 라틴어의 어려움을 꼬집은 말로, 일부 성직자들에게 독점되었던 라틴어 성서를 독일말로 번역해 누구나 읽을 수 있도록 한 독일의 종교 개혁가 마르틴 루터도 떠올리게 하는 것.

10
be obliged to (의무적으로) ~해야 한다
conquer 정복하다

11 **If I had** no sense of humor, I **would have committed** suicide long ago.
만약 내게 유머 감각이 없다면, 난 오래전에 자살했을 거야. *Mahatma Gandhi*

- If + 주어 + v-ed(had) ~, 주어 + 과거조동사 have v-ed분사(would have committed) ...: 만약 ~다면(현재 가정), …했을 거야(과거 가정)

Know More **<배경 지식>** 간디의 말로, 유머 감각은 고난의 인생길을 버티게 해 주는 희귀한 축복이라 고백하고 있는 것.

11
commit suicide 자살하다

C 12 We owe a lot to Thomas Edison; **if it had not been for** him, we **would be watching** television by candlelight. *Milton Berle*
우리는 많은 걸 토머스 에디슨에 빚지고 있는데, 만약 그가 없었더라면 우리는 촛불로 텔레비전을 보고 있을 거야.

- if it had not been for ~, 주어 + 과거조동사 V(would be watching) ...: 만약 ~이 없었더라면(과거 가정), …하고 있을 거야(현재 가정)

Know More **<유머 코드>** 전구의 발명으로 각 가정의 전기 사용을 가능하게 한 에디슨과 전기를 소재로 한 유머.

12
owe 빚지다
candlelight 촛불

13 **If it had not been for** the discontent of a few fellows who had not been satisfied with their conditions, you **would still be living** in caves. *Eugene Debs*
만약 환경에 만족하지 않았던 소수의 동료 인간들의 불만이 없었더라면, 넌 여전히 동굴에서 살고 있을 거야.

- If it had not been for ~, 주어 + 과거조동사 V(would be living) ...: 만약 ~이 없었더라면(과거 가정), …하고 있을 거야(현재 가정)
- 명사(a few fellows) + 관계절(who(주어) + 동사(had not been) ~): 관계절이 앞명사 수식.

13
discontent 불만
cave 동굴

14 I **would be astounded if** all the stuff we are pumping into the atmosphere **hadn't changed** the climate. *David Attenborough*
만약 우리가 대기로 퍼붓고 있는 모든 것들이 기후를 변화시키지 않았더라면 난 경악할 거야.

- 주어 + 과거조동사 V(would be astounded) + if + 주어 + had v-ed분사(hadn't changed) ...: 만약 …했더라면(과거 가정), ~할 거야(현재 가정)
- 명사(all the stuff) + 관계절(주어(we) + 동사(are pumping) ~): 관계절이 앞명사 수식(관계사 생략).

Know More **<숨은 의미>** 대기 오염으로 인한 기후 변화는 필연적인 결과로, 그렇지 않았더라면 오히려 놀라울 거라는 것.

14
astound 경악시키다
stuff 것[물질]
pump 퍼 올리다[퍼붓다]
atmosphere 대기

15 **If** the tongue **had not been framed** for articulation, man **would still be** a beast in the forest. *Ralph Emerson*
혀가 말을 발음할 수 있도록 만들어지지 않았더라면, 인간은 아직 숲속의 야수인 채로 있을 거야.

- If + 주어 + had v-ed분사(had not been framed) ~, 주어 + 과거조동사 V(would be) ...: 만약 ~했더라면(과거 가정), …할 거야(현재 가정)

15
frame (틀에 따라) 만들다
articulation 발화[발음]
beast 짐승[야수]

본책 162~163쪽을 함께 펴놓고 보세요!

가정표현 3

If + 주어 + were to V			주어	would V	부사어
If	insects	were to vanish,	the environment	would collapse	into chaos.

Standard Sentences

01 **If** insects **were to vanish,** the environment **would collapse** into chaos.
만약 곤충들이 사라진다면, 환경은 혼돈 상태로 붕괴될 거야. *E. O. Wilson*

- If + 주어 + were to + V(vanish), 주어 + would + V(collapse) ...: 만약 ~다면, …할 거야(미래 가능성 적은 가정.)

01
vanish 사라지다
collapse 붕괴되다
chaos 카오스(혼돈)

02 I **wish** money **grew** on trees, **but** it takes hard work to make money.
돈이 나무에서 자란다면 좋을 테지만, 돈을 버는 데는 힘든 일이 필요해. *Jim Cramer*

- 주어 + wish + 주어 + v-ed(grew) ...: ~다면 좋을 텐데(~하기를 바라)(이룰 수 없는 소망.)
- it + takes + 목적어(hard work) + to-v(to make ~): v하는 데 ~가 필요하다

03 We are living on this planet **as if** we **had** another one to go to.
우리는 마치 우리가 갈 수 있는 또 다른 행성이 있는 것처럼 이 지구에서 살고 있어. *Terri Swearingen*

- 주어 + 동사(are living) ~ + as if + 주어 + v-ed(had) ...: 마치 ~인 것처럼(주절과 같은 때에 대한 가정.)
- 명사(another one) + to-v(to go to): to-v가 뒤에서 앞 명사 수식.

Know More <숨은 의미> 우리가 지구 환경을 버리고 떠날 수 있는 것처럼 막 파괴한다는 것.

03
planet 행성(세상)

04 **It's time** you **realized** that you have something in you more powerful than the things that affect you. *Marcus Aurelius*
네가 네게 영향을 미치는 것들보다 더 강력한 뭔가를 네 안에 갖고 있음을 깨달아야 할 때야.

- It's time + 주어(you) + v-ed(realized) ~: ~해야 할 때다(현재·미래에 대한 불만·촉구.)
- 명사(the things) + 관계절(that(주어) + 동사(affect) ~): that절이 앞명사 수식하는 관계절.

Know More <숨은 의미> 자신에게 영향을 미치는 주변 환경보다 자신 안에 있는 힘이 더 강하다는 걸 깨달아 주체적인 삶을 살라는 것.

04
realize 깨닫다
affect ~에 영향을 미치다

A

05 **If** you **should leave** me, my heart **will turn** to water **and flood away.**
만약 네가 날 떠난다면, 내 가슴은 물로 변해 넘쳐 떠내려 갈 거야. *Jeanette Winterson*

- If + 주어 + should + V(leave) ~, 주어 + will + V(turn / flood away) ...: 미래 가능성 적은 가정이나 완곡한 표현.

05
turn to ~로 변하다
flood 넘치다(범람하다)

06 **If** people **should** ever **start** to do only what is necessary, millions **would die** of hunger. *Georg Lichtenberg*
만약 사람들이 언제든 단지 필요한 일만 하기 시작한다면, 수많은 사람들이 굶어 죽을 거야.

- If + 주어 + should + V(start) ~, 주어 + would + V(die) ...: 만약 ~다면, …할 거야(미래 가능성 적은 가정.)
- do + (only) what절(what(주어) + 동사(is) ~): what절(~인 것)이 목적어.

Know More <배경 지식> 인간이 당장 자신에게 필요한 일만 하게 된다면 불확실한 미래와 상호 의존적인 세상에서 공멸하게 될 거라는 것.

06
million 100만(수많은)
hunger 굶주림(기아)

07 Live **as if** you **were to die** tomorrow; learn **as if** you **were to live** forever.
마치 네가 내일 죽을 것처럼 살고, 마치 네가 영원히 살 것처럼 배워. *Mahatma Gandhi*

- 동사(live / learn) ~ + as if + 주어(you) + were to + V(die / live) ~: 마치 ~할 것처럼(미래 가능성 적은 가정.)

B 08 **I wish** they **would** only **take** me as I am. *Vincent Van Gogh*
그들이 나를 그저 있는 그대로의 나로 받아들이기만 하면 좋을 텐데.

- 주어 + wish + 주어 + would + V(take) ~: ~다면 좋을 텐데[~하기를 바라](이룰 수 없는 소망.)

Know More **<배경 지식>** 짧은 생애 고독과 냉대 속에 살다 간 고흐의 말.

09 **I wish I had known** that what seemed to be the end of the world often turned out to be a positive experience. *Annie Lennox*
내가 세상의 끝처럼 보이는 것이 흔히 긍정적인 경험이 된다는 걸 알았더라면 좋을 텐데.

- 주어 + wish + 주어 + had v-ed분사(had known) ~: ~했다면 좋을 텐데[~했기를 바라](이룰 수 없었던 소망.)
- what절(what(주어) + 동사(seemed) ~) + 동사(turned out) ~: what절(~인 것)이 that절 속 주어.

09
turn out 되다[드러나다]
positive 긍정적인

10 Students should not feel **as if** they **had missed** the boat if they failed exams. *Joseph Musca*
학생들은 시험에 떨어지면 마치 그들이 배를 놓친 것처럼 느껴선 안 돼.

- 주어 + 동사(should not feel) + as if + 주어 + had v-ed분사(had missed) ~: 마치 ~였던 것처럼(주절보다 앞선 때.)

Know More **<숨은 의미>** 시험에 떨어져도 다음 기회가 주어져야 한다는 것(배도 다음 배를 탈 수 있듯이).

10
miss 놓치다

11 No one on their deathbeds **wished** they **had spent** more time at the office – or watching TV. *Stephen Covey*
임종의 자리에서 누구도 사무실에서나 텔레비전을 보면서 더 많은 시간을 보냈기를 바라지 않았어.

- 주어 + wished + 주어 + had v-ed분사(had spent) ~: ~했기를 바랐다[~했다면 좋았을 텐데](이룰 수 없었던 소망.)

11
deathbed 임종(의 자리)

C 12 What **would happen if** you **were to travel** back in time **and kill** your grandfather when he was still a child? *The Grandfather Paradox*
만약 네가 시간을 거꾸로 여행해 할아버지가 아직 아이였을 때 그를 돌아가시게 한다면 무슨 일이 일어날까?

- 주어(what) + would + V(happen) + if + 주어 + were to + V(travel/kill) ...: 만약 …다면, ~할 거야(미래 가능성 적은 가정.)

Know More **<배경 지식>** 과거로의 시간 여행 패러독스로, 과거를 바꾼다면 자신이 태어나지 않았을 모순이 생긴다는 것. (다중 우주론으로 해결하기도 함.)

13 **Haven't** you ever **wished** that you **could steal** back just a few hours of your past? *Lisa Kleypas*
넌 과거의 단지 몇 시간만이라도 도로 훔칠 수 있기를 바랐던 적이 없니?

- 주어 + have wished + that + 주어 + could + V(steal) ~: ~할 수 있기를 바란 적이 있다(이룰 수 없는 소망.)

13
steal 훔치다

14 It **takes** great courage **to look** at something **as though** we **had never seen** it before. *Henri Matisse*
우리가 뭔가를 마치 전에 한 번도 본 적이 없었던 것처럼 바라보는 데는 큰 용기가 필요해.

- It + takes + 명사(great courage) + to-v(to look ~): v하는 데 ~가 필요하다
- as though + 주어 + had v-ed분사(had never seen) ~: 마치 ~였던 것처럼(주절보다 앞선 때에 대한 가정.)

Know More **<배경 지식>** 포비슴(야수파) 운동의 중심 화가 앙리 마티스의 말로, 전혀 새로운 시각에서 대상과 표현 수단의 순수함을 재빌견하려는 용기를 가지라는 것.

14
as though 마치 ~인 것처럼

15 **It's about time** law enforcement **got** as organized as organized crime. *Rudy Giuliani*
법 집행이 조직화된 범죄만큼 조직화되어야 할 때야.

- It's (about) time + 주어(law enforcement) + v-ed(got) ~: ~해야 할 때다(현재·미래에 대한 불만·촉구.)
- as + 형용사(organized) + as ~: ~만큼 …한 ➲ Unit 56

Know More **<숨은 의미>** 범죄가 나날이 조직화되니 이에 대처하는 형법 집행 역시 조직화되어야 한다는 것.

15
enforcement 집행[시행]
organized 조직화된

본책 164~165쪽을 함께 펴놓고 보세요!

unit 55 가정표현 4

주어	동사	(that) + 주어 + V			
They	proposed	that	the UN	establish	an emergency center for climate change.

Standard Sentences

01 They proposed that the UN **establish** an emergency center for climate change.
그들은 유엔이 기후 변화에 대한 비상 센터를 설립할 것을 제의했어.
- 주어 + 제안 동사(proposed) + (that) 주어 + 동사원형(establish) ~: ~(해야) 할 것을 제안하다

01
propose 제안[제의]하다
establish 설립하다
emergency 비상

02 Descartes recommended that we **distrust** the senses and **rely on** the use of our intellect. *Allen Wood*
데카르트는 우리가 감각을 믿지 말고 지성의 사용에 의지할 것을 권고했어.
- 주어 + 권고 동사(recommended) + (that) 주어 + 동사원형(distrust / rely on) ~: ~(해야) 할 것을 권고하다

Know More <배경 지식> "나는 생각[의심]한다, 고로 존재한다."라는 말을 남긴 근대 철학의 아버지 데카르트는 확실한 진리를 찾기 위한 방법으로서 의심을 강조했고, 불완전한 감각은 특히 의심하라고 했다는 것.

02
recommend 권(고)하다
distrust 불신[의심]하다
rely on 의지하다[믿다]
intellect 지성[지적 능력]

03 It is imperative that a suitable education **be provided** for all citizens. *Thomas Jefferson*
적절한 교육이 모든 시민들에게 제공되는 것이 긴요해.
- It is + 필요 형용사(imperative) + that + 주어 + 동사원형(be provided) ~: ~ 것이 긴요하다(that절이 진주어.)

03
imperative 긴요한[꼭 해야 하는]
suitable 적합한[적절한]

A **04** Justice demands that the good and hard-working **be rewarded** and the evil and the lazy **be punished.** *Evan Sayet*
정의는 선량하고 근면한 사람들은 보상받고 악하고 게으른 사람들은 처벌받을 것을 요구해.
- 주어 + 요구 동사(demands) + (that) 주어 + 동사원형(be rewarded / punished) ~: ~(해야) 할 것을 요구하다

04
demand 요구하다
hard-working 근면한
reward 보상하다
punish 처벌하다

☺ **05** If you are a dog and your owner suggests that you **wear** a sweater, suggest that he **wear** a tail. *Fran Lebowitz*
네가 개이고 네 주인이 네가 스웨터를 입을 것을 제안하면, 그가 꼬리를 달 것을 제안해.
- (주어) + 제안 동사(suggest(s)) + (that) 주어(you / he) + 동사원형(wear) ~: ~(해야) 할 것을 제안하다

Know More <유머 코드> 사람이 개에게 스웨터 등을 입히는 풍조를 풍자한 것.

05
owner 주인
suggest 제안하다
tail 꼬리

06 My mother insisted that I **find** joy in small moments and **take in** the beauty of an ordinary day. *Jennifer Garner*
내 어머니는 내가 작은 순간들에서 기쁨을 찾고 일상적인 날의 아름다움을 취해야 한다고 주장했어.
- 주어 + 주장 동사(insisted) + (that) 주어 + 동사원형(find / take in) ~: ~해야 한다고 주장하다

06
insist 주장하다
take in 취하다[이해하다]
ordinary 보통의[일상적인]

07 It's important that the media **provide** us with diverse and opposing views, so we can choose the best available options. *James Winter*
미디어는 우리가 최선의 가능한 선택을 할 수 있도록 우리에게 다양하고 대립되는 견해를 제공하는 것이 중요해.
- It is + 필요 형용사(important) + that + 주어 + 동사원형(provide) ~: ~ 것이 중요하다(that절이 진주어.)
- so (that) + 주어(we) + can + V(choose) ~: ~하기 위해[~하도록](목적 부사절) unit 48

07
diverse 다양한
opposing 대립되는
view 견해[관점]
available 이용할[구할] 수 있는
option 선택

B **08** Democracy **requires** that the public **be able to address** common problems outside of their own self-interest. *Eli Pariser*
민주주의는 대중이 자기 자신의 사리사욕 외에 공동의 문제들을 다룰 수 있기를 요구해.

- 주어 + **요구 동사(requires)** + (that) 주어 + **동사원형(be able to address)** ~: ~(해야) 할 것을 요구하다

08
require 요구[필요]하다
address 다루다
outside (of) ~ 외에
self-interest 사리사욕

09 I never **insisted** that I **was** a good student.
난 내가 모범생이라고 결코 주장하지 않았어.

- 주어 + **동사(insisted)** + (that) 주어 + **동사(was)** ~: ~ 것을 주장하다
(that절이 '해야 한다'는 의미가 아니라 그냥 사실을 나타내면, 가정표현이 아닌 일반 표현을 써야 함.)

10 Copernicus **proposed** that the sun **was** the center of the universe and that the planets **revolved** around it.
코페르니쿠스는 태양이 우주의 중심이고 행성들이 그 둘레를 돈다고 제시했어.

- 주어 + **동사(proposed)** + (that) 주어 + **동사(was/revolved)** ~: ~ 것을 제시하다
(that절이 '해야 한다'는 의미가 아니라 그냥 사실을 나타내면, 가정표현이 아닌 일반 표현을 써야 함.)

10
propose 제시하다
revolve 돌다[회전하다]

Up! **11** Chaos theory **suggests that** what appears as chaos **is** not really chaotic, but a series of different types of orders. *Frederick Lenz*
카오스 이론은 카오스[혼돈]처럼 보이는 것이 사실은 혼돈 상태가 아니라 일련의 다른 형태의 질서들임을 시사해.

- 주어 + **동사(suggests)** + (that) 주어 + **동사(is)** ~: ~ 것을 시사하다
(that절이 '해야 한다'는 의미가 아니라 그냥 사실을 나타내면, 가정표현이 아닌 일반 표현을 써야 함.)
- what절(what(주어) + 동사(appears) ~) + 동사(is) ~: what절(~인 것)이 that절 속 주어.

11
chaos 카오스[혼돈]
suggest 시사[암시]하다
chaotic 혼돈 상태인

C **12** It is **necessary** to the happiness of man that he **be** mentally faithful to himself. *Thomas Paine*
인간이 자신에게 정신적으로 충실한 것이 자신의 행복에 필수적이야.

- It is + **필요 형용사(necessary)** ~ + that + 주어(he) + **동사원형(be)** ~: ~ 것이 필수적이다(that절이 진주어.)

Know More <숨은 의미> 자기기만에 빠지지 말고, 항상 자신에게 솔직하고 자신을 믿고 사랑해야 행복해질 수 있다는 것.

12
necessary 필수적인[필요한]
mentally 정신적으로
faithful 충실한

13 It is **vital** that our relationship with nature and the environment **be included** in our education systems. *Lawrence Anthony*
자연과 환경과 우리의 관계가 우리 교육 체계에 포함되는 것은 절대 필요해.

- It is + **필요 형용사(vital)** + that + 주어(our relationship ~) + **동사원형(be included)** ~: ~ 것이 절대 필요하다

13
vital 절대 필요한[필수적인]
include 포함하다

14 To achieve something great, it is **essential** that a man **use** time responsibly and timely. *Eyler Coates*
큰일을 이루기 위해선, 인간이 시간을 책임 있고 시의적절하게 사용하는 것이 필수적이야.

- to-v(to achieve ~): v하기 위해(목적)
- it is + **필요 형용사(essential)** + that + 주어(a man) + **동사원형(use)** ~: ~ 것이 필수적이다

14
essential 필수적인
responsibly 책임 있게
timely 시의적절하게[적시에]

Up! **15** It is not only **desirable** but **necessary** that there **be** legislation which carefully shields the interests of wage workers. *Theodore Roosevelt*
임금 노동자의 이익을 주의 깊게 보호하는 법률 제정이 있는 것은 바람직할 뿐만 아니라 필수적이야.

- It is + **필요 형용사(desirable/necessary)** + that + there + **동사원형(be)** + 주어(legislation ~): ~ 것이 바람직하다/필수적이다
- 명사(legislation) + 관계절(which(주어) + 동사(shields) ~): 관계절이 앞명사 수식.

15
desirable 바람직한
legislation 법률 제정
shield 보호하다
wage worker 임금 노동자

본책 • p.166

A

01 This world **would be** melancholy **without** children, and inhuman **without** the aged. *Samuel Coleridge*
이 세상은 만약 아이들이 없다면 우울할 거고, 만약 노인들이 없다면 인간미가 없을 거야.
- 주어 + 과거조동사 V(would be) ~ + without …: 만약 …이 없다면 ~할 거야(현재·미래 상황 가정·상상.)

01
melancholy 우울한
inhuman
비인간적인[인간미 없는]

02 Nothing **would be** more tiresome than eating and drinking **if** God **had not made** them a pleasure as well as a necessity. *Voltaire*
만약 신이 먹고 마시는 걸 필수뿐만 아니라 즐거움이 되게 하지 않았더라면 아무것도 먹고 마시는 것보다 더 귀찮지 않을 거야.
- 주어 + 과거조동사 V(would be) ~ + if + 주어 + had v-ed분사(had not made) …: 만약 …했더라면(과거 가정), ~할 거야(현재 가정)

02
tiresome 귀찮은
as well as ~뿐만 아니라
necessity 필요[필수]

03 **If** somebody **had found** an exploding black hole, I **would have won** a Nobel prize. *Stephen Hawking*
만약 누군가가 폭발하는 블랙홀을 발견했더라면, 난 노벨상을 받았을 텐데.
- If + 주어 + had v-ed분사(had found) ~, 주어 + 과거조동사 have v-ed분사(would have won) …: 만약 ~했더라면, …했을 텐데

Know More <배경 지식> 2018년 타계한 최고 이론물리학자 스티븐 호킹의 말로, 그는 블랙홀 관련 우주론과 양자 중력의 연구에 크게 기여했는데, 실험을 통한 입증과 평가가 필요한 노벨상 수상은 불발로 끝난 것.

03
explode 폭발하다
black hole 블랙홀

04 I **wish** I **could buy** you for what you are really worth and **sell** you for what you think you're worth. *Zora Hurston*
난 널 너의 진짜 가치만큼 주고 사서 네가 생각하는 너의 가치만큼 받고 팔 수 있으면 좋을 텐데.
- 주어 + wish + 주어 + could + V(buy/sell) ~: ~할 수 있으면 좋을 텐데
- 전치사(for) + what절(what + (you think) + 주어(you) + 동사(are) ~): what절이 전치사(for) 목적어(what은 worth 목적어).

Know More <유머 코드> 자신을 과대평가하는 상대에게 쓸 수 있는 유머로, 과대평가된 차액만큼 벌 수 있겠다는 것.

05 Use your eyes as if tomorrow you **would be** stricken blind; listen to music as if you **could never hear** again. *Helen Keller*
마치 내일 네가 눈이 멀 것처럼 네 눈을 쓰고, 다시는 결코 들을 수 없을 것처럼 음악을 들어.
- as if + 주어 + 과거조동사 V(would be / could never hear) ~: 마치 ~일/~할 수 없을 것처럼

Know More <배경 지식> 평생 시각 장애와 청각 장애를 함께 안고 살아간 헬런 켈러의 말.

05
as if 마치 ~인 것처럼
stricken (병에) 걸린

06 Tradition **demands** that we **not speak** ill of the dead. *Daniel Barenboim*
전통은 우리가 죽은 사람들에 대해 나쁘게 말하지 말 것을 요구해.
- 주어 + 요구 동사(demands) + (that) 주어 + 동사원형(not speak) ~: ~(해야) 할 것을 요구하다

06
demand 요구하다
speak ill of
~에 대해 나쁘게 말하다

07 Experts **advise** that each person **drink** the right amount of water for their body weight, level of physical activity and the climate.
전문가들은 각자가 자신의 체중과 신체 활동 수준과 기후에 알맞은 양의 물을 마실 것을 조언해.
- 주어 + 권고 동사(advise) + (that) 주어 + 동사원형(drink) ~: ~(해야) 할 것을 조언하다

07
expert 전문가
advise 조언하다

B

08 You probably **wouldn't worry** about what people think of you **if** you **could know** how seldom they do. *Olin Miller*
만약 네가 사람들이 너에 대해 얼마나 생각하지 않는지 알 수 있다면, 넌 아마 사람들이 너에 대해 어떻게 생각하는지 걱정하지 않을 거야.
- 주어 + 과거조동사 V(wouldn't worry) ~ + if + 주어 + could + V(know) …: 만약 …할 수 있다면, ~할 거야
- worry about + what절(what(목적어) + 주어(people) + 동사(think) ~): what절(무엇 ~인지)이 목적어.
- know + how절(how seldom + 주어(they) + 동사(do)): how절(얼마나 ~인지)이 목적어.

08
probably 아마
seldom 좀처럼[거의] ~ 않는

09 **If** all mankind **were to disappear**, the world **would regenerate** back to the rich state of equilibrium that existed ten thousand years ago. *E. O. Wilson*
만약 모든 인류가 사라진다면, 세상은 만 년 전에 존재했던 풍부한 평형 상태로 다시 재생될 거야.
- If + 주어 + were to + V(disappear), 주어 + would + V(regenerate) …: 만약 ~다면, …할 거야(미래 가능성 적은 가정.)
- 명사(the rich state of equilibrium) + 관계절(that(주어) + 동사(existed) ~). 관계절이 앞명사 수식.

09
regenerate 재생되다
equilibrium 평형[균형]

10 History **suggests** that capitalism **is** a necessary condition for political freedom, not a sufficient condition. *Milton Friedman*
역사는 자본주의가 정치적 자유를 위한 충분조건이 아니라 필요조건임을 시사해.
- 주어 + suggests + (that) 주어 + 동사(is) ~: ~ 것을 시사하다(사실을 나타내므로, 가정표현이 아닌 일반 표현을 씀.)

Know More <배경 지식> 경제학자 밀턴 프리드먼의 주장으로, 자본주의가 정치적 자유를 위해 필요는 하지만, 정치적 자유를 보장하지는 못한다는 것.

10
suggest 시사[암시]하다
capitalism 자본주의
condition 조건
sufficient 충분한

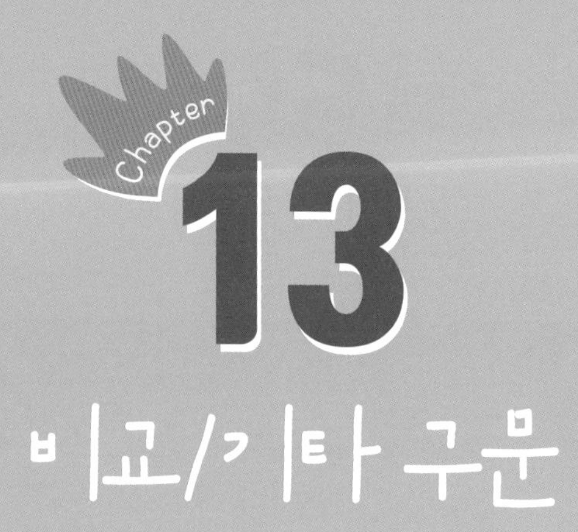

비교/기타 구문

Unit Words

■ 본격적인 구문 학습에 앞서, 각 유닛별 주요 단어를 확인하세요.

Unit 56 동등비교 / 우월비교

- ☐ grain 알갱이
- ☐ profit 수익
- ☐ laborer 노동자
- ☐ complicated 복잡한
- ☐ blue whale 흰긴수염고래
- ☐ convincing 설득력 있는
- ☐ tyranny 압제[폭정]
- ☐ monarchy 군주제
- ☐ apathy 무관심

Unit 57 최상급 표현

- ☐ fatal 치명적인
- ☐ ailment 질병
- ☐ extensively 널리[광범위하게]
- ☐ aggressive 공격적인[적극적인]
- ☐ afford 제공하다
- ☐ firmly 확고히
- ☐ least 가장 적게[덜]
- ☐ witness 증인[목격자]
- ☐ accuser 고소인[고발인]
- ☐ conscience 양심
- ☐ dwell 살다[거주하다]
- ☐ reconciliation 화해
- ☐ adolescent 청소년
- ☐ far (비교급 강조) 훨씬
- ☐ outlet 배출구

Unit 58 강조 구문

- ☐ give the floor 발언권을 주다
- ☐ context 맥락
- ☐ affection 애정[사랑]
- ☐ sanctify 신성하게 하다
- ☐ commonplace 흔한
- ☐ dare 용기를 내다
- ☐ faithfully 충실히
- ☐ reap 거두다[수확하다]
- ☐ blood vessel 혈관
- ☐ wrath 분노[노여움]
- ☐ foe 적
- ☐ consciousness 의식

Unit 59 부정 / 도치 구문

- ☐ woe 비통
- ☐ separation 헤어짐[분리]
- ☐ win-win 모두에게 유리한
- ☐ blessed 복 받은
- ☐ weep 울다
- ☐ dice 주사위
- ☐ trial 시련
- ☐ inspire 불어넣다
- ☐ contagious 전염성의
- ☐ potential 잠재력
- ☐ rarely 드물게
- ☐ struggle 투쟁

Unit 60 수 일치 & 시제 조정

- ☐ adapt to ~에 적응하다
- ☐ civilized 문명화된
- ☐ property 재산
- ☐ reserve 예약하다
- ☐ neutrality 중립
- ☐ curse 욕하다
- ☐ statistics 통계(학)
- ☐ expert 전문가
- ☐ figure 수치
- ☐ attribute 결과로 보다
- ☐ variation 변화
- ☐ extinction 멸종

본책 168~169쪽을 함께 펴놓고 보세요!

Unit 56
동등비교 / 우월비교

주어	동사	as + 형용사 + as ~
Cultural diversity	is	as necessary for humankind as biodiversity is for nature.

Standard Sentences

01 Cultural diversity is **as necessary** for humankind **as** biodiversity is for nature. *UNESCO* 문화의 다양성은 생물의 다양성이 자연에 필요한 만큼 인간에게 필요해.

- as + 형용사(necessary) ~ + as ~: ~만큼 …한(동등비교)

01 biodiversity 생물의 다양성

02 The total number of stars in the universe is **larger than** all the grains of sand on all the beaches of the planet Earth. *Carl Sagan*
우주에 있는 별들의 총수는 지구의 모든 해변에 있는 모든 모래 알갱이보다 더 커.

- 형용사 비교급(larger) + than ~: ~보다 더 …한

02 grain 알갱이

03 We have **two ears and one mouth** so that we can listen **twice as much as** we speak. *Epictetus*
우리는 우리가 말하는 것의 두 배로 많이 들을 수 있도록 두 개의 귀와 한 개의 입을 가지고 있어.

- so that + 주어(we) + 동사(can listen) ~: ~하기 위해[~하도록](목적 부사절)
- twice + as + 부사(much) + as ~: ~의 두 배 …하게

A 04 The important thing in science is **not so much** to obtain new facts **as** to discover new ways of thinking about them. *William Bragg*
과학에서 중요한 것은 새로운 사실들을 얻는 거라기보다는 그것들에 대해 생각하는 새로운 방식들을 발견하는 거야.

- not so much A(to obtain ~) as B(to discover ~): A라기보다는 B(A와 B는 to-v(v하는 것)로 보어.)

04 obtain 얻다

Up! 05 The farmer and manufacturer can **no more** live without profit **than** the laborer without wages. *David Ricardo*
농부와 제조자가 수익 없이 살 수 없는 것은 노동자가 임금 없이 살 수 없는 것과 같아.

- A no more ~ than B …: A가 ~ 아닌 것은 B가 … 아닌 것과 같다(A와 B 둘 다 부정.)

05 manufacturer 제조자 / profit 수익 / laborer 노동자 / wage 임금

06 Language is a part of our organism and **no less** complicated **than** it.
언어는 우리 유기적 조직체[사회]의 일부인데 유기적 조직체[사회] 못지않게 복잡해. *Ludwig Wittgenstein*

- A no less ~ than B: A는 B 못지않게[만큼] ~하다(A와 B 둘 다 긍정.)

Know More <배경 지식> 비트겐슈타인은 철학을 사물이나 현상을 설명하기 위해 사용하는 언어를 연구하는 학문이며, 같은 언어를 사용한다는 것은 생활 양식을 공유하는 것이라고 생각했음.

06 organism 유기적 조직체[사회] / complicated 복잡한

07 Laziness is **nothing more than** the habit of resting before you get tired.
게으름은 피곤해지기 전에 쉬는 버릇에 불과해. *Jules Renard*

- nothing more than ~: ~에 불과한[지나지 않는]
- before + 주어(you) + 동사(get) ~: ~하기 전에(시간 부사절)

07 laziness 게으름 / habit 버릇

B 08 A blue whale's tongue alone can weigh **as much as** an elephant **and** its heart **as much as** an automobile.
흰긴수염고래의 혀만 무려 코끼리 무게나 되고 심장은 자동차 무게나 될 수 있어.

- as many[much] as ~: 무려 ~나 되는
- its heart (can weigh) as much as an automobile: 반복 어구 생략.

08
blue whale 흰긴수염고래

09 Each year the US population spends **more** money on diets **than** the amount needed to feed all the hungry people in the rest of the world. *Yuval Harari*
매년 미국 사람들은 나머지 세계의 모든 굶주리는 사람들을 먹이기에 필요한 금액보다 더 많은 돈을 다이어트에 써.

- more … than ~: ~보다 더 많은 …
- 명사(the amount) + v-ed분사(needed ~): v-ed분사가 뒤에서 앞 명사 수식.

09
population 인구[주민]
diet 다이어트
rest 나머지

10 Curiosity will conquer fear **even more easily than** bravery will. *James Stephens*
호기심은 용기(가 두려움을 이겨 내는 것)보다 훨씬 더 쉽게 두려움을 이겨낼 거야.

- even + 부사 비교급(more easily) + than ~: ~보다 훨씬 더 …하게(even은 비교급 강조.)

Know More 〈숨은 의미〉 호기심이 용기보다 더 쉽게 위험을 무릅쓰게 한다는 것.

10
curiosity 호기심
conquer 정복하다[이기다]
bravery 용기

11 Depression is about **ten times more common** now **than** it was fifty years ago. 우울증은 50년 전보다 지금 약 10배 더 흔해졌어.

- ~ times + 형용사 비교급(more common) + than ~: ~보다 ~배 …한

11
depression 우울증
common 흔한

C 12 Several excuses are always **less convincing than** one. *Aldous Huxley*
여러 변명들은 늘 하나의 변명보다 덜 설득력 있어.

- less + 형용사(convincing) + than ~: ~보다 덜 …한

12
excuse 변명
convincing 설득력 있는

13 What happens is **not as important as** how you react to what happens.
무슨 일이 일어나는지는 네가 일어나는 일에 어떻게 반응하는지만큼 중요하지 않아. *Ellen Glasgow*

- what절(what(주어) + 동사(happens)): what절(무엇 ~인지/~인 것)이 주어/전치사(to) 목적어.
- not + as + 형용사(important) + as + how절(how + 주어(you) + 동사(react) ~): how절(어떻게 ~인지)만큼 …하지 않은

13
react 반응하다

14 The tyranny of a king in a monarchy is **not so dangerous** to the public welfare **as** the apathy of a citizen in a democracy. *Montesquieu*
군주제에서의 왕의 폭정은 민주주의에서의 시민의 무관심만큼 공공복지에 위험하지 않아.

- not + so + 형용사(dangerous) ~ + as ~: ~만큼 …하지 않은

Know More 〈숨은 의미〉 정치사상가·법학자 몽테스키외의 말로, 시민의 참여로 이루어지는 민주주의에서 시민의 무관심은 군주의 폭정보다도 공공복지에 더 위험하다는 것.

14
tyranny 압제[폭정]
monarchy 군주제
welfare 복지
apathy 무관심

15 The art of government consists in taking **as much** money **as possible** from one party of the citizens to give to the other. *Voltaire*
정치의 기술은 다른 편의 시민들에게 주기 위해 한 편의 시민들에게 가능한 한 많은 돈을 받는 데 있어.

- as + much ~ + as possible: 가능한 한 많은 ~

Know More 〈배경 지식〉 프랑스 계몽주의 '관용'의 사상가 볼테르의 말로, 정부의 주요 기능 중 하나로 빈부 격차 완화와 복지 국가 실현의 기본 원리를 표현한 것.

15
government 정부[정치]
consist in ~에 있다
party 단체

본책 170~171쪽을 함께 펴놓고 보세요!

최상급 표현

주어	동사	최상급
An imbalance between rich and poor	is	the oldest and most fatal ailment of all republics.

Standard Sentences

01 An imbalance between rich and poor is **the oldest and most fatal** ailment of all republics. *Plutarch*
빈부 간의 불균형은 모든 공화국들의 가장 오래되고 가장 치명적인 질병이야.
- the + 형용사 최상급(oldest and most fatal): 가장 ~한

02 **Nothing is more beautiful than** the loveliness of the woods before sunrise. *George Carver*
아무것도 해뜨기 전 숲의 사랑스러움보다 더 아름답지 않아.
- nothing … + 형용사 비교급(more beautiful) + than ~: 아무것도 ~보다 더 …하지 않은(가장 …한)

03 **The more** I learn, **the more** I realize how much I don't know. *Albert Einstein*
내가 더 많이 배울수록, 난 내가 얼마나 많이 모르는지 더 많이 깨달아.
- the 비교급(the more) ~, the 비교급(the more) …: 더 ~할수록 더 …하다
- realize + how절(how much(목적어) + 주어(I) + 동사(don't know)): how절(얼마나 ~인지)이 목적어(얼마나 ~인지 깨닫다).

01
imbalance 불균형
fatal 치명적인
ailment 질병
republic 공화국

02
loveliness 사랑스러움[어여쁨]
sunrise 해돋이

A **04** The sun is **the nearest** to the earth and **the most extensively** studied of all the stars in the universe.
태양은 우주의 모든 항성들 중에서 지구에 가장 가깝고 가장 광범위하게 연구돼.
- the 최상급(the nearest / the most extensively) + of 복수명사(of all the stars ~): ~ 중에서 가장 …한[하게]

05 Aggressive fighting for the right is **the noblest** sport the world affords. *Theodore Roosevelt*
옳은 것을 위한 적극적인 투쟁은 세상이 제공하는 가장 고귀한 운동이야.
- the 형용사 최상급(the noblest) + 명사(sport) + 관계절(주어(the world) + 동사(affords)): 관계절이 앞 〈형용사 최상급 + 명사〉 수식(~하는 가장 …한 것).

Know More 〈숨은 의미〉 정의를 위한 투쟁은 불의와 경쟁하는 고귀한 활동이라는 것.

06 **Nothing is so** firmly believed **as** what we least know. *Montaigne*
아무것도 우리가 가장 적게 아는 것만큼 확고히 믿어지지 않아.
- nothing … + as[so] 부사 ~ as + what절(what(목적어) + 주어(we) + 동사(least know)): 아무것도 what절(~인 것)만큼 …하지 않게(가장 …하게)

Know More 〈유머 코드〉 모를수록 더 의심해야 하는데 오히려 더 믿게 되는 어리석은 역설을 풍자한 것.

Up! **07** There is **no** witness **so** terrible and **no** accuser **so** powerful **as** conscience which dwells within us. *Sophocles*
우리 안에 사는 양심만큼 지독한 증인과 강력한 고발인은 없어.
- no … + as[so] 형용사 as ~: 아무것도 ~만큼 …하지 않은(가장 …한)
- 명사(conscience) + 관계절(which(주어) + 동사(dwells) ~): 관계절이 앞명사 수식.

04
extensively 널리[광범위하게]
star 별[항성]

05
aggressive 공격적인[적극적인]
noble 고귀한
sport 스포츠[운동]
afford 제공하다

06
firmly 확고히
least 가장 적게[덜]

07
witness 증인[목격자]
accuser 고소인[고발인]
conscience 양심
dwell 살다[거주하다]

B 08 Q: What's **the longest** word in the world?
A: "Smiles." There's a mile between the first and last letter.
Q: 세상에서 가장 긴 단어는 무엇일까? A: "Smiles.(미소들)" 첫 글자와 끝 글자 사이에 1마일이 있으니까.

- the 형용사 최상급(the longest) … + in 단수명사(in the world): ~에서 가장 …한

09 The practice of peace and reconciliation is **one of the most vital and artistic of human actions.** *Thich Nhat Hanh*
평화와 화해의 실천은 인간의 행동들 중에서 가장 필수적이고 예술적인 것들 중 하나야.

- one of + the 최상급(the most vital/artistic) + of 복수명사(of human actions): ~ 중에서 가장 …한 것들 중 하나

09
practice 실행[실천]
reconciliation 화해
vital 필수적인
artistic 예술적인

10 There is **no** scientific study **more vital** to man **than** the study of his own brain. *Francis Crick*
자신의 뇌에 대한 연구보다 인간에게 더 필수적인 과학 연구는 없어.

- no … + 형용사 비교급(more vital) + than ~: 아무것도 ~보다 더 …하지 않은(가장 …한)

11 **The greater** the obstacle, **the more** glory in overcoming it. *Moliere*
장애가 더 클수록, 그것을 극복하는 데 더 많은 영광이 있어.

- the 비교급(the greater) ~, the 비교급(the more) …: 더 ~할수록 더 …하다
- The greater the obstacle (is), the more glory (is) in ~: 동사 생략.

11
obstacle 장애(물)
glory 영광[영예]
overcome 극복하다

C 12 To an adolescent, there is **nothing** in the world **more embarrassing than** a parent. *Dave Barry*
청소년에게 부모보다 더 난처한 존재는 세상에 아무것도 없어.

- nothing … + 형용사 비교급(more embarrassing) + than ~: 아무것도 ~보다 더 …하지 않은(가장 …한)

Know More <숨은 의미> 급격한 변화를 겪는 청소년기는 자신에게도 낯설고 난감한데, 가장 가까운 존재인 부모님에게도 위안보다 오히려 가장 심한 불편함을 느끼게 된다는 것.

12
adolescent 청소년
embarrassing 난처한[쑥스러운]

13 People show their character in **nothing more clearly than** by what they think laughable. *Goethe*
사람들은 아무것에서도 그들이 웃긴다고 생각하는 것으로보다 더 분명히 자신들의 성격을 보여 주지 않아.

- nothing + 부사 비교급(more clearly) + than ~: 아무것도 ~보다 더 …하지 않게(가장 …하게)
- 전치사(by) + what절(what(목적어) + 주어(they) + 동사(think) + 목적보어(laughable)): what절(~인 것)이 전치사(by) 목적어.

Know More <숨은 의미> 사람의 유머 취향이 성격을 나타낸다는 것.

13
character 성격
laughable 웃기는

14 Human DNA is like a computer program, but **far more advanced than any** software we've ever created. *Bill Gates*
인간의 디엔에이는 컴퓨터 프로그램 같지만, 우리가 이제껏 만든 어떤 소프트웨어보다도 훨씬 더 진보된 거야.

- 형용사 비교급(more advanced) + than + any + 단수명사(software): 어떤 것보다도 더 ~한(가장 ~한)
- 명사(any software) + 관계절(주어(we) + 동사(have ever created)): 관계절이 앞명사 수식(관계사 생략).

14
far (비교급 강조) 훨씬
advanced 진보된
ever (비교급 강조) 이제껏

Up! 15 **The more restricted** our society and work become, **the more necessary** it will be to find some outlet for the craving for freedom. *Roger Bannister*
우리 사회와 일이 제약을 더 받게 될수록, 자유에의 갈망을 위한 배출구를 찾는 게 더 필요해질 거야.

- the 비교급(the more restricted) ~, the 비교급(the more necessary) …: 더 ~할수록 더 …하다
- the more necessary(보어) + it(형식주어) + be동사(will be) + to-v(to find ~): to-v(v하는 것)가 진주어.

Know More <숨은 의미> 현대 사회와 일에서 스트레스를 더 많이 받게 될수록, 이를 해소하기 위한 자유로운 취미 활동이 더 필요해질 거라는 것.

15
restricted 제한된[제약을 받는]
outlet 배출구
craving 갈망[열망]

본책 172~173쪽을 함께 펴놓고 보세요!

Unit 58
강조 구문

It is	부사어	that	주어	동사	부사어
It is	during our darkest moments	that	we	must focus	to see the light.

Standard Sentences

01 **It is** during our darkest moments **that** we must focus to see the light. *Aristotle*
우리가 빛을 보기 위해 집중해야 하는 때는 바로 우리의 가장 어두운 시기 동안이야.
- It + be동사 + 부사어(during our darkest moments) + that + 주어 + 동사 ...: …하는 것은 바로 ~이다(강조 초점이 부사어.)
- to-v(to see ~): v하기 위해(목적)

Know More 〈숨은 의미〉 가장 힘든 시기에 잘 준비해야 희망찬 미래를 맞이할 수 있다는 것.

01 focus 집중하다

02 Everyone can do simple things to make a difference, and every little bit really **does** count. *Stella McCartney*
모든 사람이 영향을 미칠 수 있는 간단한 일들을 할 수 있고, 모든 작은 부분도 정말로 중요해.
- do(es)(강조 조동사) + V(count): 문장(every little bit counts) 강조.(동사 count만을 강조하는 게 아니라, 모든 작은 부분은 중요하지 않다는 통념에 반해 정말 중요하다는 사실을 강조함.)

02 make a difference 영향을 미치다 / bit 조각(부분) / count 중요하다

03 **What a strange illusion it is** to suppose that beauty is goodness! *Tolstoy*
아름다움(美)이 선함(善)이라 생각하는 건 얼마나 이상한 환상인가!
- what + 명사(a strange illusion) + it(형식주어) + be동사(is) + to-v(to suppose ~)!: 감탄문으로, to-v(v하는 것)가 진주어. (what +)명사가 보어.
- suppose + that절(that + 주어(beauty) + 동사(is) ~): that절이 suppose의 목적어(~라고 생각하다).

Know More 〈숨은 의미〉 감각적인 아름다움과 도덕적인 선함은 별개의 것이라는 것.

03 illusion 환상 / suppose 생각하다 / goodness 선(량)함

A **04** **It is** the historian **who** decides to which facts to give the floor, and in what order or context. *E. H. Carr*
어떤 사실에 어떤 순서나 맥락으로 발언권을 줄지 결정하는 사람은 바로 역사가야.
- It + be동사 + 주어(the historian) + who(=that) + 동사 ...: …하는 사람은 바로 ~이다(강조 초점이 사람 주어.)
- decide + 전치사(to / in) + 의문사(which facts / what order ~) + to-v(to give ~): 〈전치사 + 의문사 + to-v〉가 decide의 목적어.

04 historian 역사가 / give the floor 발언권을 주다 / order 순서 / context 맥락

05 **It is** not the things I've done but those I did not do **that** I regret.
내가 후회하는 것은 내가 한 일들이 아니라 바로 내가 하지 않은 일들이야.
- It + be동사 + 목적어(not the things ~ but those ~) + that + 주어 + 동사: …하는 것은 바로 ~이다(목적어 강조.)
- not A(the things ~) but B(those ~): A가 아니라 B(A는 부정되고 B가 긍정됨.)
- 명사(the things / those) + 관계절(주어(I) + 동사(have done / did not do)): 관계절이 앞명사 수식(관계사 생략).

05 regret 후회하다

06 **It is** the passion that is in a kiss **that** gives to it its sweetness; **it is** the affection in a kiss **that** sanctifies it. *Christian Bovee*
키스에 달콤함을 주는 것은 바로 그 속에 있는 격정이고, 키스를 신성하게 하는 것은 바로 그 속에 있는 사랑이야.
- It + be동사 + 주어(the passion / the affection ~) + that + 동사(gives / sanctifies) ...: …하는 것은 바로 ~이다(주어 강조.)
- 명사(the passion) + 관계절(that(주어) + 동사(is) ~): 관계절이 앞명사 수식.

06 passion 격정(열정) / affection 애정(사랑) / sanctify 신성하게 하다

Up! **07** **It was** not until the late 20th century **that** intellectual property became commonplace in the world's legal systems.
지적 재산은 세계 법체계에서 20세기 말까지는 흔하게 되지 않았어[지적 재산은 세계 법체계에서 20세기 말에야 비로소 흔하게 되었어].
- It + be동사 + not + 부사어(until the late 20th century) + that + 주어 + 동사 ...: not + 부사어 강조(~까지는 … 않다[~에야 비로소 …하다]).

07 intellectual property 지적 재산 / commonplace 흔한 / legal 법률의

B **08** **It is** not because things are difficult **that** we do not dare; **it is** because we do not dare **that** things are difficult. *Seneca*
우리가 용기를 내지 못하는 것은 상황이 어렵기 때문이 아니라, 상황이 어려운 것은 바로 우리가 용기를 내지 못하기 때문이야.

- It + be동사 + (not) + 부사절(because ~) + that + 주어 + 동사 ...: …하는 것은 ~ 때문이다(때문이 아니다)(부사절 강조.)

08
dare 용기를 내다

Up! **09** **It is** only the farmer who faithfully plants seeds in the spring, **who** reaps a harvest in the autumn. *B. C. Forbes*
가을에 수확을 거두는 사람은 바로 봄에 충실히 씨를 심은 농부뿐이야.

- It + be동사 + 주어(only the farmer ~) + who(=that) + 동사(reaps) ...: …하는 사람은 바로 ~이다(사람 주어 강조.)
- 명사(the farmer) + 관계절(who(주어) + (faithfully) 동사(plants) ~): 관계절이 앞명사 수식.

09
faithfully 충실히
plant 심다
seed 씨(앗)
reap 거두다[수확하다]
harvest 수확(물)

10 **It is** books, poems and paintings **which** often give us the confidence to take seriously feelings in ourselves. *Alain de Botton*
우리에게 우리 자신 속의 감정들을 진지하게 받아들일 수 있는 자신감을 주는 것은 바로 책과 시와 그림들이야.

- It + be동사 + 주어(books ~) + which(=that) + 동사 ...: …하는 것은 바로 ~이다(사물 주어 강조.)
- 명사(the confidence) + to-v(to take ~): to-v가 뒤에서 앞 명사 수식.

Know More 〈숨은 의미〉 책이나 예술 작품들을 통해 그냥 지나칠 수도 있었을 감정들을 인식하게 된다는 것.

11 **What a wonderful thought it is** that some of the best days of our lives haven't even happened yet! *Anne Frank*
우리 생애 최고의 날들 중 일부는 아직 있지조차 않았다는 건 얼마나 멋진 생각인가!

- What + 명사(a wonderful thought) + it(형식주어) + be동사(is) + that절!: 감탄문으로, that절(~ 것)이 진주어. (what +)명사가 보어.

Know More 〈배경 지식〉 독일의 유대인 소녀 안네 프랑크가 나치의 지배 시기에 은신처에서 쓴 일기 중 한 문장.

C **12** The DNA in my blood vessels tells me **that it's** you I was looking all over for. *Song "DNA" by BTS*
내 혈관 속 디엔에이가 내게 말해 줘 내가 곳곳을 찾아 헤매던 건 바로 너라는 걸.

- it + be동사 + 목적어(you) + (that) + 주어 + 동사 ...: …하는 것은 바로 ~이다(that 생략, 목적어 강조.)

12
blood vessel 혈관
all over 곳곳에

13 How **is it that** you live, and what **is it that** you do? *William Wordsworth*
넌 사는 것은 도대체 어떻고, 네가 하는 것은 도대체 뭐니?

- how/what + is + it + that + 주어 + 동사 ...?: ~ 것은 도대체 어떻니/무엇이니?(의문사 how/what 강조.)

14 I was angry with my friend; I told **my wrath**, my wrath **did** end. I was angry with my foe; I told **it** not, my wrath **did** grow. *William Blake*
난 내 친구에게 화가 났는데, 난 노여움을 말했더니 내 노여움은 진짜 끝이 났어. 난 적에게 화가 났는데, 난 분노를 말하지 않았더니 내 분노는 진짜 자라났어.

- do(did)[강조 조동사] + V(end/grow): 문장(my wrath ended/grew) 강조(동사만을 강조하는 게 아니라, 노여움[분노]를 말한 친구에게는 그것이 끝났는데 말하지 않은 적에게는 자라났다는 대립된 사실을 강조).

Know More 〈배경 지식〉 상징적·예언적인 상상으로 신과 인간 존재의 신비로운 세계를 그린 영국 낭만주의 시인·화가인 윌리엄 블레이크의 시 《독 나무》(A Poison Tree)의 일부로, 분노의 치명적인 독성을 노래한 것

14
wrath 분노[노여움]
foe 적

15 The history of the world is **none other than** the progress of the consciousness of freedom. *Hegel*
세계 역사는 다름 아닌 바로 자유 의식의 진보야.

- none other than ~: 다름 아닌 바로 ~인

Know More 〈배경 지식〉 헤겔은 세계사를 '절대정신'(Absolute Idea)이 자유를 향해 나아가는 변증법적 발전 과정이라 정의했음.

15
progress 진보
consciousness 의식

본책 174~175쪽을 함께 펴놓고 보세요!

unit 59

부정/도치 구문

주어	동사
Not everything that can be counted	counts.

Standard Sentences

01 **Not everything** that can be counted counts, and **not everything** that counts can be counted. *William Cameron*
셀 수 있는 모든 것이 다 중요한 건 아니고, 중요한 모든 것이 다 셀 수 있는 건 아니야.

- not + every(thing) ~: 부분 부정(일부 부정, 일부 긍정.)(모두 ~한 것은 아니다)
- 대명사(everything) + 관계절(that(주어) + 동사(can be counted / counts)): 관계절이 앞대명사 수식.

Know More 〈숨은 의미〉 count의 이중 의미(세다/중요하다)를 이용한 대구로, 수량과 중요성의 세계는 별개로, 계량화될 수 없는 중요성도 있다는 것.

01
count 세다/중요하다

02 **Never was** a story of more woe than this of Juliet and her Romeo. *Shakespeare*
줄리엣과 그녀의 로미오의 이 이야기보다 더 비통한 이야기는 결코 없었어.

- 부정어(Never) + 동사(was) + (there) + 주어(a story ~): 부정어가 강조를 위해 문두에 오면, 동사가 앞으로 도치됨.
- this (story) of Juliet and her Romeo: 반복 어구 생략.

Know More 〈배경 지식〉 자연과 보편적 인간 본성을 탁월하게 통찰한 영국 국민 작가이자 세계 최고 극작가인 셰익스피어의 비극 《로미오와 줄리엣》의 에필로그에 나오는 내레이터의 마지막 말.

02
woe 비통

03 Time doesn't take away from **friendship**, **nor does** separation. *Tennessee Williams*
시간은 **우정**을 깎아내리지 않고, 헤어짐**도** 그래.

- 주어 + 동사(doesn't take away from) ~, nor + 대동사(does) + 주어(separation): ~도 그렇다[그렇지 않다]
- nor does separation = and separation doesn't take away from friendship, either

Know More 〈숨은 의미〉 극작가 테네시 윌리엄스의 말로, 시공을 초월하는 참된 우정은 오래 떨어져 있어도 변치 않는다는 것.

03
take away from 깎아내리다[폄하하다]
separation 헤어짐[분리]

A **04** A thing is **not necessarily** true because a man dies for it. *Oscar Wilde*
어떤 것이 어떤 사람이 그걸 위해 죽는다고 해서 반드시 진리인 건 아니야.

- not + necessarily ~: 반드시[꼭] ~한 것은 아니다(부분 부정: 일부 부정, 일부 긍정.)

Know More 〈숨은 의미〉 진리는 누구의 희생으로 증명되는 게 아니며, 허위와 환상으로 인한 잘못된 희생도 있을 수 있다는 것.

04
die 죽다

05 Economics does **not necessarily** have to be a zero-sum game; it can be a win-win proposition for everyone. *Ron Kind*
경제학은 반드시 제로섬 게임일 필요는 없고, 그것은 모두에게 유리한 제의가 될 수도 있어.

- not + necessarily ~: 반드시[꼭] ~한 것은 아니다(부분 부정: 일부 부정, 일부 긍정.)

Know More 〈배경 지식〉 제로섬 게임: 게임 이론에서 참가자 각각의 이득과 손실의 합이 제로가 되는 게임.

05
economics 경제학
zero-sum game 제로섬 게임
win-win 윈윈의[모두에게 유리한]
proposition 제의

Think **06** You **can't** live a perfect day **without** doing something for someone who will never be able to repay you. *John Wooden*
넌 네게 결코 보답할 수 없을 누군가를 위해 뭔가를 하지 않고는 **온전한 하루**를 살 수가 없어.

- (can)not ~ without + v-ing(doing ~): v하지 않고는 ~하지 않는다(할 수 없다)[v하면 ~한다(할 수 있다)]
- 대명사(someone) + 관계절(who(주어) + 동사(will never be able to repay) ~): 관계절이 앞대명사 수식.

Know More 〈숨은 의미〉 온전한 하루를 살려면 어떤 보상도 바라지 않고 남에게 도움을 베풀어야 한다는 것.

06
perfect 완벽한[온전한]
repay 갚다[보답하다]

Up! **07** **Blessed are** you who are hungry now, **for** you will be filled; **blessed are** you who weep now, **for** you will laugh. *Jesus* 지금 배고픈 넌 복 받은 건데, **왜냐면** 넌 배가 채워질 것이기 **때문이고**, 지금 우는 넌 복 받은 건데, **왜냐면** 넌 웃을 것이기 **때문이야**.

- 보어(Blessed) + be동사(are) + 주어(you ~): 보어가 문두로 나가고, 〈주어 + be동사〉가 〈be동사 + 주어〉로 도치됨.
- A(Blessed are you ~), for B(you will ~): A와 B가 for(이유: 왜냐면)로 대등 연결(B가 A의 판단 근거).
- 대명사(you) + 관계절(who(주어) + 동사(are / weep) ~): 관계절이 앞대명사 수식.

07
blessed 복 받은
weep 울다

B 08 **Not only does** God play dice, but he sometimes throws **them** where they cannot be seen. *Stephen Hawking*
신은 주사위 놀이를 할 뿐만 아니라, 때때로 그것들을 보이지 않는 곳에 던져.

- Not only + 조동사(does) + 주어(God) + 동사(play) ~, but + 주어 + 동사 ...: not only가 강조를 위해 문두에 오고, do(es)가 주어 앞에 왔음(~뿐만 아니라 …도).
- where + 주어(they) + 동사(cannot be seen): ~하는 곳에(장소 부사절)

Know More **<배경 지식>** 양자 역학의 무작위성(randomness)을 비판한 아인슈타인의 말("I cannot believe that God plays dice with the cosmos." 난 신이 우주로 주사위 놀이를 한다고 믿을 수 없어.)에 대응한 스티븐 호킹의 말로, 우주에 무작위성이 존재하고 인간은 이해할 수 없다는 것.

08
dice 주사위

09 **Only** through experience of trial and suffering **can** the soul be strengthened, ambition inspired, and success achieved. *Helen Keller*
오직 시련과 고통의 경험을 통해서만 정신은 강해질 수 있고, 야망은 불어넣어질 수 있고, 성공은 이루어질 수 있어.

- Only + 부사어(through experience ~) + 조동사(can) + 주어(the soul/ambition/success) + 동사(be strengthened/inspired/achieved): ⟨only + 부사어⟩가 강조를 위해 문두에 오고, 조동사(can)가 주어 앞으로 도치되었음.

09
trial 시련
suffering 고통
strengthen 강화하다
ambition 야망
inspire 불어넣다

10 **Somewhere inside of all of us is** the power to change the world. *Roald Dahl*
우리 모두의 내면 어딘가에 세상을 바꾸는 힘이 있어.

- 장소 부사어(Somewhere ~) + be동사(is) + 주어(the power ~): 장소 부사구가 문두에 오고, ⟨be동사 + 주어⟩로 도치됨.
- 명사(the power) + to-v(to change ~): to-v(v하는)가 뒤에서 앞 명사 수식.

11 Confidence is contagious, **and so is** lack of confidence. *Vince Lombardi*
자신감은 전염성이 있고, 자신감 부족도 그래.

- 주어(confidence) + be동사(is) ~, and so + be동사(is) + 주어(lack of confidence): ~도 그렇다
- so is lack of confidence = lack of confidence is contagious, too

11
confidence 자신감
contagious 전염성의
lack 부족[결핍]

C 12 **Nothing** is **impossible**: the word itself says "I'm possible"! *Audrey Hepburn*
아무것도 불가능하지 않아. 그 단어(impossible) 자체가 '난 가능해'(I'm possible)라고 말하잖아!

- 부정어(nothing) + 부정어(impossible) = 긍정(everything is possible)

12
impossible 불가능한

13 **No** industry or country can reach its full potential **until** women reach their full potential. *Sheryl Sandberg*
어떤 산업이나 국가도 여성들이 자신들의 최대 잠재력에 이를 때까지는 그것의 최대 잠재력에 이를 수 없어[어떤 산업이나 국가도 여성들이 자신들의 최대 잠재력에 이르러서야 비로소 그것의 최대 잠재력에 이를 수 있어].

- no … until ~: ~까지는 … 않다[~해서야 비로소 …하다]

13
potential 잠재력

14 Changes and progress very **rarely** are gifts from above; they come out of struggles from below. *Noam Chomsky*
변화와 진보는 아주 드물게 위로부터의 선물이고, 그것들은 아래로부터의 투쟁에서 생겨나.

- rarely: 드물게[좀처럼 ~ 않는](부정어)

14
progress 진보
struggle 투쟁

15 Rome was not built in a day, **and neither will** peace and democratic development be achieved in a short period of time. *Reiss-Andersen*
로마는 하루 만에 건설되지 않았고, 평화와 민주주의의 발전도 단기간에 이루어지지 않을 거야.

- 주어 + 동사(was **not** built) ~, and **neither** + 조동사(will) + 주어(peace ~) + 동사(be achieved) ~: ~도 그렇지 않다
- neither will peace ~ be achieved = peace ~ will not be achieved, either

15
democratic 민주주의의
achieve 이루다[성취하다]
period 기간

본책 176~177쪽을 함께 펴놓고 보세요!

unit 60

수 일치 & 시제 조정

주어	동사	보어
Every species	is	a masterpiece adapted to the particular environment.

수일치 (Every species — is)

Standard Sentences

01 **Every species is** a masterpiece adapted to the particular environment in which it has survived. *E. O. Wilson* 모든 종은 그것이 살아남은 특정 환경에 적응된 걸작이야.

- 단수 주어(every + 단수명사(species)) + 단수형 동사(is): species는 단수/복수 같은 꼴인데, 여기선 단수형.
- 명사(a masterpiece) + v-ed분사(adapted ~): v-ed분사(v된)가 뒤에서 앞 명사 수식.
- 명사(the particular environment) + 관계절(in which + 주어(it) + 동사(has survived)): 관계절이 앞명사 수식.

01
masterpiece 걸작[명작]
adapt to ~에 적응하다
particular 특정한

02 Even though **a number of people have** tried, no one has yet solved the problem. 비록 여러 사람들이 시도했지만, 아무도 그 문제를 아직 풀지 못했어.

- even though + 주어(a number of people) + 동사(have tried): 비록 ~지만
- 복수 주어(a number of(여러) + 복수명사(people)) + 복수형 동사(have)
 〈비교〉 the number(수) of ~ + 단수형 동사

02
a number of 여러
solve 풀다

03 When Adam said a good thing, he **knew** nobody **had said** it before. *Mark Twain*
아담이 좋은 생각을 말했을 때, 그는 아무도 전에 그것을 말한 적이 없었다는 걸 알았어.

- 주어(he) + **v-ed**(knew) + that절((that) + 주어(nobody) + **had v-ed분사**(had said) ~): 주절 동사(과거) + that절 동사(현재완료 → 과거완료)

Know More 〈유머 코드〉 최초의 인간 아담이 그 어떤 생각을 말해도 다 최초였다는 것.

A

04 **Neither you nor the world knows** what you can do until you have tried.
너도 세상도 네가 시도했을 때까지는 네가 무엇을 할 수 있는지 알지 못해[너도 세상도 네가 시도했어야 비로소 네가 무엇을 할 수 있는지 알아]. *Ralph Emerson*

- neither A(you) nor B(the world)(A도 B도 아닌) + B와 일치 동사(knows)/복수형 동사(know) 둘 다 가능.
- know + what절(what(목적어) + 주어(you) + 동사(can do)): what절(무엇 ~인지)이 목적어.

05 I **believed** that I **was** on the right track, but that **did not mean** that I **would** necessarily reach my goal. *Andrew Wiles*
난 내가 올바른 방향으로 나아가고 있다고 믿었지만, 그것이 내가 반드시 목표에 도달할 거라는 걸 의미하지는 않았어.

- 주어(I) + **v-ed**(believed) + that절(that + 주어(I) + **was** ~): 주절 동사(과거) + that절 동사(현재 → 과거)
- 주어(that) + **v-ed**(did not mean) + that절(that + 주어(I) + **would** ~): 주절 동사(과거) + that절 동사(현재 → 과거)

Know More 〈배경 지식〉 약 350년 동안 풀 수 없었던 수학계의 유명 난제인 '페르마의 마지막 정리'를 7년에 걸쳐 완벽히 증명해 낸 수학자 앤드루 와일스의 말로, 올바른 방향으로의 전진이 목표 달성을 보장해 주는 건 아니라는 것.

05
on the right track 올바른 방향으로 나아가는

06 Louise Erdrich **said** that Columbus **didn't discover** America, but only **discovered** that he **was** in some new place. 루이스 어드리크는 콜럼버스가 아메리카를 발견한 게 아니라, 그저 자신이 어떤 새로운 곳에 있다는 걸 알게 되었을 뿐이라고 말했어.

- 주어 + **v-ed**(said) + that절(that + 주어 + **v-ed**(didn't discover/discovered) ~): 주절 동사(과거) + that절 동사(역사적 사실 과거 → 그냥 과거)
- 주어 + **v-ed**(discovered) + that절(that + 주어 + **was** ~): 주절 동사(과거) + that절 동사(현재 → 과거)

Know More 〈배경 지식〉 북미 원주민(Native American[American Indian])의 삶을 다루는 소설·시·동화 작가의 말로, 콜럼버스가 원주민들이 이미 살고 있던 아메리카를 발견한 게 아니라, 그냥 자신이 모르던 곳에 온 걸 알게 됐을 뿐이라는 것.

06
discover 발견하다/알게 되다

07 One third of the world's **population consumes** two thirds of the world's resources. 세계 인구의 3분의 1이 세계 자원의 3분의 2를 소비해.

- population(one third of + the world's population) + 단수/복수형 동사(consumes/consume): population은 단수/복수형 동사 둘 다 가능.

07
consume 소비하다
resource 자원

B **08** In civilized communities, **property as well as personal rights is** an essential object of the laws. *James Madison*
문명사회에서 개인의 권리들뿐만 아니라 재산도 법의 필수 대상이야.

- A(property) + as well as + B(personal rights) + A와 일치 동사(is): B뿐만 아니라 A도

08
civilized 문명화된
property 재산

Up! **09** The hottest **places** in hell **are** reserved for **those** who, in times of great moral crisis, **maintain** their neutrality. *John F. Kennedy*
지옥의 가장 뜨거운 자리는 큰 도덕적 위기의 시기에 중립을 지킨 사람들에게 예약되어 있어.

- 복수 주어(the hottest places in hell) + 복수형 동사(are)
- 복수명사(those) + who ~ + 복수형 동사(maintain)

Know More **<배경 지식>** 단테의 저승(지옥-연옥-천국) 여행 서사시 《신곡》(Divine Comedy)에 나온다고 미국 대통령 케네디가 인용한 말로, 실제 《신곡》에는 치욕도 명예도 없이 자신의 이익만을 좇아 산 영혼들이 지옥 초입에서 고통받는 걸로 그려짐.

09
reserve 예약하다
moral 도덕의
crisis 위기
maintain 유지하다[지키다]
neutrality 중립

10 **Many a man curses** the **rain** that **falls** upon his head, and **knows** not that it brings abundance to drive away the hunger. *Saint Basil*
많은 사람들이 자신의 머리 위로 떨어지는 비를 욕하면서, 그것이 기아를 몰아내는 풍요를 가져온다는 걸 알지 못해.

- many a + 단수명사(man) + 단수형 동사(curses / knows)
- 단수명사(the rain) + 관계절(that(주어) + 단수형 동사(falls) ~): 관계절이 앞명사 수식.
- 명사(abundance) + to-v(to drive away ~): to-v가 뒤에서 앞 명사 수식.

10
curse 욕하다
abundance 풍부[풍요]
drive away 몰아내다

11 People **thought** that if matter **disappeared** from the universe, space and time **would remain**; relativity **declares** that space and time **would disappear** with matter. *Albert Einstein*
사람들은 만약 물질이 우주에서 사라지더라도 공간과 시간은 남을 거라 생각했는데, 상대성 이론은 공간과 시간이 물질과 함께 사라질 거라고 선언해.

- 주어 + **v-ed**(thought) + that절(that + if + 주어 + **v-ed**(disappeared) ~, 주어 + **would** + **V**(remain)): 주절 동사(과거) + that절 가정표현 동사(if + 주어 + v-ed, 주어 + would V: 가정표현은 주절의 시제에 영향을 받지 않음.)

11
disappear 사라지다
relativity 상대성 이론
declare 선언하다

C **12** **Statistics is** the only **science** that **enables** different experts using the same figures to draw different conclusions. *Evan Esar*
통계학은 같은 수치를 사용하는 다른 전문가들이 다른 결론을 낼 수 있게 하는 유일한 과학이야.

- 학문 이름(statistics) + 단수형 동사(is)
- 단수명사(the only science) + 관계절(that(주어) + 단수형 동사(enables) ~)
- enable + 목적어(different experts ~) + to-v(to draw ~): ~가 v할 수 있게 하다
- 명사(different experts) + v-ing(using ~): v-ing가 뒤에서 앞 명사 수식.

Know More **<유머 코드>** 같은 통계 수치가 다른 결론을 내는 데 이용될 수 있다는 사실을 꼬집은 말로, 통계 분석에서 판단[평가](judgment)가 중요하다는 의미도 담고 있는 것.

12
statistics 통계(학)
expert 전문가
figure 수치
draw a conclusion 결론을 내다

13 **Most of past climate changes are** attributed to very small **variations** in Earth's orbit that **change** the amount of solar energy our planet receives.
대부분의 과거 기후 변화는 지구가 받는 태양 에너지의 양을 변화시키는 지구 궤도의 매우 작은 변화들의 결과로 봐.

- 복수 주어(most of + 복수명사(past climate changes)) + 복수형 동사(are)
- 복수명사(very small variations ~) + 관계절(that(주어) + 복수형 동사(change) ~): 관계절이 앞명사 수식.

13
attribute 결과로 보다
variation 변화
orbit 궤도

14 I thought that the most powerful weapon in the world **was** the bomb, but I've learned that it **is** not the bomb but the truth. *Andrei Sakharov*
난 세상에서 가장 강력한 무기가 핵폭탄이라고 생각했지만, 그것은 핵폭탄이 아니라 진실이라는 걸 알게 되었어.

- 주어 + **v-ed**(thought) + that절(that + 주어 + **was** ~): 주절 동사(과거) + that절 동사(현재 → 과거)
- 주어 + **have v-ed**분사(have learned) + that절(that + 주어 + **is** ~): 주절 동사(현재완료) + that절 동사(현재)

Know More **<배경 지식>** 구소련의 원자·수소 폭탄 제조에 참여했다가 나중에 반핵·인권 운동가가 된 안드레이 사하로프의 말.

14
weapon 무기
bomb (핵)폭탄

15 The great **extinction** that wiped out all of the dinosaurs **was** one of the outstanding events in the history of life on Earth.
모든 공룡을 완전히 없애 버린 거대한 멸종은 지구 생명체의 역사에서 가장 두드러진 사건들 중 하나였어.

- 단수명사(the great extinction) + 관계절(that(주어) + 동사(wiped out) ~) + 단수형 동사(was)

15
extinction 멸종
wipe out 완전히 없애 버리다
outstanding 두드러진

A

01 I care not so much what I am to others as what I am to myself. *Montaigne*
난 내가 다른 사람들에게 무엇인지보다는 나 자신에게 무엇인지에 관심을 가져.
- care + what절(what(보어) + 주어(I) + 동사(am) ~): what절(무엇 ~인지)이 목적어(무엇인지에 관심을 가지다).
- not so much A as B: A라기보다는 B

01 care 관심을 가지다

Up! **02** Nature's imagination is so much greater than man's that she's never going to let us relax. *Richard Feynman*
자연의 상상력은 인간의 상상력보다 너무 훨씬 더 커서 자연은 결코 우리를 편히 쉬게 하지 않을 거야.
- 주어(nature's imagination) + be동사 + much greater + than man's (imagination): ~보다 훨씬 더 …하다
- so ~ that + 주어 + 동사 ...: 너무 ~해서 …하다

Know More 〈숨은 의미〉 물리학자 리처드 파인만의 말로, 자연의 무궁무진한 신비가 인간의 상상력을 끊임없이 자극한다는 것.

02 relax 편히 쉬다

03 Nothing is so embarrassing as watching someone do something that you said couldn't be done. *Sam Ewing*
아무것도 누군가가 네가 될 수 없다고 말한 뭔가를 하는 걸 보는 것만큼 창피한 건 없어.
- nothing … as[so] 형용사 as ~: 아무것도 ~만큼 …하지 않은(가장 …한)
- watch + 목적어(someone) + V(do ~): ~가 v하는 것을 보다
- 대명사(something) + 관계절(that(주어) + (you said) + 동사(couldn't be done)): 관계절이 앞대명사 수식.

Know More 〈유머 코드〉 자신이 불가능하다 말한 걸 남이 해내면 가장 쪽팔린다는 것.

03 embarrassing 쑥스러운[창피한]

04 The more we understand life and nature, the less we look for supernatural causes. *Jawaharlal Nehru*
우리가 삶과 자연을 더 많이 이해할수록, 우리는 초자연적인 원인을 덜 찾게 돼.
- the 비교급(the more) ~, the 비교급(the less) …: 더 ~할수록 더 …하다

04 supernatural 초자연적인 / cause 원인

05 It is not the biggest, the brightest or the best that will survive, but those who adapt the quickest. *Charles Darwin*
살아남게 될 이들은 가장 크거나 가장 똑똑하거나 가장 훌륭한 이들이 아니라, 바로 가장 빨리 적응하는 사람들이야.
- It + be동사 + 주어 + that + 동사(will survive): …하는 사람은 바로 ~이다(주어 강조.)
- not A but B: A가 아니라 B
- those + 관계절(who(주어) + 동사(adapt) ~): ~하는 사람들

05 bright 똑똑한 / survive 살아남다 / adapt 적응하다

06 You cannot get through a single day without having an impact on the world around you. *Jane Goodall*
넌 네 주위 세상에 영향을 주지 않고는 단 하루도 살아 나갈 수 없어.
- (can)not ~ without + v-ing(having ~): v하지 않고는 ~하지 않는다(할 수 없다)

Know More 〈숨은 의미〉 살면서 환경에 영향을 받을 뿐만 아니라 긍정적이든 부정적이든 영향을 줄 수밖에 없다는 것.

06 get through 살아 나가다 / have an impact on ~에 영향을 주다

07 Neither you nor I nor Einstein is brilliant enough to reach an intelligent decision on any problem without first getting the facts. *Dale Carnegie*
너도 나도 아인슈타인도 우선 사실들을 얻지 않고는 어떤 문제에 대해서도 현명한 결정을 내릴 만큼 뛰어나진 않아.
- neither A(you) nor B(I) nor C(Einstein)(A도 B도 C도 아닌) + C와 일치 동사(is)/복수형 동사(are) 둘 다 가능.

07 brilliant 뛰어난 / intelligent 총명한[현명한]

B

08 It is neither wealth nor splendor, but tranquility and occupation which give happiness. *Thomas Jefferson* 행복을 주는 것은 부도 화려함도 아니라, 바로 평온함과 일이야.
- It + be동사 + 주어 + which(=that) + 동사(give) ...: …하는 것은 바로 ~이다(사물 주어 강조.)
- neither A(wealth) nor B(splendor), but C(tranquility and occupation): A도 B도 아닌 C

08 splendor 화려함[장관] / tranquility 평온 / occupation 직업[일]

09 I found that almost everyone had something interesting to contribute to my education. *Eleanor Roosevelt*
난 거의 모든 사람이 나의 교육에 기여할 수 있는 재밌는 뭔가를 갖고 있다는 걸 알게 되었어.
- 주어 + v-ed(found) + that절(that + 주어 + v-ed(had) ~): 주절 동사(과거) + that절 동사(현재 → 과거)
- something + 형용사(interesting) + to-v(to contribute ~): 형용사/to-v가 뒤에서 something 수식.

09 contribute to ~에 기여하다

10 People who think they know everything are a great annoyance to those of us who do. *Isaac Asimov*
자기들이 모든 걸 안다고 생각하는 사람들은 모든 걸 아는 우리 같은 사람들에게는 왕짜증이야.
- 명사(people) + 관계절(who(주어) + 동사(think) + that절((that) they know ~)) + 동사(are) ~: 〈명사 + 관계절〉이 주어.
- 대명사(those of us) + 관계절(who(주어) + 대동사(do = know everything)): 관계절이 앞대명사 수식.

Know More 〈유머 코드〉 내가 진짜 모든 걸 안다는 게 아니라, 아는 체하는 이들을 신랄히 풍자한 것. 알면 알수록 모르는 게 더 많아지는 법, 겸손!

10 annoyance 짜증

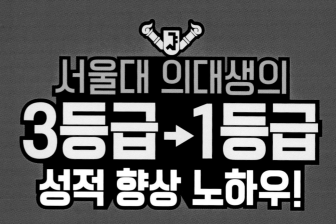

마·법·같·은·블·록·구·문 컬러와 블록으로 완성하는 마법의 영어 문장

대표전화 1544-0554
주소 서울특별시 구로구 디지털로33길 48 대륭포스트타워 7차 20층